DE WREDE HAND

Van Val McDermid zijn verschenen:

De sirene*
Het profiel*
De terechtstelling*
De wraakoefening*
De laatste verzoeking*
De verre echo*
De kwelling*
Zeemansgraf
Misdaadkoning
De wrede hand

Kate Brannigan thrillers:

Doodslag
Valstrik
Klopjacht
Kunstgreep
Wildgroei
Schrikbeeld

*In POEMA-POCKET verschenen

VAL McDERMID

DE WREDE HAND

SIJTHOFF

Oorspronkelijke titel: *Beneath the Bleeding*
Vertaling: Annemieke Oltheten
Omslagontwerp: Wouter van der Struys/Twizter.nl
Omslagfotografie: Karl Gough/Trevillion Images & Getty Images

ISBN 978 90 218 0136 0
NUR 332

www.boekenwereld.com

Dit boek is voor de bruiloftsgasten.
Mede dankzij hen was het een onvergetelijke dag.

Beneath the bleeding hands we feel
The sharp compassion of the healer's art
T.S. Eliot *Four Quartets*: 'East Coker'

VRIJDAG

De schijngestalten van de maan hebben een mysterieuze maar onomkeerbare uitwerking op geesteszieken. Dat kun je aan elke psychiatrische verpleger vragen, want voor hen is dat een algemeen erkend feit. Je zult onder hen niemand aantreffen die vrijwillig overwerk wil doen rond de tijd dat het volle maan wordt. Of ze moeten dringend geld nodig hebben. Het is ook een feit waar gedragswetenschappers onrustig van worden; je kunt het niet aan een gewelddadige jeugd wijten of aan een onvermogen om sociale contacten te leggen. Het is een patroon dat van buitenaf wordt bepaald, waar geen behandeling voor is. Het beïnvloedt het verloop van eb en vloed en het verstoort het toch al niet normale levensritme van geesteszieken op een drastische manier.

De interne dynamiek van de gesloten inrichting Bradfield Moor was uiteraard ook gevoelig voor de onderstroom van de volle maan. Volgens enkele personeelsleden was Bradfield Moor een opslagplaats voor diegenen die in hun krankzinnigheid een gevaar voor de samenleving vormden; anderen vonden het meer een veilige haven voor geesten die te fragiel waren om de harde realiteit van het leven aan te kunnen; en dan waren er ook nog enkelen die meenden dat het een tijdelijk toevluchtsoord was dat hoop bood op een terugkeer naar een enigszins normaal leven. Het was niet zo verwonderlijk dat de derde groep ver in de minderheid was en hardgrondig werd vervloekt door de andere twee.

Die nacht was de maan niet alleen vol, maar ook onderhevig aan een gedeeltelijke verduistering. Toen de aarde tussen maan en zon schoof, veranderden de melkachtige schaduwen op het maanoppervlak geleidelijk van vaalgeel in donkeroranje. Voor het merendeel van de mensen die de verduistering gadesloegen, bezat het een geheimzinnige schoonheid die ontzag en bewondering opriep. Voor Lloyd Allen, een van de patiënten van Bradfield Moor die wat minder stevig in zijn schoenen stond, leverde het een onomstotelijk bewijs dat het einde van de wereld nabij was, en dat het daarom nu zijn plicht was om een maximale hoeveelheid mensen naar zijn schepper te brengen. Hij was in de inrichting opgenomen voordat hij zo veel mogelijk lichamen had kunnen laten leegbloeden, zodat de zielen van de eigenaren gemakkelijker ten hemel zouden opstijgen bij de ophanden zijnde wederkomst van de Heer. Zijn missie brandde des te sterker in hem, juist omdat er een stokje voor was gestoken.

Lloyd Allen was geen domme man, en dat maakte de taak van zijn bewakers des te moeilijker. De psychiatrische verplegers hadden veel ervaring met alledaags doortrapt gedrag en ze vonden het vrij gemakkelijk om dat, waar nodig, in andere banen te leiden. Het was veel moeilijker om de intriges in de gaten te hebben van diegenen die weliswaar gestoord waren, maar ook slim. De afgelopen tijd had Allen een methode uitgedacht om zijn medicijnen niet in te nemen. De meer ervaren verplegers hadden dat soort trucjes wel in de gaten, maar degenen die nog niet zo lang gediplomeerd waren, zoals Khalid Khan, beschikten nog niet over de nodige uitgekooktheid.

Op de avond van de volle maan was het Allen gelukt om de twee laatste doses van de chemische troep die Khan naar eigen veronderstelling wel had toegediend, niet in te nemen. Tegen de tijd dat de verduistering zichtbaar begon te worden, zat het hoofd van Allen vol met een laag gonzende mantra. 'Breng ze naar me toe, breng ze naar me toe, breng ze naar me toe,' weerklonk het voortdurend in zijn hoofd. Vanuit zijn kamer kon hij een hoekje van de maan zien, de voorspelde zee van bloed verduisterde haar gezicht. Het was tijd. Het was nu echt tijd. Geagiteerd balde hij zijn vuisten en hij bewoog zijn onderarmen op en neer met de schokkerige bewegingen van een krankzinnige bokser die zijn dekking in stelling brengt en dan weer laat zakken.

Hij draaide zich om naar de deur en strompelde er met houterige bewegingen naartoe. Hij moest de kamer uit om zijn opdracht te kunnen uitvoeren. De verpleger kon ieder moment terugkomen met de laatste medicijnen voor de nacht. Dan zou God hem de kracht geven die hij nodig had. God zou ervoor zorgen dat hij zijn kamer uit kwam. God zou hem de weg wijzen. God wist wat hem te doen stond. Hij zou ze naar Hem toe brengen. De tijd was er rijp voor, de maan zat barstensvol bloed. De tekenen werden zichtbaar en hij had een opdracht te vervullen. Hij was uitverkoren. Voor de zondaars was hij de weg naar het heil. Hij zou ze naar God brengen.

Een bundeltje licht viel op een klein stukje van het bovenblad van een armoedig standaardbureau. Een dossier lag open, een hand die een pen vasthield lag aan een kant van de bladzijde. Op de achtergrond klonk het klagende geluid van Moby, die naar de spinnen verlangde. De cd was een cadeautje geweest. Dr. Tony Hill zou die muziek nooit voor zichzelf hebben uitgekozen. Maar op de een of andere manier was het een wezenlijk onderdeel geworden van het ritueel van de avonden waarop hij langer door bleef werken.

Tony begon in zijn ogen te wrijven die zanderig aanvoelden, en daarbij vergat hij dat hij een nieuwe leesbril op had. 'Au!' riep hij, toen de neusstukjes zich in zijn vlees boorden. Zijn pink bleef achter de rand van zijn montuurloze bril haken, waardoor die van zijn gezicht af vloog en op het dossier neerkwam dat hij had zitten bestuderen. Hij zag in gedachten de geamuseerde blik op het gezicht van hoofdinspecteur Carol Jordan, de goede geefster van Moby. Zijn verstrooide onhandigheid was iets waar ze al heel lang grappen over maakte.

Het enige waar ze hem niet mee kon plagen of bespotten was dat hij op vrijdagavond om halfnegen nog achter zijn bureau zat. Niet kunnen ophouden met werken totdat al het mogelijke was afgehandeld, daar had zijzelf ook een handje van. Als ze in de buurt was geweest, zou ze hebben begrepen waarom hij hier nog steeds de conclusie aan het bijschaven was die hij met zoveel zorg had samengesteld voor de commissie voor voorwaardelijke vrijlating. Een conclusie die ze luchthartig hadden genegeerd toen ze Bernard Sharples hadden overgedragen aan de zorgen van de reclassering. Hij vormde niet langer een gevaar voor de samenleving, had zijn advocaat hun verzekerd. Een modelgevangene die had meegewerkt aan alles wat de autoriteiten van hem hadden gevraagd. Een toonbeeld van oprecht berouw.

Nou, natuurlijk was Bernard Sharples een modelgevangene geweest, dacht Tony verbitterd. Het was niet moeilijk om je keurig te gedragen als datgene waar je naar hunkert zo ver buiten je bereik ligt dat zelfs de meest bezeten fantast slechts met heel veel moeite iets kan bedenken dat in de verste verte op verleiding lijkt. Sharples zou opnieuw de fout in gaan, dat kon niet missen. En dan zou het gedeeltelijk zijn schuld zijn, omdat hij niet overtuigend genoeg was geweest.

Hij zette zijn bril weer op en streepte met zijn pen een paar alinea's aan. Hij had zijn standpunt met meer overtuiging naar voren moeten brengen. Hij had een ijzersterk betoog op moeten bouwen waarin de verdediging geen barstjes had kunnen vinden waar je doorheen kon glippen. Hij had moeten beweren dat het onomstotelijk vaststond dat Sharples weer in zijn oude fout zou vervallen, hoewel hij wist dat het een vermoeden was, gebaseerd op jarenlange ervaring met veelplegers, en ook op zijn intuïtie die tijdens zijn gesprekken met Sharples steeds weer die ondertoon had gehoord. Maar er was geen plaats voor grijstinten in de zwart-witwereld van de commissie voor voorwaardelijke vrijlating. Tony moest klaarblijkelijk nog leren dat eerlijkheid niet altijd het langst duurde in het strafrecht.

Hij trok een blokje met geeltjes naar zich toe, maar voordat hij er iets op kon krabbelen, drong er een geluid van buiten zijn kantoor binnen. Over het algemeen werd hij niet gestoord door de diverse soorten geluid die deel uitmaakten van de achtergrondmuziek in Bradfield Moor; het was overal verrassend geluiddicht en bovendien speelden de ergste paniekaanvallen zich meestal af op grote afstand van de werkplekken van de hoogopgeleide medewerkers met een zekere status.

Meer lawaai. Het klonk als een voetbalwedstrijd of een rel tussen fundamentalisten. Meer dan hij redelijkerwijs kon negeren. Met een zucht stond Tony op en terwijl hij naar de deur liep, gooide hij zijn bril achteloos op het bureau. Hij was eigenlijk blij dat hij even iets anders kon doen.

Slechts weinig mensen beschouwden een baan in Bradfield Moor als een droom die was uitgekomen, maar voor Jerzy Golabeck, die was opgegroeid in Plock, betekende het meer dan hij ooit voor mogelijk had gehouden. In Plock had het leven stilgestaan sinds de Poolse koningen er in 1138 hun biezen hadden gepakt. Tegenwoordig kon je alleen nog maar een baan vinden in de olieraffinaderijen waar het loon armzalig was en iedereen leed aan een beroepsziekte. Jerzy's horizon had zich op een spectaculaire manier verbreed toen Polen tot de Europese Unie was toegetreden. Hij was een van de eersten geweest die een goedkope vlucht had genomen van Krakow naar het vliegveld van Leeds/Bradford, vol hoop op een nieuw leven. Naar zijn maatstaven was het minimumloon een vorstelijk salaris. En het werken met de patiënten in Bradfield Moor leek wel wat op de verzorging van een seniele grootvader die dacht dat Lech Walesa misschien nog wel eens belangrijk zou worden.

Dus had Jerzy de waarheid een klein beetje geweld aangedaan en had hij een ervaringsniveau in het omgaan met geesteszieken verzonnen dat weinig tot niets te maken had met zijn verleden als lopendebandwerker in een augurkenfabriek. Tot dusver had er nog geen haan naar gekraaid. Het verplegend personeel en de oppassers moesten er gewoon voor zorgen dat de patiënten in het gareel bleven. Ze dienden medicijnen toe en ruimden de troep op. Pogingen te genezen of de kwaal te verminderen werden overgelaten aan artsen, psychiaters, therapeuten met diverse oriëntaties en aan klinisch psychologen. Kennelijk werd van Jerzy alleen maar verwacht dat hij op tijd kwam en dat hij de fysieke onaangenaamheden die zich tijdens zijn werktijd altijd wel voordeden, niet uit de weg ging. En daar draaide hij zijn hand niet voor om.

Al doende had hij een scherp oog gekregen voor de dingen in zijn omgeving. En daar was hij zelf nog wel het meest verbaasd over. Maar het viel niet te ontkennen dat Jerzy feilloos leek aan te voelen wanneer patiënten afweken van de toestand van evenwicht waardoor Bradfield Moor kon functioneren. Hij was een van de weinige werknemers in het ziekenhuis die überhaupt zouden hebben gemerkt dat er iets aan de hand was met Lloyd Allen. Het probleem was alleen dat hij onderhand zoveel zelfvertrouwen had opgebouwd dat hij geloofde dat hij het wel alleen aankon. Hij was niet de eerste vierentwintigjarige die dacht dat hij alles alleen aankon. Maar wel een van de weinigen die dat met hun leven moesten bekopen.

Zodra hij de kamer van Lloyd Allen binnenkwam, gingen alle haren op Jerzy's arm overeind staan. Allen stond midden in de kleine ruimte, zijn brede schouders gespannen. Aan zijn schichtige blik kon Jerzy zien dat ofwel de medicatie plotseling en spectaculair haar uitwerking had gemist of dat Allen die helemaal niet had ingenomen. Hoe het ook zij, Allen was kennelijk alleen geïnteresseerd in de stemmen in zijn eigen hoofd. 'Tijd voor je pillen, Lloyd,' zei Jerzy. Hij hield zijn stem opzettelijk nonchalant.

'Nee, niet waar.' De stem van Allen was een verwrongen grom. Hij verhief zich een beetje op de ballen van zijn voeten en liet zijn handen over elkaar heen glijden alsof hij ze aan het wassen was. De spieren van zijn onderarmen dansten en trilden.

'Je weet dat je niet zonder kunt.'

Allen schudde zijn hoofd.

Jerzy deed hetzelfde. 'Als je je pillen niet neemt, moet ik dat rapporteren. Dan gebeuren er vervelende dingen, Lloyd. En dat willen we niet, hè?'

Allen stortte zich op Jerzy. Zijn rechterelleboog raakte hem onder zijn borstbeen en deed hem naar adem snakken. Terwijl Jerzy dubbel sloeg, kokhalzend om lucht te krijgen, duwde Allen hem opzij, sloeg hem tegen de grond en rende naar de deur. In de deuropening bleef Allen plotseling staan en draaide zich met een ruk om. Jerzy probeerde er nietig en ongevaarlijk uit te zien, maar Allen kwam toch op hem af. Hij tilde zijn voet op en gaf Jerzy zo'n harde trap in de maagstreek dat zijn longen in een duizelingwekkende pijnexplosie leegstroomden. Terwijl Jerzy naar zijn buik greep, stak Allen rustig zijn hand uit en rukte zijn pasje van de clip aan zijn ceintuur. 'Ik moet ze naar Hem toe brengen,' gromde hij en hij liep weer naar de deur.

Jerzy kon alleen nog maar krampachtig kreunen, de enige manier om nog wat zuurstof binnen te krijgen. Maar zijn hersens deden het nog wel. Hij wist dat hij bij het noodalarm in de hal moest zien te komen. Gewapend met Jerzy's sleutel had Allen vrije toegang tot praktisch het hele ziekenhuis. Hij kon de kamers van andere patiënten openmaken. Hij zou binnen de kortste keren genoeg medepatiënten kunnen bevrijden om het personeel dat dienst had op dit tijdstip van de avond, in aantal te overtreffen.

Hoestend en kokhalzend, met speekseldraden aan zijn kin, dwong Jerzy zichzelf om op zijn knieën te gaan zitten en wat dichter naar het bed toe te kruipen. Hij greep zich vast aan de bedrand en wist met moeite overeind te komen. Met zijn armen om zijn buik geslagen strompelde hij de hal in. Hij zag hoe Allen in de verte stond te worstelen met het pasje. Die moest hij door het sensorkastje naast de deur schuiven om toegang te krijgen tot het hoofdgebouw. Je moest hem er op precies de juiste snelheid doorheen halen. Jerzy wist dat, maar Allen gelukkig niet. Allen stompte tegen het kastje aan en deed nog een poging. Tollend op zijn benen probeerde Jerzy zo geruisloos mogelijk de afstand tot het noodalarm te overbruggen.

Maar hij was niet stil genoeg. Allen werd ergens door gealarmeerd en hij draaide zich met een ruk om. 'Breng ze naar Hem toe,' brulde hij en hij stormde op Jerzy af. Zijn gewicht alleen al was voldoende om het verzwakte lichaam van de oppasser ten val te brengen. Jerzy sloeg zijn armen om zijn hoofd heen. Als verdediging stelde het niets voor. Het laatse wat hij voelde was een afschuwelijke druk achter zijn ogen toen Allen uit alle macht op zijn hoofd trapte.

Toen hij zijn deur openmaakte, werd Tony geconfronteerd met een plotselinge geluidstoename. Het lawaai van stemmen die schreeuwden, vloekten en gilden zocht zich door het trapgat een weg naar boven. Het angstaanjagendste was dat niemand op de noodalarmknop had gedrukt. Dus was er waarschijnlijk iets gebeurd dat zo plotseling was en zo hevig dat niemand kans had gezien de gedragsregels te volgen die er vanaf de eerste dag van hun training waren ingestampt. Ze moesten blijkbaar alle zeilen bijzetten om de zaak niet uit de hand te laten lopen. Tony liep snel de gang door in de richting van het trappenhuis en hij drukte onderweg op de noodalarmknop. Onmiddellijk klonk er een luid getoeter. *Godallemachtig, als je al krankzinnig was, wat deed dit dan met je hoofd?* Hij had het al op een hollen gezet toen hij bij het trappenhuis was, maar hij minderde genoeg vaart om in het trapgat naar beneden te kijken of hij wat kon zien.

Het korte antwoord was: niets. De harde stemmen kwamen kennelijk uit de richting van de gang rechts, maar ze werden vervormd door de akoestiek en door de afstand. Plotseling klonk er het rinkelende geluid van brekend glas. Daarna was het heel even doodstil.

'O, shit,' zei iemand duidelijk hoorbaar, de walging in de stem was niet mis te verstaan. Daarna begon het geschreeuw opnieuw en ditmaal klonk er duidelijk ook paniek in door. Een gil gevolgd door het geluid van een vechtpartij. Zonder erover na te denken liep Tony de trap af om te zien wat er aan de hand was.

Toen hij de laatste bocht van de trap om rende, spuwde de gang waar het lawaai vandaan was gekomen een stel lichamen uit. Twee verplegers die een derde man ondersteunden, kwamen acheruitlopend zijn kant op. Het was een oppasser, te oordelen naar de paar plekjes van het lichtgroene pak waar nog geen bloed op zat. Ze lieten een spoor van dieprode vlekken achter terwijl ze zo snel mogelijk probeerden weg te komen.

Een bloedbad, dacht Tony toen er een zwaargebouwde man de gang uit kwam rennen, die met een brandbijl zwaaide, alsof hij de spreekwoordelijke man met de zeis was. Zijn spijkerbroek en zijn polohemd zaten onder de bloedspatten; het blad van de bijl verspreidde met iedere zwaai een fijne wolk van bloeddruppeltjes. De zwaargebouwde man was volledig geconcentreerd op zijn prooi en bleef die achtervolgen op zijn vlucht. 'Breng ze naar Hem toe. Ze mogen nu niet ontkomen.' Hij kwam steeds dichter bij zijn doel. Nog een paar stappen en het blad van de bijl zou weer door vlees gaan snijden.

Ook al was de man met de bijl geen patiënt van hem, toch wist Tony wie hij was. Hij had erop gestaan inzage te krijgen in de dossiers van alle patiënten die tot geweld in staat werden geacht. Deels omdat zij hem interesseerden, maar ook omdat het aanvoelde als een soort verzekeringspolis. Maar die avond zou hij zijn no-claimkorting wel eens kunnen verliezen.

Toen Tony bijna onder aan de trap was, bleef hij staan. 'Lloyd,' riep hij voorzichtig.

Allen hield niet in. Hij zwaaide weer met de bijl op het ritme van zijn mantra. 'Breng ze naar Hem toe. Ze mogen niet ontkomen,' zei hij, en hij zwaaide met zijn bijl waarbij hij de verplegers op een haar na miste.

Tony haalde diep adem en rechtte zijn schouders. 'Zo moet je ze niet naar Hem toe brengen,' zei hij hard, met al het gezag dat hij kon opbrengen. 'Dit wil Hij niet van je, Lloyd. Je vergist je.'

Allen bleef staan en draaide zijn hoofd naar Tony toe. Hij fronste zijn voorhoofd, verward als een hond die last heeft van een wesp. 'Het is tijd,' gromde hij.

'Daar heb je gelijk in,' zei Tony, die een trede lager ging staan. 'Het is tijd. Maar jij doet het niet op de goede manier. Zo, leg die bijl nu maar neer en dan komen wij er samen wel achter hoe je het beter kunt doen.' Hij probeerde zijn gezicht strak te houden, hij wilde de angst niet laten zien die zijn maag ineen deed krimpen. Waar bleven de verdomde hulptroepen nou? Hij maakte zich geen illusies omtrent zijn mogelijkheden hier. Misschien kon hij Allen zo lang tegenhouden dat de verplegers en de gewonde oppasser weg konden komen. Maar hoe goed hij ook om kon gaan met de gestoorde en geesteszieke medemens, hij wist dat hij niet goed genoeg was om Lloyd Allen weer enigszins op de rails te krijgen. Hij betwijfelde of hij hem zelfs zo ver kon krijgen dat hij zijn wapen liet zakken. Hij moest het proberen, dat wist hij. Maar waar bleven die hulptroepen nou, verdomme?

Nu zwaaide Allen niet meer wild met de bijl om zich heen, maar hij hield hem als een honkbalspeler voor zijn lichaam, klaar voor de slag. 'Het is tijd,' zei hij nog eens. 'En jij bent Hem niet.' En met een sprong overbrugde hij de afstand tussen hen beiden.

Hij was zo snel dat het enige wat nog tot Tony doordrong een rode striem was en een glimp van glanzend staal. Toen ontplofte er een naad van pijn ergens midden in zijn been. Tony viel als een gevelde boom voorover. De schok was zo groot dat hij zelfs niet meer kon schreeuwen. Binnen in zijn hoofd explodeerde er een lamp. Toen werd alles donker.

Lijst 2

Belladonna
Ricine
Oleander
Strychnine
Cocaïne
Taxus Baccata

ZONDAG

Thomas Denby bekeek de kaart nog eens goed. Hij stond voor een raadsel. Hij had een ernstige pleuritis vastgesteld toen hij Robbie Bishop de eerste keer had onderzocht, en er was geen reden geweest om aan die diagnose te twijfelen. In de twintig jaar sinds hij was afgestudeerd en zich in luchtwegaandoeningen had gespecialiseerd, had hij voldoende ervaring opgedaan met pleuritis. In de twaalf uur dat de voetballer nu in het ziekenhuis lag, had het team van Denby hem antibiotica en steroïden toegediend volgens de richtlijnen die hij had opgesteld. Maar de toestand van Bishop was niet verbeterd. Eigenlijk was er een zodanige verslechtering opgetreden dat de dienstdoende zaalarts bereid was geweest zich de woede van Denby op de hals te halen door hem uit zijn bed te roepen. En een eenvoudige zaalarts deed zoiets niet, tenzij hij of zij ten einde raad was.

Denby stopte de kaart weer terug en hij schonk de jongeman in het bed zijn beroepsmatige glimlach, met vertoon van tanden en kuiltjes in de wangen. Maar zijn ogen glimlachten niet; daarmee speurde hij het gezicht en het bovenlijf van Bishop af. Het ziekenhuishemd was door het koortszweet aan zijn borst gaan plakken, waardoor de contouren zichtbaar werden van goed ontwikkelde spieren die op dat moment met veel moeite lucht in de longen probeerden te zuigen. Toen Denby hem voor de eerste keer onderzocht, had Bishop geklaagd over slapte, misselijkheid en pijn in zijn gewrichten, en over ademhalingsmoeilijkheden, maar dat was wel duidelijk. Hij kromp ineen van het geweld van de hoestbuien, die zo heftig waren dat hij weer wat kleur kreeg op zijn bleke gezicht. Op de röntgenfoto was te zien dat er vocht bij de longen zat; de conclusie die Denby had getrokken was de meest logische geweest.

Nu leek het erop dat wat Robbie Bishop mankeerde geen gewone pleuritis was. Zijn hartslag was volkomen onregelmatig. Zijn temperatuur was weer anderhalve graad gestegen. Zijn longen waren niet meer in staat om het zuurstofniveau in zijn bloed stabiel te houden, zelfs niet met behulp van een zuurstofmasker. Terwijl Denby naar hem keek, trilden zijn oogleden en bleven ze dicht. Denby fronste zijn wenkbrauwen. 'Is hij al eerder bewusteloos geweest?' vroeg hij aan de zaalarts.

Ze schudde haar hoofd. 'Hij heeft wel wat geijld van de koorts – ik weet niet of hij in de gaten heeft waar hij is. Maar tot nu toe heeft hij nog wel gereageerd.'

Er begon opeens iets indringend te piepen en op het scherm was te zien dat het zuurstofniveau in Bishops bloed weer een dieptepunt had bereikt. 'We moeten intuberen,' zei Denby verbijsterd. 'En hij moet meer vocht krijgen. Ik denk dat hij uitgedroogd is.' *Niet dat dat een verklaring was voor de koorts, of de hoest.* De zaalarts, die de ernst van de opdracht had begrepen, rende het kleine kamertje uit dat het beste was dat het Bradfield Crossziekenhuis kon bieden aan diegenen die zelfs op het randje van de dood nog hun privacy wilden hebben. Denby wreef over zijn kin en dacht na. Robbie Bishop was in topconditie; hij was fit en sterk, en volgens zijn clubarts was er vrijdag na de training absoluut niets met hem aan de hand geweest. Hij had de wedstrijd van zaterdag gemist en de voorlopige diagnose van diezelfde clubarts was geweest dat hij een griepje onder de leden had. En nu, achttien uur later, lag hij hier, en hij ging zichtbaar achteruit. En Thomas Denby had geen idee waarom, en ook niet wat hij eraan kon doen.

Het was niet een situatie waaraan hij gewend was. Hij wist van zichzelf dat hij een verdomd goede arts was. Een deskundig diagnosticus, een slimme en vaak briljante clinicus, en hij wist alles over ziekenhuisbeleid waardoor hij zelden tevergeefs aanklopte bij de bureaucraten als zijn afdeling weer eens wat nodig had. In zijn beroepsleven was het hem altijd voor de wind gegaan en de kwalen van zijn patiënten bezorgden hem zelden hoofdbrekens. Robbie Bishop was eigenlijk een belediging voor zijn talent.

Toen de zaalarts terugkwam met de intubatieapparatuur en een paar verpleegsters, slaakte Denby een diepe zucht. Hij keek even naar de deur. Aan de andere kant, wist hij, zat de teammanager van Robbie Bishop. Martin Flanagan had de nacht, hangend in een stoel, naast zijn sterspeler doorgebracht. Zijn dure pak zat onder de kreukels, zijn verweerde gezicht zag er enigszins luguber uit door een beginnende stoppelbaard. Ze waren al bijna met elkaar in conflict gekomen toen Denby erop had gestaan dat de vechtlustige man uit Noord-Ierland de kamer uitging tijdens het onderlinge beraad van de artsen. 'Weet u wat dat joch waard is voor Bradfield Victoria?' had Flanagan woedend gevraagd.

Denby had hem kil aangekeken. 'Hij is voor mij precies evenveel waard als een willekeurige andere patiënt,' had hij gezegd. 'Ik sta ook niet langs de zijlijn om u te vertellen welke tactiek u moet volgen. Bemoei u dus ook niet met mijn werk. Ik moet mijn patiënt in alle rust kunnen onderzoeken.' De trainer was mopperend vertrokken, maar Denby wist dat hij er nog steeds zat, met een ingevallen gezicht van de zorgen, en dat hij zat te snakken naar een bericht dat de verslechtering die hij zelf ook al had gezien zou tegenspreken.

'Als jullie daarmee klaar zijn, stel ik voor dat we hem AZT gaan toedienen,' zei hij tegen zijn zaalarts. Ze hadden niets anders meer tot hun beschikking dan de sterke antivirale medicijnen, waardoor ze misschien net genoeg adempauze kregen om erachter te komen wat Robbie Bishop mankeerde.

MAANDAG

'Waarom heb ik je in vredesnaam die derde fles open laten maken,' verzuchtte hoofdinspecteur Carol Jordan, toen ze de auto in de versnelling zette en weer een paar meter verder reed.

'Omdat het de eerste keer was dat je ons met een bezoek vereerde sinds we naar de Yorkshire Dales zijn verhuisd en omdat ik vanmorgen in Bradfield moet zijn en omdat jij geen echte logeerkamer hebt. Het had dus geen zin om gisteravond nog terug te rijden.' Haar broer Michael leunde naar voren en morrelde wat aan de radio. Carol sloeg zijn hand weg.

'Niet aankomen,' zei ze.

Michael kreunde. 'Bradfield Sound. Dat ik dit mee moet maken. Plaatselijke radio op zijn allerkneuterigst.'

'Ik moet op de hoogte blijven van wat er zich afspeelt in de stad waar ik werk.'

Michael zette een sceptisch gezicht op. 'Je bent de baas van het Team Zware Misdrijven. Je bent aangesloten bij de Britse tegenhanger van de FBI. Je hoeft niet te weten of er een gesprongen waterleiding voor verkeersproblemen zorgt op Methley Way. Of dat een of andere voetballer met longproblemen naar het ziekenhuis is gebracht.'

'Ho eens even, meneer IT. Was jij het niet die me die 'micro-wordt-macro' mantra hebt bijgebracht? Ik wil graag weten wat er aan het begin van de voedselketen gebeurt, omdat het soms onverwachte gevolgen heeft aan het andere eind. En hij is niet zomaar "de een of andere voetballer". Hij is Robbie Bishop. De oppermachtige middenvelder van Bradfield Victoria. En hij komt nog hier vandaan ook. Zijn vrouwelijke supporters staan ongetwijfeld al te posten bij Bradfield Cross. Dat kan problemen veroorzaken met de openbare orde, hè?'

Michael bond in, met een pruillip. 'Oké. Jij je zin, zusje. Goddank kun je ze buiten de stad niet meer ontvangen. Ik was gek geworden als je me er de hele weg hierheen naar had laten luisteren.' Hij rolde zijn hoofd vanuit zijn nek, vertrok toen zijn gezicht vanwege het gekraak dat het veroorzaakte. 'Heb je niet zo'n blauw zwaailicht dat je op het dak van de auto kunt neerkwakken?'

'Ja,' zei Carol, terwijl ze langzaam met de verkeersstroom meereed. Ze hoopte vurig dat ze ditmaal zouden blijven rijden. Ze voelde zich zweterig en een beetje misselijk, ondanks het feit dat ze minder dan een uur geleden had gedoucht. 'Maar die mag ik alleen maar in noodgevallen gebruiken. En ik zeg het maar vast, nee. Dit is geen noodgeval. Dit is gewoon het spitsuur.'

Terwijl ze dat zei, kwam er opeens beweging in de verkeersstremming. Na een paar honderd meter kon je bijna niet meer begrijpen waarom het twintig minuten had geduurd om een kilometer vooruit te komen. Ze konden nu zonder veel moeite doorrijden.

Michael trok zijn wenkbrauwen op, wierp zijn zus een onderzoekende blik toe en vroeg toen: 'En, zusje, hoe zit het met Tony?'

Carol probeerde haar irritatie zo goed mogelijk te verbergen. Ze had net gedacht dat ze het had geflikt. Een heel weekend met haar ouders, haar broer en zijn partner zonder dat zijn naam één keer was gevallen. 'Het gaat eigenlijk best goed. Ik vind het appartement prettig. Hij is een heel goede huisbaas.'

Michael liet een afkeurend geluid horen. 'Je weet best dat ik iets anders bedoelde.'

Carol zuchtte en voegde in pal voor een Mercedes, die meteen tegen haar begon te toeteren. 'Toen we allebei nog aan een andere kant van de stad woonden, zagen we elkaar geloof ik vaker,' zei ze.

'Ik dacht...'

Haar handen omklemden het stuur. 'Dat heb je verkeerd gedacht,

Michael, we zijn allebei workaholics. Hij is gek op zijn mafkezen en ik heb een hele nieuwe afdeling op poten moeten zetten. En dan moesten we ook nog Paula weer aan het werk zien te krijgen,' voegde ze eraan toe. Bij die gedachte verstrakte haar gezicht.

'Dat is jammer.' De blik die hij haar toewierp was kritisch. 'Jullie worden er geen van beiden jonger op. Als ik iets heb geleerd van mijn samenwonen met Lucy, is het wel dat het leven een stuk gemakkelijker is als je de ups en downs kunt delen met iemand die op dezelfde golflengte zit. En ik denk zeker dat dat voor Tony en jou opgaat.'

Carol waagde een snelle blik in zijn richting om te zien of hij haar voor de gek zat te houden. 'De man die ooit, zeg maar, bijna, misschien, dacht dat jij wel eens een seriemoordenaar zou kunnen zijn? Dat is de man die volgens jou met mij op dezelfde golflengte zit?'

Michael sloeg zijn ogen ten hemel. 'Je moet je niet achter het verleden verstoppen.'

'Dit is geen kwestie van verstoppen. Met een verleden als het onze heb je klimijzers en zuurstof nodig om eroverheen te komen.' Carol vond een gaatje in het verkeer en week met knipperende lichten uit naar de stoeprand. 'En hier ga je ervandoor,' zei ze, in een slechte imitatie van Shrek.

'Zet je me hier af?' Michael klonk enigszins verontwaardigd.

'Het kost me tien minuten om naar de voorkant van het Instituut te komen,' zei Carol die langs hem heen leunde om uit het raampje van de passagier te wijzen. 'Als je doorsteekt bij de nieuwe winkelgalerij, ben je in drie minuten bij je klant.'

'God, je hebt gelijk. We wonen nog maar drie maanden ergens anders en nu weet ik de weg al bijna niet meer.' Hij sloeg een arm om haar heen, drukte een droog kusje op haar wang en stapte uit. 'Ik spreek je over een week wel weer.'

Tien minuten later liep Carol het hoofdbureau van politie in Bradfield in. Tussen het tijdstip dat ze Michael had afgezet en het moment dat ze op de derde verdieping de lift uitstapte, waar de thuisbasis was van het team dat ze in gedachten altijd het zootje ongeregeld noemde, zaten maar een paar minuten, en in die tijd was ze veranderd van een zus in een politievrouw. Het enige wat die twee personages gemeenschappelijk hadden was een lichte kater.

Ze liep door de gang met lichtblauwe en gebroken witte muren waarop een stel deuren uitkwam van glas en staal. De middengedeelten bestonden uit matglas, dus je kon moeilijk zien wat er zich achter die deuren afspeelde, tenzij het op de vloer gebeurde of bungelend aan het plafond. Het opgeleukte interieur deed haar nog altijd denken aan een reclamebureau. Maar het moderne politiewerk leek dan ook vaak net zoveel te maken hebben met uiterlijk vertoon als met het vangen van boeven. Gelukkig had zij zich nog ver kunnen houden van die uiterlijkheden, tenminste zoveel als mogelijk was voor iemand van haar rang.

Ze duwde de deur van kamer 316 open en trad binnen in het land van de doden en de gehavenden. Zo vroeg op een maandagmorgen waren de levenden nog dun gezaaid. Rechercheur Stacey Chen, de whizzkid van het team, keek nauwelijks op van de twee schermen op haar bureau, en gromde iets waarvan Carol aannam dat het een groet was. 'Goedemorgen, Stacey,' zei Carol. Toen ze naar haar eigen kantoor liep, kwam rechercheur Chris Devine tevoorschijn vanachter een van de lange whiteboards die als een Zuid-Afrikaans *laager* om hun bureaus stonden opgesteld, alsof ze de vijand buiten de deur moesten houden. Met een schok bleef Carol staan. Chris stak haar handen in de lucht in een verzoenend gebaar.

'Sorry, chef. Ik wilde je niet aan het schrikken maken.'

'Geen nood.' Toen verzuchtte Carol: 'We moeten echt eens werk maken van die doorzichtige borden.'

'Wat? Zoals ze op tv hebben?' Chris haalde even haar neus op. 'Persoonlijk zie ik er het nut niet van in. Ik heb altijd gevonden dat je er geen moer op kunt zien. Je zit de hele tijd tegen die achtergrond aan te kijken.' Ze liep met Carol op, toen haar chef naar het beglaasde hokje liep dat dienstdeed als haar kantoor. 'Heb je nog iets over Tony gehoord? Hoe gaat het met hem?'

Carol snapte niet precies waar dit op sloeg. Ze haalde wat halfslachtig haar schouders op en zei: 'Voor zover ik weet gaat het goed met hem.' Aan haar toon was te horen dat ze het onderwerp als afgesloten beschouwde.

Chris draaide zich met een ruk om, zodat ze achterstevoren voor Carol uit liep en ze een onderzoekende blik op het gezicht van haar baas kon werpen. Ze zette grote ogen op. 'O lieve god, je weet het nog niet, hè?'

'Wat weet ik nog niet?' Carol voelde hoe haar maag in paniek samenkromp.

Chris legde haar hand op Carols arm en gaf met een snelle hoofdbeweging te kennen dat ze beter naar haar kantoor konden gaan. 'Ik denk dat we er beter bij kunnen gaan zitten,' zei ze.

'Jezus,' zei Carol, die zich braaf naar binnen liet loodsen. Ze liep naar haar stoel toe, terwijl Chris de deur dichtdeed. 'Ik ben alleen maar naar de Dales geweest, hoor, niet naar de Noordpool. Wat is er in vredesnaam aan de hand? Wat is er met Tony gebeurd?'

Chris reageerde op de aandrang in haar stem. 'Hij is aangevallen. Door een van de patiënten in Bradfield Moor.'

Carol bracht haar handen naar haar gezicht, legde ze om haar wangen heen en tuitte haar lippen in een o. Ze hapte naar adem. 'Wat is er gebeurd?' Ze was harder gaan praten, ze schreeuwde bijna.

Chris streek met haar hand door haar korte peper-en-zoutkleurige haren. 'Ik kan het niet mooier maken dan het is, chef. Hij heeft een gek met een brandbijl voor de voeten gelopen.'

De stem van Chris klonk alsof hij van heel ver weg kwam. Wat deed het ertoe dat Carol zich had gehard tegen aanblikken en geluiden waarbij de meeste mensen geen normaal woord meer zouden kunnen uitbrengen. Als het om Tony Hill ging, was ze uitzonderlijk kwetsbaar. Misschien wilde ze dat zelf niet altijd toegeven, maar op dit soort momenten werd alles anders. 'Wat...?' Haar stem begaf het bijna. Ze schraapte haar keel. 'Hoe erg is het?'

'Ik heb begrepen dat er van zijn been niet veel meer heel is. Het ding is in zijn knie terechtgekomen. Hij heeft een heleboel bloed verloren. Het duurde even voordat de verplegers bij hem konden komen vanwege die gek die daar nog steeds met die bijl rondsprong,' zei Chris.

Het klonk niet best, maar het was toch veel minder erg dan de beelden die ze onmiddellijk voor ogen had gehad. Bloedverlies en een kapotte knie waren nog te hanteren. Stelden eigenlijk niet zoveel voor als je het in het grote geheel bekeek. 'Jezus,' zei Carol. Ze haalde enigszins opgelucht adem. 'Hoe is het gebeurd?'

'Voor zover ik weet heeft een van de patiënten een oppasser overvallen, heeft hem zijn sleutelkaart afhandig gemaakt, heeft zijn hoofd helemaal in de vernieling getrapt en heeft toen het hoofdgebouw binnen kunnen dringen waar hij het glas heeft gebroken en de bijl heeft gepakt.'

Carol schudde haar hoofd. 'Hebben ze dan brandbijlen in Bradfield Moor? In een gesloten zenuwinrichting?'

'Kennelijk juist daarom. Het is een gesloten inrichting. Allemaal afgesloten deuren en ruiten van gewapend glas. Volgens de Arbodienst moeten de patiënten naar buiten kunnen in het geval van een brand, of als de electronische afsluitsystemen het niet doen.' Chris schudde haar hoofd. 'Lulkoek als je het mij vraagt.' Ze stak haar handen verontschuldigend op toen ze de bestraffende blik op Carols gezicht zag. 'Nou ja. Er kunnen beter een paar maffe klootzakken verbranden dan dat wij met dit soort rotzooi worden opgescheept. Een oppasser dood, een andere in kritieke toestand die vanbinnen nooit meer helemaal goed zal worden en Tony in de vernieling? Om dat te vermijden zou ik me niet opwinden over een paar krankzinnige moordenaars meer of minder.' Op de een of andere manier klonk het nog erger in het zware Cockneyaccent van Chris.

'Het is geen kwestie van kiezen, Chris, en dat weet jij ook wel,' zei Carol. Ook al was ze het gevoelsmatig volledig eens met haar brigadier, ze wist dat ze dan louter haar emoties liet spreken in plaats van haar gezonde verstand. Maar tegenwoordig moest je wel roekeloos zijn of onbehoedzaam om op je werk zomaar iets te zeggen zonder erbij na te denken. Carol mocht haar buitenbeentjes wel. Ze wilde er geen een kwijtraken, omdat de verkeerde oren iets opvingen als ze hun mening ventileerden, dus deed ze haar best om hun ergste uitingen wat in te tomen. 'Maar hoe is Tony erin verzeild geraakt?' vroeg ze. 'Was het een van zijn patiënten?'

Chris haalde haar schouders op. 'Weet ik niet. Maar kennelijk was hij wel de held van de dag. Hij heeft die idioot zo lang afgeleid dat een paar verplegers die gewonde oppasser in veiligheid konden brengen.'

Maar hij heeft zichzelf niet in veiligheid kunnen brengen. 'Waarom heeft er niemand contact met mij opgenomen? Wie had er dienst dit weekend? Sam toch, hè?'

Chris schudde haar hoofd. 'Dat was wel de bedoeling, maar Sam heeft geruild met Paula.'

Carol sprong op en deed de deur open. Ze keek zoekend de kamer rond en zag hoe rechercheur Paula McIntyre net haar jas ophing. 'Paula? Kun je even hier komen,' riep ze. Terwijl de jonge rechercheur de kamer doorliep, werd Carol weer overspoeld door het bekende schuldgevoel. Nog niet zo lang geleden had zij Paula in gevaar gebracht en het gevaar was dan ook meteen toegesneld. Het deed er niet toe dat de operatie goedkeuring van bovenaf had gekregen: Carol was degene geweest die had beloofd Paula te beschermen en daar had ze in gefaald. De dubbele vloek van die verknoeide operatie en de dood van haar naaste collega hadden ervoor gezorgd dat Paula op het punt had gestaan haar politiepet aan de wilgen te hangen. Carol wist hoe dat voelde. Ze was zelf ook in die situatie geweest en de omstandigheden vertoonden griezelige gelijkenissen. Ze had Paula alle steun aangeboden die binnen haar mogelijkheden lag, maar het was Tony geweest die Paula van haar voornemen had afgebracht. Carol had geen idee wat er tussen hen beiden was voorgevallen, maar het had Paula de gelegenheid geboden om bij de politie te blijven. En daar was ze dankbaar voor, ook al hield het in dat ze nu iemand in haar team had die haar constant aan haar eigen falen herinnerde.

Carol deed een pas opzij om Paula door te laten en ging toen weer in haar eigen stoel zitten. Paula leunde tegen de glazen wand aan, haar armen over elkaar alsof ze daarmee kon verbergen dat ze sterk was afgevallen. Haar donkerblonde haar zag eruit alsof ze had vergeten het te kammen nadat ze het met een handdoek had drooggewreven, en haar donkergrijze broek en trui slobberden om haar heen. 'Hoe gaat het met Tony?' vroeg ze.

'Dat weet ik niet, want ik heb net pas gehoord wat er is gebeurd,' zei Carol, die haar best deed om het niet als een beschuldiging te laten klinken.

Paula maakte een aangeslagen indruk. 'O, shit,' kreunde ze. 'Ik heb er geen seconde aan gedacht dat je het niet wist.' Ze schudde teleurgesteld haar hoofd. 'Maar ze hebben mij eigenlijk ook niet gebeld. Ik hoorde het pas toen ik zaterdagmorgen de tv aanzette. Ik ben er gewoon vanuit gegaan dat iemand jou had gebeld...' Ze was zo van streek dat ze niet meer verder kon praten.

'Ik ben door niemand gebeld. Ik was op een familieweekend in de Yorkshire Dales met mijn broer en mijn ouders. Dus we hebben geen tv of radio gehoord. Is het bekend in welk ziekenhuis hij ligt?'

'In Bradfield Cross,' zei Paula. 'Ze hebben zaterdag zijn knie geopereerd. Dat heb ik nagevraagd. Ze zeiden dat hij de operatie goed had doorstaan en dat hij geen pijn had.'

Carol stond op en pakte haar tas. 'Oké. Dan ben ik daar als jullie me nodig hebben. Ik neem aan dat er bij de arrestanten geen nieuwe ontwikkelingen zijn die onze dringende zorg behoeven?'

Chris schudde haar hoofd. 'Niets bijzonders.'

'Dat is maar goed ook. We hebben genoeg op ons bordje liggen.' Ze gaf bij het passeren een klopje op Paula's schouder. 'Ik zou hetzelfde hebben gedacht,' zei ze op weg naar de deur. *Maar ik had voor de zekerheid nog wel even gebeld.*

Droge mond. Te droog om te slikken. Dat was zo ongeveer de belangrijkste gedachte die door de watten heen drong die in zijn hoofd zaten. Zijn oogleden trilden. Vaag was hij er zich van bewust dat er een reden was waarom het geen goed idee was zijn ogen open te doen, maar die kon hij zich niet herinneren. Hij wist niet eens zeker of hij deze doezelige waarschuwing uit zijn hersens wel kon vertrouwen. Wat was er eigenlijk op tegen om je ogen open te doen? De mensen deden het de hele tijd zonder dat hun iets overkwam.

Het antwoord kwam met duizelingwekkende snelheid. 'Dat werd tijd,' klonk er een bitse stem ergens achter zijn linkeroor. De kritische toon klonk hem bekend in de oren, maar dan wel van heel lang geleden. Hij leek niet te passen in het onvolledige beeld dat hij van zijn huidige leven had.

Tony rolde zijn hoofd opzij. De beweging activeerde een pijn die hij moeilijk kon plaatsen. Het leek op een ongedefinieerde pijn in zijn hele lichaam. Hij kreunde en opende zijn ogen. Toen herinnerde hij zich weer waarom hij ze toch beter dicht had kunnen houden.

'Als ik toch hier moet zijn, kun je op z'n minst wel wat zeggen.' Ze perste haar mond dicht in de afkeurende streep die hij zich zo goed herinnerde. Ze deed haar laptop dicht, zette die naast zich op tafel en sloeg het ene door een pantalon omhulde been over het andere. Ze had haar benen nooit mooi gevonden, dacht Tony onbenullig.

'Sorry,' zei hij schor. 'Ik denk dat het van de medicijnen komt.' Hij probeerde het glas water van het blad te pakken, maar hij kon er niet bij. Zij verroerde geen vin. Hij probeerde zich op te trekken, stomweg vergetend waarom hij in het ziekenhuis lag. Zijn linkerbeen, dat hij niet kon bewegen vanwege de zware spalk, verschoof een minuscuul stukje, maar die beweging veroorzaakte al zo'n enorme pijnscheut dat hij naar adem snakte. Met de pijn kwam de herinnering. Lloyd Allen die dreigend op hem af kwam en die iets onbegrijpelijks gilde. De lichtflits op het blauwe staal. Een moment van verlammende pijn en dan niets meer. En daarna korte perioden van bewustzijn. Artsen die over hem praatten, verpleegsters die over hem heen praatten, de tv die tegen hem praatte. En deze vrouw die ergernis en ongeduld uitstraalde. 'Water?' kon hij nog net uitbrengen, maar hij wist niet of ze aan zijn verzoek gevolg zou geven.

Ze slaakte de ongeduldige zucht van een vrouw van wie altijd misbruik wordt gemaakt. Toen pakte ze het glas water en duwde het rietje naar zijn droge lippen, zodat hij kon drinken zonder overeind te hoeven komen. Hij zoog het water op in hele kleine slokjes en genoot ervan dat zijn mond weer wat vochtiger werd. Zuigen, genieten, slikken. Dit procédé herhaalde hij totdat hij het halve glas had leeg gedronken, waarna hij zijn hoofd weer op het kussen liet vallen. 'Je hoeft hier niet te blijven,' zei hij. 'Het gaat goed met me.'

Ze snoof. 'Je denkt toch niet dat ik hier uit vrije wil ben, hè? Bradfield Cross is een van mijn klanten'

Dat ze hem nog steeds zo kon kwetsen was geen verrassing, maar het deed er niet minder pijn om. 'Altijd de schijn ophouden, hè?' zei hij, niet in staat de verbittering uit zijn stem te houden.

'Als mijn inkomen en mijn goede naam op het spel staan? Reken maar van yes.' Ze keek hem vol afkeer aan. Met haar ogen die zo op de zijne leken, nam ze hem keurend op. 'Je moet niet net doen alsof je dat afkeurt, Tony. Als het aankomt op de schijn ophouden, kun jij Engeland wel bij de Olympische Spelen vertegenwoordigen. Ik wed dat geen van je collega's weet wat er zich allemaal afspeelt in dat zielige hoofd van jou.'

'Ik heb een goede lerares gehad.' Hij wendde zijn blik af en deed net alsof hij naar de ontbijtshow op de tv keek.

'Dan zijn we het dus eens, we hoeven niet met elkaar te praten. Ik heb een heleboel te doen en ik weet zeker dat iemand je wel iets te lezen kan brengen. Ik blijf hier een paar dagen tot je weer op de been bent. Geen seconde langer. Daarna zul je geen last meer van me hebben.' Hij hoorde hoe ze ging zitten in haar stoel en daarna het getik van haar vingers op de toetsen.

'Hoe heb je het gehoord?' vroeg hij.

'Ik sta kennelijk als jouw naaste familie vermeld in je gegevens bij personeelszaken. Of je hebt daar twintig jaar niets aan veranderd of je bent nog steeds het zielige jongetje zonder vriendjes dat je altijd al was. En de een of andere betweterige hoofdzuster herkende me toen ik binnenkwam. Dus ik kan hier niet weg, zolang het fatsoen dat van me eist.'

'Ik had geen idee dat je voor je werk naar Bradfield moest.'

'Je dacht zeker dat je hier veilig was, hè? In tegenstelling tot jou, Tony, heb ik wél iets van mijn leven gemaakt. Ik doe zaken in het hele land. En die zaken floreren.' Terwijl ze zat op te scheppen, kreeg haar gezicht zachtere trekken.

'Je hoeft hier echt niet te blijven,' zei hij. 'Ik zeg wel tegen ze dat ik je heb weggestuurd.' Hij praatte zo vlug dat hij bijna over zijn woorden struikelde in een poging om het spreken wat minder inspannend te maken.

'En waarom zou ik erop vertrouwen dat je de waarheid over me vertelt? Nee, bedankt. Ik doe mijn plicht wel.'

Tony staarde naar de muur. Bestond er een meer deprimerende zin in de Engelse taal?

Elinor Blessing roerde met het houten lepeltje door de opgeklopte room in haar beker koffie. Starbucks was twee minuten lopen van Bradfield Cross en volgens haar was het trottoir al uitgesleten van de voetstappen van de arts-assistenten die nog wat caffeïne tot zich namen om niet in slaap te vallen. Vanmorgen deed ze het niet om wakker te blijven, maar om zich even te drukken.

Er liep een verticale rimpel tussen haar wenkbrauwen, en haar grijze ogen staarden in het niets. Gedachten tuimelden over elkaar heen, terwijl ze probeerde te bedenken wat haar te doen stond. Ze was lang genoeg de zaalarts van Thomas Denby geweest om vrij goed te weten wat voor soort man hij was. Hij was waarschijnlijk de beste diagnosticus met wie ze ooit had gewerkt en ook in de zorg voor de patiënten was hij een buitengewoon goede arts. In tegenstelling tot een heleboel medische specialisten hoefde hij niet constant zijn eigen ego te strelen door assistenten en medische studenten de grond in te boren. Hij stimuleerde hen om tijdens de zaalrondes een actieve rol te spelen. Als zijn studenten antwoord gaven op de gestelde vragen, leek hij tevreden als ze het bij het rechte eind hadden en teleurgesteld als dat niet het geval was. Die teleurstelling was een veel grotere stimulans om te leren dan de sarcastische en vernederende opmerkingen die veel van zijn collega's bezigden.

Maar net als een goede advocaat stelde Denby over het algemeen vragen waar hij het antwoord al op wist. Zou hij ook zo grootmoedig reageren als een van zijn ondergeschikten de oplossing wist van een probleem dat hij zelf niet had kunnen oplossen? Zou hij de persoon dankbaar zijn die het soepele verloop van zijn zaalvisites onderbrak met een suggestie die hij zelf nog niet had overwogen? Vooral als ook nog bleek dat die persoon gelijk had?

Je kon naar voren brengen dat hij juist blij zou moeten zijn, ongeacht wie er met de theorie op de proppen kwam. De juiste diagnose was de eerste stap bij het helpen van de patiënt. Behalve als het een wanhoopsdiagnose was. Ongeneeslijk, hardnekkig, niet te behandelen. Niemand zat te wachten op een dergelijke diagnose.

Vooral niet als je patiënt Robbie Bishop heette.

Het was, dacht Carol, een beetje ontmoedigend als je zo goed de weg wist in een ziekenhuis. Op de een of andere manier was ze voor haar werk op bijna alle afdelingen van Bradfield Cross geweest. Het enige voordeel was dat ze wist welke van de overvolle parkeerplaatsen ze moest kiezen.

De verpleegster op de zusterspost van de chirurgische afdeling voor mannen herkende haar. Ze waren elkaar verscheidene keren tegengekomen ten tijde van de operatie en de herstelperiode van een verkrachter wiens slachtoffer er op wonderbaarlijke wijze in was geslaagd om zijn mes tegen hem te gebruiken. Ze hadden zich allebei een beetje verkneukeld over de pijn die hij leed. 'U bent toch inspecteur Jordan?'

Carol nam niet de moeite haar te corrigeren. 'Dat klopt. Ik ben op zoek naar een patiënt die Hill heet. Tony Hill?'

De verpleegster keek verbaasd. 'U bent toch eigenlijk veel te belangrijk om een simpele verklaring af te nemen?'

Carol ging even bij zichzelf te rade hoe ze haar relatie met Tony zou beschrijven. 'Collega' voldeed niet helemaal, 'huisbaas' dekte de lading ook niet volledig en 'vriend' was zowel meer als minder dan de waarheid. Ze haalde haar schouders op. 'Hij geeft mijn kat te eten.'

De verpleegster giechelde. 'Zo eentje kunnen we allemaal wel gebruiken.' Ze wees naar een kamer achter in de gang aan haar rechterhand. 'Langs de zalen met vier bedden. Dan is er helemaal aan het eind een deur links. Daar ligt hij.'

Met de angst die aan haar vrat als een rat aan een bot, volgde Carol de aanwijzingen op. Voor de deur bleef ze even staan. Hoe zou het zijn? Wat zou ze er aantreffen? Ze had niet veel ervaring met de lichamelijke ongemakken van andere mensen. Ze wist uit eigen ervaring dat toen zij zelf gewond was, de mensen om wie ze het meeste gaf de laatsten waren die ze om zich heen kon velen.

Ze voelde zich schuldig vanwege hun duidelijk zichtbare verdriet en ze vond het absoluut niet prettig dat haar eigen kwetsbaarheid zo open en bloot te zien was. Ze zou er wel iets onder durven verwedden dat het Tony net zo te moede was. Ze probeerde zich de vorige gelegenheid voor de geest te halen waarbij ze hem in het ziekenhuis had opgezocht. Ze kenden elkaar toen nog niet zo goed, maar ze herinnerde zich dat het niet bepaald een aangename ontmoeting was geweest. Nou, als zou blijken dat hij met rust gelaten wilde worden, zou ze er meteen vandoor gaan. Ze zou alleen haar gezicht laten zien, zodat hij wist dat ze zich zorgen maakte en dan zou ze vriendelijk de aftocht blazen, met de verzekering dat ze er weer zou zijn als hij dat wilde.

Diep ademhalen en dan aankloppen. Toen was daar de bekende stem die wel wat suffig klonk. 'Je mag alleen binnenkomen als je pijnstillers bij je hebt.' Carol moest grinniken. Dat viel dus nog wel mee. Ze duwde de deur open en liep naar binnen.

Ze was zich onmiddellijk bewust van de aanwezigheid van iemand anders in de kamer, maar eerst had ze alleen maar oog voor Tony. Een stoppelbaard van drie dagen maakte dat hij er nog valer uitzag. Het leek net alsof hij gewicht had verloren terwijl hij toch al aan de magere kant was. Maar zijn ogen stonden helder en toen hij glimlachte was hij weer de oude Tony. Met een apparaat bestaande uit katrollen en kabels werd zijn knie aan de spalk vastgehouden in een hoek die er niet echt comfortabel uitzag. 'Carol,' begon hij, maar hij werd onmiddellijk in de rede gevallen.

'Dus jij bent de vriendin,' zei de vrouw die in de hoek van de kamer zat. Ze had een licht accent, maar je kon horen dat ze uit de buurt kwam. 'Had je niet eerder kunnen komen?' Carol keek haar verbaasd aan. Ze zag eruit als een vrouw van voor in de zestig die goed geconserveerd was, iemand die er redelijk in slaagde de jaren op een afstand te houden. Haar haar was professioneel goudbruin geverfd, haar make-up was onberispelijk, maar onopvallend. Haar blauwe ogen straalden iets berekenends uit en de rimpels die zichtbaar waren getuigden niet van een vriendelijke, zachtaardige natuur. Ze was aan de dunne kant van slank en ze droeg een zakelijk mantelpak met de snit die wees op een bovengemiddeld aankoopbedrag. Zeker flink boven wat Carol voor een mantelpak kon betalen.

'Pardon?' zei Carol. Het gebeurde niet vaak dat ze met de mond vol tanden stond, maar zelfs schurken kwamen zelden zo bot uit de hoek.

'Dat is mijn vriendin niet,' zei Tony die zich duidelijk had zitten ergeren. 'Dat is hoofdinspecteur Carol Jordan.'

De vrouw trok haar wenkbrauwen op. 'Dat maak je mij niet wijs,' zei ze met een dun glimlachje zonder een greintje humor. 'Ik bedoel niet, dat je zijn vriendin niet bent, maar dat je bij de politie bent. Want wat moet een hoge politievrouw per slot van rekening nu bij dit waardeloze portret uitvreten, tenzij je hem komt arresteren?'

'Moeder.' Het kwam er tussen zijn opeengeklemde tanden als een grauw uit. Tony trok een grimas naar Carol, deels geërgerd deels smekend. 'Carol, dit is mijn moeder. Carol Jordan. Vanessa Hill.'

Geen van beide vrouwen maakte aanstalten de ander een hand te geven. Carol probeerde haar verbazing te verbergen. Ze hadden het weliswaar nooit uitgebreid over hun beider families gehad, maar ze had altijd in de veronderstelling verkeerd dat de moeder van Tony dood was. 'Aangenaam,' zei Carol. Ze wendde zich weer tot Tony. 'Hoe gaat het met je?'

'Ik zit onder de medicijnen. Maar vandaag kan ik tenminste al meer dan vijf minuten achter elkaar wakker blijven.'

'En je been? Wat zeggen ze daarover?' Onder het praten merkte ze dat Vanessa Hill haar laptop aan het opbergen was in een heldergekleurd koffertje van neopreen.

'Kennelijk is het been maar op één plaats gebroken. Ze hebben hun best gedaan het weer aan elkaar te bevestigen...' Zijn stem stierf weg. 'Ga je weg, moeder?' vroeg hij, toen Vanessa achter langs het bed heen liep met haar jas over haar arm. Haar laptop droeg ze samen met haar handtas over haar schouder.

'Ja, gelukkig wel. Je meisje kan nu mooi voor je zorgen. Ik ben niet meer nodig.' Ze liep naar de deur toe.

'Ze is mijn meisje niet,' riep Tony. 'Ze is mijn huurder, mijn collega, mijn vriendin. En ze is een vrouw, niet een meisje.'

'Mij best,' zei Vanessa. 'Je redt het nu wel zonder mij, hè? Ik laat je in goede handen achter. De verpleegsters zullen het verschil wel merken.' Ze maakte een zwaaiende beweging en vertrok.

Carol staarde de vertrekkende vrouw met open mond na. 'Godallemachtig,' zei ze toen ze zich weer naar Tony omdraaide. 'Is ze altijd zo?'

Hij liet zijn hoofd terugvallen op het kussen en vermeed haar blik. 'Waarschijnlijk niet bij andere mensen,' zei hij op vermoeide toon. 'Ze is manager van een uiterst succesvol adviesbureau dat zich bezighoudt met personeelszaken. Het is nauwelijks te geloven, maar zij houdt toezicht bij het nemen van beslissingen op personeelsgebied en het trainen van personeel bij enkele van de topbedrijven van het land. Ik breng, denk ik, het slechtste in haar boven.'

'Ik begin te begrijpen waarom je het nooit over haar hebt gehad.' Carol trok een stoel bij die in de hoek van de kamer stond en ging naast het bed zitten.

'Ik zie haar bijna nooit. Zelfs niet met Kerstmis of op verjaardagen.' Hij zuchtte. 'Ik heb haar ook niet zo veel gezien toen ik opgroeide.'

'En hoe zit het met je vader? Was ze tegen hem ook zo bot?'

'Een goede vraag. Ik heb geen idee wie mijn vader was. Ze heeft altijd geweigerd iets over hem te vertellen. Ik weet alleen wel dat ze niet getrouwd waren. Kun je me de afstandsbediening voor het bed aangeven?' Hij wist ergens nog een echte glimlach vandaan te toveren. 'Nu hoef ik niet nog een dag met mijn moeder opgescheept te zitten. Dan kan ik toch op z'n minst wel even overeind gaan zitten.'

'Ik ben meteen gekomen toen ik het hoorde. Het spijt me, niemand heeft me gebeld.' Ze gaf hem de afstandsbediening aan en hij klungelde wat met de knoppen tot hij half overeind zat en zich met een van pijn vertrokken gezicht liet zakken. 'Ze dachten allemaal dat ik het al van iemand anders had gehoord. Ik wou dat je me het zelf had laten weten.'

'Ik wist dat je hard toe was aan een vrij weekend,' zei hij. 'Bovendien kan ik me niet permitteren bij jou in het krijt te staan en daarom dacht ik dat ik beter iets tegoed kon houden tot ik je echt een keer nodig had.' Plotseling viel zijn mond open en keek hij haar verschrikt aan. 'O shit,' riep hij uit. 'Ben je nog thuis geweest of ben je rechtstreeks naar het bureau gegaan?'

Het leek een vreemde vraag, maar hij was kennelijk belangrijk. 'Rechtstreeks naar het bureau. Hoezo?'

Hij sloeg zijn handen voor zijn gezicht. 'Het spijt me verschrikkelijk. Ik heb helemaal niet meer aan Nelson gedacht.'

Carol barstte in lachen uit. 'Een gek slaat jouw been kapot met een brandbijl, je ligt het hele weekend op de operatietafel en dan maak je je zorgen dat je mijn kat niet te eten hebt gegeven? Hij heeft een kattenluikje, hoor, hij kan op jacht gaan naar kleine beestjes als de nood hoog is.' Ze pakte zijn hand vast en gaf er een klopje op. 'Die kat doet er niet toe. Vertel me liever over je knie.'

'Hij is met ijzerdraad aan elkaar gebonden, maar ze kunnen er geen echt gipsverband omheen doen vanwege de wond. De chirurg zegt dat ze eerst zeker moeten weten dat hij goed geneest en niet ontstoken is. Dan kunnen ze er gips omheen doen, en misschien dat ik tegen het einde van de week wat mag proberen te lopen met een looprek. Als ik braaf ben,' voegde hij er sarcastisch aan toe.

'Dus hoe lang moet je in het ziekenhuis blijven?'

'Minstens een week. Het hangt ervan af hoe goed ik me zal kunnen redden. Ze laten me pas naar huis gaan als ik met het looprek overweg kan.' Hij bewoog zijn arm op en neer. 'En als ik geen morfine-infuus meer nodig heb.'

Carol trok een meelevend gezicht. 'Dan moet je in het vervolg maar niet meer de held uithangen.

'Er was niets heldhaftigs aan,' zei Tony. 'Die kerels die hun collega weg probeerden te slepen, dat waren helden. Ik heb gewoon voor wat afleiding gezorgd.' Zijn oogleden trilden. 'Dit is wel de laatste keer dat ik overwerk.'

'Heb je iets van thuis nodig?'

'Een paar T-shirts misschien? Die zitten ongetwijfeld gemakkelijker dan die ziekenhuisjakjes. En een paar boxershorts. Het zal me benieuwen of we die over de spalk kunnen krijgen.'

'En misschien nog wat leesvoer?'

'Slim bedacht. Er liggen een paar boeken op mijn nachtkastje die ik nog moet bespreken. Je kunt wel zien welke het zijn, want er zitten van die geeltjes opgeplakt. O, en mijn laptop, alsjeblieft.'

Carol schudde geamuseerd haar hoofd. 'Vind je dit juist niet een goede gelegenheid om het wat rustiger aan te doen? Om iets luchtigers te lezen?'

Hij keek haar aan alsof ze IJslands sprak. 'Waarom?'

'Ik denk niet dat iemand van je verwacht dat je door blijft werken, Tony. En volgens mij vind je het veel moeilijker om je te concentreren dan je denkt.'

Hij keek bedenkelijk. 'Denk je dat ik me niet kan ontspannen?' Het klonk als een grapje, maar dat was het niet.

'Ik denk dat niet alleen. Ik weet het. En ik heb er alle begrip voor, want ik ben zelf ook zo.'

'Ik kan me wel ontspannen. Ik kijk naar voetbal. Ik speel computerspelletjes.'

Carol lachte. 'Ik heb gezien hoe je naar voetbal kijkt. Ik heb gezien hoe je computerspelletjes speelt, en wat jou betreft slaat het woord ontspannend daar absoluut niet op.'

'Ik vind het gewoon beneden mijn waardigheid om daarop te reageren. Maar als je me de laptop brengt, kun je net zo goed Lara meebrengen...' Zijn ogen schitterden als vanouds.

'Och, jij zielepiet. Waar kan ik haar vinden?'

'In mijn studeerkamer. Op de plank waar je vanuit mijn stoel met je rechterhand bij kunt.' Hij onderdrukte een geeuw. 'En nu wordt het tijd om te vertrekken. Ik moet slapen en jij moet leiding geven aan het Team Zware Misdrijven'

Carol stond op. 'Een Team Zware Misdrijven zonder zware misdrijven om op te lossen. Niet dat ik klaag, hoor,' voegde ze er haastig aan toe. 'Ik heb niets tegen een rustig dagje op het bureau.' Ze gaf hem weer een klopje op zijn hand. 'Ik kom vanavond nog wel even langs. Bel me maar als je nog iets nodig hebt.'

Ze liep de gang af en haalde haar mobieltje alvast tevoorschijn, zodat ze het bij het verlaten van het gebouw weer aan kon zetten. Toen ze de zusterspost passeerde, gaf de vrouw met wie ze eerder had gesproken, haar een knipoogje. 'Dat krijg je als je de kat te eten geeft.'

Carol hield haar pas in en vroeg: 'Wat bedoel je?'

'Volgens zijn moeder doet hij nog wel wat meer voor jou.' Ze glimlachte er ondeugend bij.

'Je moet niet alles geloven wat je hoort. Weet jouw moeder alles over jou?'

De verpleegster haalde haar schouders op. 'Daar zit wat in.'

Carol rommelde wat met haar tas en haar mobieltje en haalde een kaartje tevoorschijn. 'Ik kom straks nog even langs. Dit is mijn kaartje. Laat me weten als hij nog iets nodig heeft en dan kijk ik wel wat ik kan doen.'

'Geen probleem. Per slot van rekening zijn goede kattenvoerders dun gezaaid.'

Yousef Aziz keek op het klokje op het dashboard. Hij lag goed op schema. Als hij om negen uur een afspraak in Blackburn had, verwachtte niemand hem veel eerder terug dan om een uur of twaalf. Iedereen wist hoe druk het op maandagmorgen op de weg was die dwars over de heuvels van de Pennines liep. Maar wat ze niet wisten was dat hij achteraf de afspraak had vervroegd naar acht uur. Oké, hij had wat eerder uit Bradfield moeten vertrekken maar geen heel uur, omdat hij zo het echte spitsuur vermeed. Om zich in te dekken had hij alleen maar tegen zijn moeder hoeven te zeggen dat hij absoluut op tijd wilde zijn voor deze belangrijke nieuwe klant. Hij wist dat hij zich eigenlijk schuldig had moeten voelen toen ze zijn zogenaamde stiptheid als een stok had gebruikt waarmee ze zijn kleine broertje kon slaan. Maar bij Raj ging het toch het ene oor in het andere uit. Hun moeder had hem verwend en nu oogste ze wat ze had gezaaid.

Het belangrijkste was dat Yousef een gouden kans voor zichzelf had geschapen. Dat had hij de afgelopen paar maanden op regelmatige basis gedaan. Hij was er een meester in geworden om ongemerkt een paar uurtjes uit elke werkdag te peuren zonder dat het verdacht werd. Al sinds... Hij schudde zijn hoofd alsof hij zo de gedachte kwijt kon raken. Die leidde hem veel te veel af. Hij moest proberen de onderling tegenstrijdige onderdelen van zijn leven in vakjes te verdelen, anders zou hij onvermijdelijk iets verraden.

Yousef had de vergadering in Blackburn zo kort mogelijk gehouden zonder een onbeleefde indruk op de klant te maken, en nu had hij anderhalf uur voor zichzelf. Hij volgde de aanwijzingen van zijn navigatiesysteem. Eerst een stuk snelweg en dan naar het centrum van Cheetham Hill. Hij kende de noordkant van Manchester vrij goed, maar dit speciale deel van de doolhof van rode baksteen was hem niet bekend. Hij sloeg af in een smal straatje waar een haveloos rijtje verwaarloosde huizen uitkeek op een klein industrieterrein. Halverwege kreeg hij de aanduiding voor zijn bestemming in de gaten. PRO-TECH SUPPLIES, in knalrood tegen een witte achtergrond omringd door een stel zwarte uitroeptekens.

Hij parkeerde het busje ervoor en zette de motor af. Hij leunde voorover op het stuur, haalde diep adem en voelde hoe zijn maag samenkromp. Hij had die morgen bijna niets gegeten en had tegenover zijn moeder met haar verstikkende bezorgdheid over zijn recente verlies aan eetlust het voorwendsel gebruikt dat hij anders te laat kwam. Natuurlijk had hij zijn eetlust verloren, net zo goed als hij ook niet meer langer dan een paar uur achter elkaar kon slapen. Wat kon hij anders verwachten? Zo ging het nu eenmaal als je aan zoiets als dit begon. Maar het was belangrijk om geen achterdocht te wekken, dus probeerde hij zo weinig mogelijk rond etenstijd thuis te zijn.

Als je in ogenschouw nam hoe weinig hij at en sliep, was het ongelooflijk hoeveel energie hij nog had. Af en toe voelde hij zich misschien wat licht in het hoofd, maar dat kwam volgens hem niet zozeer door een gebrek aan eten en rust maar meer omdat hij in gedachten al voor zich zag hoe hun plan zou uitwerken. Hij liet het stuur los en stapte uit het busje. Hij liep de deur binnen waarop DETAILVERKOOP stond. Die leidde naar een kamer van drie vierkante meter die was afgescheiden van het magazijn erachter. Achter een met zink bedekte toonbank die de kamer in tweeën deelde, zat een magere man over een computer gebogen. Alles aan hem was grijs – zijn haren, zijn gelaatskleur, zijn stofjas. Hij keek op van het computerscherm toen Yousef binnenkwam. Ook zijn ogen waren grijs.

Hij stond op en leunde op het toonbank. Door die beweging vul-

de een bittere geur van goedkope tabak de ruimte tussen hen in.
'Alles goed?' vroeg Yousef.

'Alles goed. Wat kan ik voor je doen?'

Yousef haalde een lijstje tevoorschijn. 'Ik heb stevige werkhandschoenen nodig, een beschermkap voor het gezicht en oorbeschermers.'

De man zuchtte en trok een beduimelde catalogus naar zich toe. 'Je kunt het beste hier even in kijken. Dan zie je wat wij kunnen leveren.' Hij sloeg hem open en bladerde de verkreukelde pagina's door tot hij bij het gedeelte was waar iets over handschoenen stond. Hij wees in het wilde weg een foto aan. 'Kijk maar, er staat een beschrijving bij. Kun je zien hoe dik en hoe soepel ze zijn. Het hangt ervan af waar je ze voor nodig hebt, hè?' Hij schoof de catalogus naar Yousef toe. 'Kijk zelf maar wat je wilt.'

Yousef knikte. Hij begon de catalogus aandachtig te bestuderen, een beetje van zijn stuk gebracht door de enorme variëteit die voorhanden was. Terwijl hij de beschrijvingen van de artikelen doorlas, kon hij een glimlach niet onderdrukken. Om de een of andere reden had Pro-Tech het project dat hij voor ogen had niet vermeld bij het aanbevolen gebruik van hun beschermende uitrusting. Meneer Grijs achter de toonbank zou het in zijn broek doen als hij de waarheid kende. Maar hij zou de waarheid nooit te weten komen. Yousef was voorzichtig geweest. Hij had geen sporen nagelaten. Een magazijn voor chemische stoffen in Wakefield. Een fabrikant van speciale verfsoorten in Oldham. Een zaak in Leeds waar ze motoraccessoires verkochten. Een leverancier van laboratoriumapparatuur in Cleckheaton. Nooit, nooit, nooit in Bradfield zelf, waar er altijd een kans bestond dat hij door iemand werd herkend. Elke keer had hij de bijbehorende kledij aangehad. Een schildersoverall. De leren kleding van een motorrijder. Een keurig gestreken overhemd en een kaki broek met een rijtje pennen in een opbergzakje in het overhemd. Hij betaalde altijd cash. De onzichtbare man.

Hij maakte een keus, wees aan wat hij wilde hebben en voegde er voor de goede orde nog een borstbeschermer aan toe. De magazijnman voerde alles in in zijn computer en zei tegen Yousef dat zijn bestelling er zo zou zijn. Hij keek een beetje verward toen Yousef zei dat hij contant wilde betalen. 'Heb je geen creditcard?' vroeg hij op ongelovige toon.

'Niet een van de zaak, nee,' loog Yousef. 'Sorry, man. Ik heb alleen maar contant.' Hij telde de bankbiljetten uit.

De magazijnman schudde zijn hoofd. 'Dan moet ik het daar maar mee doen. Jullie soort houdt van contant, hè?'

Yousef fronste zijn wenkbrauwen. 'Mijn soort? Wat bedoel je met mijn soort?' Hij voelde hoe zijn handen zich in zijn zakken tot vuisten balden.

'Jullie moslims. Dat heb ik ergens gelezen. Het druist in tegen jullie godsdienst. Rente betalen en zo.' De kaaklijn van de man verkrampte waardoor hij iets halsstarrigs over zich kreeg. 'Ik bedoel het niet racistisch of zo. Ik constateer alleen een feit.'

Yousef ademde diep in. Op de keper beschouwd gedroeg de man zich nog tamelijk netjes. Hij had veel ergere dingen meegemaakt. Maar tegenwoordig was hij overgevoelig voor alles waar ook maar de minste zweem van vooroordeel aan zat. Het sterkte hem alleen maar in de overtuiging dat hij de juiste keuze had gemaakt en dat hij zijn plannen ten uitvoer moest brengen. 'U zult wel gelijk hebben,' zei hij, want hij wilde zich niet zodanig in de nesten werken dat men hem zich zou herinneren, maar hij kon het ook niet over zijn kant laten gaan door helemaal niet te reageren.

Een verder gesprek werd hem bespaard omdat zijn aankopen er al waren. Hij nam ze mee en liep naar buiten zonder te reageren op het 'Tot kijk' van de man.

Het was druk op de snelweg, en de terugweg naar Bradfield kostte hem bijna een uur. Hij had praktisch geen tijd om de veiligheidsattributen naar zijn zit-slaapkamer te brengen, maar hij kon alles moeilijk in het busje laten slingeren. Als Raj of Sanjar of zijn vader de spullen zag, zou dat aanleiding geven tot allerlei vragen die hij niet wilde beantwoorden.

De zit-slaapkamer was op de eerste verdieping van wat eens het herenhuis van een spoorwegmagnaat was geweest. Het was een grillig gebouwd huis in neogotische stijl. Het vlekkerige pleisterwerk dat de puntgevels en de erkers bedekte was armoedig en vervallen, de raamkozijnen waren rot en uit de goten puilde een ruim assortiment onkruid. Eens had het huis een uitzicht gehad; nu was het enige wat je uit de ramen aan de voorkant kon zien de tribune met de schuine draagbalken aan de westkant van het enorme stadion van Bradfield Victoria, een kleine kilometer verderop. Wat eens een wijk met een zekere grandeur was geweest, was nu verworden tot een getto waarin het enige wat de bewoners gemeen hadden hun armoede was. De huidskleuren varieerden van het blauwzwart van het Afrika ten zuiden van de Sahara tot het melkwit van Oost-Europa. Volgens een onderzoek dat was uitgevoerd in opdracht van de gemeenteraad van Bradfield werden er op deze anderhalve vierkante kilometer ten westen van het voetbalstadion dertien godsdiensten beleden en tweeëntwintig verschillende talen gesproken.

Hier kon Yousef onopgemerkt zijn gang gaan en opgaan in zijn eigen derdegeneratie-immigrantengemeenschap. Hier was niemand geïnteresseerd in het komen en gaan naar en van zijn geheime plek op de eerste verdieping. Hier was Yousef Aziz onzichtbaar.

De receptioniste probeerde tevergeefs te verhullen dat ze schrok. 'Goedemorgen, mevrouw Hill,' brabbelde ze wezenloos. Ze wierp een snelle blik op de kalender die op haar bureau lag, alsof ze niet kon geloven dat ze zich zo had vergist. 'Ik dacht dat u... we waren niet...'

'Prima, zo blijf je alert, Bethany,' zei Vanessa toen ze op weg naar haar eigen kantoor langs stoof. De gezichten die ze onderweg passeerde, keken verschrikt en schuldbewust, en de begroetingen kwamen er nogal haperend uit. Het kwam geen moment bij haar op dat ze iets hadden gedaan waarover ze zich schuldig moesten voelen. Haar medewerkers wisten wel dat ze haar niet voor de gek moesten houden. Maar ze genoot ervan dat haar onverwachte komst een vleugje angst in haar kantoor veroorzaakte. Daardoor wist ze dat ze waar voor haar geld kreeg. Vanessa Hill was geen aardige werkgeefster. Ze had al een vriendenkring; ze hoefde geen vriendjes te zijn met haar werknemers. Ze was hard, maar ze vond ook dat ze eerlijk was. Het was een boodschap die ze er bij haar klanten ook probeerde in te hameren. Blijf afstandelijk, probeer hun respect te winnen, dan heb je de minste problemen met je personeel.

Jammer dat het niet zo eenvoudig lag bij kinderen, dacht ze toen ze haar laptop op haar bureau deponeerde en haar jasje ophing. Als je personeel niet aan je eisen voldeed, kon je ze de laan uitsturen en iemand inhuren die geschikter was voor de functie. Maar met kinderen zat je je hele leven opgescheept. En vanaf het allereerste begin had Tony niet aan haar verwachtingen kunnen voldoen. Toen ze zwanger was geraakt van een man die, toen hij het nieuws hoorde, meteen met de noorderzon vertrok, had haar moeder geopperd dat ze het kind zou laten adopteren. Vanessa had geweigerd. Nu, achteraf, kon ze zich absoluut niet meer voorstellen waarom ze zo hardnekkig voet bij stuk had gehouden.

Ze had het niet om sentimentele redenen gedaan. Ze bezat geen greintje sentimentaliteit. Die houding raadde ze haar klanten ook altijd aan. Had ze zich dan alleen maar zo in de nesten gewerkt om haar veeleisende, bazige moeder dwars te zitten? Er was vast nog wel een andere reden geweest, maar die kon ze zich met geen mogelijkheid meer herinneren. Het had vast aan de hormonen gelegen, daardoor had ze niet helder meer kunnen denken. Hoe het ook zij, ze had de valse opmerkingen en het geroddel uit de buurt – toen nog normaal als je alleenstaande moeder was – over zich heen laten komen. Ze was van baan veranderd, was helemaal naar de andere kant van de stad verhuisd waar niemand haar kende en ze had over haar verleden gelogen, een dode echtgenoot verzonnen om aan het stigma te ontkomen. En ze had nooit de illusie gehad dat ze zich zou kunnen koesteren in de romantische warmte van het moederschap. Met een vader die niet meer leefde en geen schijn van kans op een echtgenoot, was zij de kostwinner. Ze had altijd geweten dat ze zo gauw het menselijkerwijs mogelijk was weer aan het werk zou gaan, net als zo'n stomme Chinese boerin die er gewoon even eentje baart in de sloot om daarna meteen weer in het rijstveld verder te ploeteren. En waarvoor?

Haar moeder had de zorg voor het kind niet erg van harte op zich genomen. Ze had niet veel keus, want dankzij het loonzakje van haar dochter konden ze het hoofd boven water houden. Vanessa kon zich nog voldoende van haar eigen jeugd herinneren om te weten aan welk regime oma haar zoon blootstelde. Ze probeerde niet te denken aan het leven dat Tony moest hebben gehad en ze moedigde hem ook niet aan erover te praten. Ze had zelf genoeg aan haar hoofd, eerst met het runnen van een drukke personeelsafdeling en daarna met het op poten zetten van haar eigen bedrijf. Hoe moeilijker het werk was, hoe heerlijker ze het vond, maar voor een zeurend kind had ze geen energie meer over.

Maar ere wie ere toekomt, hij had dat al vrij vroeg in de gaten. Hij leerde alles te slikken en zijn mond te houden en te gehoorzamen. Als hij er even niet aan dacht en als een jong hondje om haar heen sprong, hoefde ze hem maar een paar woorden toe te bijten en dan liep hij weer in het gareel.

Desondanks had hij haar in de weg gestaan. Daar had ze geen enkele twijfel over. In die tijd was het nog zo dat een kerel niet wilde worden opgezadeld met het kind van een ander. En bij haar beroep had hij haar ook in de weg gezeten. Toen ze bezig was met het opbouwen van haar eigen bedrijf, had ze het reizen tot een minimum moeten beperken, omdat haar moeder protesteerde als ze 's nachts te vaak met het kind werd opgescheept. Vanessa had kansen gemist, ze had de contacten die ze had gemaakt, niet snel genoeg kunnen uitbouwen, had godverdomme veel te vaak achter de feiten aan moeten lopen, en dat was de schuld van Tony.

En ze had er niets voor teruggekregen. De kinderen van andere vrouwen trouwden en zorgden voor kleinkinderen. Foto's op het bureau, anekdotes tijdens de pauzes bij vergaderingen, familievakanties naar zonnige oorden. Dat soort dingen zorgden ervoor dat het ijs werd gebroken. Daar bouwde je vertrouwen mee op. Daarmee vormde je de basis voor zakelijke relaties, kreeg je nieuwe opdrachten en dat bracht weer geld in het laatje. Dat Tony op dit gebied een volslagen mislukkeling was betekende dat Vanessa weer des te harder moest werken.

Nou, het was tijd om er iets voor terug te krijgen, dat was een ding dat zeker was. Het had allemaal niet beter kunnen lopen, zelfs niet als ze alles zelf had gepland. Hij lag de eerste tijd nog wel in het ziekenhuis, suf van de medicijnen en de slaap. Hij kon zich nergens verstoppen. Ze kon naar hem toe wanneer ze maar wilde en het juiste moment afwachten. Ze hoefde alleen die vriendin maar zien te ontlopen.

Haar secretaresse kwam geruisloos binnen en zette zonder een woord te zeggen de koffie neer die altijd onmiddellijk als ze aan haar bureau was gaan zitten, werd binnengebracht. Vanessa zette haar computer aan en trok een grimas. Die Tony, die daar opeens aan kwam zetten met een vrouw die niet alleen aantrekkelijk was, maar ook nog hersens had. Vanessa had nooit verwacht dat haar zoon met iemand als Carol Jordan aan zou komen. Als ze zich er al een voorstelling van had gemaakt, dan zou ze meer gedacht hebben aan een miezerig, onopvallend meisje dat ontzettend naar hem opkeek. Maar of hij nu een vriendin had of niet, zij zou haar zin doordrijven.

Elinor tilde haar hand op om aan te kloppen en aarzelde toen. Stond ze op het punt om haar carrière de vernieling in te helpen? Je zou kunnen zeggen dat als ze gelijk had, het er niet meer toe deed of ze haar mond opendeed of niet. Want als ze gelijk had, ging Robbie Bishop sowieso dood. Daar hielp geen lieve moeder aan. Maar als ze gelijk had en ze deed haar mond niet open, zou iemand anders kunnen sterven. Of er nu toeval of boze opzet stak achter wat er met hem was gebeurd, het kon iemand anders ook overkomen.

De gedachte dat ze nog een sterfgeval op haar geweten zou hebben, gaf de doorslag bij Elinor. Ze kon beter zelf voor gek staan voor een goede zaak dan met een schuldgevoel moeten leven. Ze klopte op de deur en wachtte op het verstrooide 'Ja, ja, binnen,' van Denby. Hij keek ongeduldig op van een stapel patiëntendossiers. 'Dr. Blessing,' zei hij. 'Is er nog wat veranderd?'

'Bij Robbie Bishop?'

Denby glimlachte wat halfslachtig. 'Bij wie anders? We beweren wel dat we al onze patiënten gelijk behandelen, maar dat is niet bepaald gemakkelijk als we telkens als we komen en gaan, hier bij het ziekenhuis belaagd worden door alle voetbalsupporters.' Hij draaide zich met een ruk om in zijn stoel en keek door het raam naar de parkeerplaats beneden. 'Er staan er nog meer dan toen ik terugkwam na de lunch.' Hij ging weer recht zitten toen Elinor aangaf iets te willen zeggen. 'Wat denkt u? Zouden ze geloven dat ze door hun aanwezigheid hier de afloop kunnen beïnvloeden?' Hij klonk niet zozeer cynisch als wel verward.

'Als ze geloven in de kracht van bidden wel. Ik heb er een stel op een kluitje in een deuropening zien staan die de rozenkrans aan het bidden waren.' Ze haalde haar schouders op. 'Zo op het oog schiet meneer Bishop er niet zo veel mee op – het lijkt erop dat hij steeds meer achteruit gaat. Het vocht achter zijn longen neemt toe. Volgens mij gaat zijn ademhaling steeds moeilijker. Hij moet absoluut aan de beademing blijven.'

Denby beet op zijn lip. 'Dus hij reageert niet op de AZT?'

Elinor schudde haar hoofd. 'Niet waarneembaar tot dusver.'

Denby zuchtte en knikte. 'Ik heb verdomme geen flauw idee wat er hier aan de hand is. Nou ja. Niets aan te doen. Bedankt dat u me op de hoogte houdt, dr. Blessing.' Hij keek weer naar de stapel dossiers om aan te geven dat ze kon gaan.

'Mag ik nog één ding zeggen?'

Hij keek haar met opgetrokken wenkbrauwen aan. Hij maakte de indruk oprecht geïnteresseerd te zijn in wat ze te zeggen had. 'Heeft het met meneer Bishop te maken?'

Ze knikte. 'Ik weet dat het krankzinnig klinkt, maar heeft u gedacht aan ricinevergiftiging?'

'Ricine?' Denby keek bijna beledigd. 'Hoe zou een voetballer uit de Premier League in godsnaam in aanraking moeten komen met ricine?'

Elinor liet zich niet van de wijs brengen. 'Ik heb geen idee. Maar u bent een fantastische diagnosticus en toen zelfs u niet wist wat er aan de hand was, dacht ik dat het iets raars moest zijn. En ik dacht dat het misschien wel een vergiftiging was. Dus heb ik het nagekeken op de databank op internet en al zijn symptomen komen overeen met ricinevergiftiging – zwakte, koorts, misselijkheid, kortademigheid, hoesten, longoedeem en gewrichtspijn. Voeg daarbij het feit dat hij op geen van de medicijnen die we hem hebben gegeven heeft gereageerd... Ik weet het niet, het is de enige logische verklaring.'

Denby keek verdwaasd. 'Ik denk dat u te veel naar *Spooks* hebt gekeken, dr. Blessing. Robbie Bishop is een voetballer, geen overloper van de KGB.'

Elinor keek naar de grond. Hier was ze al bang voor geweest. Maar de reden die haar alsnog had doen besluiten naar binnen te gaan, bestond nog steeds. 'Ik weet dat het belachelijk klinkt,' zei ze, 'maar we hebben geen van allen een alternatieve diagnose kunnen bedenken die klopt met de symptomen en met het feit dat de patiënt niet reageert op een van de medicaties die we hebben geprobeerd.' Ze keek op. Hij hield zijn hoofd scheef en hoewel zijn mond een strakke streep vormde, stond er in zijn ogen belangstelling te lezen voor wat ze te zeggen had. 'En dit zeg ik niet om u met vleierijen zover te krijgen dat u mij serieus neemt. Maar als u er niet achter kunt komen wat voor ziekte Robbie Bishop heeft, denk ik niet dat er een relatief simpele verklaring kan zijn, bijvoorbeeld dat we te maken hebben met een virale of een bacteriële ziekte. En dan blijft er alleen gif over. En het enige gif dat in aanmerking komt is ricine.'

Denby sprong overeind. 'Dat is waanzin. Terroristen maken gebruik van ricine. Spionnen maken gebruik van ricine. Hoe krijgt een voetballer uit de Premier League in godsnaam ricine binnen?'

'Neemt u me niet kwalijk, maar dat is ons probleem niet, denk ik,' zei Elinor.

Denby wreef met zijn handpalmen over zijn gezicht. Ze had hem nog nooit in de war gezien, laat staan zo geagiteerd. 'Laten we ons op het belangrijkste concentreren. We moeten nagaan of u gelijk hebt of niet.' Hij keek haar verwachtingsvol aan.

'Je kunt een ELISA-test doen op ricine. Maar zelfs als ze het juiste antigeen in voorraad hebben en ze dat onmiddellijk inzetten, krijgen we de resultaten van die test pas morgen binnen.'

Hij haalde diep adem en had er duidelijk moeite mee om zich te herpakken. 'Zet de boel maar in werking. Neem zelf de bloedmonsters af en breng ze rechtstreeks naar het lab. Ik bel wel vast, dan weten ze waar ze rekening mee moeten houden. We kunnen beginnen met de behandeling...' Hij bleef midden in de zin steken, zijn mond hing nog open. 'O shit.' Hij kneep heel even zijn ogen dicht. 'Er is goddomme geen behandeling voor, hè?'

Elinor schudde haar hoofd. 'Nee. Als ik gelijk heb, is er voor Robbie Bishop geen redding mogelijk.'

Denby zakte onderuit in zijn stoel. 'Ja. Nou, ik denk dat we deze mogelijkheid voorlopig even onder ons moeten houden. Totdat we zekerheid hebben. Je moet tegen niemand vertellen waar je bang voor bent.'

'Maar...' Elinor keek bedenkelijk.

'Maar wat?'

'Moeten we de politie niet inlichten?'

'De politie? U was degene die zei dat iemand anders maar moest vaststellen hoe hij de ricine binnen heeft gekregen. We kunnen de politie er niet bij halen, zolang het alleen nog maar een vermoeden is.'

'Maar hij heeft nog steeds heldere momenten. Hij kan nu nog communiceren. Als we tot morgen wachten, ligt hij misschien al in een coma en dan kan hij aan niemand meer vertellen hoe dit is gebeurd. Als het is gebeurd,' haastte ze zich eraan toe te voegen bij het zien van de onheilspellende uitdrukking op Denby's gezicht.

'En als u ongelijk heeft? Als het iets heel anders blijkt te zijn? Dan zal deze afdeling niet alleen in dit ziekenhuis maar ook in de wijde omgeving elke geloofwaardigheid verloren hebben. Zeg nou zelf, dr. Blessing, twee minuten nadat we de politie erbij gehaald hebben, wordt het door de media van de daken geschreeuwd. Ik ben niet bereid mijn eigen reputatie en die van mijn team zo te grabbel te gooien. Het spijt me. We houden het voor ons, we vertellen het aan niemand anders totdat we de resultaten van de ELISA-test binnen hebben en we het zeker weten. Is dat duidelijk?'

Elinor zuchtte. 'Heel duidelijk.' Toen klaarde haar gezicht op. 'Zal ik hem er zelf naar vragen? Als we alleen zijn?'

Denby schudde zijn hoofd. 'Geen sprake van,' zei hij zonder aarzelen. 'Ik wil niet hebben dat u op die manier een patiënt ondervraagt.'

'Het is net zoiets als een anamnese afnemen.'

'Het lijkt in de verste verte niet op een anamnese afnemen. Het lijkt verdorie op Miss Marple spelen. Laten we alsjeblieft geen tijd meer verspillen. Ga meteen aan de gang met dat ELISA-protocol.' Er kon nog net een bloedeloos glimlachje af. 'Goed gezien, dr. Blessing. Laten we maar hopen dat u dit keer geen gelijk hebt. Nog afgezien van al het andere, maakt Bradfield Victoria zonder Robbie Bishop geen schijn van kans om het komende seizoen iets in Europa klaar te spelen.' Op het gezicht van Elinor moest te zien zijn geweest dat ze geschokt was, want hij sloeg zijn ogen ten hemel en zei: 'In godsnaam, zeg. Ik maak maar een grapje. Ik maak me net zoveel zorgen hierover als u.'

Maar dat waagde Elinor te betwijfelen.

Tony schrok wakker, met wijd open ogen, zijn mond vertrokken in een geluidloze schreeuw. De morfinedromen konden op een beangstigende manier de schittering van de bijl, de strijdkreet van de man die hem had aangevallen, de zweetlucht en de smaak van bloed weer tot leven wekken. Zijn ademhaling was snel en oppervlakkig en hij voelde hoe het zweet opdroogde op zijn bovenlip. *Het is maar een droom.* Hij probeerde zijn ademhaling te reguleren en geleidelijk werd de paniek wat minder.

Toen hij wat was gekalmeerd, probeerde hij zijn gewonde been vanuit zijn heup op te tillen. Hij kneep zijn handen zo hard tot vuisten dat de nagels zich in zijn handpalmen boorden. De aderen in zijn hals vormden zich tot dikke koorden door de inspanning die het hem kostte om zijn been, dat plotseling van lood leek te zijn, te bewegen. De vruchteloze seconden regen zich aaneen, en toen gaf hij met een gefrustreerd gegrom de poging maar op. Hij had het gevoel dat hij zijn linkerbeen nooit meer zou kunnen bewegen.

Tony pakte de afstandsbediening en ging iets overeind zitten. Hij wierp een blik op zijn horloge. Nog een halfuur en dan kreeg hij zijn avondeten. Niet dat hij veel trek had, maar het was een onderbreking van de dag. Hij zou bijna willen dat zijn moeder was gebleven. Dat gaf hem tenminste iets om zich tegen af te zetten. Tony schudde verbijsterd zijn hoofd over die gedachte. Als het gezelschap van zijn moeder het antwoord was, stelde hij de verkeerde vraag. Niet dat er in de relatie tussen hen geen dingen waren die hij onder ogen moest zien om ze te kunnen verwerken. Maar dit was niet de tijd noch de plaats. Hij wist niet precies welke plaats en welk tijdstip wel geschikt waren voor iets wat zo pijnlijk zou kunnen uitpakken. Wat hij wel wist was dat het niet hier en nu moest gebeuren.

Maar hij kon er niet voor eeuwig mee wachten. Carol had haar nu ontmoet en zij zou ook met vragen zitten. Hij kon haar niet met een kluitje in het riet sturen; Carol verdiende beter. Maar waar moest hij beginnen? Zijn jeugdherinneringen vormden geen echt samenhangend verhaal. Ze waren fragmentarisch, een serie voorvallen die losjes met elkaar verbonden waren als donkere kralen aan een ketting die alle glans verloren heeft. Niet alle herinneringen waren slecht, maar zijn moeder kwam in geen van de goede voor. Hij wist dat hij niet de enige was met een dergelijke ervaring. Per slot van rekening had hij er een heleboel van dat soort behandeld. Het was gewoon nog een facet van zijn verleden dat hij gemeen had met de gekken.

Hij sloeg met zijn hand voor zijn gezicht alsof hij een vlieg weg wilde jagen, pakte de afstandsbediening van de tv, en begon langs het beperkte aantal kanalen te zappen. Niets kon zijn aandacht vasthouden, maar hij hoefde geen keuze te maken, omdat er op de deur werd geklopt.

De persoon aan de andere kant wachtte niet tot ze binnen genood werd. De vrouw die zijn kamer in stapte zag eruit als een dikke slechtvalk. Glanzende bruine haren in een golvend kort kapsel dat net op de schouders viel en haar voorhoofd vrij liet. Diepliggende groenbruine ogen glommen onder volmaakt gevormde wenkbrauwen en een haviksneus stak naar voren tussen mollige wangen. Bij het zien van mevrouw Chakrabarti werd Tony veel vrolijker dan bewerkstelligd had kunnen worden door wat voor tv-zender dan ook. Hier kreeg hij nieuws voorgeschoteld dat veel interessanter was dan het journaal op BBC 24.

Er liepen een stuk of zes arts-assistenten in witte jassen in haar kielzog, die eruitzagen als middelbare scholieren die zich nog aan het oriënteren zijn op een toekomst als arts. Ze schonk Tony een professioneel glimlachje en pakte zijn kaart. 'Zo,' zei ze met een blik vanonder haar wenkbrauwen. 'Hoe voelt u zich?' Haar accent vertoonde meer gelijkenis met dat van de koninklijke familie dan met de inwoners van Bradfield. Tony kreeg bijna het gevoel dat hij zijn pet moest afnemen of een buiging moest maken.

'Alsof u mijn been hebt vervangen door een loden pijp,' zei hij.

'Geen pijn?'

Hij schudde zijn hoofd. 'Daar zorgt de morfine wel voor.'

'Maar u voelt geen pijn als de morfine eenmaal werkt?'

'Nee. Zou dat wel moeten?'

Mevrouw Chakrabarti glimlachte. 'We zien het liever anders. Ik haal u morgen van het morfine-infuus af en dan kijken we of we de pijn op een andere manier onder controle kunnen krijgen.'

De angst greep Tony bij de keel. 'Weet u zeker dat dat een goed idee is?'

De glimlach kreeg nu iets roofzuchtigs. 'Even zeker als u, wanneer u uw eigen patiënten van advies dient.'

Tony grijnsde. 'In dat geval kunnen we ons beter bij de morfine houden.'

'U hoeft niet bang te zijn, dr. Hill.' Ze stopte de kaart terug en bestudeerde zijn been, waarbij ze haar hoofd scheef hield om de twee drains te kunnen zien waardoor een bloederige vloeistof uit de wond op zijn knie werd afgevoerd. Ze draaide zich om naar haar studenten. 'Zoals jullie zien komt er niet veel meer uit de wond.' En toen weer tegen Tony. 'Ik denk dat we de drains er morgen wel uit kunnen halen en dan verwijderen we meteen deze spalk. Dan kunnen we zien wat u verder nog nodig heeft. Waarschijnlijk een mooi cilindergipsverband.'

'Wanneer kan ik naar huis?'

Mevrouw Chakrabarti wendde zich tot haar studenten met de eeuwige neerbuigendheid van een chirurg. 'Wanneer kan dr. Hill naar huis?'

'Als hij zijn been weer wat kan belasten?' De spreker zag eruit alsof hij eigenlijk kranten zou moeten rondbrengen, en zich nog lang niet een oordeel over een patiënt zou moeten aanmatigen.

'Hoe zwaar belasten? Als hij weer kan staan?'

De studenten wisselden verstolen blikken uit. 'Als hij zich kan redden met een looprek,' opperde een ander.

'Als hij zich kan redden met een looprek, zijn been kan optillen en kan trappenlopen,' mengde een derde zich in het gesprek.

Tony voelde hoe er iets in zijn hoofd bijna knapte. 'Dokter,' zei hij krachtig. Toen hij haar aandacht had, sprak hij op zeer duidelijke toon. 'Dat was niet zomaar een vraag. Ik kan me niet permitteren om hier te zijn. Geen van de belangrijke dingen in mijn leven kunnen worden afgehandeld in een ziekenhuisbed.'

Nu glimlachte mevrouw Chakrabarti niet meer. Zo moet een muis zich voelen die oog in oog staat met een roofvogel, dacht Tony. Het enige positieve is dat je weet dat het niet lang gaat duren. 'Dat is iets wat u gemeen hebt met de overgrote meerderheid van mijn patiënten, dr. Hill,' zei ze.

Zijn blauwe ogen schitterden van de inspanning die het hem kostte om zijn frustratie te verbergen. 'Daar ben ik me volledig van bewust. Maar in tegenstelling tot de overgrote meerderheid van uw patiënten kan niemand anders het werk doen dat ik doe. Dat is geen arrogantie. Het is gewoon zo. Ik heb geen twee goed functionerende benen nodig voor de meeste dingen die voor mijn werk belangrijk zijn. Wat ik echt nodig heb is dat mijn hoofd het doet en dat gaat hier niet zo goed.'

Ze staarden elkaar woedend aan. De studenten keken roerloos toe. Ze durfden nauwelijks te ademen. 'Ik begrijp hoe u zich voelt, dr. Hill. En ik begrijp ook dat u het gevoel hebt gefaald te hebben.'

'Gefaald?' Tony wist absoluut niet waar ze het over had.

'Per slot van rekening was het een van uw eigen patiënten die u dit heeft aangedaan.'

Hij barstte in lachen uit. 'Goede genade, nee. Niet een van mijn patiënten. Lloyd Allen was er niet eentje van mij. Dit heeft niets te maken met schuldgevoel, dit heeft ermee te maken dat ik mijn patiënten wil geven wat ze nodig hebben. Precies zoals u ook wilt doen, mevrouw Chakrabarti.' Zijn glimlach deed zijn gezicht stralen, aanstekelijk en dwingend.

Haar mondhoeken vertrokken zich. 'In dat geval, dr. Hill, zou ik zeggen dat u het in eigen hand hebt. Misschien kunnen we het beter met een beugel proberen dan met een gipsverband.' Ze wierp een kritische blik op zijn schouders. 'Het is jammer dat u niet meer kracht in uw bovenlichaam hebt, maar we zouden kunnen proberen of u overweg kunt met een stel elleboogkrukken. Waar het op neer komt is dat u mobiel moet zijn, u zult precies moeten doen wat de fysiotherapeut zegt en u zult van het morfine-infuus af moeten zijn. Is er bij u thuis iemand die voor u kan zorgen?'

Hij keek de andere kant op. 'Ik woon samen met een vriendin. Zij helpt me wel.'

De chirurg knikte. 'Ik beweer niet dat de revalidatie gemakkelijk zal zijn. Het is hard werken met een heleboel pijn. Maar als u hier per se weg wilt, zullen we begin volgende week weer over uw bed kunnen beschikken.

'Begin volgende week?' Hij kon niet verhullen hoe geschokt hij was.

Mevrouw Chakrabarti schudde zachtjes grinnikend haar hoofd. 'Iemand heeft uw knieschijf met een brandbijl in tweeën gespleten, dr. Hill. Weest u nu maar dankbaar dat u in een stad woont met een ziekenhuis dat op orthopedisch gebied tot de absolute top behoort. Er zijn ook ziekenhuizen waar u zich nu zou liggen afvragen of u ooit weer goed zou kunnen lopen.' Ze neigde haar hoofd ten afscheid. 'Een van deze mensen zal er morgen bij zijn als ze de drains eruit halen en de spalk verwijderen. En dan zien we wel hoe het verdergaat.'

Ze liep weg en haar gevolg liep op een kluitje achter haar aan. Een van het groepje holde gedienstig voor haar uit om de deur open te doen, waar de chirurg bijna tegen de opgeheven vuist van Carol Jordan aanliep. Geschrokken deinsde mevrouw Chakrabarti wat achteruit.

'Sorry,' zei Carol. Ze keek naar haar hand en lachte schaapachtig. 'Ik wilde net kloppen.' Ze deed een pas opzij om de artsen te laten passeren, en toen ze beladen met van alles en nog wat binnenkwam, trok ze vragend haar wenkbrauwen op. 'Dat zag eruit als een koninklijke stoet uit de middeleeuwen.'

'Je bent warm. Dat was mevrouw Chakrabarti met haar lijfeigenen. Zij gaat over mijn knie.'

'En? Hoe is het?' vroeg Carol. Ze liet een verzameling plastic zakken op de grond vallen en deponeerde voorzichtig de tas met de laptop erin op Tony's nachtkastje.

'Ik moet hier waarschijnlijk nog wel een week blijven,' mopperde hij.

'Niet langer? God, dan is ze vast heel goed. Ik dacht dat het veel langer zou duren.' Ze begon de plastic tassen uit te pakken. 'Gemberbier, frisdrank, echte citroenlimonade. Luxe geroosterde nootjes. De boeken waar je om hebt gevraagd. Alle spelletjes van Tomb Raider waar Lara Croft ooit een hoofdrol in heeft gespeeld. Snoepjes. Mijn iPod. Jouw laptop. En...' Ze haalde met een triomfantelijk gebaar een vel papier tevoorschijn. 'De toegangscode tot de draadloze breedband van het ziekenhuis.'

Tony deed net of hij verbaasd was. 'Ik ben onder de indruk. Hoe heb je 'm dat geflikt?'

'Ik ken de hoofdverpleegster nog van heel vroeger. Ik heb haar verteld dat haar leven er veel gemakkelijker op gaat worden als je online was. Ze dacht blijkbaar dat een volledige breuk met de ziekenhuisregels daar wel tegen opwoog. Je hebt kennelijk al grote indruk gemaakt.' Carol schudde met een schouderbeweging haar mantel uit en ging op een stoel zitten. 'En niet op een positieve manier.'

'Bedankt voor alles. Ik ben je echt dankbaar. Je bent vroeg. Ik had je veel later verwacht.'

'Hoe hoger je rang, hoe meer voorrechten je hebt. Maar ik vermoed dat ik de volgende keer dat ik naar binnen wil, mijn identiteitsbewijs moet laten zien.'

'Hoezo?' Tony reikte haar het snoer aan voor zijn laptop. 'Ik geloof dat er achter je een stopcontact zit.'

Carol stond op om achter haar stoel de stekker erin te kunnen stoppen. 'De fanclub van Robbie Bishop.'

'Waar heb je het over?'

'Heb je het nieuws niet gezien? Robbie Bishop ligt hier, in Bradfield Cross.'

Tony fronste zijn voorhoofd. 'Is hij bij de wedstrijd van zaterdag geblesseerd geraakt? Ik lig hier zo van God en iedereen verlaten dat ik niet eens weet of we hebben gewonnen.'

'Een-nul voor de Vics. Maar Robbie heeft niet meegespeeld. Hij had zogenaamd griep, maar wat het ook is, het werd zo erg dat hij hier zaterdag is opgenomen. En ik heb net op de radio gehoord dat hij naar de intensive care is overgebracht.'

Tony floot. 'Nou, dan is het blijkbaar toch geen griep. Hebben ze er al iets over naar buiten gebracht?'

'Nee. Het enige wat ze zeggen is dat hij pleuritis heeft. Maar de fans zijn in groten getale uitgerukt. Je kunt de hoofdingang niet meer zien vanwege de kanariegele mensenzee. Kennelijk hebben ze hun toevlucht moeten nemen tot extra beveiliging om de meer ondernemende fans op afstand te houden. Een vrouw heeft zich zelfs als verpleegster verkleed in een poging om aan zijn bed te kunnen staan. En dat is vast niet de laatste die iets dergelijks probeert. Het is een groot probleem, omdat je het ziekenhuis niet voor het publiek kunt sluiten. De patiënten en hun families zouden dat nooit pikken.'

'Het verbaast me dat hij niet in zo'n privéziekenhuis ligt.' Tony maakte het zakje snoepjes open en roerde erdoorheen met zijn vinger totdat hij zijn lievelingssnoepje met de botersmaak vond.

'Van de privéziekenhuizen in Bradfield heeft er geen een de faciliteiten om acute ademhalingsproblemen te behandelen volgens die aardige hoofdverpleegster van jou. Er is niets mis mee als je een nieuwe heup wilt of als je amandelen eruit moeten, maar als je ernstig ziek bent, moet je in Bradfield Cross zijn.'

'Ik weet er alles van,' zei Tony laconiek.

'Jij bent niet ziek,' zei Carol kortaf. 'Je bent gewoon iets meer beschadigd dan normaal.'

Hij trok een grimas. 'Je zegt het maar. Maar ik wil er nog steeds wel iets onder verwedden dat Robbie Bishop hier eerder dan ik de deur uit loopt.'

DINSDAG

Soms was het helemaal geen genoegen om het bij het rechte eind te hebben, dacht Elinor, toen ze naar het labrapport staarde. En dit was zonder enige twijfel een van die keren. De testresultaten waren onweerlegbaar. Robbie Bishop had genoeg ricine in zijn lijf om hem verscheidene keren te vermoorden.

Elinor piepte Denby op en vroeg hem naar de intensive care te komen. Toen ze door de overdekte verbindingsgang liep die de laboratoria verbond met het hoofdgebouw, kon ze de aanblik van de fans van Robbie Bishop niet vermijden. Hun geduldige wake werd zinloos gemaakt door het vel papier dat ze in haar hand hield. Een van de vrouwen van de administratie had die morgen in de personeelskantine nog zitten oreren dat het ziekenhuis overspoeld werd met aanbiedingen van bloed, nieren, kortom alles wat kon worden gedoneerd om Robbie te redden. Maar nu kon er niets meer aan Robbie gegeven worden dat iets zou kunnen veranderen aan zijn toekomstige lot.

Toen ze in de buurt van de intensive care kwam, vouwde ze het rapport dubbel en stopte het in haar zak. Ze wilde niet dat iemand van de beveiliging er een glimp van opving bij het controleren van haar pasje voordat ze de afdeling op mocht. De sensatiebladen hadden overal hun spionnen; het minste wat ze kon doen was er zorg voor dragen dat Robbies laatste uren zo waardig mogelijk verliepen. Ze passeerde de beveiliging en liep de hal door waar ze Martin Flanagan onderuitgezakt op een bank zag zitten. Toen hij haar zag, sprong hij overeind, en heel even maakte de uitputting op zijn gezicht plaats voor gretigheid en angst. 'Is er nog nieuws?' vroeg hij. Zijn platte Noord-Ierse accent gaf aan die simpele vraag onbedoeld iets agressiefs. 'Meneer Denby is net naar binnen gegaan. Heeft hij om u gevraagd?'

'Het spijt me, meneer Flanagan,' zei Elinor werktuiglijk. 'Op dit moment kan ik u echt nog niets vertellen.'

Zijn gezicht zakte onmiddellijk weer in. Hij streek met zijn vingers door zijn haren waarin zilvergrijze strepen zaten, en keek haar smekend aan. 'Ik mag niet bij hem, weet je. Zijn vader en moeder, die mogen wel bij hem. Maar ik niet. Niet nu hij daarbinnen ligt. Ik heb Robbie gecontracteerd toen hij nog maar veertien jaar was, weet je. Ik heb hem opgeleid. Hij is de beste speler met wie ik ooit heb gewerkt en hij heeft het hart van een leeuw.' Hij schudde zijn hoofd. 'Ik kan het niet geloven, weet je? Dat ik moet aanzien dat het zo slecht met hem gaat. Hij is als een zoon voor me geweest.' Hij wendde zijn gezicht af.

'We doen wat we kunnen,' zei Elinor. Hij knikte en liet zich als een zak aardappelen op de bank vallen. Het was niet verstandig om ergens emotioneel betrokken bij te raken, dat wist ze. Maar het was moeilijk om de pijn van Flanagan aan te moeten zien zonder medelijden met hem te krijgen.

Op de intensive care is iedereen gelijk, dacht ze, toen ze de verduisterde ruimte binnen liep met de kamertjes, volgestouwd met apparatuur. Of je nu een beroemdheid was of een onbeduidend iemand, je kreeg allemaal dezelfde volledige toewijding van het personeel, dezelfde toegang tot alles wat er nodig was om je in leven te houden. En er golden dezelfde beperkingen voor bezoekers. Alleen de naaste familie mocht bij je, en ook zij werden zonder enig pardon opzijgeschoven als dat nodig was. Hier ging het op de allereerste plaats om de behoeften van de patiënt, en hier voerde de medische staf het opperste gezag, al was het maar omdat de patiënten niet meer in staat waren om dat gezag in twijfel te trekken.

Elinor liep rechtstreeks naar het kamertje van Robbie Bishop. Toen ze dichterbij kwam, zag ze links van het bed de man en de vrouw zitten. Een echtpaar van middelbare leeftijd, beiden duidelijk in de greep van het soort spanning dat gepaard gaat met doodsangst. Hun blik week niet van de persoon die daar met allerlei draden aan een apparaat lag. Aan Thomas Denby, die aan het voeteneind van het bed stond, werd totaal geen aandacht geschonken. Hij was onzichtbaar voor hen. Elinor vroeg zich af of ze zo gewend waren geraakt aan de aanblik van hun zoon vanuit de verte dat ze nu op de een of ander manier net zo verlamd waren door zijn nabijheid als door zijn ziekte.

Ze bleef even buiten het gezichtsveld van de aanwezigen staan. Het schemerlicht creëerde een effect van licht en schaduw waardoor ze het gevoel kreeg dat ze stiekem naar een tafereel in een museum keek. Het middelpunt werd gevormd door Robbie Bishop, die nog maar een bleke schim was van de glamourachtige man van daarvoor. Je kon het je nu nauwelijks meer voorstellen, die magistrale beheersing van dat prachtige spel, die vloeiende doorbraken op de vleugel en de kromme voorzetten die zoveel kansen hadden geboden aan de aanvallers van Bradfield Victoria. Je kon het opgezwollen wasachtige gezicht niet meer vergelijken met het stralende, knappe uiterlijk waarmee hij miljoenen had verdiend door reclame te maken voor van alles en nog wat, variërend van biologische groente en fruit tot deodorant. Die bekende lichtbruine haardos, waarin op een deskundige manier strepen waren aangebracht om hem op een stoere surfer te doen lijken, zag er nu futloos en donker uit, omdat uiterlijke verzorging lager op de prioriteitenlijst van het ziekenhuispersoneel stond dan op die van voetballers uit de Premier League. En aan Elinor de taak om het laatste restje hoop uit dit dramatische tafereel weg te halen.

Ze deed een stap naar voren en schraapte tactvol haar keel. Alleen Denby merkte haar komst op; hij draaide zich om, gaf haar een knikje en loodste haar weg van het bed naar het kantoortje terzijde waar de verpleegsters zaten. Denby glimlachte naar de twee verpleegsters die naar computerbeeldschermen zaten te kijken en zei: ‘Kunnen jullie ons een moment alleen laten?’

Geen van beiden leek bijzonder verheugd te zijn dat ze weggestuurd werden van hun eigen werkplek, maar ze waren erop getraind om medisch specialisten te gehoorzamen. Toen de deur achter hen dichtviel, haalde Elinor de testresultaten uit haar zak en gaf die aan hem. 'Het is niet goed,' zei ze.

Denby las het rapport met een uitdrukkingsloos gezicht door. 'Geen twijfel mogelijk,' mompelde hij.

'Wat doen we nu?'

'Ik vertel het aan zijn ouders. U vertelt het aan meneer Flanagan. En we doen alles wat we kunnen om ervoor te zorgen dat meneer Bishop zo weinig mogelijk hoeft te lijden tijdens zijn laatste uren.'

'En hoe zit het met de politie?' vroeg Elinor. 'Nu moeten we het ze toch wel vertellen?'

Denby keek haar onthutst aan. 'Ik denk van wel. Waarom doet u dat niet terwijl ik met meneer en mevrouw Bishop praat?' En weg was hij.

Elinor zat aan het bureau en staarde naar de telefoon. Uiteindelijk pakte ze hem op en vroeg aan de persoon die de telefooncentrale van het ziekenhuis bemande om haar door te verbinden met de politie van Bradfield. 'Mijn naam is Elinor Blessing en ik ben hoofdzaalarts in het Bradfield Crossziekenhuis,' begon ze, en haar hart zonk haar in de schoenen toen ze zich realiseerde hoe onwaarschijnlijk haar nieuws zou klinken.

'Waar kan ik u mee helpen?'

'Ik denk dat ik met een rechercheur moet praten. Ik moet een verdacht sterfgeval melden. Nou ja, ik zeg wel sterfgeval, maar in feite leeft hij nog. Maar hij gaat zeer binnenkort dood.' Elinor vertrok haar gezicht in een grimas. Ze had het toch zeker wel wat beter onder woorden kunnen brengen?

'Neemt u me niet kwalijk? Is er iets gebeurd? Is er iemand aangevallen?'

'Nee, dat niet. Nou ja, technisch gezien misschien wel, ja, maar niet op de manier die u denkt. Hoor eens, het heeft geen zin om het de hele tijd opnieuw te moeten uitleggen. Kunt u me gewoon doorverbinden met iemand van de recherche? Iemand die over moord gaat?'

Op dinsdagen zorgde Yousef er altijd voor dat hij even langsging bij zijn belangrijkste tussenpersoon. Met al die andere gedachten in zijn hoofd was het moeilijk om zich ervoor te motiveren, maar omwille van zijn ouders en zijn broers dwong hij zichzelf ertoe meer te doen dan enkel en alleen de schijn op te houden. Dat was het minste wat hij voor ze kon doen. Het textielbedrijf van zijn familie bestond nog steeds, ondanks de felle concurrentie, omdat zijn vader het belang had ingezien van het onderhouden van persoonlijke relaties in het zakenleven. Dat was het eerste wat hij zijn twee oudste zonen had bijgebracht toen hij ze had ingewijd in First Fabrics. 'Je moet altijd zorgvuldig omgaan met je klanten en je leveranciers,' had hij uitgelegd. 'Als je ze tot je vrienden maakt, wordt het moeilijker voor hen om jou te laten vallen in moeilijke tijden. Want de eerste regel in het zakenleven is dat er vroeg of laat altijd moeilijke tijden komen.'

Hij had gelijk gehad. Hij had de ineenstorting van de textielindustrie in het noorden van Engeland overleefd, toen goedkope import uit het Verre Oosten de Britse kledingfabrikanten nagenoeg van de kaart had geveegd. Hij had ternauwernood het hoofd boven water weten te houden, door altijd als eerste met iets nieuws te komen, door de kwaliteit van zijn koopwaar te verbeteren als hij niet meer kon bezuinigen op de kosten, en door een nieuwe markt aan te boren met producten van de hoogste kwaliteit. En nu gebeurde het allemaal weer opnieuw. Ditmaal werden de veranderingen door de klanten opgedrongen. Kleren gingen voor een prikje de deur uit, in alle grootwinkelbedrijven kon je voor een habbekrats kleding kopen die na één keer dragen uit elkaar viel. Niets betalen, één keer dragen, weggooien. De nieuwe filosofie had dwars door klasseverschillen heen een hele generatie geïnfecteerd. Meisjes waarvan de moeders nog liever gif hadden ingenomen dan dat ze bij een goedkope modezaak naar binnen gingen, stonden nu gezellig naast tienermoeders met een uitkering in Matalan en TK Maxx. En dus bleven Yousef en Sanjar trouw aan de oude beproefde formule om te overleven.

En hij haatte het. Lang geleden, toen zijn vader met het bedrijf was begonnen, had hij voornamelijk zaken gedaan met andere Aziaten. Maar toen First Fabrics poot aan de grond had gekregen, kwamen ze met mensen van allerlei pluimage in contact. Joden, Cyprioten, Chinezen, Britten. En het enige wat ze allemaal gemeen hadden, was dat ze zich gedroegen alsof de elfde september en de zevende juli hun het recht hadden gegeven om alle moslims met minachting en achterdocht te behandelen. Alle misvattingen en opzettelijke misverstanden over de islam dienden als een perfect excuus voor racisme. Ze wisten dat het niet langer geaccepteerd werd om openlijk racistisch te zijn, dus vonden ze een andere manier om uiting te geven aan hun racistische neigingen. Al dat gedoe over vrouwen die een boerka droegen. Het gezeur als ze Arabisch spraken, of Urdu in plaats van de hele tijd Engels. Verdomme, waren ze dan nog nooit in Wales geweest? Ga daar een willekeurige koffiebar binnen en plotseling lijkt het net alsof niemand meer Engels kent.

Maar waar Yousef nog het meest de pest over in had, was de manier waarop hij werd behandeld door mensen die hij al jaren kende. Hij kwam een fabriek binnen of een magazijn waar hij had verkocht en ingekocht gedurende die zeven jaren die hij al voor zijn vader werkte. En in plaats van dat de Engelse eigenaren hem bij naam begroetten en grappen met hem maakten over voetbal of cricket of wat dan ook, gleed hun blik nu van hem af alsof hij onder de olie zat. Dat, of ze gedroegen zich zo onecht opgewekt dat hij zich ook neerbuigend behandeld voelde. Alsof ze alleen maar aardig tegen hem deden om in de pub naast hun gebruikelijke commentaar te kunnen zeggen: 'Natuurlijk zijn sommige van mijn beste vrienden moslims...'

Maar vandaag verbeet hij zijn woede. Dit zou niet altijd zo doorgaan. Als een bevestiging van deze gedachte ging zijn mobieltje over, net toen hij de parkeerplaats achter de fabriek van Howard Edelstein opreed. Hij herkende de beltoon en glimlachte toen hij de telefoon naar zijn oor bracht. 'Hoe gaat het?' vroeg de stem aan de andere kant.

'Alles volgens plan. Wat fijn dat je belt. Ik verwachtte vanmorgen geen telefoontje van je.'

'De vergadering ging niet door. Ik dacht dat ik je wel even kon bellen om te kijken of alles goed gaat.'

'Je weet dat je me kunt vertrouwen,' zei Yousef. 'Als ik zeg dat ik iets doe, dan gebeurt het ook. Wees maar niet bang dat ik voortijdig afhaak.'

'Daar maak ik me ook geen moment zorgen over. Je weet dat we met een goede zaak bezig zijn.'

'Dat is zo. En ik kan je wel vertellen dat ik op dit soort dagen blij ben dat we hebben besloten het op deze manier te doen.'

'Heb je een rotdag?' De stem klonk warm en meelevend.

'Allemaal kontlikkerij waar ik zo de pest aan heb. Maar binnenkort ben ik daar definitief van af.'

Een gegrinnik aan de andere kant van de telefoon. 'Dat zeker. Volgende week om deze tijd ziet de wereld er heel anders uit.'

Voordat Yousef kon reageren doemde de vertrouwde figuur van Howard Edelstein op naast zijn portier. Hij zwaaide en wees met zijn duim naar het gebouw. 'Ik moet ervandoor,' zei Yousef. 'Ik zie je nog wel.'

'Reken maar.'

Yousef duwde met zijn duim het mobieltje dicht en sprong met een glimlach op zijn gezicht de auto uit. Edelstein knikte hem met een strak gezicht toe. 'Kom op! Aan de slag!' zei hij, en hij liep voor Yousef uit naar binnen zonder te kijken of hij volgde.

Volgende week om deze tijd, dacht Yousef. *Volgende week om deze tijd, klootzak.*

Carol staarde naar Thomas Denby en nam het totaalbeeld in zich op. Vroegtijdig zilvergrijze, achterovergekamde haren, een enkele lok nonchalant over een wenkbrauw vallend. Groenblauwe ogen, roze huid. Een antracietgrijs streepjespak van een prachtige snit, met een loshangend jasje met een opzichtige knalrode voering. Hij zou model kunnen staan voor een portret van de typische succesvolle jonge specialist. In ieder geval zag hij er absoluut niet uit als iemand die het leuk vond een hogere politieambtenaar op stang te jagen. 'Dus als ik het goed begrijp, doet u aangifte van een moord die nog niet heeft plaatsgevonden?' Ze was niet in de stemming om haar tijd te verdoen, en het feit dat ze bijna een kwartier had moeten wachten, had de kennismaking ook niet veel goed gedaan.

Denby schudde zijn hoofd. 'U gebruikt het woord "moord", ik niet. Wat ik wil zeggen is dat Robbie Bishop doodgaat, en dat duurt waarschijnlijk geen vierentwintig uur meer. De reden waarom hij doodgaat is dat hij op de een of andere manier ricine heeft binnengekregen. Er bestaat geen tegengif. We kunnen niets meer voor hem doen, behalve ervoor zorgen dat hij zo min mogelijk pijn lijdt.'

'En u weet dit zeker?'

'Ik weet dat het bizar klinkt. Als in een James Bond film. Maar, ja, we weten het zeker. We hebben de testen gedaan. Hij gaat dood aan een ricinevergiftiging.'

'Zou het zelfmoord kunnen zijn?'

Denby was even van zijn stuk gebracht. 'Dat denk ik toch niet.'

'Maar zou het kunnen? In theorie?'

Hij keek lichtelijk geërgerd. Carol dacht dat hij er waarschijnlijk niet aan gewend was dat er aan zijn mening getwijfeld werd. Hij legde zijn pen netjes naast het dossier dat voor hem lag. 'Ik heb wat op ricine zitten studeren sinds mijn zaalarts het opperde als mogelijke oorzaak van de symptomen van Robbie Bishop. Ricine dringt de cellen van iemand binnen en het weerhoudt die cellen ervan om een synthese te vormen met de eiwitten die ze nodig hebben. Zonder de eiwitten gaan de cellen dood. Het ademhalen wordt onmogelijk, het hart houdt ermee op. Ik heb in de literatuur geen enkele suggestie gezien dat het ooit voor een zelfmoord gebruikt is. Eén argument tegen is ook dat er heel moeilijk aan te komen is. Je zou een deskundigheid als chemicus moeten hebben om het zelf te maken, er even van uitgaande dat je de grondstoffen in handen kunt krijgen. Dat is de ene mogelijkheid. De andere is dat je connecties in terroristenkringen zou moeten hebben – naar verluidt zijn er grote voorraden aangetroffen in de grotten van Al Qaida in Afghanistan. Een ander tegenargument is dat het een langzame en uiterst pijnlijke manier is om dood te gaan. Ik kan me niet voorstellen dat iemand dat voor een zelfmoord zou kiezen.' Hij spreidde zijn handen en trok zijn schouders op om zijn verhaal kracht bij te zetten.

Carol maakte een aantekening in haar boekje. 'Dus als ik het goed begrijp, kunnen we een ongeluk ook uitsluiten?'

'Dat denk ik wel. Tenzij meneer Bishop zich regelmatig ophield in de buurt van een fabriek waar ze ricinusolie fabriceren,' zei Denby bruusk.

'Hoe heeft hij het dan binnengekregen?'

'Hij heeft het waarschijnlijk ingeademd. We hebben hem heel grondig onderzocht en we kunnen geen sporen van een injectie vinden.' Denby leunde naar voren. 'Ik weet niet of u zich het geval herinnert van de Bulgaarse overloper, Georgi Markov, in de late jaren zeventig. Hij werd vermoord met een ricinekorreltje dat op hem werd afgevuurd met een paraplu waarmee geknoeid was. Toen we eenmaal wisten dat we hier te maken hadden met ricine, heb ik ons intensivecareteam opdracht gegeven de huid van meneer Bishop grondig te onderzoeken. Er is geen spoor van een injectie met een vreemde substantie gevonden.'

Carol wist niet wat ze ervan moest denken. 'Dit is ongelooflijk,' zei ze. 'Dit soort dingen verwacht je niet in Bradfield.'

'Nee,' zei Denby. 'Daarom zijn we er pas na een paar dagen achter gekomen. Ik neem aan dat hetzelfde gold voor de artsen in dat ziekenhuis in Londen die Alexander Litvinenko onder behandeling hadden. Het laatste wat ze verwachtten aan te treffen was wel een vergiftiging met polonium. Maar het is wel gebeurd.'

'Hoe zou hij vergiftigd kunnen zijn zonder er iets van te merken?'

'Heel gemakkelijk,' zei Denby. 'De gegevens die we over ricine hebben, maken duidelijk dat als het geïnjecteerd is, 500 microgram al voldoende kan zijn om een volwassene te doden. Er is onderzoek gedaan met dieren en daaruit komt naar voren dat het inhaleren of het innemen van soortgelijke hoeveelheden dodelijk kan zijn. Een dosis van 500 microgram ricine is ongeveer zo groot als een speldenknop. Niet moeilijk om stiekem in een drankje te doen of in voedsel. In die hoeveelheden proef je er ook niets van.'

'Dus we moeten iemand hebben die toegang had tot zijn eten of drinken?'

Denby knikte. 'Dat is de meest waarschijnlijke weg.' Hij zat wat met zijn pen te spelen. 'Het zou ook stiekem kunnen worden toegevoegd aan een partydrug, zoals cocaïne of amfetamine, iets wat wordt gesnoven. Hier geldt ook weer dat je niets zou proeven of ruiken.'

'Heeft u bloed- of urinemonsters die u kunt testen op partydrugs?'

Denby knikte. 'Ik zal zorgen dat het gebeurt.'

'Hoe bent u erachter gekomen?'

'Via mijn zaalarts, dr. Blessing. Ik geloof dat u of een van uw collega's in eerste instantie met haar hebt gesproken?'

'Ja, ik weet dat dr. Blessing contact met ons heeft opgenomen. Maar hoe kwam ze op dit idee?'

Denby glimlachte wat zelfgenoegzaam. Carol vond hem steeds minder aardig. 'Ik wil niet ijdel overkomen, maar dr. Blessing dacht dat als ik er zelfs niet achter kon komen wat meneer Bishop mankeerde, dat het dan wel iets heel ongebruikelijks moest zijn. Ze heeft de symptomen ingevoerd in onze online databank en ricinevergiftiging was het enige wat aan alle criteria voldeed. Ze is met haar conclusies naar mij toe gekomen en ik heb opdracht gegeven de standaardtest uit te voeren. De resultaten waren overduidelijk positief. Er is geen twijfel mogelijk, hoofdinspecteur.'

Carol sloeg haar aantekenboekje dicht. 'Bedankt voor deze duidelijke uitleg,' zei ze. 'U zegt dat u ricine nader bestudeerd hebt – zou u daar misschien een samenvatting van kunnen maken die mijn collega's en ik kunnen gebruiken?'

'Ik zal dat meteen doorgeven aan dr. Blessing.' Hij stond op, daarmee aangevend dat wat hem betreft het gesprek ten einde was.

'Kan ik hem zien?' vroeg Carol.

Denby wreef met zijn duim over zijn kaak. 'Er valt niet veel te zien,' zei hij. 'Maar oké, ik zal u erheen brengen. Zijn ouders kunnen ondertusen wel weer terug zijn – ze waren in de familiekamer. Ik heb ze het nieuws moeten vertellen, en ze waren uiteraard geschokt en overstuur. Ik heb ze gevraagd of ze daar wilden blijven tot ze een beetje gekalmeerd waren. Het personeel op de intensive care schiet er niet veel mee op als er mensen in een emotionele toestand bij de patiënten zijn.' Hij kwam wat laatdunkend over. Alsof het feit dat alles gladjes verliep op een ziekenhuiszaal oneindig veel belangrijker was dan de zielenpijn van ouders die op het punt staan een zoon te verliezen.

Carol liep achter hem aan naar het bed van Robbie Bishop. De twee stoelen naast het bed waren leeg. Carol bleef bij het voeteneind staan, en bekeek de verscheidene monitoren, de slangen en de apparaten die Robbie zo stabiel mogelijk hielden op wat een korte reis naar de dood zou zijn. Zijn huid was wasachtig en op zijn wangen en voorhoofd was een laagje zweet te zien. Ze wilde dit beeld vasthouden. Dit onderzoek zou een nachtmerrie worden om allerlei redenen, en zij wilde ervoor zorgen dat ze de persoon waarom alles draaide niet uit het oog verloor. De media zouden antwoorden willen hebben en daar zouden ze alles voor doen, de supporters zouden eisen dat er koppen gingen rollen en haar superieuren zouden staan te trappelen om de eer op te strijken die zíj binnen moest zien te halen.

Carol was vastbesloten erachter te komen wie Robbie Bishop kapot had gemaakt, en waarom. Maar omwille van zichzelf moest ze er zeker van zijn dat ze om de juiste redenen achter zijn moordenaar aan ging. Nu ze hem had gezien, had ze daar geen enkele twijfel meer over.

Agent Paula McIntyre wist alles over de effecten van shock en verdriet. Ze had talloze voorbeelden gezien en ze was nog steeds aan het herstellen van een ervaring waarbij ze beide emoties persoonlijk had ondervonden. Ze zocht dus niets achter het gedrag van Martin Flanagan, behalve het voor de hand liggende feit dat hij tot in het diepst van zijn ziel was geraakt door het nieuws dat hem door dr. Blessing was meegedeeld.

Hij reageerde op een drukke, geagiteerde manier. Hij kon niet stil blijven zitten. Het verbaasde Paula niets; ze had het eerder meegemaakt, vooral bij mannen van wie het leven draaide om lichamelijk bezig zijn, of dat nu op een bouwterrein was of op een sportveld. Flanagan liep rusteloos te ijsberen en liet zich toen op een stoel vallen, waar hij zijn handen en voeten nauwelijks in bedwang kon houden, totdat het zitten hem weer te veel werd. Hij sprong telkens op, en liep de kamer weer rond. En Paula zat daar maar, het rustpunt in zijn rondtollende wereld.

'Ik kan het niet geloven,' zei Flanagan. Sinds de komst van Paula was dat het zinnetje dat steeds terugkwam tussen alle andere dingen die hij zei. 'Hij was als een zoon voor me, weet je. Ik kan het niet geloven. Dit overkomt voetballers niet. Ze breken hun botten, ze verrekken hun spieren, ze scheuren hun gewrichtsbanden, dat soort dingen. Maar een vergiftiging, nee. Ik kan het niet geloven.'

Paula zag hoe hij zich telkens weer oplaadde en wachtte tot hij zich ook weer ontlaadde voordat ze met haar vragen kwam. Ze was het wachten wel gewend. Ze was er langzamerhand heel goed in. Niemand verstond de kunst van het ondervragen beter dan Paula en dat was in niet geringe mate te danken aan haar talent om precies te weten wanneer ze moest toeslaan en wanneer ze zich moest inhouden. Dus wachtte ze tot Martin Flanagan wat was bedaard en niets meer zei. Hij legde zijn voorhoofd tegen het koele glas van de ruit, zijn handen op de muur aan weerszijden van het kozijn. Ze zag zijn gezicht, waar de pijn van af te lezen was, weerspiegeld in de ruit.

'Wanneer was het voor het eerst duidelijk dat Robbie ziek was?' vroeg ze.

'Zaterdag bij het ontbijt. We logeren altijd in het Victoria Grand Hotel de avond voorafgaand aan een thuiswedstrijd.' Flanagan trok een schouder op. 'Dan kunnen we ze een beetje in de gaten houden, weet je. De meeste van die gasten zijn jong en dom. Ze zouden tot diep in de nacht uitgaan als we ze niet aan de leiband hielden. Ik denk soms wel eens dat we ze van een chip zouden moeten voorzien, zoals ze doen bij katten en honden en pedofielen.'

'En zei Robbie toen dat hij zich niet goed voelde?'

Flanagan snoof. 'Hij kwam naar mijn tafel toe. Ik zat bij Jason Graham, mijn assistent, en Dave Kermode, de fysio, en Robbie zei dat hij zich niet lekker voelde. Druk op de borst, zweterig, koortsig. En zijn gewrichten deden pijn, alsof hij een griepje onder de leden had, weet je. Ik zei dat hij zijn ontbijt moest opeten en naar zijn kamer moest gaan. Ik zei dat ik zou vragen of de ploegarts even bij hem langs wilde gaan. Hij zei dat hij geen honger had en dat hij naar boven ging om te gaan liggen.' Hij schudde zijn hoofd. 'Ik kan het niet geloven, echt waar niet.'

'Dus op vrijdagavond is hij niet uit geweest?'

'Absoluut niet. Hij slaapt op de kamer bij Pavel Aljinovic.' Hij draaide zich om naar Paula en liet zich langs de muur op zijn hurken zakken. 'De keeper, weet je. Ze deelden een kamer sinds Pavel twee seizoenen geleden naar Bradfield is gekomen. Robbie zegt altijd dat Pavel een saaie lul is die hem op het rechte pad houdt.' Zijn mond vertrok zich in een triest glimlachje. 'Er zijn erbij die ik voor geen cent zou vertrouwen, weet je, maar Pavel is niet zo. Robbie heeft gelijk. Pavel is een saaie lul. Hij zou nooit hebben geprobeerd om er stieken tussenuit te knijpen voor een avondje stappen. En hij zou het Robbie ook niet hebben laten doen.'

'Ik weet niet precies wat ik ervan moet denken,' zei Paula. 'Ik heb geen idee hoe een typische dag van Robbie eruitziet. Misschien zou u het met me kunnen doornemen. Laten we zeggen vanaf donderdagmorgen?' Paula wist niet goed hoe lang de symptomen van een ricinevergiftiging erover deden om zich te manifesteren, maar ze vermoedde dat als ze bij donderdag begon, het moment van het toedienen daar ook onder viel.

'We hadden op woensdagavond een wedstrijd voor de UEFA-cup, dus hadden ze de donderdagmorgen vrij, weet je. Robbie kwam bij de fysio langs, hij had een trap tegen zijn enkel gehad en die was een beetje opgezet. Niet iets ergs, maar ze nemen hun lichamelijke conditie allemaal serieus. Zo verdienen ze hun geld, weet je. Hoe dan ook, hij was tegen halfelf klaar. Ik neem aan dat hij naar huis is gegaan. Hij heeft een appartement in de Millenniumwijk vlak bij Bellwether Square. Op donderdagmiddag is hij gewoon komen trainen. We hebben toen niet zwaar getraind, weet je. Ons meer geconcentreerd op vaardigheden dan op tactiek. Om halfvijf was het afgelopen. Ik heb geen idee wat hij daarna gedaan heeft.'

'Hebt u totaal geen idee hoe hij zijn vrije tijd doorbracht?' *Hij was als een zoon voor me*, dacht Paula ironisch. Robbie Bishop mocht dan zesentwintig zijn, maar als hij ook maar een beetje leek op de meeste voetballers over wie ze in de sensatiebladen las, was hij de puberteit nog maar nauwelijks ontgroeid. Met de levensstijl van een zestienjarige met onbeperkt zakgeld en toegang tot mooie vrouwen. De laatste die zou weten wat hij in zijn schild voerde, was iemand die hem als zijn eigen zoon beschouwde.

Flanagan haalde zijn schouders op. 'Het zijn geen kinderen meer, weet je. Ik ben niet zoals sommige trainers. Ik val niet ongevraagd bij ze binnen om hun stereoinstallatie uit te zetten en de vriendinnen de deur uit te trappen. Er zijn regels dat ze de avond voor een wedstrijd niet mogen gaan stappen. Maar afgezien daarvan, kunnen ze doen en laten waar ze zin in hebben.' Hij schudde zijn hoofd weer. 'Ik kan het niet geloven.'

'En waar had Robbie meestal zin in?'

'Er is een fitnessclub waar hij woont. Ze hebben daar beneden in de kelder een groot zwembad. Hij vindt het leuk om te gaan zwemmen, zich lekker te ontspannen in de sauna, dat werk. Hij is goed bevriend met Phil Campsie, die heeft een flink stuk grond aan de rand van de heuvels. Ze gaan samen vaak vissen en jagen.' Flanagan duwde zich overeind en begon weer rusteloos te ijsberen. 'Dat is het zo ongeveer wel. Meer kan ik niet vertellen.'

'Hoe zit het met vriendinnen? Had Robbie een vaste relatie?'

Flanagan schudde zijn hoofd. 'Niet dat ik weet. Hij is een poosje verloofd geweest. Met Bindie Blyth, de dj van *Radio One*. Maar ze zijn zo'n maand of drie geleden uit elkaar gegaan.'

Paula spitste haar oren. 'Wie heeft het uitgemaakt? Robbie of Bindie?'

'Daar weet ik niets van. Maar het leek hem niet zo veel te kunnen schelen, weet je.' Hij liet zijn hoofd weer tegen de ruit zakken. 'Wat heeft dit trouwens allemaal te maken met die vergiftiging? Zijn teamgenoten zouden zoiets nooit doen, en zijn ex ook niet.'

'We moeten alle mogelijkheden nagaan, meneer Flanagan. En na Bindie, wat heeft hij toen gedaan? Heeft hij elders proberen te scoren?' Paula kromp ineen bij deze onbedoelde grap. *Laat hem alsjeblieft niet denken dat ik hem voor de gek zit te houden.*

'Dat denk ik wel.' Hij draaide zich weer om en wreef met zijn vingers over zijn slapen. 'Dat moet je aan de jongens vragen. Phil en Pavel, die zullen het wel weten.' Hij keek verlangend naar de deur die naar de intensive care leidde. 'Ik wou dat ik even bij hem mocht, weet je. Om tenminste afscheid te nemen. Ik mag er niet bij.'

'En op vrijdag? Weet u wat hij toen heeft gedaan?'

'We zijn vrijdag op het trainingsveld geweest.' Flanagan wachtte even. 'Als ik er nog eens over nadenk, was hij een beetje sloom. Hij liet zijn hoofd hangen en was langzaam in het afgeven van de bal. Alsof hij wat suf was. Ik heb er toen niets achter gezocht, weet je. Ze hebben allemaal wel eens een mindere dag, en eerlijk gezegd heb je liever dat ze dat tijdens een training hebben dan tijdens een wedstrijd. Maar hij was niet zoveel minder goed dat ik er iets aan dacht te moeten doen. En toen hij op zaterdag zei dat hij griep had, dacht ik dat het daarvan kwam.'

Paula knikte. 'Iedereen zou hetzelfde hebben gereageerd. Maar nu moet ik u nog iets vragen. Weet u of er iemand is die een wrok tegen Robbie koesterde. Heeft hij scheldbrieven gehad? Heeft hij ooit last gehad van een stalker?'

Flanagan huiverde en schudde toen zijn hoofd. 'Je komt niet zo ver als hij zonder onderweg een paar mensen tegen de haren in te stijken. Snap je? Er is bijvoorbeeld altijd een sterke rivaliteit geweest tussen hem en Nils Petersen, de midden-achter van Man United. Maar dat is voetbal, weet je. Dat is niet het echte leven. Ik bedoel, als hij Petersen in een bar tegen het lijf zou lopen, dan zouden ze waarschijnljk even wat bekvechten met elkaar, maar daar zou het dan bij blijven. Ze zouden niet met elkaar op de vuist gaan, laat staan elkaar vergiftigen.' Hij gooide zijn handen in de lucht. 'Het is krankzinnig. Het is net een slechte film. Ik kan je verder niets meer vertellen, omdat alles even onlogisch klinkt.' Hij maakte met zijn duim een gebaar naar de deur. 'Dat joch daarbinnen gaat dood en het is een drama. Dat is alles wat ik weet.'

Paula voelde dat ze niet veel verder meer zou komen met Flanagan. Ze zouden waarschijnlijk nog een keer met hem moeten praten, maar voorlopig kon hij haar niet veel meer vertellen, dacht ze. Ze stond op. 'Ik hoop dat u nog afscheid zult kunnen nemen, meneer Flanagan. Bedankt voor dit gesprek.'

Hij knikte, maar was met zulke andere dingen bezig dat hij niet meer naar haar luisterde. Paula liep weg. Ze dacht aan doodgaan en aan tweede kansen. Ze had haar leven teruggekregen, compleet met alle bijbehorende schuldgevoelens van overlevers. Maar dankzij Tony Hill begon het tot haar door te dringen dat ze iets zinvols met dat geschenk moest doen. En waarom zou ze daar met Robbie Bishop niet mee beginnen?

Niet alle supporters van Robbie Bishop waren naar Bradfield Cross gekomen. Degenen die in Ratcliffe woonden, hadden besloten niet de hele stad door te reizen. Ze legden liever hun bossen bloemen uit de supermarkt en hun kindertekeningen neer bij het trainingsveld van Bradfield Victoria. Die lagen nu tegen het hek met de ijzeren ringen, dat het publiek weg moest houden van de sterren. Brigadier Kevin Matthews kon een licht gevoel van walging nauwelijks onderdrukken toen hij stond te wachten tot de beveiligingsagenten bij het hek telefonisch te horen hadden gekregen dat ze hen toe mochten laten. Hij had het niet zo op deze openbare uitingen van kunstmatige emotie. Hij durfde te wedden dat geen van al die mensen die naar het terrein in Ratcliffe waren getrokken ooit meer dan een paar woorden met Robbie Bishop had gewisseld. Iets in de trant van 'En wat moet ik bij de handtekening zetten?' Het was nog niet zo lang geleden dat Kevin echt voor iemand in de rouw was geweest, en hij stoorde zich aan het goedkope vertoon van verdriet. Naar zijn mening zou het er in de wereld beter voorstaan als deze pelgrims al die emoties op de levenden botvierden – op hun kinderen, hun partners en hun ouders.

'Goedkoop,' zei Chris Devine vanaf de passagiersstoel, alsof ze zijn gedachten kon lezen.

'Dit is nog niets vergleken bij wat we over een paar dagen te zien krijgen als hij echt dood is,' zei Kevin. De bewaker had ondertussen aangegeven dat ze door konden rijden door te wijzen naar de parkeerplaats vlak bij het langgerekte lage gebouw dat het onmogelijk maakte om vanaf de straat op het veld te kijken. Hij ging langzamer rijden toen ze langs de Ferrari's en de Porsches van de spelers reden. 'Mooie wagens,' zei hij goedkeurend.

'Jij hebt een Ferrari, hè?' vroeg Chris. Ze herinnerde zich dat Paula haar zoiets had verteld.

Hij zuchtte. 'Een Mondial QV cabriolet. Er bestaan maar vierentwintig cabriolets met het stuur aan de rechterkant en zij is er een van. Ze is een droomauto, en binnenkort moet ze weg.'

'Nee toch! Arme Kevin. Waarom wil je ervanaf?'

'Ze is eigenlijk niet veel meer dan een twoseater, en de kinderen worden al zo groot. Die passen er niet meer in. Het is een auto voor iemand die niet getrouwd is, Chris. Ben jij er soms in geïnteresseerd?'

'Dat is voor mij een beetje te veel van het goede, vrees ik. En Sinead gaat me er de hele tijd over aan mijn kop zeuren. Zo'n auto zou er volgens haar op wijzen dat ik lijd aan een midlifecrisis.'

'Jammer. Ik zou graag zeker willen weten dat ze goed terechtkomt. In ieder geval heb ik het wel voor elkaar dat ze nog wat uitstel van executie heeft gekregen.'

'Hoe dat zo?'

'Er is een journalist, Justin Adams, die voor autotijdschriften schrijft. Nou, die wil een artikel schrijven over gewone kerels die in buitengewone auto's rijden. Een smeris met een Ferrari past kennelijk precies in dat plaatje. Dus heb ik Stella zover gekregen dat ik de auto mag houden totdat het artikel verschijnt, want dan kunnen ze me er niet meer mee pesten dat mijn naam en mijn foto in dat tijdschrift staan terwijl ik de auto al niet meer heb.'

Chris grijnsde. 'Dat klinkt heel redelijk.'

'Tja, het aftellen begint volgende week, want dan hebben we dat interview.' Kevin snoof eens toen hij uit de auto stapte. 'Koekjesdag,' zei hij.

'Wat?'

Hij wees in westelijke richting, waar een gebouw van twee verdiepingen wat mismoedig tegen de afrastering van de speelvelden aanhing. 'De koekjesfabriek. Toen ik klein was, heb ik een seizoen met de junioren van Bradfield Victoria meegespeeld. Als de wind goed staat, kun je ruiken welke koekjes ze bakken. Ik heb altijd gedacht dat het een geraffineerde vorm van martelen was voor tienerjongens die proberen fit te blijven.'

'En toen?' vroeg Chris. Ze liep achter hem aan, toen hij om het clubhuis met de kleedkamers heen liep.

Kevin liep met grote passen voor haar uit, zodat ze de spijt op zijn gezicht niet kon zien. 'Ik was niet goed genoeg,' zei hij. 'Velen zijn geroepen en weinigen uitverkoren.'

'Wat zul je je rot hebben gevoeld.'

Kevin lachte spottend. 'Op dat moment betekende het voor mij het einde van de wereld.'

'En nu?'

'Ik zou in ieder geval meer hebben verdiend. En ik zou een heel wagenpark met Ferrari's hebben.'

'Da's waar,' zei Chris. Ze haalde hem in toen hij even bleef staan en over het veld naar een grote groep jongemannen keek die met de bal aan de voet om pylonen dribbelden. 'Maar voor de meeste voetballers geldt dat je al lang bent afgeschreven als je zo oud bent als wij. En wat blijft er dan nog over? Oké, een handjevol schopt het tot manager van een grote club of zo, maar het gros belandt ergens achter de bar van een lullige pub waar ze goede sier proberen te maken met hun roemrijke verleden en zitten te kankeren op hun ex, die ervandoor is gegaan met al het geld.'

Kevin keek haar grijnzend aan. 'En dan zou ik volgens jou slechter af zijn dan nu?'

'Dat weet je best.'

Toen ze om het gebouw heen liepen, kwam er een man in een sportbroekje en een sweatshirt van Bradfield Victoria hun kant uit lopen. Hij leek ongeveer midden veertig, maar hij zag er zo goed uit dat je je daar ook in kon vergissen. Als hij zijn donkere haar opzij nog steeds kort en van achteren lang had gedragen, was hij meteen herkenbaar geweest voor zowel voetbalsupporters als mensen die niet in voetbal geïntereseerd waren. Maar nu hij een kort kapsel had, zag Kevin pas na een tijdje dat hij oog in oog stond met een van de helden uit zijn jeugd.

'U bent Terry Malcolm,' flapte hij eruit. Hij was weer even dat twaalfjarige jongetje dat helemaal weg was van de balvaardigheid van de middenvelder van Bradfield en van het Engelse elftal.

Terry wendde zich glimlachend tot Chris en zei: 'Ik hoef me geen zorgen te maken als ik ooit last krijg van alzheimer. Je zou verbaasd staan hoe vaak mensen de behoefte hebben om me te vertellen wie ik ben. U bent vast rechercheur Devine, met de goddelijke naam. Ik doe maar een gok, hoor. En ik hoop dat ik gelijk heb, want hij is mijn type niet, hij heeft niets goddelijks en daarom zie ik mezelf nog niet 'divine' tegen hem zeggen.' Hij keek erbij alsof hij eraan gewend was dat men hem grappig en charmant vond. Kevin, die zijn vroegere held al niet meer zo zag zitten, merkte tot zijn genoegen dat Chris Devine ook niet onder de indruk was.

'Meneer Flanagan heeft u toch wel verteld waarom we hier zijn?' vroeg Kevin op een lichtelijk verbaasde toon. Alsof hij niet helemaal kon geloven dat iemand die voor Bradfield Vic werkte gewoon grapjes stond te maken, terwijl hun beste speler lag dood te gaan.'

Malcolm keek passend beschaamd. 'Ja, dat heeft hij. En geloof me, ik ben kapot van Robbie. Maar ik kan me niet veroorloven om mijn gevoelens te tonen. Er zitten in het team nog eenentwintig andere spelers, die gemotiveerd moeten blijven. We moeten zaterdag voor de Premier League tegen de Spurs spelen en we mogen in dit stadium geen punten verliezen.' Hij schonk Chris weer een van zijn glimlachjes. 'Ik hoop niet dat dit harteloos klinkt. Wat ik al zei, ik ben er kapot van, maar onze jongens moeten gefocust blijven. Die wedstrijd van zaterdag gaan we winnen voor Robbie. Des te meer reden om niet af te wijken van onze dagelijkse routine.'

'Juist,' zei Chris. 'En wij moeten nagaan wat Robbie allemaal gedaan heeft in de achtenveertig uur voordat hij zich op zaterdag niet goed ging voelen. We willen met zijn vrienden praten. De jongens met wie hij zo goed bevriend was dat ze kunnen weten wat hij tussen het einde van de training op donderdag en het ontbijt op zaterdag allemaal gedaan heeft.'

Malcolm knikte. 'Daarvoor moeten jullie Pavel Aljinovic en Phil Campsie hebben. Robbie deelt altijd een kamer met Pavel als we in een hotel zitten. En Phil is zijn beste vriend.' Malcolm maakte geen aanstalten om de spelers bij zich te roepen.

'Nú, meneer Malcolm,' zei Chris.

Weer die onechte, vettige grijns. 'Zeg maar Terry, schat.'

Nu was het de beurt aan Chris om te glimlachen. 'Ik ben uw schat niet, meneer Malcolm. Ik ben een politiefunctionaris die een zeer ernstig misdrijf tegen een van uw mensen onderzoekt. En ik wil nu meteen met Pavel Aljinovic of met Phil Campsie praten.'

Malcolm schudde zijn hoofd. 'Ze zijn aan het trainen. Daar kan ik niet tussen komen.'

Kevin werd knalrood, wat hem niet zo goed stond, omdat daardoor de sproeten op zijn wangen beter te zien waren. 'Wilt u dat ik u arresteer wegens belemmering van het politieonderzoek? Want als u zo doorgaat, zal ik dat moeten doen.'

Malcolm trok minachtend zijn lip op. 'Ik denk niet dat je mij gaat arresteren. Jouw baas vindt het veel te leuk dat hij een zitplaats op de viptribune heeft.'

'Dat mes snijdt aan twee kanten,' zei Chris liefjes. 'Het betekent dat wij ook een directe verbinding met uw baas hebben. En ik denk niet dat hij erg blij zal zijn om te horen dat u ons onderzoek naar de poging tot moord op zijn sterspeler hebt tegengewerkt.'

Hoewel Chris die laatste opmerking had gemaakt, kreeg Kevin een misprijzende blik over zich heen. Malcolm was kennelijk een van die mannen die vinden dat vrouwen er zijn om mee te flirten en mannen om mee te praten. 'Ik zal Pavel halen.' Hij gebaarde met zijn duim naar de kleedkamers. 'Ga maar vast naar binnen, dan zoek ik zo meteen wel een plek waar jullie rustig kunnen zitten.'

Vijf minuten later zaten ze in een kamer met overal gewichten, waar het rook naar oud zweet en massageolie. De keeper van het Kroatische nationale elftal liet niet lang op zich wachten. Bij het binnenkomen trok hij zijn neus op en zijn scherpe gelaatstrekken lieten even een blik van afkeer zien. 'Het stinkt hier, sorry,' zei hij en hij pakte een plastic stoeltje van een stapel die tegen de muur stond en ging tegenover de twee rechercheurs zitten. 'Ik ben Pavel Aljinovic.' Hij gaf hen beiden een vormelijk knikje.

Het woord dat Kevin te binnen schoot was 'waardig'. Aljinovic had donker haar tot op zijn schouders, dat hij op wedstrijddagen meestal in een paardenstaart droeg, maar dat nu los hing. Zijn ogen hadden de kleur van kastanjes die in de oven waren gepoft en daarna langs een mouw waren opgepoetst. Hoge jukbeenderen boven ingevallen wangen, volle lippen en een smalle rechte neus maakten dat hij er bijna aristocratisch uitzag. 'De trainer zegt dat iemand Robbie heeft proberen te vergiftigen,' zei hij, met een licht, maar onmiskenbaar Slavisch accent. 'Hoe kan dat zo?'

'Daar proberen wij ook achter te komen,' zei Chris. Ze leunde met de ellebogen op haar knieën en met gevouwen handen naar voren.

'En Robbie? Hoe gaat het met hem?'

'Niet zo best,' zei Kevin.

'Maar hij wordt wel weer beter?'

'We zijn geen artsen. Daar kunnen we niets van zeggen.' Chris wilde niet expliciet zeggen dat Robbie onherroepelijk zou overlijden. Zij wist uit ervaring dat mensen zich geremd gingen voelen als er eenmaal sprake was van moord. 'We zouden een stuk verder zijn als we wisten waar Robbie op donderdag en vrijdag was.'

'Hij is uiteraard op de trainingen geweest. Ik weet niet wat hij op donderdagavond heeft gedaan.' Aljinovic spreidde zijn grote keepershanden. 'Ik sta op doel, ik hoef Robbie niet in de gaten te houden. Maar op vrijdagavond lag ik bij hem op de kamer in het hotel. We hebben allemaal samen gegeten. Dat doen we meestal. Biefstuk en aardappels en sla en een glas rode wijn. Fruitsalade met ijs toe. We nemen altijd hetzelfde, Robbie en ik. Eigenlijk geldt dat voor de meesten. We zijn om een uur of negen naar boven gegaan. Robbie ging in bad en ik heb mijn vrouw gebeld. We hebben samen nog tot een uur of tien naar voetbal gekeken op Sky en toen zijn we gaan slapen.'

'Heeft Robbie nog iets uit de minibar gedronken of gegeten?' vroeg Kevin.

Aljinovic grinnikte. 'U weet niet veel over voetbal, hè? Ze geven ons de sleutels van de minibar niet eens. We worden verondersteld geen foute dingen te doen. Daarom zitten we ook in een hotel en niet thuis. Dan weten ze precies wat we eten en drinken en dan kunnen ze de vrouwen van ons weghouden.'

Chris beantwoordde zijn grijns. 'Ik dacht dat het een fabeltje was dat je voor een wedstrijd niet aan seks mag doen om je krachten te sparen.'

'Het gaat niet om de seks, maar om de slaap,' zei Aljinovic. 'Ze willen dat we voor een wedstrijd goed slapen.'

'Had Robbie wat te eten of te drinken bij zich? Een flesje water of zoiets?"

'Nee. Er staat altijd genoeg water op de kamer.' Hij fronste zijn wenkbrauwen. 'Nu herinner ik me opeens iets. Op vrijdagavond zei Robbie dat hij erg veel dorst had en dat hij dacht dat hij verkouden werd of zoiets. Hij zei er niet zo veel over, alleen dat hij zich niet zo lekker voelde. En de volgende morgen dacht hij dat hij griep had. Ik was nog bang dat ik het ook zou krijgen. Dat hij zich grieperig voelde, komt dat door het vergif? Of is hij ook echt ziek?'

'Dat komt door het vergif.' Kevin keek hem recht in de ogen. 'Heeft Robbie op vrijdagavond cocaïne gebruikt?"

Aljinovic deinsde met een beledigde uitdrukking op zijn gezicht achteruit. 'Natuurlijk niet. Nee. Wie heeft u dat verteld? Robbie gebruikte geen drugs. Waarom vraagt u dat?'

'Het is mogelijk dat hij het gif heeft ingeademd. Als het was vermengd met cocaïne of amfetamine, heeft Robbie het misschien helemaal niet gemerkt,' zei Chris.

'Nee. Dat is onmogelijk. Absoluut onmogelijk. Dat kan ik me van hem niet voorstellen.'

'U hebt net nog gezegd dat u op doel staat, dat u Robbie niet in de gaten hoefde te houden. Hoe weet u nu zeker dat hij nooit drugs gebruikte?' vroeg Kevin. Zijn stem klonk vriendelijk, maar zijn blik zag alles.

'We hebben het erover gehad. Over drugs in de sport. En voor de lol. Robbie en ik dachten er hetzelfde over. Je bent gek als je eraan begint. Je belazert jezelf, je belazert je fans en je belazert de club. We kennen allebei mensen die wel drugs gebruiken en we hebben er allebei geen goed woord voor over.' Hij praatte steeds feller. 'Ik weet niet wie Robbie heeft vergiftigd, maar ze hebben het niet met drugs gedaan.'

Toen Carol bij het appartement van Robbie Bishop arriveerde, was agent Sam Evans alvast met de huiszoeking begonnen. De voetballer woonde in een penthouse met dakterras in het centrum van de stad. Het gebouw was vroeger een warenhuis geweest; het woongedeelte van het appartement werd overspoeld door daglicht dat binnenviel door art-decoramen met metalen sponningen. Sam was de laden van het bureau aan het doorzoeken en stond midden in een bundel zonlicht die zijn koffiekleurige huid deed glanzen. Hij keek op toen Carol binnenkwam en schudde teleurgesteld zijn hoofd. 'Niets,' zei hij. 'Tot nu toe tenminste.'

'Wat moet ik me bij dat "niets" voorstellen?' Ze trok met een knallend geluid een paar latex handschoenen aan.

'Keurig gerubriceerde rekeningen, bankafschriften, afschriften van zijn creditcard. Hij betaalt zijn rekeningen op tijd, hij zorgt dat hij aan het eind van de maand nooit rood staat. Hij heeft een rekening bij een bookmaker, gokt voor een paar honderd per maand op de paarden. Niets opvallends. Ik heb nog niet naar de computer gekeken. Dat kan ik beter aan Stacey overlaten, denk ik.'

'Dat zal ze vast leuk vinden. Denk je dat ze verstand heeft van voetbal?' vroeg Carol. Ze liep naar de andere kant van de kamer om uit het raam te kunnen kijken. Het stadscentrum van bovenaf gezien; overal liepen mensen, er reden trams door elkaar heen, fonteinen sproeiden hun water de lucht in, de verkopers van de daklozenkrant stonden hun waar op te dringen, klanten bleven staan voor etalages die van alles beloofden. Geen van hen dacht aan het vergiftigen van een speler uit de Premier League met ricine. In ieder geval vandaag niet. Morgen of overmorgen als Robbie Bishop eindelijk doodging, zou dat anders zijn. Maar vandaag niet. Nog niet. Ze draaide zich weer om. 'Wat heb je tot nu toe gedaan?'

'Alleen het bureau nog maar.'

Carol knikte. Ze keek om zich heen. Sam had er goed aan gedaan om met het bureau te beginnen. Er waren niet veel andere plaatsen waar je kon gaan zoeken. Het eetgedeelte, dat helemaal van glas en staal was, had niets te verbergen. Er stonden een stuk of wat rode leren banken, eentje stond voor het enorme plasmascherm van een homecinema compleet met playstation, de andere banken waren rondom een lage glazen bijzettafel gegroepeerd waarvan de brede rand eruitzag als een golf in de branding. Een muur met planken bood plaats aan een uitgebreide verzameling dvd's en cd's. Iemand zou ze stuk voor stuk moeten bekijken, maar dat liet ze over aan de technische recherche. Ze liep naar de mediaverzameling. De cd's waren bijna allemaal van mensen van wie ze nog nooit had gehoord. De namen die haar wel iets zeiden waren dance en hiphop; ze nam aan dat de rest van hetzelfde laken een pak was.

De dvd's waren wat slordig neergezet – voetbal op twee planken in het midden, actie- en lachfilms eronder, erboven komische tv-series en verfilmd toneel. Playstation en computerspelletjes stonden op de onderste plank. En, zoals het hoort, stond de porno op de bovenste plank. Carol wierp een vluchtige blik op de titels en kwam tot de conclusie dat de smaak van Robbie op dat gebied even weinig avontuurlijk was als zijn smaak op het gebied van films en toneel. Tenzij er nog ergens een geheim voorraadje lag, waren de seksuele neigingen van Robbie niet zodanig dat hij erom vermoord moest worden.

Carol liep langzaam naar de slaapkamer en glimlachte wrang toen ze het meer dan twee meter brede bed zag. Op de verkreukelde donkerblauwe zijden lakens lag overal nepbont en een tiental kussens lagen verspreid in het rond. De hele muur tegenover het bed werd in beslag genomen door nog een plasma-tv en aan de andere muren hingen schilderijen van naakten die ongetwijfeld door de verkoper het etiket 'artistiek' hadden opgeplakt gekregen.

Een inloopkast besloeg een hele muur. Een deel ervan was leeg. Carol vroeg zich af of daar de kleren van zijn verloofde hadden gehangen, of dat hij gewoon een stel kleren had weggedaan. In de verste hoek stonden twee rechthoekige manden, op de ene stond 'wasserij', op de andere 'stomerij'. Beide waren bijna vol. Vermoedelijk droeg iemand anders daar zorg voor. Gelukkig was die persoon niet meer langs geweest sinds Robbie ziek was geworden.

De bovenste laag van de wasmand bestond uit een spijkerbroek van Armani, een onderbroek van Calvin Klein, een opvallend gestreept overhemd van Paul Smith. Carol haalde de spijkerbroek eruit en doorzocht de zakken. Eerst dacht ze dat ze leeg waren, maar toen haar vingers wat dieper groeven, vonden ze een propje papier dat helemaal in de naad van de rechterbroekzak was weggeduwd. Ze trok het tevoorschijn en streek het voorzichtig glad.

Het was een hoekje van een vel gelinieerd papier, kennelijk uit een notitieboekje gescheurd. In zwarte inkt stond er 'www.bestdays.co.uk'. Carol nam het mee naar het zitgedeelte en vroeg aan

Sam of hij een zakje voor haar had. 'Wat heb je daar, chef?' vroeg hij, terwijl hij er haar een aanreikte.

Carol liet het papiertje in de zak vallen, sloot hem af en schreef er een datum op. 'Een internetadres. Waarschijnlijk niets. Neem het alsjeblieft mee voor Stacey. Heb jij nog iets gevonden?'

Sam schudde zijn hoofd. 'Het lijkt me nogal een saaie lul, als ik zo vrij mag zijn'

Carol ging weer terug naar de slaapkamer. De nachtkastjes bevatten weinig verrassingen – condooms, pepermuntjes, papieren zakdoekjes, een doordrukstrip met pijnstillers, een buttplug zo groot als een pink en een tube glijmiddel. Carol was er vrij zeker van dat dat tegenwoordig niets bijzonders was. Wel interessant was het boek dat in een la aan de linkerkant lag: een kritische biografie van Michael Crick over de baas van Manchester United, Alex Ferguson. Hoewel Carol niet zoveel af wist van voetbal, wist zelfs zij dat dit een interessante keuze was in een wereld waarin de ene hagiografie na de andere over voetbalberoemdheden verscheen.

In de badkamer was er voor Carol niets om bij stil te blijven staan. Zuchtend keerde ze terug naar Sam. 'Het is bijna griezelig,' zei ze. 'Het is allemaal zo onpersoonlijk.'

Sam haalde zijn neus op. 'Dat komt waarschijnlijk omdat hij geen persoonlijkheid is. Die stervoetballers – die zijn allemaal in hun puberteit blijven steken. Ze worden al opgepikt door de grote clubs voordat ze hun eerste zoen hebben gehad, en de technische leiding neemt de taak over van hun moeders. Als ze het redden, bulken ze als ze twintig zijn van het geld, maar gezond verstand: ho maar. Ze worden in de watten gelegd en tussen de dijbenen van fotomodellen. Een heleboel geld in plaats van verstand of ervaring. Een stelletje Peter Pannen, met wat extra testosteron.

Carol grijnsde. 'Je klinkt wat bitter. Heeft er eentje een vriendinnetje van je afgepakt of zo?'

Sam beantwoordde haar grijns. 'De vrouwen waarop ik val zijn te slim voor voetballers. Nee, ik ben gewoon bitter omdat ik me geen Bentley GTC Mulliner kan veroorloven.' Sam zwaaide naar haar met een factuur. 'Zijn nieuwe auto. Wordt volgende maand afgeleverd.'

Carol floot. 'Ik ken mannen die een moord zouden plegen voor zo'n karretje. Maar waarschijnlijk niet met ricine.' Terwijl ze dat zei, ging haar telefoon. 'Hoofdinspecteur Jordan,' zei ze.

'U spreekt met dr. Blessing. Meneer Denby heeft me gevraagd u te bellen. De toestand van Robbie Bishop is verslechterd. We denken dat hij het niet lang meer maakt. Ik weet niet of u erbij wilt zijn?'

'Ik ben al onderweg,' zei Carol. Ze klapte haar mobieltje dicht en zuchtte. 'Het ziet ernaar uit dat we te maken krijgen met een moordonderzoek.'

Ze stonden te wachten op Phil Campsie. Chris pakte gedachteloos een halter op en deed een paar oefeningen met haar onderarm. 'Hij is toch die lelijkerd, hè?' vroeg ze. 'Die man die eruitziet als een kruising tussen een aap en een aardappel?'

'Heb je het over Phil Campsie? Ja, die is lelijk.' Kevin rekte zich uit en gaapte. Zijn dochtertje van vier had sinds kort haar gewoonte 's nachts door te slapen afgeschaft. Zijn vrouw had er terecht op gewezen dat toen Ruby nog borstvoeding kreeg, zij degene was geweest die geen nacht door kon slapen. Nu was Kevin aan de beurt om zijn dochter weer in slaap te sussen. Hij vond het niet eerlijk, voornamelijk omdat hij een baan had en Stella thuis kon blijven. Maar hij kon er moeilijk iets tegenin brengen zonder de indruk te wekken dat hij niet van zijn dochtertje hield. 'Hij is heel lelijk,' zei hij door het laatste stukje van een geeuw heen.

'Dus het geldt niet alleen voor tienermeisjes dat ze een vriendin zoeken om haar uiterlijk?'

'Wat bedoel je?'

'Een mooie met een lelijkerd. Een symbiose. De mooie ziet er nog beter uit naast de lelijkerd en de lelijkerd krijgt de afdankertjes van de mooie. Een win-win sitatie.'

Kevin liet een misprijzend geluid horen. 'Dat is niet zo zusterlijk van je.'

Chris snoof minachtend. 'Zie je, Kevin, je haalt steeds lesbisch en feministisch door elkaar. Combineer de volgende keer lesbisch eens met pragmatisch.'

Hij grijnsde. 'Ik zal het proberen te onthouden. Dus jij denkt dat het zo zit tussen Robbie en Phil?'

'Een beetje wel. Natuurlijk is Phil ook nog rijk en beroemd, en daar valt een lelijk uiterlijk bij in het niet. Maar ik wed dat het geen kwaad kon om te gaan stappen met een van de meest beroemde, knappe en begerenswaardige vrijgezellen van Europa. En sexy niet te vergeten,'

'Vind jij Robbie sexy?'

'Sexappeal heeft niets met je geslacht te maken, Kevin. Je wilt toch niet zeggen dat jij diep in je hart Robbie ook niet sexy vindt?"

Kevin verschoot van kleur. 'Daar heb ik nooit bij stilgestaan.'

'Maar je vindt dat hij er leuk uitziet. Dat hij sexy loopt, dat hij zich goed kleedt,' drong Chris aan.

'Ik denk het wel, ja.'

'Dat mag best, hoor, dat betekent nog niet dat je een flikker bent. Ik wil alleen maar zeggen dat Robbie sexappeal heeft, of charisma, hoe je het ook mag noemen. David Beckham heeft het. Gary Neville niet. John Lennon had het. Paul McCartney heeft het niet. Bill Clinton heeft het, Bush absoluut niet.' En als je het niet hebt dan kun je maar het beste omgaan met iemand die het wel heeft.' Chris legde de halter neer toen de deur openging. Ze zette haar vriendelijkste gezicht op. 'Meneer Campsie. Bedankt dat u tijd voor ons wilde vrijmaken.'

Phil Campsie haakte een enkel om een stoelpoot, trok hem een stukje verder van hen weg en ging toen pas zitten. 'Het gaat over Robbie, hè?' Zijn Londense accent was bijna even uitgesproken als dat van Chris zelf. 'Zeg maar wat ik kan doen. Hij is mijn vriend.'

Kevin zei wie ze waren. Van dichtbij was Phil Campsie nog onaantrekkelijker. Hij had een bleke, vlekkerige huid als van een schoongeschrobde aardappel en een platte neus die zo te zien een paar keer was gebroken. Zijn kleine, grijze ogen stonden ver uit elkaar in zijn kogelronde hoofd. Zijn rossige haar was kortgeknipt en de contouren van de kale plekken waren al goed te onderscheiden. Maar als hij glimlachte was er behalve een rijtje ongelijke gelig verkleurde tanden ook een echte vonk van een brutaal soort hartelijkheid te zien. Kevin nam het voortouw. 'We hebben begrepen dat Robbie meer vrije tijd met u doorbrengt dan met een van de andere jongens uit het elftal.'

'Klopt. Robbie en ik, we zijn zó met elkaar.' Phil kruiste de wijs- en middelvinger van zijn rechterhand.

'En, wat voor stoute dingen doen jullie dan zoal?' Chris trok haar wenkbrauwen op alsof ze wilde aangeven dat ze nergens van achterover zou slaan.

'O, van alles. Ik heb een huis ergens buiten. Een stukje land en paar kilometer van een rivier met forellen. Robbie en ik – we gaan wel eens op jacht. En we gaan vissen.' Toen hij grijnsde zag hij eruit als het jongetje dat hij nog niet zo lang geleden was geweest. 'Ik heb een vrouw uit het dorp, die maakt voor me schoon en die kookt voor me. Zij weet wat ze moet doen met wat wij doodmaken. Ze maakt er dingen van en stopt die in de vrieskist. Het is echt cool om iets te eten wat je zelf hebt doodgemaakt, snap je?'

'Geweldig,' zei Chris voordat Kevin iets stoms kon zeggen. 'En hoe zit het met een sociaal leven? Wat doen jullie voor gezelligs als jullie geen beestjes afslachten?'

'Dan gaan we de stad in,' zei Phil. 'Ergens in een chic restaurant een lekker hapje eten en daarna naar een club.' Hij haalde wat laatdunkend zijn schouders op. Zijn schouderophalen duidde merkwaardig genoeg op een lichte gêne. 'De clubs zien ons graag komen. Dat geeft ze wat aanzien. Dus wij krijgen meteen de beste plaatsen, champagne van het huis, lekkere meiden, je kent dat wel.'

'Wij wilden graag weten wat Robbie op donderdag en vrijdag heeft gedaan,' zei Kevin.

Phil knikte, en rolde wat met zijn brede schouders alsof hij een rekening met iemand te vereffenen had. 'Op donderdag na de training zijn we teruggegaan naar het appartement van Robbie. We hebben wat op het playstation gespeeld. GT HD, weet je wel. Dat nieuwe spel met de Ferrari's. Best cool. We hebben een paar biertjes gedronken en zijn toen een hapje gaan eten in Las Bravas. Dat is Spaans,' voegde hij eraan toe. Hij wilde hen duidelijk zo veel mogelijk helpen.

'Ik heb gehoord dat het daar erg goed is. Wat hebben jullie gegeten?' vroeg Chris, uiterst onschuldig.

'We hebben een heleboel tapas gedeeld. Eerlijk gezegd hebben we de keus aan de ober overgelaten en hij heeft ons van alles wat gebracht. Het meeste was heerlijk, maar een paar van die vishapjes waren niet aan mij besteed.' Hij trok een vies gezicht. 'Ik bedoel, wie wil er nu kleine inktvisjes eten? Gadverdegadver!'

'Hebben jullie allebei hetzelfde gegeten?' vroeg Kevin.

Phil dacht even na, keek naar het plafond en naar links. 'Zo ongeveer wel, ja,' zei hij langzaam. 'Robbie heeft niets van de champignons met knoflook genomen, want hij houdt niet van champignons. Maar verder, ja, we hebben overal wel wat van geproefd.'

'En wat hebben jullie gedronken?'

'We hebben rioja gedronken. We hebben nog een tweede fles besteld, maar die hebben we niet opgemaakt.'

'En daarna?'

'Toen zijn we naar Amatis gegaan. Kennen jullie het daar? Die danstent aan de andere kant van Temple Fields?'

Kevin knikte. 'We zijn van de politie, Phil. Wij kennen Amatis wel.'

'Het is een leuke tent,' zei Phil een beetje agressief. 'Leuke lui. En fantastische muziek.'

'Hadden jullie iets met muziek, jij en Robbie?'

Phil blies een lange adem uit waardoor zijn lippen flapperden. 'Mij interesseert het niet zoveel, als er maar een lekker ritme in zit. Maar Robbie, ja, die weet er een heleboel van. Hij is verloofd geweest met Bindie Blyth.' Toen hij hun vragende blikken zag, gaf hij nog iets meer prijs. 'Die latenight-dj van *Radio One*. De muziek heeft ze bij elkaar gebracht.' Hij ging wat verzitten, stak zijn benen naar voren en kruiste ze bij de enkels. 'Maar het was niet genoeg om ze bij elkaar te houden. Ze zijn een paar maanden geleden uit elkaar gegaan.'

Chris voelde hoe naast haar Kevin zijn oren spitste. Ze probeerde de indruk te wekken dat het niet erg interessant was. 'Hoe kwam dat?' vroeg ze.

'Waarom wil je dat weten?'

Chris maakte een verontschuldigend gebaar met haar handen. 'Ik? Mij interesseert alles. Waarom hebben ze het uitgemaakt?'

Phil keek weg. 'Het ging gewoon niet meer.'

'Zat hij achter haar rug met anderen te rommelen?' vroeg ze.

Phil wierp haar een achterdochtige blik toe. 'Dit vertellen jullie niet verder. Afgesproken?'

'Afgesproken. Dit blijft onder ons,' zei Chris.

'We leven nu eenmaal in zo'n soort wereld,' zei Phil. Een krankzinnig moment dacht Chris dat hij iets diepzinnigs ging zeggen over de 'condition humaine'. 'Telkens als we het huis uitgaan, worden we omringd door mensen die indruk op ons willen maken. Vrouwen die met ons willen neuken, kerels die ons een drankje willen aanbieden of anders wel met ons op de vuist willen. En als je vriendin de meeste tijd ergens honderden kilometers ver weg woont, dan moet je haast wel een heilige zijn. En Robbie is geen heilige.'

'Dus Bindie zag het niet meer zitten en gaf hem de bons?'

'Zo ongeveer. Maar ze wilden niet dat de sensatiebladen zich op hen zouden storten, dus leek het hun allebei het beste om te zeggen dat het een gezamenlijke beslissing was, dat een echte relatie onmogelijk was omdat ze allebei een veeleisende carrière hadden. Even goede vrienden, je kent dat wel.'

'En was dat ook zo?' mengde Kevin zich in het gesprek. Chris wilde hem wel een mep verkopen. Ze was net zo lekker bezig.

Phil hield zijn hoofd schuin. 'Ja.' Het kwam er resoluut en wat afwerend uit. Toen vormde er zich langzaam een frons in zijn voorhoofd. 'Wacht eens even. Jullie denken toch niet dat Bindie hier iets mee te maken heeft, hè?' Hij barstte in lachen uit. 'Godverdegodver, jullie hebben kennelijk nog nooit naar haar show geluisterd. Bindie is een vrouw met ballen. Als ze zo kwaad was geweest dan zou ze Robbie naar huis hebben gestuurd met zijn lul in een papieren zakje. Bindie is het type vrouw dat nergens doekjes om windt. Absoluut uitgesloten dat ze ergens stiekem gif in heeft gedaan.' Hij schudde zijn hoofd. 'Krankjorum.'

'Niemand suggereert dat Bindie hier iets mee te maken heeft, Phil. We proberen alleen een beeld te krijgen van Robbies leven. We waren dus bij donderdag gebleven. Hoe ging het in Amatis?'

Phil ging weer verzitten, het toonbeeld van een man die niet de hele waarheid ging vertellen. 'Er is niet veel te vertellen. We hebben bijna de hele tijd in de vipruimte gezeten en hebben champagne gedronken. Er waren ook een stel gozers van de Yorkshire Cricket Club, die presentator van die tv-show waarin je miljonair kunt worden met oude spullen die je op zolder vindt, en de een of andere lul die een paar seizoenen geleden op Big Brother was. Ik heb niemand anders herkend. En een stel meisjes die je daar meestal ziet. Lekker maar niet ordinair. Dat soort meiden zie je in Amatis.'

'Was Robbie met een speciaal iemand?'

Phil moest even nadenken. 'Niet echt. We hebben allebei gedanst, maar hij bleef niet lang bij hetzelfde meisje. Hij had telkens weer iemand anders, alsof hij niemand kon vinden die hij echt leuk vond.' Hij grijnsde zelfgenoegzaam. 'Nee, dan ik. Ik heb bijna meteen gescoord. Jasmine heette ze. Benen tot aan haar kin en zulke tieten.' Hij maakte een gebaar dat de enorme omvang aan moest geven. 'Dus ik lette niet zo op Robbie, als je begrijpt wat ik bedoel. Hij is nog een poosje in de wodkabar geweest toen ik al heftig met Jasmine bezig was. Zij en ik hebben toen besloten naar haar huis te gaan, dus ben ik op zoek gegaan naar Robbie. Ik zag hem toen hij net van het toilet kwam. Ik zei dat ik met Jasmine mee naar huis ging en dat vond hij prima. Hij zei dat hij iemand tegen het lijf was gelopen met wie hij op school had gezeten en dat hij daar iets mee aan het drinken was.' Phil haalde zijn schouders op. 'Daarna zag ik hem vrijdag op de training en toen zag hij er hondsberoerd uit. Ik zei dat hij er kennelijk een wilde nacht van had gemaakt. Hij stond er wat schaapachtig bij te kijken en zei dat hij er zich eigenlijk niets van kon herinneren. Nou ja, dat heb je soms, hè? Dan word je zo brak, dat het de volgende morgen allemaal één zwart gat is.'

Chris merkte dat ze haar adem inhield. Ze ademde uit en zei: 'Die oude schoolvriend. Heeft die ook een naam?'

'Die heeft hij niet genoemd. Hij heeft zelfs niet gezegd of het een grietje was of een vent.' Phil zat er wat ontdaan bij. 'Ik had ernaar moeten vragen, hè? Ik had beter op hem moeten letten.'

Chris verborg haar teleurstelling achter een glimlach. 'Niemand geeft jou de schuld, Phil. We weten niet wanneer Robbie is vergiftigd. Maar ik weet wel dat als iemand vastbesloten is een ander aan te vallen het erg moeilijk is om zo iemand tegen te houden.'

'Hij wordt toch wel weer beter, hè? Ik bedoel, de doktoren weten toch wel waar ze mee bezig zijn?' Hij beet op zijn onderlip. 'Hij is zo sterk als een beer, die Robbie. En hij is een vechter.'

Kevin ontweek zijn blik en liet het aan Chris over om hun koers te bepalen. 'Ze doen hun best,' zei ze. 'Voordat je het weet, gaan jullie tweetjes weer lekker stappen.'

Phil tuitte zijn lippen en knikte. Hij zag eruit alsof hij ieder moment kon gaan huilen. '*You'll never walk alone*, hè?' Hij hees zich overeind. 'Oké dan. Ik ga maar eens.'

Chris stond op en legde een hand op zijn bovenarm. 'Bedankt, Phil. Je hebt ons heel goed geholpen.' Ze keek hem na, zijn brede schouders gebogen, niets veerkrachtigs meer in zijn tred. De deur viel achter hem in het slot en Kevin keek haar aan.

'Volgens mij staat hij niet boven aan jouw lijstje van verdachten.'

Chris schudde haar hoofd. 'Waarschijnlijk denkt hij dat ricine iets is wat paarden en windhonden doen. In ieder geval heeft hij ons iets gegeven.'

'Die oude schoolkameraad?'

'Juist, ja. Allerlei potentiële motieven. Was onze ster soms een pestkop? Heeft hij het vriendinnetje van iemand afgepakt? Heeft hij iemand op zo'n smerige manier getackeld dat die een glansvolle carrière wel op zijn buik kon schrijven?'

Kevin liep naar de deur toe. 'Ongetwijfeld iets waar de hoofdinspecteur haar hoofd over kan gaan breken.'

'Dat kan ze wel gebruiken. Dan vergeet ze misschien dat niemand haar had verteld dat Tony in het ziekenhuis lag.'

Kevin trok een grimas. 'Niet over praten. Ik wil je wel vertellen dat als niet Paula maar iemand anders dat weekend dienst had gehad, we getuige van een slagveld waren geweest.'

'Hoe zit het toch met Tony en de chef? Toen ik ze voor het eerst samen zag, was ik ervan overtuigd dat ze iets hadden. Maar iedereen zegt: nee, never, nooit. Ik snap het niet.'

'Niemand snapt er iets van,' zei Kevin. 'Zij zelf nog minder, vermoed ik.'

Als Sam Evans al een lijfspreuk had, dan was het wel dat kennis macht is. Hij paste dit aforisme te pas en te onpas toe; hij was vooortdurend bezig met het verwerven van informatie over zijn collega's en probeerde ze altijd te vlug af te zijn. Met informatie over misdadigers ging hij op dezelfde grondige manier te werk. Dus besloot hij om, nadat Carol het appartement van Robbie Bishop had verlaten, stiekem even een kijkje te nemen in de computer van de voetballer voordat Stacey deze te zien kreeg. Hij wist dat er gegronde redenen waren waarom hij ervan af moest blijven, maar uit de kennis die hij had vergaard over Robbie Bishop verwachtte Sam niet dat zijn computer was uitgerust met een bom die alle gegevens zou vernietigen als een vreemde probeerde in te loggen.

Hij had gelijk. Je had niet eens een wachtwoord nodig. Het was verleidelijk om bestanden te gaan openen, maar hij wist dat hij daarmee het soort sporen na zou laten dat ongetwijfeld door Stacey zou worden gesignaleerd. Toch vond hij dat hij best een stel bestanden kon kopiëren op de lege cd-roms die hij in een van de laden van het bureau had gevonden.

Hij merkte al snel dat er niet veel bij was dat het kopiëren waard was, tenminste als je het bekeek vanuit het oogpunt van nieuwe informatie. Er stonden duizenden muziekbestanden op; volgens de iTunes software van Robbie zou het hem 7,3 dagen kosten om naar alles te luisteren. Een enorme hoeveelheid muziek, maar het was tamelijk onwaarschijnlijk dat die enig licht zou werpen op de moord op Robbie. Waar ze ook waarschijnlijk niets aan zouden hebben waren een stuk of veertig opgeslagen spelbestanden, een bewijs te meer van hoe hij in zijn vrije tijd met de computer omging. In plaats daarvan concentreerde Sam zich op de e-mails, de foto's en een handjevol Wordbestanden. Ook al was hij vrij rigoreus te werk gegaan, toch waren er nog drie cd's nodig om datgene wat hij zelf wilde hebben te kunnen downloaden.

Toen sloot hij de bestanden af, in de zekerheid dat hij niet meer bang hoefde te zijn voor een bom. Nu mocht Stacey er naar hartelust mee gaan spelen. Hij had al een zodanige voorsprong opgebouwd dat hij zeker wist dat hij ver voor lag op de rest van het team.

Tevreden schakelde hij de computer uit en liep weer terug naar het bureau. Nu hij iets concreets in handen had, vond hij het minder erg dat hij hier vastzat, terwijl hij eigenlijk in de vuurlinie bezig moest zijn met het verhoren van de hoofdpersonen. Die verdomde Jordan. Wat hij ook deed, ze wilde het gewoon niet goed vinden. Hij zou een manier moeten bedenken waarop hij haar kon omzeilen om de zo felbegeerde promotie te kunnen maken. Nog steeds een beetje kwaad, pakte hij zijn sigaretten en stak er een op. Robbie Bishop zou er toch geen klacht meer over indienen.

Carol stond in de coulissen en was getuige van het laatste bedrijf van het treurspel met Robbie Bishop in de hoofdrol. Al die apparatuur kon hem ook niet langer in leven houden. Denby had het haar uitgelegd, toen ze in het ziekenhuis was. 'Zoals ik u al heb verteld, weerhoudt ricine de cellen ervan om de eiwitten te produceren die ze nodig hebben, en dus sterven ze af. We kunnen dat tot op zekere hoogte wel opvangen met apparaten, maar er komt een moment dat de bloeddruk zo laag wordt dat we gewoonweg niet meer genoeg zuurstof naar de hersenen kunnen krijgen, en dan begint alles uit te vallen. Op dat punt zijn we nu gekomen.'

Hij leed geen pijn, dat wist ze. Daar zorgde de morfine voor. En de profanol hield hem kunstmatig in slaap. Hoewel hij technisch nog wel leefde, was er niets meer over van wat deze man tot die ene unieke Robbie Bishop maakte. Het was moeilijk te geloven dat de man die ze zag sterven, nog maar een paar dagen geleden zijn ploeggenoten zo had bezield dat ze een gedenkwaardige overwinning hadden geboekt. Hij leek in niets meer op een sportman. Zijn hoofd was twee keer zo groot als normaal, zijn lichaam opgezwollen en uitgezet. Onder het dunne beddengoed zagen zijn eens zo mooie benen er nu uit als twee pilaren. Robbie Bishop, sportheld, idool van miljoenen, zag er in- en intriest uit.

Zijn moeder zat naast hem. Met beide handen hield ze de slappe vingers vast die zwart waren geworden door een gebrek aan doorbloeding, ironisch genoeg veroorzaakt door de medicijnen die zijn bloeddruk hadden moeten verhogen. Stille tranen liepen haar over de wangen. Ze was nog geen vijftig, maar de afgelopen paar dagen hadden haar veranderd in een oude, kromme vrouw die niets meer snapte van het leven. Achter haar stond haar man, zijn handen om haar schouders geklemd. De gelijkenis tussen hem en zijn zoon toen die nog gezond was, was treffend. Brian Bishop was een levende herinnering aan wat Robbie nooit zou worden.

Aan de andere kant van het bed stond Martin Flanagan, met gebogen hoofd, de handen voor zich ineengeslagen. Carol zag aan zijn verwrongen gezicht hoeveel moeite het hem kostte om niet te huilen. Na de laatste miserable uitschakeling van Engeland bij het wereldkampioenschap voetbal had Carol gedacht dat echte mannen weer mochten huilen, maar misschien gold dit nog niet voor de generatie van Flanagan.

Terwijl ze stond toe te kijken, leek het net alsof Robbies ademhaling stokte en er een siddering door zijn lichaam ging. Het duurde maar een paar seconden. Toen het voorbij was, schoten de cijfers op de hartmonitor pijlsnel naar beneden, de bloeddruk zakte als een baksteen, het zuurstofgehalte van het bloed was niet meer dan een waas op het digitale scherm. 'Het spijt me verschrikkelijk,' zei Thomas Denby. 'Nu moeten we de beademing uitschakelen.'

Mevrouw Bishop begon te jammeren. Eén lange klagende kreet, en daarna viel ze voorover met haar hoofd tegen de zij van haar zoon, haar hand probeerde zich nog vast te klampen aan zijn opgezwollen borstkas alsof ze er op de een of andere manier weer leven in kon duwen. Haar man wendde zich af, met schokkende schouders en met zijn handen voor zijn gezicht. Flanagan hing met het hoofd op zijn knieën op zijn hurken tegen de muur.

Het was te veel. Carol besloot zich terug te trekken. Toen ze de gang op kwam, stond Denby naast haar. 'We zullen met een verklaring moeten komen en een persconferentie moeten houden. Ik stel voor dat we dat gezamenlijk doen.' Hij keek op zijn horloge. 'Hebt u genoeg aan een halfuur voorbereiding?'

'Ik weet niet of we wel...'

'Kijk eens, ik zal hun moeten vertellen wat we weten en dat is dat Robbie Bishop is gestorven aan een ricinevergiftiging. Ze zullen willen weten waar jullie van de politie mee bezig zijn. Het enige wat ik wil is dat het hele verhaal in één keer naar buiten komt, en niet dat er over elke verklaring die ik afleg gespeculeerd gaat worden.' Denby maakte een geïrriteerde indruk. Hij zag eruit als een man die er niet aan gewend is dat men zijn beslissingen in twijfel trekt.

Carol had er nooit enige moeite mee gehad om mannen als Denby van repliek te dienen, maar ze had geleerd dat ze dat beter op haar eigen terrein kon doen. 'Ik neem aan dat ik meer ervaring heb dan u in een confrontatie met u niet welgezinde media die hun messen aan het slijpen zijn,' zei ze op sussende toon. 'Als u prijs stelt op mijn aanwezigheid bij de persconferentie, zal dat zeker geregeld kunnen worden. Waar vindt de ontmoeting met de pers plaats?'

Een beetje van zijn stuk gebracht zei Denby kortaf: 'De bestuurskamer op de derde verdieping leent zich daar waarschijnlijk het beste voor. Ik zie u daar wel over twintig minuten.' En weg was hij, met zijn witte jas die zo onder het stijfsel zat dat hij nauwelijks bewoog in de wind die hij zelf veroorzaakte.

'Klootzak,' mompelde ze zachtjes.

'Problemen, chef?' Paula stond in de deuropening van de familiekamer waar ze eerder met Flanagan had gepraat.

'Meneer Denby houdt van opschieten. Eerst verklaart hij iemand dood en dan kondigt hij het volgende moment een persconferentie aan. Ik had liever wat meer tijd willen hebben om te kijken of ik op de hoogte ben van de meest recente ontwikkelingen, dat is alles.'

'Wilt u dat ik telefonisch contact opneem met de anderen uit het team? Even horen hoe het ervoor staat?'

Carol vond het moeilijk om het gretige enthousiasme van Paula zonder meer te accepteren. Toen ze zelf beroepsmatig in een vergelijkbare situatie was geweest, had ze woede gevoeld, wrok en een brandend verlangen naar wraak. Ze kon zich geen enkele omstandigheid voorstellen waarin ze had kunnen werken voor de mensen die haar in de steek hadden gelaten en hadden verraden. Maar in plaats van haar te haten leek het net of Paula extra gedreven was om haar goedkeuring te winnen. Carol had aan Tony gevraagd het haar uit te leggen, maar hij had daar moeite mee gehad vanwege zijn beroepsmatige betrokkenheid bij Paula. Het enige wat hij had kunnen zeggen was: 'Ze neemt jou echt niet kwalijk wat er die avond in Temple Fields is misgegaan. Ze begrijpt dat je haar niet aan haar lot hebt willen overlaten, dat je al het mogelijke hebt gedaan om haar niet in gevaar te brengen. Er is hier geen verborgen agenda, Carol. Je kunt erop vertrouwen dat ze aan jouw kant staat.'

Dus dat probeerde ze nu. Ze glimlachte en legde een hand op Paula's arm. 'Dat zou me heel goed uitkomen. Ik ga beneden in het café wat aantekeningen bij elkaar leggen – ik kan wel wat cafeïne gebruiken. Ik zie je daar over een kwartier.'

Onder het lopen negeerde Carol de ziekenhuisregel die het gebruik van mobieltjes verbood en belde haar baas. John Brandon, de korpschef van de politie in Bradfield, was er verantwoordelijk voor geweest dat ze weer teruggesleurd werd in de wereld van het politiewerk toen ze daar vreselijk graag voorgoed een punt achter wilde zetten. Hij had aan de wieg gestaan van het Team Zware Misdrijven waar zij nu de baas van was, en hij was de enige van haar superieuren die ze onvoorwaardelijk vertrouwde.

Ze praatte hem bij over de situatie met Robbie Bishop en legde uit waarom er een gezamenlijke persconferentie nodig was.

'Doe het maar,' zei Brandon. 'Jij bent daar nu eenmaal. Ik vertrouw op je oordeel.'

'Er is maar één ding waar ik niet zeker over ben – ik weet niet of ik naar buiten moet komen met moord of dat ik het bij een verdacht sterfgeval moet laten.'

'Denk je dat het om moord gaat?'

'Ik zie niet goed hoe het iets anders kan zijn.'

'Noem het dan maar moord. Bij een zaak als deze waar zoveel belangstelling voor is, nagelen ze ons aan het kruis als ze denken dat we ons in proberen te dekken. Noem het maar precies zoals jij het ziet.'

'Dank u wel, meneer.'

'En, Carol, ik wil dat je me persoonlijk op de hoogte houdt over deze zaak.'

Carol maakte geen moment te vroeg een einde aan het gesprek. Toen ze haar mobieltje weer in haar tas duwde, werd ze herkend door een tv-verslaggever die ergens aan de zijkant stond van het legertje journalisten. Hij maakte zich los uit de groep, riep haar naam en kwam op haar af rennen.

Carol glimlachte en wiebelde in een wuifgebaar met haar vingers. Ze was al lang en breed in de doolhof van de ziekenhuisgangen verdwenen, toen hij bij de hoofdingang stond. Het circus ging beginnen.

Yousef liep de huiskamer in toen de uitzending met het regionale avondnieuws net was begonnen. Hij wilde iets zeggen, maar Raj en Sanjar gaven beiden aan dat hij stil moest zijn. 'Wat is er?' stribbelde hij tegen en hij gaf Raj een duw zodat die opschoof en Yousef nog net een plaatsje kon veroveren op het uiterste hoekje van de bank.

'Het gaat over Robbie Bishop,' zei Sanjar. 'Hij is dood.'

'Hoe kan dat nou,' zei Yousef verontwaardigd.

'Stil!' drong Raj aan. Van de drie broers was hij de enige echte voetbalfan. Sanjar was gek op cricket, maar Yousef was nooit zo weg geweest van sport. Maar gezien zijn plannen voor het weekend was dit verhaal wel interessant.

Op het scherm trok de nieuwslezer een ernstig gezicht. 'En nu gaan we live naar een persconferentie in het Bradfield Cross ziekenhuis waar de arts die Robbie Bishop heeft behandeld, meneer Thomas Denby, een verklaring gaat afleggen.'

Het beeld veranderde. Een of andere vent in een deftig pak en een keurig kapsel zat aan een tafel met naast zich een aantrekkelijke blondine en een nietszeggende brunette in een witte jas. 'Het spijt me u te moeten meedelen dat Robbie Bishop een halfuur geleden is overleden hier op de intensivecareafdeling van Bradfield Cross. Zijn ouders en Martin Flanagan, de manager van Bradfield Victoria, waren bij hem toen hij stierf.' Hij praatte met een bekakte stem, schraapte zijn keel en ging verder. 'We wisten al een paar uur dat we niets meer voor Robbie konden doen behalve er zorg voor dragen dat zijn laatste uren zo pijnloos mogelijk zouden verlopen.' Op de achtergrond klonk er een geroezemoes van stemmen van verslaggevers die niet beschikten over het geduld en de manieren om Denby te laten uitpraten. Net als zijn jongste broertje die de hele tijd riep: 'Waar is hij dan aan gestorven?'

De bekakte kerel hield zijn hand omhoog om het stil te krijgen. Hij wachtte een paar seconden en begon toen weer te praten. 'Vanmorgen hebben we de resultaten van het laboratoriumonderzoek binnengekregen die onomstotelijk bewezen dat Robbie Bishop niet leed aan de een of andere infectie. De oorzaak van het overlijden van Robbie Bishop was een substantiële dosis van het giftige ricine.' De kamer ontplofte.

'Godverdomme,' hijgde Sanjar. 'Is dat niet dat spul waar ze al die jongens voor hebben gearresteerd? Die zogenaamde terroristen?'

'Ja, maar de meeste daarvan zijn weer vrijgelaten,' zei Yousef. 'Ik geloof dat er maar eentje heeft moeten voorkomen.'

'Dan gaan ze ons de schuld geven,' zei Raj met een ernstig gezicht en met fel schitterende ogen. 'Ze zullen zeggen dat de moslimfundamentalisten erachter zitten. Echt waar, ik ben al vanaf dat ik heel klein was supporter van de Bradfield Vics, maar dat maakt nu niets meer uit.'

Yousef sloeg hem wat onhandig op de schouders. Hij had medelijden met Raj, maar hij moest het grotere beeld voor ogen houden. En dat zag er nu zelfs nog beter uit. De laatste tijd was hij in gedachten steeds in zijn eigen wereld geweest als hij voor de tv moest gaan zitten, maar nu was hij er wel helemaal bij. 'Laten we eens zien wat ze te zeggen hebben.'

Ze richtten hun aandacht weer op het tv-toestel waar de kerel in het pak het woord had gegeven aan de blondine. 'Mijn team is al bezig met het onderzoek naar de oorzaak van dit tragische sterfgeval,' zei ze. 'We gaan ervan uit dat we met een moordonderzoek bezig zijn.' Dat was dus een smeris. 'We zouden graag praten met iedereen die Robbie donderdagavond laat heeft gezien of met hem heeft gesproken in de Amatis nachtclub in Bradfield. We zijn ook geïnteresseerd in wat hij na zijn vertrek uit de nachtclub heeft gedaan. We moeten de persoon vinden die dit heeft gedaan. Als iemand ons inlichtingen kan geven, moet hij of zij dit nummer bellen.' Ze hield een stuk papier omhoog waarop een gratis telefoonnummer stond en las het toen hardop voor.

Zodra ze klaar was, begonnen de journalisten weer allemaal door elkaar heen te praten. 'Is er sprake van betrokkenheid van terroristen?' was de vraag die de gemoederen het meest bezighield.

De blondine perste haar lippen op elkaar tot een dunne streep. 'Er is in dit geval geen reden om aan terrorisme te denken,' zei ze. 'En er is ook geen enkele aanwijzing dat er iemand anders gevaar loopt om net als Robbie Bishop slachtoffer te worden van een dergelijke situatie.'

'Wanneer bent u met uw onderzoek begonnen?'

'Het ziekenhuis heeft ons vanmorgen op de hoogte gebracht,' zei de smeris.

'We hebben meteen toen we de ricinediagnose bevestigd kregen, de politie gebeld,' kwam het pak tussenbeide.

'Die is zich aan het indekken,' zei Sanjar toen ze op het scherm weer terugschakelden naar de studio, waar de presentator beloofde dat ze erop terug zouden komen zodra er nieuwe informatie was. Daarna volgde er een in allerijl samengestelde montage van de mooiste momenten van Robbie Bishop op het veld. Raj kon zijn ogen er niet vanaf houden. Hij zoog de magie op van iets waar ze nooit meer getuige van zouden zijn.

'Daar was ik bij,' zei hij, toen ze Robbie een spectaculair schot van twintig meter van het doel zagen afvuren, de goal waarmee de Vics zich een plaats veroverden in de halve finale van de UEFA-cup van het vorige seizoen. 'O jee, nu hebben we geen enkele kans meer in de Premier League. Niet zonder Robbie.'

Yousef schudde zijn hoofd. 'Je moet niet meer naar die wedstrijden toe gaan. Totdat ze degene die hierachter zit hebben gepakt.'

'Ik heb een kaartje voor zaterdag,' protesteerde Raj. 'En voor de volgende Europese cupwedstrijd.'

'Yousef heeft gelijk,' zei Sanjar. 'Totdat ze degene gevonden hebben die dit op zijn geweten heeft, zullen er mensen zijn die naar een zondebok zoeken. Ook al zei dat mens van de politie dat dit niets met terrorisme te maken had, er zijn altijd wel van die mafkezen die dit een goed excuus vinden een stel Pakistanen in elkaar te slaan. Dit gaat een heleboel losmaken aan emoties, Raj. Je kunt beter even wegblijven.'

'Ik wil niet wegblijven. Niet van de wedstrijden en ook niet vanavond. Iedereen gaat naar het stadion, om hem eer te bewijzen en zo. Daar wil ik bij zijn. Het is ook mijn club.' Raj zat bijna te huilen.

Zijn oudere broers keken elkaar aan. 'Sanjar heeft waarschijnlijk gelijk over de wedstrijden. Als het nieuws eenmaal goed is doorgedrongen, gaan de negatieve emoties ongetwijfeld hoog oplopen. Maar als je er vanavond per se heen wilt, ga ik wel met je mee,' zei Yousef, die maar al te goed begreep hoe fragiel de brug tussen de twee culturen was die zijn generatie in haar greep hield. 'We gaan samen.'

Tony zette de tv uit en leunde achterover in zijn kussens. Het morfine-infuus was uitgewerkt en hij voelde het begin van een doffe pijn in zijn knie. De verpleegster had hem op strenge toon verteld dat hij geen pijn hoefde te lijden en dat hij een verpleegster moest bellen om hem iets tegen de pijn te geven. Hij probeerde zijn been te bewegen, om te testen waar zijn pijngrens lag. Hij vond dat hij nog wel even kon wachten. Als hij weer medicijnen innam, viel hij alleen maar in slaap en hij wilde nu niet slapen. Niet bij het vooruitzicht van een bezoek.

Carol was in het ziekenhuis. Hij had haar zo-even op tv gezien waar ze een livepersconferentie deed. Ze moest een moord op zien te lossen. En wat voor moord. Een beroemd lijk en een enge moordmethode. Ze zou er met hem over willen praten. Daar was hij zeker van. Maar hij wist niet wanneer ze er even tussenuit kon knijpen.

Hij dacht aan Robbie Bishop en aan de avonden die hij in zijn gezellige studeerkamer had doorgebracht, kijkend naar Bradfield Victoria op de satellietzender. Hij herinnerde zich een attente speler, die bijna nooit slordig met zijn passes omsprong. Iemand die zichzelf en de bal onder controle had. Tony kon zich niet herinneren dat Robbie ooit een gele kaart had gekregen. Maar deze bedachtzaamheid had niet geduid op een gebrek aan hartstocht. Robbie, in zijn shirt met rugnummer zeven, rende tot hij erbij neerviel. Maar wat Robbie bijzonder maakte, waren de fantastische spelsituaties die hij uit het niets creëerde, momenten waarop zelfs mensen die onverschillig tegenover voetbal stonden, begrepen waarom het *the beautiful game* werd genoemd.

En nu had iemand dat talent en die elegantie in één klap van de kaart geveegd. Ze hadden het niet op een wredere manier kunnen doen, hij was geëindigd als een levend lijk. Waarom zou iemand Robbie Bishop een dergelijke dood toewensen? Was het iets persoonlijks? Of had iemand er iets algemeners mee willen uitdrukken. Dat was allebei mogelijk. Tony had meer details nodig. Hij had Carol nodig.

Hij hoefde niet lang te wachten. Nog geen tien minuten na het einde van haar persconferentie deed Carol de deur achter zich dicht en leunde ertegenaan, alsof ze bang was voor achtervolgers. 'Hij vindt het niet zo leuk als er iemand anders alle aandacht krijgt, hè?' vroeg Tony. Hij maakte een gebaar naar de stoel naast zijn bed.

'Zolang ik mijn zin maar krijg,' zei Carol, die haar verdediging van de deur opgaf en zich op de stoel liet vallen. 'Dat geldt trouwens voor de meeste specialisten die ik ken.'

'Je zou mevrouw Chakrabarti eens moeten ontmoeten. Bij haar kun je je koesteren in de misvatting dat ze zich iets aantrekt van wat jij zegt. Ze hebben jou dus met de gifbeker opgezadeld, hè?'

'O ja. De rechercheurs in Londen hoorden waar het over ging en toen wisten ze niet hoe gauw ze ervan af moesten komen. Ik kijk niet echt uit naar de komende paar dagen. Maar genoeg over mij en mijn problemen.' Carol deed zichtbaar moeite om die problemen van zich af te schudden. 'Hoe gaat het?'

Tony glimlachte. 'Ik ben het, Carol. Je hoeft voor mij niet net te doen alsof er in jouw hoofd nog plaats is voor iets anders dan Robbie Bishop. En wat mij betreft, als je het echt wilt weten, ik zal me een stuk beter voelen als je me niet meer als een invalide behandelt. Er is iets aan de hand met mijn knie, niet met mijn hersens. Je kunt mij rustig alles vertellen, precies zoals je bij elke andere moord zou doen waar geen duidelijk motief voorhanden is.'

'Weet je dat zeker? Eerlijk gezegd zie je er nog niet uit alsof je helemaal in orde bent.'

'Dat is duidelijk ook nog niet zo. Ik kan me nog niet goed concentreren, dus het lezen van ingewikkelde dingen is uitgesloten.'

Hij maakte een wegwerpgebaar naar de boeken waar hij haar om had gevraagd. 'Maar ik zit niet meer aan het morfine-infuus en mijn hersens beginnen weer redelijk normaal te functioneren. Als ik wakker ben, ga ik liever hierover piekeren dan dat ik de hele dag tv moet kijken. Dus wat heb je in de aanbieding?'

'Teleurstellend weinig.' Carol vertelde hem wat zij en haar team tot dusver hadden vastgesteld.

'Dus als ik het mag samenvatten,' zei Tony, 'kennen we niemand die hem zo erg haatte dat hij hem wilde vermoorden, heeft hij waarschijnlijk het gif toegediend gekregen in een stampvolle nachtclub en weten we niet waar de ricine vandaan kwam.'

'Daar komt het zo'n beetje op neer, ja. Ik heb wel een verkreukeld propje papier gevonden in de zak van de spijkerbroek die hij het laatst aan had. Er stond een internetadres op dat ik nog niet heb kunnen natrekken: *www.bestdays.co.uk*.'

'Dat zouden we nu kunnen doen,' bood Tony aan. Hij drukte op het knopje om zijn bed omhoog te doen en vertrok zijn gezicht toen zich een nieuwe pijnscheut aandiende. Hij klapte de laptop open en wachtte ongeduldig tot het uit de slaapstand ontwaakte.'

'Heb je pijn?' vroeg Carol

'Een beetje,' gaf hij toe.

'Kunnen ze je daar niets voor geven?'

'Ik probeer zo weinig mogelijk pijnstillers te nemen,' zei Tony. 'Ik voel me er niet prettig bij. Ik ben liever bij mijn volle verstand.'

'Dat is gewoon stom,' zei Carol resoluut. 'Met pijn schiet je niets op.' Zonder hem om toestemming te vragen drukte ze op het belletje om de verpleging te roepen.

'Wat doe je?'

'Ik ben dingen voor je aan het regelen.' Ze draaide haar stoel bij zodat ze op het scherm kon kijken.

Tony typte het internetadres in. Ze kwamen terecht op een pagina waarop bovenaan 'The best days of our lives' stond. Voor het luttele bedrag van vijf pond per jaar beloofde de site dat het de beste service in het Verenigd Koninkrijk bood voor het bij elkaar brengen van oude schoolvrienden en collega's. Een kort onderzoek maakte duidelijk dat je, als je je aanmeldde, vroegere kennissen kon opsporen. Dan kon je met die mensen weer in contact komen door middel van e-mails die door de administratie van de website werden doorgestuurd. 'Waarom zou Robbie Bishop in contact willen komen met oude schoolkameraden?' vroeg Tony. 'Ik vind het andersom logischer. Dat ze in de rij staan om weer vriendjes met hem te worden.'

Carol haalde haar schouders op. 'Misschien wilde hij nog eens langsgaan bij een oude vlam die hem de bons heeft gegeven. Hij was vrij als een vogeltje in de lucht, nadat zijn verloving was uitgeraakt.'

'Dat geloof ik niet. Hij zag er goed uit, was rijk en talentvol. Overal waar hij kwam, stortten de vrouwen zich op hem. En blijkbaar vond hij het prima om er af en toe eentje op te vangen. Hij was verloofd met een coole meid die zelf ook beroemd was. Als hij nog hopeloos verliefd was op iemand die hem gedumpt had toen hij vijftien was, zou hij zich niet zo gedragen. En dan had hij er al veel eerder iets aan gedaan.' Hij schudde zijn hoofd. 'Nee, psychologisch klopt dat niet. Weten we zeker dat het Robbies handschrift is?'

'Nee. Het papiertje is nu bij de technische recherche. Denk je dat hij het van iemand heeft gekregen?'

'Hij heeft tegen Phil Campsie gezegd dat hij iets zat te drinken met iemand van school. Misschien dat degene met wie hij iets dronk, heeft geopperd dat hij eens op die site moest kijken, eens moest kijken hoe het met zijn oude vrienden ging. Het interesseert Robbie geen bal, maar hij wil geen onbeleefde indruk maken, dus stopt hij het in zijn zak en achteraf weet hij het niet meer.'

'Zou kunnen. Het klinkt niet onlogisch.'

Tony opende een venster en typte er 'Harriestown High School, Bradfield' in.

'Weet jij waar hij op school ging?' Carol klonk achterdochtig.

'Ik volg het voetbal, Carol. Ik weet waar hij is opgegroeid. Zijn vader en moeder wonen nog steeds in hetzelfde huis in Harriestown. Hij heeft aangeboden een nieuw huis voor ze te kopen, maar zij wilden blijven wonen waar ze thuishoorden.'

'Dat soort dingen kom je niet te weten als je het voetballen volgt.'

Tony had het fatsoen om beschaamd te kijken. 'Ik surf af en toe wel eens langs wat sites met roddels. Daarom ben ik nog niet slecht, toch? Moet je kijken.' Hij wees naar het scherm. Er was een foto te zien van Harriestown High School. Betonnen blokkendozen uit de jaren zestig naast een oud victoriaans bakstenen hoofdgebouw. Onder een korte geschiedenis van de school was er een afdeling getiteld 'Beroemde leerlingen'. Een paar parlementsleden, twee popgroepen die heel even in de top honderd hadden gestaan toen britpop in was, een middelmatige thrillerschrijver, een onbelangrijke soapster, een modeontwerper en Robbie Bishop. Met een paar klikken had hij de namen op het scherm staan van oud-leerlingen van Harriestown High School die gelijk met Robbie Bishop op school hadden gezeten. 'Er is een dikke kans dat de naam van degene die hem dat adres heeft gegeven hierbij staat.'

Carol kreunde. 'De lijst wordt er waarschijnlijk wel wat korter van. Nu hoeven we niet meer alle mensen die samen met Robbie op school zaten, na te trekken, maar kunnen we ons beperken tot de oud-leerlingen die zich hebben ingeschreven op deze internetsite.'

'Nu hoef je nog maar naar een naald in een naaidoosje te zoeken in plaats van in een hooiberg.'

'En dat maakt het er volgens jou gemakkelijker op? Dat is het vervelende als het motief niet voor de hand ligt. Je weet niet waar je moet beginnen.'

Tony voelde een schok door zich heen gaan. 'En dan kom je bij mij terecht, toch? Ik ben degene die het aantal mogelijke verdachten beperkt als je niet verder komt met: "Wie heeft er voordeel van?"'

Carol grijnsde. 'Zoiets, ja. En op deze vrolijke noot laat ik jou achter. Ik moet naar Londen om met de ex van Robbie te praten.'

'En hebben we het dan over de lieftallige Bindie Blyth?'

'Ik snap nu wat je bedoelt met langs die roddels heen surfen. Je hebt helemaal gelijk. En voordat ik kan vertrekken, moet ik nog wat voetvolk regelen. Die moeten zo veel mogelijk materiaal verzamelen dat is opgenomen door bewakingscamera's in het stadscentrum. En dan moeten die arme zielen ook nog alles bekijken.'

'Zij liever dan ik. Hoe zit het met het gebied rondom Amatis? Zijn daar voldoende camera's?'

Carol rolde met haar ogen. 'Op sommmige plaatsen veel te veel en op andere geen een. De voorkant van de club wordt goed in de gaten gehouden en datzelfde geldt voor de routes naar de dichtstbijzijnde parkeergarages. Maar er is een zijuitgang vlak bij de vipruimte. Die komt uit in een steegje aan de zijkant van het gebouw. Van daaruit zit je zo in de doolhof van achterafstraatjes in Temple Fields. En ondanks alle moeite die we hebben gedaan, staan er daar nog veel te weinig camera's.' Er viel een moment stilte waarin ze zich allebei zaken uit het verleden herinnerden waarin Temple Fields een hoofdrol had gespeeld, een wijk waarin zich niet alleen de rosse buurt bevond. Het was ook de plek waar homo's zich prettig voelden, waar je designerappartementen zag in verbouwde pakhuizen en een bijenkorf van kleine bedrijfjes. Temple Fields was de plek waar cool en rotzooi bij elkaar kwamen, waar nauwelijks verschil was tussen de verkeerde en de goede kant van de wet en waar misdadigers naast brave burgers woonden.

'Het is nog steeds het enige deel van de stad waar alles mogelijk is,' zei Tony. Zijn stem klonk bijna dromerig. 'Goede en slechte dingen.'

Carol snoof spottend. 'Over dat goede moet ik jou maar op je woord geloven.'

'Wij krijgen alleen het slechte onder ogen. Maar vermoedelijk gebeurt er ook soms wel iets goeds.'

'Zeg dat maar tegen Paula.' Carols stem klonk zuur, want ze herinnerde zich hoe Paula bijna het leven had gelaten in een armoedig kamertje in Temple Fields.

Tony glimlachte. 'Carol, Paula begrijpt veel meer van misdaad dan jij en ik. Ze weet wat de negatieve kant van Temple Fields inhoudt. Het is heel lang de enige plek geweest waar mensen als zij veilig waren. Er waren al homo's in Temple Fields lang voordat de homowijk een coole bestemming was.'

Het was een zacht verwijt maar wel een verwijt, en het herinnerde Carol eraan dat zij haar eigen reactie niet over die van Paula kon leggen en dan kon verwachten dat ze precies hetzelfde waren. 'Je hebt gelijk,' gaf ze toe. Voordat ze er nog iets aan kon toevoegen, klopte er een verpleegster aan en kwam binnen.

'Wat kan ik voor u doen?' vroeg ze.

'Hij heeft pijnstillers nodig en hij wil het niet toegeven,' zei Carol. Ze stond op en raapte haar spullen bij elkaar.

'Is dat zo?'

Tony knikte. 'Eigenlijk wel.'

De verpleegster keek op zijn kaart en zei: 'Ik heb toch al gezegd dat u geen medaille verdient door voor martelaar te spelen. Ik breng u wel iets.'

Carol liep achter haar aan naar de deur. 'Ik weet niet precies wanneer ik uit Londen terug ben, maar ik zal proberen morgen langs te komen.'

'Succes,' zei Tony. Het speet hem niet haar te zien vertrekken; haar bezoek had hem duidelijk gemaakt hoe weinig energie hij had. Het was een opluchting te weten dat hij die avond geen ander bezoek meer zou krijgen. Er zaten voordelen aan als je de wereld op een afstand hield.

Hij had die paar aanbiedingen van vriendschap die zijn kant op waren gekomen lange tijd gewantrouwd. Hij had geloofd dat ze gebaseerd waren op de misvatting dat het gezicht dat hij aan de wereld liet zien iets te maken had met wat er in zijn binnenste omging. Hij was zich ervan bewust hoe dun het draadje was dat die twee verbond. En dat hij vanwege zijn eigen verleden meer gemeenschappelijk had met degenen die hij achternazat dan met degenen uit wiens naam hij die mensen achternazat. Hij wist in welke mate hij was beschadigd en begreep dat de empathie die daaruit voortkwam op de een of andere manier gecompenseerd moest worden. Toen hij eindelijk genoeg emotionele moed bij elkaar had geraapt om een deel van de schuld op het bordje van zijn moeder te leggen had hij ook genoeg kennis vergaard om te begrijpen dat die optie wat te gemakkelijk was. Hij had zich jaren als het kind gevoeld dat met zijn neus tegen de ruit gedrukt stond te kijken naar het gelukkige gezinnetje dat een heerlijk kerstfeest à la Charles Dickens aan het vieren was. Voordat hij begreep dat de meeste van die schijnbaar zo gelukkige gezinnen evenveel donkere plekken in zich verborgen als zijn eigen familie, was hij al veel ouder. Dat hij niet de enige was die deed aan wat hij 'doorgaan voor menselijk' noemde. Maar toen hij eenmaal zover was, had hij een leven voor zichzelf opgebouwd waarin hij graag bereid was de rol van eenzame toeschouwer op zich te nemen.

En toen was Carol Jordan in zijn leven verschenen. Geen enkele van zijn psychologieboeken noch de duizenden uren die hij als psycholoog had gewerkt, hadden hem voorbereid op iemand die dwars door de barricades die hij had opgeworpen heen brak, alsof ze niet bestonden. Het was te eenvoudig en tegelijkertijd ook te gecompliceerd. Als ze een van beiden anders waren geweest, hadden ze misschien verliefd kunnen worden en lang en gelukkig kunnen leven. Maar er waren in het begin te veel obstakels en hindernissen geweest en nu leek het net alsof telkens als zij voorzichtig overwogen of ze zich over zouden geven, de wereld weer allerlei obstakels op hun pad neerlegde.

Meestal wou hij dat het anders kon zijn. Maar soms, zoals nu, erkende hij dat het misschien genoeg was dat ze ieder voor zich wisten dat er ten minste één relatie in hun leven was die nooit zou mislukken doordat ze hun eigen behoeftes lieten prevaleren. Alles wat ze voor elkaar deden, betekende niets meer dan dat. Als zij zorgde voor een draadloze verbinding vanuit zijn ziekenhuisbed, had ze daar geen bijbedoeling mee. En nu zou hij alle uithoeken van zijn hoofd en van het internet afzoeken om haar te helpen, gewoon omdat hij dat kon.

Toen de verpleegster terugkwam, nam hij braaf zijn medicijnen in en liet zich achteroverzakken om zijn geest de vrije ruimte te geven. Als er geen duidelijk motief was, kon hij als geen ander toch weer aanknopingspunten ontdekken. Welk voordeel zou de moord op Robbie zijn moordenaar hebben opgeleverd? Als hij daar inzicht in kon krijgen, zou dat een reusachtige stap vooruit zijn. Dan kon hij misschien aan een onbekende een gezicht en een uiterlijk geven. Gelukkig was het een reusachtige stap waar hij geen twee goed functionerende knieën voor nodig had. Alleen een stel hersens die wat op weg geholpen konden worden door de heerlijke, kalmerende chemische stoffen die zich in zijn bloedbaan drongen.

Als je vierentwintig uur nieuws moet brengen, ben je altijd op zoek naar sensationele koppen. Nu Robbie Bishop dood was, was het mediacircus verhuisd van het ziekenhuis naar het stadion van Bradfield Victoria. Het verhaal ging zo snel rond dat de meeste verslaggevers er al eerder waren dan de fans, omdat ze vlugger bij hun vervoermiddelen konden komen. Aanvankelijk waren er meer journalisten en cameramensen dan bedroefde fans. Ze draaiden in een kringetje rond in de kille avondlucht en maakten lugubere grappen, in afwachting van de dingen die niet lang meer op zich zouden laten wachten.

Binnen het uur kregen ze wat ze wilden. Honderden mensen dwaalden doelloos rond in de schaduw van de statige tribune aan Grayson Street, hun adem in wolkjes om hun hoofd. De ijzeren hekken die het terrein afsloten waren letterlijk de steunpilaren voor bossen bloemen uit de supermarkt, teddybeertjes met lintjes om de hals, droevige boodschappen, condoleancekaarten, en foto's van Robbie zelf. Vrouwen huilden radeloos van verdriet, mannen gekleed in het kanariegeel van de thuisclub zagen er wanhopig uit, alsof ze net getuige waren geweest van een 5-0-thuisnederlaag. Kinderen keken verbijsterd, jongeren ontgoocheld. Verslaggevers voegden zich bij hen, microfoons en bandrecorders werden hen onder de neus geduwd om de banaliteiten van gekunstelde emoties op te vangen. De politie was onopvallend aanwezig en hield de bedroefde fans in de gaten zodat het niet uit de hand zou lopen.

Yousef en Raj waren bij de eersten die arriveerden. Yousef had het gevoel dat hij opviel en voelde zich ongemakkelijk en onhandig. Hij dacht dat hij waarschijnlijk de enige aanwezige was, afgezien van de politie en de mensen van de pers waarschijnlijk de enige aanwezige die geen voetbalshirt of een sjaal van de Vics droeg. Hij zei beleefd 'nee' toen een paar tv-verslaggevers hem om commentaar vroegen en hij sleurde een luid protesterende Raj weg van hun microfoons en camera's. 'Waarom mag ik niets zeggen?' vroeg Raj.

'Je moet hier zijn omdat je in de rouw bent, niet om met je grote kop op tv te komen,' zei Yousef. 'Dit gaat niet om jou, weet je'

'Dat is niet eerlijk. Ik hield echt van Robbie. Ik hou van de Vics. De helft van de mensen die straks op tv komen of op de radio, hebben nooit iets om het team gegeven. Ze willen gewoon een graantje meepikken.' Raj liep langzaam achter zijn broer aan, zijn hakken sleepten over de grond.

'Laat ze.'

Opnieuw duwde een verslaggever een microfoon onder hun neus. 'Sommige mensen brengen de dood van Robbie Bishop in verband met de productie van ricine door moslimterroristen,' brabbelde hij. 'Hoe denkt u daarover?'

'Dat is lulkoek,' zei Yousef, die zich nu pas geroepen voelde iets te zeggen. 'Heb je niet gehoord wat die smeris daarnet gezegd heeft? Er is geen reden om dit in verband te brengen met terrorisme. Je probeert gewoon de zaak op te hitsen. Mensen als jij zijn degenen die rassenrellen uitlokken. Neem mijn broer nou. Het enige waar hij fanatiek over is, zijn de Bradfield Vics.' Hij spuugde op de grond. 'Je hebt geen respect. Kom mee, Raj.' Hij trok zijn broer aan zijn mouw mee.

'Leuk, hoor,' zei Raj. 'Ik mag niets over Robbie zeggen, maar jij mag wel een potje gaan staan schreeuwen. Nu denken ze dat wij rotzooi trappen.'

'Ja, ik weet het. Het is niet eerlijk.' Yousef loodste Raj weg van de media en in de richting van de blijken van eerbetoon bij het hek. 'Maar ik word kotsmisselijk van die verdachtmakingen. Waarom zouden terroristen Robbie Bishop willen vermoorden, godverdomme?'

'Omdat hij een symbool is van het decadente Westen, stomkop,' zei Raj en hij bootste het domme gepapegaai na van de grote schreeuwerds die hij in de kebabzaakjes en op de parkeerplaats van de moskee tekeer had horen gaan.

'Dat is nog waar ook. Maar niet voldoende reden om hem te vermoorden. Als je Robbie vermoordt, creëer je geen terreur, alleen maar woede. Als je terrorisme wilt laten werken, moet je je tegen gewone burgers richten. Maar dat gaat mensen als die zak met die microfoon ver boven de pet,' zei Yousef verbitterd.

Zonder dat het hun bedoeling was, stonden ze nu aan de rand van een steeds groter wordende groep mensen die zich had verzameld rondom een stel waxinelichtjes. De kaarsjes flakkerden in de zachte avondbries en op de een of andere manier waren ze ontroerender dan al die andere tekenen van respect die zich om hen heen ophoopten. Iemand met een lichte tenor begon het eerste couplet te zingen van 'You'll never walk alone'. Anderen vielen in en voordat ze het wisten zongen Yousef en Raj mee met het ultieme lied van de voetbalsupporter.

Yousef moest onwillekeurig glimlachen toen zijn stem zich in het koor mengde. Hij wist hoe het voelde, om niet alleen te lopen. Hij begreep welke kracht iemand daaraan ontleende. Samen met iemand lopen, dat maakte alles mogelijk. Letterlijk alles.

De kilometers rolden gestaag onder hen weg. Zo laat op de avond was het verkeer dat overdag op de snelweg voor opstoppingen zorgde, afgenomen. Het was nog steeds druk op de zes rijbanen, maar nu reden de auto's en het vrachtverkeer in een ritmische dreun langs alle knelpunten en wegversmallingen van de Midlands. Carol reikte naar de radioknop en schakelde van de beschaafde klanken van Radio Four over naar de manische beat van Radio One. Ze gingen met Bindie Blyth praten en daarom konden ze net zo goed alvast luisteren naar haar show.

Het nieuws van tien uur begon met de dood van Robbie Bishop. Achter het stuur schudde Sam zijn hoofd toen de nieuwslezer er met een dramatische ademloosheid een ernstige crisissituatie van wist te maken. 'Ze hebben het niet in de gaten, hè? Bij een verhaal met een dergelijke reikwijdte hoeven ze zich alleen maar bij de feiten te houden. Het laatste wat we kunnen gebruiken is een algehele hysterie. Dan gaan de supporters helemaal door het lint.

'Daar zijn ze nu eenmaal goed in,' zei Carol, die haar buik vol had van de excessen van de media. 'Met een paar zeldzame uitzonderingen. En iedereen speelt het spelletje gewoon mee. Zullen we wedden dat de premier vóór morgen ook al een duit in het zakje heeft gedaan?"

Sam grijnsde. 'Voor het ontbijt is Robbie al gebombardeerd tot "speler van het volk". Net als toen bij Diana.'

'Maar ditmaal loopt er wel een echte moordenaar vrij rond, niet die spoken die door die lui met die complottheorieën overal werden gezien.' Ze zuchtte. 'En aan ons de taak om hem te vinden.'

Het nieuws was afgelopen en werd onmiddellijk gevolgd door een opgewonden dancenummer, dat zich qua lengte kon meten met het eerste bedrijf van een opera. Uiteindelijk kwam het tot bedaren en een vrouwenstem, laag en warm, zei: 'Als begin van de uitzending van vanavond Kateesha met Junior Deff, met "Score steady". Dit is Bindie Blyth, jullie gastvrouw tot middernacht op Radio One, de favoriete zender van de beatnatie. Jullie hebben allemaal gehoord dat Robbie Bishop eerder op de avond is overleden. Tot een paar maanden geleden hadden Robbie en ik iets met elkaar. Hij heeft me ten huwelijk gevraagd en ik heb ja gezegd. Het is er uiteindelijk niet van gekomen, maar hij was nog wel steeds mijn beste vriend. Een van de redenen dat we zo close met elkaar zijn gebleven, was de muziek. We hielden beiden van dezelfde sounds, die sounds die jullie elke avond hier in de uitzending horen. Natuurlijk heeft iedereen zijn eigen persoonlijke top tien, en Robbie was geen uitzondering. Robbie en ik bleven op zondagmorgen altijd in bed liggen en dan maakte we lijstjes van onze lievelingsnummers, en dan stelden we ons eigen denkbeeldige programma met verzoeknummers samen. "Score Steady" kwam altijd op Robbies lijstje voor. Vanavond ben ik verdrietig. Ik heb iemand verloren die veel voor me heeft betekend. Dus de uitzending van vanavond wordt een eerbetoon aan de man van wie ik heb gehouden. Wees maar niet bang, ik ga niet op de tragische toer. Geen tranen, tenminste niet tijdens de komende twee uur. In plaats daarvan ga ik de muziek voor jullie spelen waar Robbie van hield. Dance en trance, hiphop en triphop en misschien nog wat *acoustic chill.* Zet je oren dus open en laat je voeten hun eigen gang gaan op de klanken van "Stack My Beats" van de Rehab Boys.' Haar laatste woorden werden al bijna overstemd door een uitzinnig ritme, dat zich ontwikkelde tot een nummer met een drum en een basgitaar waarbij je borstkas aan het vibreren sloeg.

Carol draaide het geluid lager zodat ze zichzelf weer konden horen praten. 'Zij heeft zichzelf kennelijk veel beter in de hand dan die verslaggevers. Hoe zit het met haar naam? Bindie? Is het een bijnaam? Of een soort afkorting?'

‘Volgens haar website heet ze eigenlijk Belinda, maar is haar roepnaam Bindie.’

Carol glimlachte. Natuurlijk had Sam online al alles over haar opgezocht. Sam was altijd haantje-de-voorste als het op het vergaren van informatie aankwam. Als dat in juiste banen werd geleid, kon het team daar heel veel aan hebben, maar Sam was van nature geen teamspeler. Ze moest er altijd achterheen dat hij eraan dacht informatie met anderen te delen. ‘Juist. Ik wed dat haar moeder haar nog steeds Belinda noemt en dat ze daar stapelgek van wordt. En waar komt ze vandaan? Ik hoor iets in haar accent dat niet duidt op Londen en omgeving, maar ik kan het niet helemaal thuisbrengen.’

‘Ze komt ergens uit East Anglia,’ zei Sam, die met zijn vinger een geluidloos tromgeroffel op het stuur nadeed. ‘Uit de buurt van Norwich, geloof ik. Ze is goed.’

‘Ik denk dat ik hier een beetje te oud voor ben.’

‘Weet ik niet. Volgens mij is het meer een kwestie van smaak dan van leeftijd. Ik persoonlijk denk dat je de mensen als het om muziek gaat in twee kampen kunt verdelen. Of je luistert naar het ritme en je vindt het prettig dat ritme in je te voelen dansen, of je let erop hoe de muziek en de woorden elkaar aanvullen. Je ziet zelden dat mensen op beide dingen letten. Het ritme of de tekst. Ik zou jou hebben ingeschat als iemand die van een mooie tekst houdt.’

‘Misschien wel. Niet dat ik tegenwoordig veel tijd voor muziek heb.’ Ze zwegen en lieten de muziek over zich heen spoelen.

Toen het klaar was, noemde Bindie nog eens de titel van het nummer. ‘Vanavond hebben we te horen gekregen dat Robbie door iemand is vergiftigd. Daar kan ik nou absoluut niet bij. Je moet wel volslagen getikt zijn om iemand een gif toe te dienen dat er dagen over doet om je te vermoorden. Daar zit heel veel haat achter. En ik vind het onbegrijpelijk dat iemand zo veel haat tegen Robbie koesterde. Hoe kun je nou een man haten die van het volgende nummer hield?’ Ze had gelijk. De muziek was zo aanstekelijk en vrolijk dat Carol onwillekeurig met haar voet de maat meetikte. Ze keek hoe laat het was. Ze zouden ongeveer een halfuur voor het einde van Bindies uitzending in Londen zijn. Hopelijk was ze nog high van de adrenaline van het presenteren en bereid om te praten. Het was belangrijk dat Bindie openheid van zaken gaf over Robbie. Als Carol dat vanavond voor elkaar kreeg, stagneerde het onderzoek niet al bij het begin. Dat was veel belangrijker dan het schoonheidsslaapje van Bindie Blyth. Of dat van haarzelf.

Het was elf uur en Amatis begon al aardig op te warmen. De verlichting was subtiel, het volume verpletterend en overal hing de verschraalde lucht van alcohol, sigaretten, parfum en warme lijven. Paula en Kevin hadden Chris achtergelaten in het sjofele kantoortje van de manager, waar ze zich door gesprekken met het barpersoneel en de portiers heen werkte. Ze had er zelf duidelijk niet al te veel fiducie in gehad. 'Toen Robbie met zijn oude schoolkameraad stond te praten, was het achter de bar een gekkenhuis,' had ze gezegd. 'Veel te veel klanten die allemaal iets wilden bestellen. Ik betwijfel of ze gezien hebben met wie hij was. Als iemand al heeft gezien dat er iets verdachts gebeurde met zijn drankje, dan zou dat puur toeval zijn en dan zouden ze onderhand ons of hun eigen ordedienst wel hebben ingeseind. Nee, als er iemand vanavond toevallig tegen iets aanloopt, dan zijn jullie twee dat wel.

Maar Paula had daar zo haar twijfels over. Voor de meeste mensen die Amatis bezochten kwam hun idee van een gezellig avondje erop neer dat ze veel drank en drugs binnenkregen, zodat de kans dat ze zich nog een detail herinnerden bijna nihil was. Dat waren degenen die verdwaasd stonden te kijken toen Paula vroeg of ze daar de afgelopen donderdag ook waren geweest. Als het Paula eindelijk was gelukt om duidelijk te maken wie ze was en wat ze wilde door middel van gebaren, het vertoon van haar identiteitskaart en een foto van Robbie, gaven de meesten via hun gezichtsuitdrukking te kennen of het ja of nee was, gevolgd door een schouderophalen waarmee ze vergeetachtigheid of onverschilligheid aangaven. De enige variatie op dat thema kwam van degenen die iets anders beoogden dan laveloos worden en/of iemand om mee te neuken. Dat waren de mensen die een glimp wilden opvangen van iemand van wie ze de volgende dag op het werk achteloos de naam konden laten vallen. 'O ja, zoals ik gisteravond tegen Shelley zei... Je weet wel, Shelley, Shelley Christie, uit *Northerners*... Natuurlijk ken ik die, kijk maar, ik heb hier haar foto op mijn mobieltje staan.' Het sprankje hoop dat Paula nog koesterde, concentreerde zich op hen.

Na een uur moest ze toegeven dat ze het geluk die avond niet aan haar kant had. De 'sterrenkijkers' met wie ze had gepraat waren ofwel helemaal in de put omdat ze hun laatste kans op een leuk kiekje met Robbie hadden gemist, of verbitterd omdat ze hem wel hadden gezien, maar daar geen foto van hadden gemaakt. Wie nog het meest in de buurt van een getuige kwam, was een jongen die had verteld dat hij Robbie in gezelschap van iemand anders aan de bar had zien staan. 'Was dat een man of een vrouw?' had Paula gretig gevraagd.

'De een of andere vent. Ik herkende hem niet, dus ik heb er niet zo op gelet. Ik had hem willen vragen om een foto te maken van mij en Robbie, maar ik was vergeten mijn mobieltje op te laden en dat was leeg, dus heb ik niets gedaan.'

'Had je hem ooit eerder gezien, die vent?' Paula was nog niet bereid de handdoek nu al helemaal in de ring te gooien.

'Dat heb ik toch verteld. Ik heb niet op hem gelet. Ik weet niet of ik hem ooit eerder heb gezien. Misschien wel, misschien ook niet. Er is me niets speciaals aan hem opgevallen.'

'Groot? Klein? Licht haar? Donker haar?' Paula deed haar best om niet te laten zien dat ze kwaad was.

De getuige schudde zijn hoofd. 'Eerlijk gezegd had ik aardig wat op. Ik heb hem geen moment goed aangekeken. Dat krijg je als je iemand als Robbie tegen het lijf loopt. Dan wil je zo graag zien hoe hij er van dichtbij uitziet dat je helemaal niet let op de persoon met wie hij is. Tenzij die ook beroemd is. Of als het een bloedmooie meid is. Je denkt alleen maar "godverdomme, ik sta zomaar naast Robbie Bishop".' Hij keek heel even bedroefd. 'Arme donder.'

Wat ontmoedigd baande Paula zich een weg naar de hoek van de bar en probeerde de blik te vangen van een van de barkeepers. Ze zweette als een otter en had een enorme behoefte aan water. Uiteindelijk nam een van de in het zwart geklede barkeepers haar bestelling op. Terwijl ze stond te wachten op haar wisselgeld liet

Paula verstrooid haar blik langs de bar glijden.

Ze hapte naar adem toen ze de piepkleine videocamera zag die verstopt zat tussen de spotlights die neerschenen op het plakkerige granieten blad van de bar. 'O, wat ben jij mooi,' zei ze zacht.

Toen de barkeeper terugkwam met een handjevol munten, zag hij tot zijn verbazing dat zijn klant was verdwenen.

De zware deur die de opnamestudio scheidde van het hokje van de producer zwaaide open en Bindie Blyth kwam tevoorschijn, met een halfleeg flesje mineraalwater losjes in een hand. Met de andere hand, trok ze een haarband in de kleuren van het ANC van haar hoofd en schudde haar donkere pijpenkrullen los. Ze waren vast een opvallend paar geweest, dacht Carol. De knappe Robbie met het keurige oer-Engelse uiterlijk en Bindie met haar mediterraan getinte huid, en haar fijne gelaatstrekken, waarmee ze op een elfje leek uit een geïllustreerd kindersprookje, omlijst door een wanordelijke bos krulletjes. De dikke haardos en de zwarte spijkerbroek en het strakke zwarte topje benadrukten haar tengere gestalte. Carol dacht dat ze waarschijnlijk nog in kinderkleding paste. 'Oké, Dixie?' vroeg ze aan de mollige vrouw achter het bedieningspaneel.

'Kon niet beter. Het ging prima, Bindie. Je hebt bezoek,' zei Dixie, met een snelle hoofdbeweging naar Carol en Sam, die op de andere twee stoelen zaten.

Bindie wierp hen een blik toe. Ze zag er opeens uitgeput uit. 'Moet dit per se nu? Ik ben net klaar met werken.'

'En wij nog niet,' zei Carol. Ze haalde haar identiteitskaart tevoorschijn en stelde zich voor. 'Wij hebben de taak om uit te vinden wie er achter Robbies dood zit.'

'Ja, nou ja, hij is dood, hè. Wat maakt het nog uit wie het heeft gedaan? Het enige wat telt is dat Robbie er niet meer is. Daar kunnen jullie niets aan veranderen.' Dit was een hele andere Bindie dan de vrouw die net twee uur muziek had gedraaid ter ere van haar overleden vriend. Nu klonk ze alleen maar boos en verbitterd. Dixie, de producer, zat doodstil toe te kijken. Haar ogen schoten tussen Carol en Bindie op en neer.

'Ik vind het heel erg van Robbie,' zei Carol. 'Maar in mijn ervaring houden mensen die een dergelijke koelbloedige moord plegen het niet bij die ene moord. Ik wil voorkomen dat degene die Robbie heeft vermoord, ook nog iemand anders van het leven beroofd.'

'Dat snap ik. Maar waarom zijn jullie hier? Waarom zijn jullie daarbuiten jullie werk niet aan het doen.' Bindie liep in de richting van een rek met klerenhangers en trok er een donkergroen fleece vest vanaf.

'Ik heb een collega, een psycholoog. Een van de dingen die hij mij heeft geleerd is dat je altijd aandacht moet schenken aan het punt waar de levens van het slachtoffer en zijn moordenaar elkaar kruisen. Hoe meer ik over het slachtoffer te weten kom, des te meer kans ik heb om dichter in de buurt te komen van dat punt. En als het aankomt op het kennen van Robbie Bishop, ben jij een van de deskundigen. Daarom moet ik met je praten, en daarom moet dat nú.'

Bindie rolde met haar ogen. Je klinkt net als die lul in *Law and Order: Criminal Intent*. Oké, jij je zin. Maar laten we ergens anders heen gaan. Ik heb een sigaret en een drankje nodig.' Ze draaide zich om en zei: 'Tot morgen, Dixie.' Dixie keek ontstemd en knikte ten afscheid.

Buiten op de gang zei Bindie: 'Laten we naar mijn huis gaan. Het is maar tien minuten rijden.' Ze keek voor het eerst Sam aan. 'Heb je een stukje papier en een pen?'

Ze krabbelde er een adres op en een routebeschrijving. 'Als jullie melk in je thee willen, moeten jullie even langsgaan bij een garage die de hele nacht open is.'

En weg was ze. Ze rende de gang uit, veel sneller dan je zou verwachten van iemand met zulke korte beentjes.

Een kwartier later reed Sam langzaam door een straat met voorname halvemaanvormige rijen huizen in Notting Hill en zocht tevergeefs naar een parkeerplaats. 'Verdomme,' zei Carol. 'Dit kan wel de hele nacht duren. Zet hem maar gewoon naast een andere neer. Laat een briefje achter met je mobiele nummer voor het geval je iemand in de weg staat.'

Sam stopte voor het huis met het nummer dat Bindie hun had gegeven. Een veiligheidslamp ging aan toen ze het bordes opliepen naar het portiek met de witte zuilen, en daardoor konden ze de namen lezen op de bordjes naast de vier intercomknoppen. 'Blyth' was de derde van boven. Sam drukte erop, wachtte en sloeg met het literpak melk zachtjes tegen zijn dijbeen. Carol staarde grimmig in een lens van een bewakingscamera.

Binnen een paar seconden zei een verdraaide stem: 'Eerste verdieping,' en sprong de deur zoemend open. Hun voetstappen maakten een klepperend geluid op de zwart-witte terrazzotegels in het kleine halletje, maar daarna werd het geluid gedempt door het dikke tapijt op de trap. 'Gaaf huis,' mompelde Sam.

Bindie stond hen al op te wachten, leunend in de enige deuropening op de eerste verdieping. Ze had de armen over elkaar geslagen en de benen bij de enkels gekruist. Ergens in het afgelopen kwartier had ze kans gezien een dun laagje make-up op te brengen, waardoor ze wat afstandelijker overkwam. Ze deed zonder een woord te zeggen een pas achteruit en gebaarde dat ze binnen konden komen. In de grote hal stond een snookertafel, compleet met ballen die al in positie lagen. Vier biljartkeus hingen in houders aan de muur erachter. Tussen de deuren, waardoor je allerlei kanten op kon, hingen sfeervolle zwart-witfoto's van biljartlokalen en van de bezoekers ervan, die werden beschenen door een stel lampjes aan een rek aan het hoge plafond. Ze liep pal achter hen aan en zei: 'Rechtdoor.'

Ze stapten binnen in een prachtige kamer over de hele breedte van het huis. Zachte leren banken en zitzakken stonden overal verspreid, ogenschijnlijk lukraak neergezet, met ertussenin lage houten tafeltjes die vol lagen met tijdschriften, kranten en schone asbakken. Langs drie muren waren planken aangebracht waarop cd's stonden en grammofoonplaten, met op de paar lege plekken een indrukwekkende geluidsinstallatie en een plasmascherm; de vierde muur werd in beslag genomen door dichte houten luiken die voor de hoge ramen waren aangebracht. De panelen waren versierd met posters van popconcerten en aankondigingen van nieuwe albums. Op de meeste posters stonden handtekeningen. In de kamer hing de geur van kaneel en rook. Carol herkende de zoete lucht van marihuana vermengd met de wat scherpere geur van Marlboro Light.

Het licht kwam van een handjevol papieren zuilen die strategisch in de kamer waren opgesteld. Het geheel maakte een merkwaardig intieme indruk.

'Ga zitten,' zei Bindie. 'Ik zie dat jullie melk mee hebben gebracht.' Ze knikte naar Sam. 'De keuken is daar, de deur rechts van de voordeur. Thee en koffie in het kastje boven de waterkoker. Cola light, sap en water in de ijskast.'

Sam keek heel even alsof hij niet wist wat hem overkwam. 'Ik graag koffie, Sam. Melk, geen suiker,' zei Carol. Bindie en zij keken elkaar even samenzweerderig aan. *Kom op, Sam, snap het nou.* En ja hoor, eindelijk kreeg hij in de gaten dat zijn baas het op een akkoordje met Bindie gooide, omdat dat het gesprek ten goede zou komen. Het was helemaal niet haar bedoeling om hem te kleineren.

'Kan ik voor u ook iets maken, mevrouw Blyth?'

'Nee, dank je wel, schatje. Ik ben al voorzien.' Ze wees naar een hoog glas waar de condens al op stond. Het zou gewoon cola light kunnen zijn, maar Carol dacht van niet. Bindie ging met opgevouwen benen in een zitzak naast het tafeltje zitten met haar drankje en de sigaretten.

'Leuk appartement,' zei Carol.

'Niet helemaal de rock-'n-rollachtige omgeving die je verwachtte, hè? Het salaris dat ik bij de BBC verdien is niet genoeg voor de hypotheek,' zei Bindie. 'Die betaal ik met mijn werk in clubs. Ik ben geen dom blondje, hoofdinspecteur Jordan. Ik ben afgestudeerd in economie en die studie heb ik ook betaald met mixen en scratchen. Ik weet dat ik als veelverdiener niet zo lang meega, dus haal ik er zo veel mogelijk uit, zolang het nog kan.'

'Klinkt logisch.'

'Ik ben altijd al een verstandig meisje geweest.' Ze trok een grimas. 'Sommigen zouden dat misschien saai noemen. Het was een van de dingen die Robbie leuk vond aan mij, zei hij. Hij wist dat ik hem nooit dingen zou laten doen die zijn carrière kapot zouden maken. Klopt het trouwens wat ze op de nieuwsredactie zeggen? Ricine? Is hij vergiftigd met ricine?'

'Het ziekenhuis heeft tests uitgevoerd toen hij ziek was. Daar krijgen we nog een bevestiging van. Maar ja, inderdaad, het lijkt erop dat hij met ricine is vergiftigd.

Bindie schudde ongeduldig haar hoofd. 'Het is te gek voor woorden. Robbie en ricine. Wat heeft dat nu met elkaar te maken?'

Als ik daar het antwoord op wist, konden we allemaal naar huis. 'Op dit moment weet ik dat ook niet. Dat is een van de vele dingen waar ik probeer achter te komen.'

'Ik begrijp het. Wat wilt u aan mij vragen?' Bindie pakte het pakje Marlboro, duwde het met haar duim open en nam er een uit.

'Hoe was hij?'

Bindie stak de sigaret op en nam een eerste trekje. Door de rook heen keek ze Carol een beetje loensend aan. 'Je hebt geen idee hoe vaak me dat al is gevraagd. Gewoonlijk op een wat meer ademloze toon.' Carol deed haar mond open om iets assertiefs terug te zeggen, maar voordat ze dat kon doen, zwaaide Bindie op een sussende manier met haar handen. 'Ik probeer je niet voor de gek te houden, ik weet dat je het moet vragen.' Ze zuchtte en glimlachte waardoor haar gezicht iets liefs kreeg. 'Wat was Robbie voor iemand? Hij was een aardige jongen. Er moest nog wel een heleboel gebeuren voordat hij echt volwassen was. Hij was talentvol en dat wist hij. Niet op een arrogante manier, maar hij was er zich wel van bewust, als je begrijpt was ik bedoel. Hij wist wat hij waard was en hij was trots op wat hij al had bereikt. Wat kan ik nog meer vertellen?' Ze zweeg even om een trekje te kunnen nemen. 'Hij was gek op muziek en op voetbal. Als hij geen voetballer was geweest, was hij denk ik dj geworden. Hij had er verstand van en hij was er gek op. Dat was de lijm tussen ons.' Ze slikte een mondvol met rook in. 'Dat en de seks, denk ik. Daar was hij ook goed in.' Nu was de glimlach wat weemoedig. 'In het begin was ik verschrikkelijk verliefd op hem. Maar dat hele gedoe van verliefd zijn, dat gaat voorbij.' Ze keek weg en concentreerde zich op haar brandende sigaret.

'Als je geluk hebt, verandert het in iets diepers,' zei Carol.

'Dat gaat alleen op als je allebei volwassen bent. Het probleem bij Robbie was dat hij de emotionele volwassenheid had van een verlate puber. Hij begon altijd met goede bedoelingen, maar die mislukten nogal eens, vooral als er in zijn buurt blondines en champagne met elkaar in aanraking kwamen.' Ze drukte haar sigaret uit en leunde achterover. 'Uiteindelijk was ik die foto's in *Heat* spuugzat, en de valse hatelijkheidjes in de roddelrubrieken trouwens ook. Ik heb hem zijn ring teruggegeven en heb tegen hem gezegd dat we het misschien nog eens konden proberen als hij zich niet meer gedroeg als een klein jongetje in een snoepwinkel.'

'Dus jij hebt het uitgemaakt?'

Het geklik van snookerballen gevolgd door het zachte geluid van een bal die in een pocket viel, kwam door de halfopen deur naar hen toe zweven. Bindie glimlachte en maakte met haar duim een gebaar naar de hal. 'Een toonbeeld van tact, hè? Ja, inderdaad, ik heb het uitgemaakt.'

'Hoe nam Robbie dat op?'

Bindie pakte nog een sigaret. 'Eerst was hij overstuur. Grotendeels gekwetste trots. En hij was natuurlijk ook bang dat hij geen uitnodiging meer kreeg voor al die gave popconcerten. Maar toen hij in de gaten kreeg dat ik het meende toen ik zei dat ik bevriend met hem wilde blijven, werd hij weer wat vrolijker. De laatste paar weken ging het weer heel goed tussen ons. Bijna alle dagen hebben we gebeld, we hebben bestanden met muziek uitgewisseld, en toen de jongens een paar weken geleden in Londen waren voor de wedstrijd tegen Arsenal hebben we samen gegeten.

'Volgens jou gingen jullie dus vriendschappelijk met elkaar om?'

Bindie fronste haar voorhoofd. 'Wacht eens even, je denkt toch niet dat ik hier iets mee te maken heb?' Ze keek Carol woedend aan, fel en sterk, en opeens glinsterden er tranen op haar wimpers.

'Ik probeer een beeld te krijgen van Robbies leven, meer niet,' zei Carol sussend.

'Nou ja, kijk zijn telefoonrekening er maar op na. En de mijne. Dan zul je zien hoe vaak we met elkaar spraken en hoe lang die gesprekken duurden.'

'Wanneer heb je hem voor het laatst gesproken?'

'Ik heb hem zaterdagmorgen gebeld,' zei ze. Haar stem bibberde nu een beetje. 'We belden elkaar altijd voor een wedstrijd. Hij zei dat hij niet kon praten, hij dacht dat hij een griepje onder de leden had en zei dat hij wachtte op de clubarts.' Ze knipperde verwoed met haar ogen. 'Toen was hij al vergiftigd, hè?'

Carol knikte. 'We denken van wel. En vóór zaterdagmorgen? Wanneer was de keer daarvoor?'

Bindie dacht even na. 'Donderdag. Vroeg in de avond. Hij zou met Phil uitgaan.'

Godverdomme. 'Toen je hem zaterdag sprak, heeft hij het toen gehad over een schoolvriend die hij donderdag in Amatis tegen het lijf was gelopen?'

'Nee. Zoals ik al zei, had hij geen tijd voor een praatje. Ik heb hem beterschap gewenst en gezegd dat hij mij maar moest bellen als hij zich wat beter voelde.' Ze sperde haar ogen open. 'Denk je dat die oude schoolvriend hem heeft vergiftigd?'

'We houden overal rekening mee. Maar hij heeft tegen Phil gezegd dat hij iemand tegen was gekomen met wie hij op school had gezeten. Die persoon zou ons een duidelijker beeld kunnen geven van Robbies avond. Dat is alles. Hoor eens, Bindie, heeft Robbie wel eens drugs gebruikt?'

'Ben je gek? Hij wilde niet eens in dezelfde kamer zitten met iemand die aan het blowen was. Hij dronk graag, maar hij zou nooit iets met drugs doen. Hij zei altijd dat je precies wist wat voor effect alcohol op je had. Maar bij drugs kon je met geen mogelijkheid voorspellen wat er met je gebeurde. Mocht je soms denken dat iemand dat spul bij hem naar binnen heeft gekregen door net te doen alsof het coke was of zoiets, dan zit je op het verkeerde spoor.'

Misschien was het een poging tot schoonwassen, misschien was het de waarheid. Hoe het ook zij, de lijkschouwing zou aantonen of de vrienden van Robbie een te positief beeld van hem schetsten. 'En tijdens jullie laatste gesprek, was er toen niets dat aangaf dat hij veranderd was?'

'Absoluut niet. Ik zei het al, we hebben maar een paar woorden gewisseld.'

'In ieder geval zijn jullie als vrienden uit elkaar gegaan,' zei Carol.

'Dat is zo...' Ze probeerde een moedig lachje. 'Weet je, als ik Robbie had willen vermoorden, had ik het in alle openheid gedaan, niet stiekem achter zijn rug. Hij had in geen enkele onzekerheid verkeerd over wat hem overkwam en waarom. Maar...' Haar gezicht verraadde haar, en ze begon te hoesten van de rook. 'Ik heb hem nooit willen vermoorden. Die blondines misschien. Maar Robbie? Voor geen geld.'

'Wie dan wel? Wie haatte hem wel zo erg?

Bindie haalde een hand door haar krullen. 'Ik heb geen flauw idee. Hij was er de man niet naar om een dergelijke reactie uit te lokken. Ik zei het al, het was een aardige jongen. Er zijn voetballers bij die er alleen maar op uit zijn om met iemand op de vuist te gaan. Ze hebben het nodig zichzelf als stoere jongens te zien. Robbie was niet zo. Hij was beleefd, goed opgevoed. Meer David Beckham dan Roy Keane. Als er buiten het veld kerels ruzie met hem zochten, liep hij gewoon weg. Het enige wat me te binnen schiet...' Haar stem stierf weg en ze schudde haar hoofd.

'Wat?'

'Het is stom, vergeet het maar.'

Carol boog wat voorover. 'Ik heb nog geen enkel aanknopingspunt, Bindie. Ik sta open voor alle suggesties, ook al zijn ze volgens jou nog zo stom.'

Ze schudde haar hoofd weer en nam een woedend trekje van haar sigaret. 'Het is alleen... Gokken. Ik weet dat er tonnen met geld doorheen worden gejaagd met gokken. Je leest wel eens iets over die syndicaten, dat er miljoenen ponden voor het grijpen liggen. Australië, Hongkong, Korea, de Filippijnen. En op voetbal wordt er ook heel veel gegokt. Ze hebben onthullingen gedaan op Five Live en in de kranten. Ik vroeg me alleen af... de Vics doen het dit seizoen beter dan van tevoren werd verwacht. Ze dingen mee naar het kampioenschap. De grote jongens krijgen er hoofdpijn van. Stel dat...' Ze pakte haar glas en nam een slok van haar drankje.

'Zou het al voldoende verschil uitmaken als je één speler elimineerde?' vroeg Carol zich hardop af.

Vanuit de deuropening klonk de stem van Sam. 'Wel als het om Robbie ging. Denk eens aan al die goals die er zijn gemaakt uit voorzetten van Robbie. Denk eens aan al die goals die er niet zijn gemaakt, omdat Robbie met de cruciale tackle kwam. Sommige spelers kunnen een heel team beter laten spelen. Zo'n speler was Robbie.'

Er volgde een lange stilte waarin ze alle drie over Sams woorden nadachten. Bindie zei als eerste iets. 'Ik kan jullie niet vertellen hoe kwaad ik word als ik daaraan denk. Dat je de wereld berooft van zoiets moois, alleen maar voor geld.' Bindie maakt een geluid alsof ze iets uitspuugde. Ze hield haar hand voor haar mond en haalde diep adem.

'Het is een interessante suggestie,' zei Carol.

Bindie sloeg haar ogen vol tranen naar haar op. 'Mijn arme lieve jongen,' zei ze. Ze haalde haar neus op en worstelde zich omhoog uit haar zitzak. 'Het wordt tijd dat jullie gaan. Ik kan niets meer bedenken waar jullie iets aan zouden kunnen hebben en ik moet nog naar wat muziek luisteren. Als ik nog iets anders bedenk, bel ik wel. Maar nu moet ik alleen zijn.'

Buiten op straat leunden ze tegen de motorkap van de auto en bekeken de vaaloranje weerspiegeling van de wolken. 'Interessant idee, dat goksyndicaat,' zei Sam.

'Het is het eerste zinnige idee dat ik heb gehoord,' zei Carol. 'Maar wel een idiote methode. Het lijkt me logischer dat ze voor geen goud op een dergeljke manier de aandacht wilden trekken. Zou je dan niet proberen om het er te laten uitzien als een ongeluk?'

Sam gaapte. 'Misschien dachten ze wel dat ze dat deden.'

'Wat bedoel je?' Carol duwde zichzelf overeind en stak haar hand uit. 'Ik rijd het eerste stuk wel.'

'Voor zover ik heb begrepen, zouden de meeste artsen nooit hebben ontdekt dat het hier ging om ricinevergiftiging,' zei Sam, terwijl hij om de auto heen liep. 'Als Elinor Blessing niet die ingeving had gekregen, zouden ze het waarschijnlijk aan een of ander virus hebben geweten. Daar was de behandeling op afgesteld, voordat zij haar briljante ontdekking deed.'

Carol startte de auto en begon langzaam te rijden. 'Niet gek, Sam. Misschien heb je gelijk. Misschien is het nooit de bedoeling geweest dat wij doorkregen dat het om moord ging.'

WOENSDAG

Het was 4.27 uur in de ochtend volgens het klokje in de rechteronderhoek op het scherm van de laptop. Een gezonde slaap was nooit een van Tony's talenten geweest, maar de narcose leek er nu helemaal een potje van te hebben gemaakt. Hij was zonder veel moeite om een uur of tien in een ondiepe slaap gevallen, maar dat had niet lang geduurd. Hij sliep telkens in brokjes van vijftig minuten en dan volgde er weer een wakkere periode die in lengte varieerde. Hoewel de uren van vijftig minuten ironisch genoeg precies pasten bij de werkpraktijk van een klinisch psycholoog, was hij nu niet erg te spreken over het therapeutische effect.

Hij was iets na vieren voor het laatst langzaam bij bewustzijn gekomen. Ditmaal wist hij zeker dat hij niet meer in slaap zou vallen. Eerst lag hij stilletjes te denken aan zijn moeder die opeens weer in zijn leven was opgedoken, ondanks al zijn voornemens om daar juist niet aan te denken. Het ging steeds maar weer over frustratie en spijt, een steeds strakkere spiraal van pijn en verbittering die hem uit zijn slaap hield en die hij niet kon negeren.

Met een uiterste wilsinspanning kon hij zijn gedachten in de richting van de dood van Robbie Bishop duwen. Via de herinneringen aan de elegantie en de roemrijke daden van Robbie was hij nu uitgekomen bij de facetten die meer te maken hadden met zijn eigen deskundigheid.

'Je bent geen groentje,' zei Tony zacht maar duidelijk. 'Zelfs als ik rekening houd met beginnersgeluk, dan nog denk ik dat je dit nooit had klaargespeeld als dit je eerste wapenfeit was. Niet met iemand die zo bekend is als Robbie Bishop. Of je dit nou om persoonlijke redenen hebt gedaan of omdat iemand je ervoor heeft betaald, je hebt het eerder gedaan.'

Hij liet zijn hoofd over het kussen rollen om van de stijfheid in zijn nek af te komen. 'Laten we je Stalky noemen. Er is niets mis met die naam en je weet dat ik er altijd graag een persoonlijk tintje aan geef. De vraag is nu of je echt een oude schoolvriend was, Stalky. Misschien deed je je alleen maar zo voor. Misschien was Robbie te beleefd om te zeggen dat hij zich jou niet herinnerde. Of misschien was hij zich bewust van het feit dat zijn roem hem gedenkwaardig maakte vergeleken bij de andere kinderen met wie hij op school had gezeten. Misschien wilde hij geen stomme indruk maken, wilde hij niet doen alsof hij je nog nooit had gezien. Maar desondanks, zelfs met iemand als Robbie, die een aardige vent moet zijn geweest, liep je nog een verdomd groot risico.'

'Maar als je wel echt een oude schoolvriend was, zou je een nog groter risico nemen. Per slot van rekening hebben we het hier over Bradfield. Het zit er dik in dat een flink deel van de mensen die die avond in Amatis waren ook op Harriestown High heeft gezeten. Robbie hadden ze zeker herkend. Maar ze hadden jou ook kunnen herkennen, tenzij je sinds je schooltijd erg veranderd bent. Een buitengewoon gevaarlijke strategie.'

Hij pakte het bedieningspaneel van het bed, ging wat meer overeind zitten en vertrok zijn gezicht van pijn toen zijn gewrichten anders kwamen te liggen. Hij trok het nachtkastje naar zich toe, maakte de laptop open en drukte op de aan-uitknop. 'Je hebt sowieso veel risico genomen. En je hebt het vol vertrouwen gedaan. Je bent pal naast Robbie gaan staan en niemand heeft je gezien. Je hebt dit honderd procent zeker al eens eerder gedaan. Laten we dus maar eens op zoek gaan naar je vorige slachtoffer, Stalky.'

Het licht van het scherm veranderde van kleur en intensiteit toen Tony aan zijn speurtocht begon. Het wierp licht en schaduw op zijn gezicht, waardoor er bewegingen ontstonden waar geen beweging was. 'Kom op,' mompelde hij. 'Laat jezelf eens zien. Je weet dat je dat wilt.'

Carol trok de jaloezieën op die haar scheidden van de rest van het team. Ze had om negen uur een vergadering over de zaak bijeengeroepen, maar hoewel het pas tien over acht was, waren ze allemaal aanwezig. Zelfs Sam, die haar pas om vijf voor vier thuis had afgezet. Ze vroeg zich af of hij meer verkwikt was door de slaap dan zij. Ze had gevoeld dat hij had staan kijken en wachten tot ze veilig en wel binnen was in het souterrain dat ze van Tony huurde. Toen was het haar beurt geweest om te kijken en te wachten. Terwijl Carol de klagende Nelson voer gaf, hield ze het keukenraam in de gaten totdat de lichten van Sam voorbijgleden, langs de heg die de oprit van de buren van de hunne scheidde. Toen ze eenmaal zeker wist dat hij weg was, had ze een flinke bel cognac voor zichzelf ingeschonken en was naar boven gegaan.

Het lag voor de hand om de post van de mat op te rapen en het voorzag haar van een smoes om de trap op te gaan naar Tony's kantoor op de eerste verdieping. Ze legde de brieven op het bureau en liet zich toen in de leunstoel zakken die tegenover de stoel stond waar hij graag in zat. Ze hield van deze stoel – hij was lekker diep en breed en de kussens voegden zich als in een omhelzing om haar lichaam. Qua grootte voelde het aan als een grot, zoals kinderen de leunstoelen van volwassenen ervaren. In deze stoel had ze met hem over haar zaken gepraat, had uitgebreid besproken hoe ze over de leden van haar team dacht, had zich afgevraagd waar dat gevoel voor rechtvaardigheid vandaan kwam dat haar drijfveer was bij het uitoefenen van deze baan, ondanks alle gevaren en teleurstellingen. Hij had haar verteld over zijn theorieën over dadergedrag, zijn frustraties over de geestelijke gezondheidszorg, zijn brandende verlangen om mensen beter te maken. Ze zou met geen mogelijkheid kunnen zeggen hoeveel uren ze hier in deze kamer samen in alle rust hadden doorgebracht. Carol trok haar benen onder zich om lekker te gaan zitten en sloeg de helft van de cognac in één teug achterover zonder een spier te vertrekken. Vijf minuten en dan zou ze weer naar beneden gaan. 'Ik wou dat je hier was,' zei ze hardop.

'Ik heb het gevoel dat we zo niet veel verder komen. Normaal gesproken zou niemand bij een zaak als deze in dit stadium al veel vooruitgang verwachten. Maar het gaat hier om Robbie Bishop en de ogen van hele wereld zijn op ons gericht. Dus we kunnen ons gewoon niet veroorloven dat we niet verder komen.' Ze geeuwde en dronk haar drankje op.

'Je hebt me wel aan het schrikken gemaakt,' zei ze, terwijl ze zich nog wat dieper in de zachte kussens nestelde. 'Toen Chris me vertelde dat je tegen een gek met een bijl was aangelopen, had ik het gevoel dat mijn hart stopte, alsof alles opeens tot stilstand was gekomen. Dat moet je me niet nog eens flikken, klootzak.' Ze verlegde haar hoofd een beetje, stompte tegen een kussen aan zodat ze nog gemakkelijker lag, deed haar ogen dicht en voelde hoe haar lichaam zich ontspande toen de alcohol effect begon te krijgen. 'Maar je had me wel eens kunnen waarschuwen voor je moeder. Dat is me het type wel, zeg. Geen wonder dat je zo'n mafkees bent geworden.'

Het eerste waar ze zich weer bewust van werd, was het lawaai van de wekkerradio uit de slaapkamer aan de overkant van de hal. Stijf en gedesoriënteerd, was ze moeizaam overeind gekomen en had op haar horloge gekeken. Zeven uur. Ze had nog geen drie uur geslapen. Tijd om weer aan de slag te gaan.

En hier stond ze dan, gedoucht, met schone kleren aan, het cafeïneniveau al huizenhoog. Carol haalde haar vingers door haar dikke blonde haren en begon snel de stapel krantenartikelen over Robbie Bishop door te nemen die Paula al voor haar had verzameld. Ze deed verwoede pogingen om haar aandacht erbij te houden, want het laatste wat ze wilde was onder ogen zien hoe ze haar nacht had doorgebracht. Ze keek alleen even op toen Chris Devine binnenkwam met in haar hand een bruine papieren zak. 'Broodje bacon en ei,' zei ze kortaf, waarna ze het op het bureau liet vallen. 'Wij zijn klaar als jij klaar bent.' Carol keek haar glimlachend na. Chris was goed in solidariteitsbetuigingen. Dit was weer een van die kleine gestes waardoor haar collega's het gevoel kregen dat ze achter hen stond. Carol vroeg zich af hoe ze het hadden gered, voordat Chris bij het team was gekomen. Het was de bedoeling geweest dat ze er van het begin af aan al bij was, maar door de terminale kanker van haar moeder had ze haar oude baan bij de Londense politie drie maanden langer dan voorzien aangehouden. Carol zuchtte. Misschien zou inspecteur Don Merrick nog onder hen zijn, als Chris er vanaf het begin bij was geweest.

'Zinloos,' zei ze bestraffend tegen zichzelf. Ze tastte naar de bruine zak en begon gedachteloos te eten. Er ging nauwelijks een dag voorbij of ze vroeg zich af of dit of dat detail misschien een verschil voor Don zou hebben gemaakt. In haar hart wist ze wel dat ze alleen maar op zoek was naar een reden waarom ze zichzelf de schuld kon geven in plaats van hem. Tony had haar meer dan eens gezegd dat ze gerust kwaad mocht zijn op Don vanwege zijn handelswijze. Maar ze vond nog steeds niet dat dat mogelijk was, laat staan gerechtvaardigd.

Tijdens het eten maakte Carol een paar aantekeningen, waaronder een globale agenda voor de bijeenkomst. Om kwart voor negen was ze klaar. Er was geen reden om te wachten op de afgesproken tijd, dus liep ze haar kantoor uit en verzamelde het team om zich heen. Carol ging voor een van de whiteboards staan waarop een overzicht stond van alle informatie die ze tot dan toen over Robbie Bishop hadden verzameld.

Op haar teken beet Sam de spits af met een kort verslag van hun gesprek met Bindie Blyth. Hij sloot af met de vage theorie van Bindie over gokken. 'Heeft iemand hier commentaar op?' vroeg Carol.

Stacey, hun computer- en IT-specialiste, speelde met haar pen. 'Ze heeft gelijk dat er een enorme hoeveelheid gokgeld in omloop is in het Verre Oosten. En een groot deel ervan wordt op voetbal ingezet. Vooral de Australiërs hebben veel onderzoekswerk gedaan naar de manier waarop ze computernetwerken gebruiken om geld binnen te krijgen. En ja, er is veel georganiseerde misdaad en corruptie. Maar de goksyndicaten hoeven hun toevlucht niet te nemen tot moord om met de uitkomsten van de weddenschappen te foezelen. Wat ze nodig hebben, kunnen ze kopen.'

'Wil je daarmee zeggen dat ze zelfs met de enorme bedragen die wij aan onze voetballers betalen nog steeds hun hand ophouden voor meer?' Paula deed net alsof ze geschokt was.

'Er is meer dan een manier om de uitslag van een wedstrijd te beïnvloeden,' zei Stacey. 'De scheidsrechters hebben natuurlijk ook een flinke vinger in de pap. En zij verdienen niet van die exorbitante salarissen.'

Sam snoof misprijzend. 'En ze zijn zo bereslecht dat niemand het in de gaten zou hebben als ze het met opzet deden. Als een scheidsrechter een speler drie gele kaarten kan geven in dezelfde wedstrijd en als hij hem dus eigenlijk na de tweede al van het veld had moeten sturen, denk je eens in wat hij zou kunnen doen als hij zich om liet kopen? Jij zegt dus dat die goksyndicaten de wet kunnen overtreden om een uitslag te beïnvloeden, maar je denkt dat moord een stap te ver is?'

Stacey knikte. 'Dat bedoel ik nou precies. Het past niet bij de manier waarop ze over het algemeen te werk gaan.'

Kevin keek op van het pistool dat hij op zijn blocnote zat te krabbelen. 'Ja, maar dat is wat je de traditionele kant van onbetrouwbaar gokken zou kunnen noemen. Kijk eens, dit ricinegedoe, dat duidt volgens mij op de Russische maffia. Een heel stel van die kerels zijn bij de KGB geweest of bij de FSB. Het was de KGB die de Bulgaren heeft geholpen om Georgi Markov met ricine te vermoorden. Stel dat de Russen hebben besloten dat ze ook een flink stuk van het geld willen hebben dat in het internationale gokcircuit in omloop is. Net iets voor hen om er dan zo verdomd gevoelloos mee om te gaan.'

Stacey haalde haar schouders op. 'Daar zit wel wat in, denk ik. Maar ik heb nooit iets gehoord over Russen die zich met dit soort dingen inlaten. Misschien moeten we het aan de MI6 vragen?'

Carol huiverde. Het laatste wat ze wilde was de Geheime Dienst erbij betrekken. Hun reputatie was zo glibberig als de pest, vooral hun tegenzin om met lege handen te vertrekken als ze er eenmaal waren bijgevraagd was legendarisch. Carol wilde niet dat haar moordonderzoek werd veranderd in de een of andere sinistere samenzweringstheorie. Ze wilde eerst zeker weten dat het geen gewone moord was met een van de gebruikelijke motieven. 'Zolang we niets concreters in handen hebben dat de Russen hiermee in verband brengt, wil ik de geheime agenten liever op een afstand houden,' zei ze zelfverzekerd. 'In dit stadium hebben we nog geen enkele aanwijzing dat de moord op Robbie Bishop iets te maken heeft met gokken of met de Russische maffia. Laten we wachten tot we meer bewijzen in handen hebben, voordat we ons laten meeslepen door theorieën als die van Bindie. We houden het in ons achterhoofd, maar ik denk niet dat het de moeite waard is er nu al onderzoeksgelden aan te besteden. Stacey, wat kun jij ons vertellen?'

Stacey, nooit op haar best als ze onder de mensen was, schoof wat ongemakkelijk op haar stoel heen en weer en deed vreselijk haar best om oogcontact met de anderen te vermijden. 'Tot nu toe heb ik niets interessants gevonden op Robbies computer. Geen e-mails die verzonden zijn na zijn avondje uit op donderdag, behalve eentje aan zijn agent waarin hij instemde met een interview voor een Spaans mannentijdschrift. Hij heeft ook nooit de website van *bestdays.co.uk* bezocht. In ieder geval niet op de computer bij hem thuis. En de sites die hij in het verleden heeft bezocht, gaan bijna uitsluitend over voetbal of over muziek. Hij heeft vorige week online nog een paar nieuwe luidsprekers gekocht. Wat volgens mij in strijd is met het idee van zelfmoord als iemand daar soms aan mocht denken.'

'Ik weet het niet. Als ik depressief was, gaf ik misschien wel een paar pond uit om mezelf wat op te vrolijken,' zei Sam. Hij zag hoe Carol met haar ogen rolde en voegde er vlug aan toe: 'Niet dat we aan zelfmoord denken.'

'Niet met ricine. Te onbekend, te pijnlijk, te langzaam,' zei Carol, in navolging van wat Denby haar had verteld. 'En wat die *bestdays* website betreft, gegeven het feit dat Robbie dat internetadres bij zich had, kunnen we rustig aannemen dat degene met wie hij die avond iets heeft gedronken dat adres kende. Stacey, denk je dat zij ons op de een of andere manier kunnen helpen?'

'Dat hangt van hun houding af,' begon ze.

'En of ze van voetbal houden,' zei Kevin.

Stacey keek bedenkelijk. 'Misschien. Waar we in eerste instantie om zouden kunnen vragen is dat zij een e-mail sturen aan al hun abonnees die op Harriestown High hebben gezeten met het verzoek of ze contact met ons op willen nemen en of ze een recente foto en een verslag van hun activiteiten op donderdagavond willen meesturen. Op die manier kunnen we al een begin maken met het onderzoek en hoeven we niet eerst op een bevelschrift te wachten.'

'Sturen we onze moordenaar dan zo geen dikke, vette waarschuwing?' vroeg Kevin. 'Verraden we dan niet dat onze belangstelling een bepaalde kant uit gaat? Ik heb ook op Harriestown High gezeten, hoor. We stonden daar niet zo positief tegenover gezag. Harriestown was toen nog niet populair bij de yuppen, het was er vrij ruig. Zelfs toen Robbie er op school zat, was het niet bepaald een plek waar ze zich uit de naad liepen om de politie te helpen. Je hebt hier te maken met het soort mensen dat best een foto van heel iemand anders kan opsturen, gewoon om ons lekker dwars te zitten. Of ze ons daarbij op het verkeerde spoor zetten, interesseert ze geen moer. Mijn voorstel is om aan de site de namen en adressen te vragen van hun abonnees en als ze niet mee willen werken, komen we pas met een bevelschrift.'

Carol zag heel even een flits van irritatie in de ogen van Stacey. Meestal hield ze haar mening over het gebrekkige begrip van haar collega's van informatietechnologie voor zich; je ving maar zelden een glimp van haar ware gevoelens op.

Met een ietwat lijdzame uitdrukking op haar gezicht zei Stacey: 'Het enige adres dat de website van de abonnees zal hebben, is het e-mailadres. Het is mogelijk dat ze een adres hebben van creditcardrekeningen, maar zelfs als dat zo is, is er altijd nog de wet ter bescherming van persoonsgegevens en dan hebben we zeker een bevelschrift nodig om daaraan te komen. Het belangrijkste is dat we, hoe we ook met die mensen in contact komen, dit onmogelijk geheim kunnen houden. De eerste persoon met wie we praten is al online voor we weer in onze auto zitten, en dan vertelt hij tegen iedereen waar we naar op zoek zijn. We kunnen net zo goed meteen al open kaart spelen. De onlinegemeenschap is veel eerder geneigd om mee te werken als ze bij het onderzoek betrokken worden. Als we ze inschakelen, krijgen we hun hulp. Als we ze als potentiële vijanden behandelen, maken ze ons het leven twee keer zo moeilijk.' Voor Stacey was dit een hele speech. Daaraan kon worden afgelezen, dacht Carol, hoe serieus ze deze zaak opnam.

'Oké. Probeer het maar eens. Kijk maar of je die mensen van *best-days* mee kunt laten werken. Als je tegen een muur op loopt, kom dan naar mij terug. En Kevin? Jij kunt een blik werpen op de foto's uit jouw tijd, of je oude klasgenoten aan je verwachtingen voldoen en de waarheid spreken. Chris?' Carol wendde zich tot de brigadier. 'Hoe is het jullie bij Amatis vergaan?'

Chris schudde haar hoofd. 'De barkeepers die donderdag werkten, herinneren zich dat Robbie in de wodkabar was, maar ze hadden het te druk om te zien met wie. Hetzelfde geldt voor de klanten. Ik denk dat we een mooie blondine wel kunnen uitsluiten, want die hadden ze wel opgemerkt. Paula heeft nog wel iets gezien...' Chris gaf even een knikje in Paula's richting en nam een vel papier uit een hoes. 'De bar wordt helemaal in de gaten gehouden met bewakingcamera's. Helaas voor ons hangen ze daar om een oogje op het personeel te houden, niet op het publiek. Op die manier zorgt het management ervoor dat al het geld in de kassa terechtkomt en dat niemand drugs verhandelt vanachter de bar. Dus de camera's zijn niet op de klanten gericht. Maar dit hebben we wel.' Ze liep naar het whiteboard en prikte er een korrelige vergroting op. 'Dit is Robbie,' zei ze en ze wees op een hand helemaal aan de rand van de foto. 'We weten dat hij het is vanwege de tatoeage van de Keltische ring op zijn middenvinger. En naast hem kunnen we iemand anders zien.' Een paar centimeter van Robbies vingertoppen kon je een halve hand zien, plus een pols en een stukje van een onderarm. 'Een man,' zei ze. Haar gezichtsuitdrukking liet een mengeling zien van walging en triomf. 'Als de camera een paar graden meer naar rechts had gestaan, hadden we hem gehad. Maar nu weten we alleen dat het een hij is en dat hij geen tatoeage heeft op de rechterhelft van zijn rechterhand, en ook niet op zijn pols of op zijn onderarm.' Ze liep weg van het whiteboard en ging weer zitten. 'Maar Stacey kan nu in ieder geval tegen die lui van de website zeggen dat we alleen geïnteresseerd zijn in mannen.'

'Is dat wel zo?' kwam Sam tussenbeide. 'Weten we wel zeker dat dit de persoon is over wie hij het had?'

'Zo zeker als maar mogelijk is. We hebben alle banden bekeken en we hebben niemand anders gevonden die naast Robbie heeft gestaan. Iemand die achter hem stond tijdens het praten had niet bij zijn drankje kunnen komen. Kijk maar, het staat zo dicht bij Robbie dat alleen iemand die recht tegenover hem stond, er iets in had kunnen doen.'

'Oké.' Sam liet het erbij. 'Je hebt me overtuigd.'

'Bedankt, Chris. Heeft iemand anders nog iets?'

'Ik heb de resultaten van de bewakingscamera's op straat,' zei Paula. 'Ik heb de rechercheurs die nachtdienst hadden, er vannacht naar laten kijken. Robbie is zeker niet door de voordeur weggegaan, wat ongelooflijke klotepech is, want daar stikt het juist van de camera's. Hij moet door de zijdeur zijn vertrokken, de zogenaamde vipuitgang. Daar staan geen camera's – de club wil de zogenaamde beroemdheden onder de cliëntèle te vriend houden. Op deze manier kunnen de beveiligingsmensen van de club niet in de verleiding komen dingen aan de roddelpers te verkopen. Als er geen foto's zijn van zielenpieten uit derderangs realityshows, die tegen de muur met de een of andere dronken fan staan te neuken, dan komen ze er ook niet mee in de krant. Tenminste dat denken ze.'

'Achter de club is een steegje dat uitkomt op Goss Street, die eigenlijk de grens vormt met Temple Fields...' Paula zweeg even met samengeperste lippen en dichtgeknepen ogen. 'En uiteraard zijn er in Temple Fields maar heel weinig camera's. Te veel bedrijven zijn afhankelijk van het leven op straat, dus willen ze daar geen camera's. Ze komen dus altijd tegen de gemeenteraad in het geweer als die meer camera's wil opstellen. Daarom hebben we geen beeldmateriaal van Robbie die Goss Street in loopt. Maar wat we wel hebben is een heel kort stukje film van een van de camera's in Campion Way. Ik heb het net op de computer gezet, dus dan kunnen jullie het allemaal op jullie scherm zien. Maar hier is het vast.' Ze trok een laptop naar zich toe en tikte op de muis. Het interactieve whiteboard dat naast Carol stond kwam tot leven en er verscheen een onduidelijk beeld, een abstract schilderij van licht en schaduw dat werd veroorzaakt door de straatverlichting in Campion Way. 'Dit is vrij grof,' zei Paula. 'We zouden het eigenlijk wel wat moeten kunnen opfrissen. Maar ik weet niet of we er veel aan zullen hebben.'

De camera was naar de straat beneden gericht in een dusdanige hoek dat de nummerplaten van de auto's van de hoerenlopers op Campion Way zichtbaar waren. Eerst zagen ze niets. Toen kwamen er twee gestalten uit een straat die Campion Way kruiste. Ze bleven een moment bij de stoeprand staan om een nachtbus te laten passeren, staken toen met gezwinde pas over en verdwenen de andere kant van de zijstraat in. Omdat ze wisten dat ze op Robbie Bishop moesten letten, konden ze de wandelaar die het dichtst bij de camera liep herkennen als de voetballer. Maar de persoon die naast hem liep, was niet meer dan een donkere vlek, afgezien van heel even langs de stoeprand toen er bij Robbies schouder een witte vlek te zien was.

'En de moordenaar is... Casper, het vriendelijke spookje, goddverdomme,' zei Kevin. 'In ieder geval weten we nu dat hij blank is. Je krijgt bijna het idee dat hij zich bewust was van de camera.'

'Ik denk dat dat ook zo was,' zei Paula. 'Ik denk dat het heel leerzaam is dat dit het enige beeld van Robbie en zijn waarschijnlijke moordenaar is. Zelfs met de spaarzame dekking door camera's in Temple Fields, is het onmogelijk om van de ene naar de andere kant te komen zonder tenminste één keer door een camera te worden opgepikt.' Ze tikte nog eens op de muis. Ditmaal verscheen er een kaart van Temple Fields, met daarop Amatis en de bewakingscamera's duidelijk aangegeven. Paula tikte nog eens. Nu zag je een rode streep door de straten zigzaggen die alle camera's vermeed behalve die in Campion Way. 'Door deze route te nemen zijn ze alleen maar van de zijkant in beeld geweest. En gedurende minder dan een minuut. Op elke andere route zouden ze van voren zijn gefilmd. Kijk eens hoe ze gelopen moeten zijn. Je loopt niet toevallig al die kronkelstraatjes door. En ik denk niet dat Robbie die camera's ontweek.'

Ze keken allemaal een tijdlang naar de kaart. 'Goed gezien, Paula,' zei Carol. 'Ik denk dat we wel kunnen concluderen dat we op zoek zijn naar iemand die hier vandaan komt. Iemand die op Harriestown High School heeft gezeten en die Temple Fields als zijn broekzak kent. Met alle respect, Kevin, dit wijst meer op een van jouw vroegere medeleerlingen dan op de Russische maffia. Tenzij die zich bedienen van plaatselijke misdadigers. Laten we dus niet met oogkleppen op kijken. Paula, weten we hoe ze Temple Fields hebben verlaten?'

'Dat is nog helemaal blanco, chef. Er zijn tegenwoordig heel veel chique appartementen in dat deel van de stad. Of misschien hadden ze ergens een auto staan. Daar kunnen we niet achter komen. Het enige wat we met zekerheid kunnen zeggen is dat ze niet te voet zijn gesignaleerd op een van de hoofdstraten in dat deel van Temple Fields.'

'Oké. Laten we afwachten of we nog iets te weten komen van de camera's die winkels daar ook hebben hangen. Weten we al iets meer over de herkomst van de ricine?'

Kevin raadpleegde zijn notitieboekje. 'Ik heb op de universiteit gesproken met een lector van de faculteit farmacologie. Hij zegt dat het gemakkelijk te maken is. Het enige wat je nodig hebt zijn ricinusbonen, loog en aceton en wat simpel keukengerei – een glazen potje, een koffiefilter, een pincet, dat soort spullen.'

'Hoe kom je aan ricinusbonen?' vroeg Chris.

'Je kunt ze overal ten zuiden van de Alpen krijgen. Online kun je ze zonder enige moeite kopen. Het komt er eigenlijk op neer dat als een van ons voldoende ricine wilde maken om alle mensen in dit gebouw uit te roeien, dan konden we dat woensdag over een week al voor elkaar hebben. Ik denk niet dat we er veel mee opschieten als we de verschillende onderdelen proberen op te sporen,' zei Kevin vermoeid.

Het was moeilijk de moedeloosheid geen kans te geven. Carol probeerde zichzelf wijs te maken dat ze enige vooruitgang hadden geboekt, zij het niet zo veel. Ieder onderzoek maakte fasen door waarin je het gevoel kreeg dat er geen beweging in de zaak zat. De resultaten van de technische recherche en van de patholoog zouden over niet al te lange tijd binnen komen druppelen. Ze hoopte vurig dat er een aanwijzing zou komen en dat ze daarmee de zaak open kon breken.

Gloeiend hete wormen bedekt met weerhaakjes hielden huis in zijn lijf. Tony moest zijn stoïcijnse houding laten varen en hij gilde het uit. De pijn nam wat af en werd een kloppende steek, een electrische paling in zijn dij. De adem ontsnapte hem in benauwde kreuntjes. 'Iedereen zegt dat het verwijderen van de drains het ergste is,' was het gemoedelijke commentaar van de al wat oudere verpleegster.

'Ung,' gromde Tony. 'Dat klopt.' Het zweet stond in druppels op zijn voorhoofd en in zijn nek. Er kwam beweging in de tweede drain en zijn hele lichaam verstijfde toen de pijn weer in alle hevigheid toesloeg. 'Even wachten. Alsjeblieft, even wachten,' hijgde hij.

'Beter eruit dan erin,' zei de verpleegster en trok zich niets van zijn verzoek aan.

Hoewel hij nu wist wat hij kon verwachten, was deze tweede ingreep minstens even pijnlijk als de eerste. Hij kneep zijn handen en zijn ogen dicht en haalde diep adem. Toen de gil wegebde, hoorde hij het onaangename geluid van een bekende stem. 'Hij is altijd al een huilebalk geweest,' zei zijn moeder op een gezellige keuveltoon tegen de verpleegster.

'Ik heb sterke mannen zien huilen toen de drains eruit werden gehaald,' zei de verpleegster. 'Hij heeft het helemaal niet zo gek gedaan.'

Vanessa Hill gaf de verpleegster een klopje op de schouder. 'Het is fantastisch hoe jullie verpleegsters het altijd voor ze opnemen. Ik hoop dat hij jullie niet tot last is.'

De verpleegster glimlachte. 'O nee, hij heeft zich heel goed gedragen. U mag best trots op hem zijn, mevrouw Hill.' En weg was ze.

De goede stemming van zijn moeder was ook onmiddellijk verdwenen. 'Ik had een vergadering met de Bradfield Cross Stichting. Ik vond dat ik mijn gezicht maar even moest laten zien. Wat zeggen ze ervan?'

'Ze gaan kijken of ik met een beugel om mijn been overweg kan en dan kijken ze of ik vandaag of morgen uit bed mag. Ik zou volgende week graag naar huis willen.' Hij zag hoe ontzet ze keek en overwoog even of hij haar op de kast zou proberen te jagen. Maar het kleine jongetje stak de kop weer op met de waarschuwing dat de gevolgen niet zouden opwegen tegen dat ene moment van plezier. 'Rustig maar, ik laat me heus niet ontslaan om me dan door jou te laten verzorgen. Ook al zeg ik misschien wel dat jij dat kan doen, dan hoef je alleen maar even je gezicht te laten zien als ze me naar huis laten gaan. En dan kun je me bij mijn eigen huis afzetten.'

Vanessa keek hem grijnzend aan. 'Gaat je vriendinnetje lekker voor je zorgen?'

'Ik zeg het nog één keer, ze is mijn vriendinnetje niet.'

'Nee, dat was waarschijnlijk ook te mooi om waar te zijn. Zo'n knap meisje. En vast nog slim ook. Ze kan vast wel wat beters krijgen.' Ze perste haar lippen op elkaar in een dun afkeurend streepje. 'Mijn talent om interessante mensen aan te trekken heb je niet geërfd. Even afgezien van je vader natuurlijk. Maar één foutje moeten we ons kunnen permitteren, nietwaar?'

'Ik zou niet weten wat ik daarop moest zeggen. Je hebt me nooit iets over hem verteld.' Tony hoorde hoe verbitterd zijn stem klonk en hij had daar meteen spijt van.

'Hij dacht dat hij zonder ons beter af was. Maar ik denk dat wij beter af zijn zonder hem.' Ze wendde zich af en keek door het raam naar een effen grijze lucht. 'Luister eens, ik heb jouw handtekening ergens voor nodig.' Ze keek hem weer aan, legde haar schoudertas op het bed en haalde er een map met papieren uit. 'Die kloteregering probeert ons tot de laatste cent af te zetten. Het huis van je grootmoeder staat op ons beider naam. Dat heeft ze zo geregeld, omdat ik dan geen successierechten hoefde te betalen. Het is sindsdien de hele tijd verhuurd geweest. Maar nu de huizenmarkt zo...'

'Wacht eens even. Wat bedoel je met het huis van oma staat op onze namen? Het is voor het eerst dat ik dit hoor.' Vastbesloten maar met een van pijn vertrokken gezicht duwde Tony zich op een elleboog overeind.

'Natuurlijk is het voor het eerst dat je dit hoort. Als ik het aan jou had overgelaten, had je er allang een tehuis voor voorwaardelijk veroordeelden van gemaakt of een reclasseringscentrum voor een stel van die dierbare mafkezen van je,' zei Vanessa zonder een spoortje moederliefde. 'Hoor eens, je hoeft alleen maar je handtekening te zetten op de opdracht aan de notaris en op de overdrachtsakte.' Ze haalde een paar vellen papier tevoorschijn en legde ze op het nachtkastje, pakte toen het bedieningspaneel van het bed en begon wat met de knopjes te rommelen.

Tony schoot zonder dat hij het wilde op en neer, terwijl Vanessa probeerde uit te vissen hoe ze hem overeind moest krijgen. 'Waarom hoor ik hier nu pas over? Hoe zit het met al dat geld van de huur?'

De hoogte van het bed was naar haar zin en ze maakte een wegwerpgebaar met haar pols. 'Dat was zonde van het geld geweest. Wat zou je ermee hebben gedaan? Nog meer van die stomme boeken gekocht? Hoe dan ook, je krijgt je deel als je je handtekening zet voor de verkoop.' Ze graaide in haar tas en kwam met een pen op de proppen. 'Hier, deze moet je tekenen.'

'Ik moet ze eerst lezen,' protesteerde Tony, toen ze de pen tussen zijn vingers duwde.

'Waarom? Daar word je niets wijzer van. Teken nou maar, Tony.'

Het was, dacht hij, onmogelijk erachter te komen of ze hem erin probeerde te luizen. Dan zou ze zich niet anders gedragen. Ongeduld, irritatie, de onmiskenbare overtuiging dat hij haar, net als de rest van de wereld, van alles en nog wat in de weg zou leggen. Hij kon wel proberen om haar te trotseren, eisen dat hij de papieren van begin tot eind kon doorlezen en dat hij de tijd zou krijgen om na te denken over wat ze wilde. Maar nu interesseerde hem dat geen zier. Zijn been deed pijn, zijn hoofd deed pijn en hij wist dat ze hem niets kon afnemen wat belangrijk voor hem was. Ja, misschien onthield ze hem wel dingen die van hem waren. Maar tot nu toe had hij het zonder die dingen niet slecht gedaan en dat gold waarschijnlijk ook voor de toekomst. Het was veel belangrijker dat ze hem met rust liet en verdween. 'Oké,' zuchtte hij. Maar voordat hij de pen kon gebruiken, werd de deur opengegooid en kwam mevrouw Chakrabarti als een piratenschip binnenzeilen, met haar vloot in slagorde om haar heen.

Met één enkele beweging had Vanessa de papieren weggegraaid en in haar tas gestopt. Onder het mom van een klapje op zijn hand pakte ze de pen ook weg en ondertussen gunde ze mevrouw Chakrabarti het voordeel van haar liefste, zakelijke glimlach.

'U bent zeker die beroemde mevrouw Hill,' zei de chirurg. Tony dacht een ironisch toontje in haar stem te bespeuren, wat hem lichtelijk verbaasde.

'Ik ben u dankbaarheid verschuldigd dat u de knie van mijn zoon zo goed hebt behandeld,' antwoordde Vanessa liefjes. 'Hij zou het idee dat hij de rest van zijn leven kreupel zou lopen, niet goed kunnen verkroppen.'

'Dat geldt voor de meeste mensen, denk ik.' De chirurg wendde zich tot Tony. 'Ik heb gehoord dat ze uw drains eruit hebben gehaald en dat u het heeft overleefd.'

Zijn glimlach voelde oud en moe aan. 'Dat scheelde niet veel. Ik denk dat het meer pijn deed dan de klap met de bijl zelf.'

Mevrouw Chakrabarti trok haar wenkbrauwen op. 'Jullie mannen zijn zo kinderachtig. Het is maar goed dat jullie geen kinderen hoeven te baren, want dan zou het er somber hebben uitgezien voor de menselijke soort. Wat we nu gaan doen is die grote zware spalk weghalen en dan afwachten. Het gaat afschuwelijk pijn doen, maar als u die pijn niet kunt verdragen, kunt u ook niet proberen te gaan staan.'

'Dan ga ik er nu maar vandoor,' kwam Vanessa tussenbeide. 'Ik kan er niet tegen hem te zien lijden.'

Tony reageerde maar niet. In ieder geval hoepelde ze op. 'Ga uw gang dan maar,' zei hij toen de deur achter Vanessa dichtviel. 'Ik ben niet zo slap als ik eruitzie.'

Dat gold ook voor Stacey en dat was ook wel nodig geweest. Ondanks een ongelooflijk talent voor programmeren en systeemanalyse had het leven haar niet toegelachen. Je zou verwachten dat het in de computerwereld helemaal geen punt was dat ze een vrouw was en daarbij ook nog een kind van immigranten, maar de vooroordelen waren er even wijd verbreid als elders. Dat was een van de redenen waarom ze een veelbelovende academische carrière de rug had toegekeerd en voor de politie had gekozen. Ze had haar eerste miljoen verdiend toen ze nog studeerde, met een slim bedachte code die ze aan een softwaregigant uit de Verenigde Staten had verkocht en die hun systeem vrijwaarde van potentiële problemen met hun software. Maar dit succes was vergezeld gegaan van een minachtend laagje vernis en toen wist ze dat ze geen deel wilde uitmaken van die wereld.

Bij de politie daarentegen wist je precies waar je aan toe was. Niemand, behalve de bazen in de kantoren ver verwijderd van het heetst van de strijd, hield de schijn op dat je geslacht of je afkomst er niet toe deden. Er waren vooroordelen, maar daar werden geen doekjes om gewonden. Daar kon ze wel mee leven, want waarvan Stacey meer dan van wat dan ook genoot, was dat ze bij de politie lekker straffeloos kon snuffelen in de digitale levens van andere mensen. Ze kon rondneuzen in andermans e-mails, zich verkneukelend een weg banen door hun perversiteiten, en de geheimen opgraven die ze meenden begraven te hebben. En het was allemaal binnen de wet.

Het andere voordeel van werken bij de politie was dat haar reguliere salaris en haar freelancewerk niet met elkaar in botsing konden komen. Met haar maandsalaris kon ze nauwelijks de vaste lasten van haar penthouse in het centrum van de stad betalen, laat staan de maatkostuums en blouses die ze naar het bureau aantrok. De rest van het geld – en dat was flink wat – verdiende ze met de code die ze in haar kantoor thuis schreef op haar eigen computers. Dat was de ene plezierige kant van de zaak. De andere was dat ze haar neus kon steken in de privélevens van anderen. Tegenwoordig had ze alles wat haar hartje begeerde, maar ze had het verdorie ook wel verdiend.

Het enige nadeel was dat ze af en toe een directe confrontatie met andere mensen niet uit de weg kon gaan. Om de een of andere reden geloofden ze bij de politie nog steeds dat je betere resultaten kreeg als je dezelfde lucht inademde als de mensen aan wie je vragen stelde. Dat idee hoorde echt nog thuis in de twintigste eeuw, dacht Stacey, toen haar navigatiesysteem aankondigde dat ze haar bestemming had bereikt.

Het hoofdkwartier van Best days of Our Lives zag er heel anders uit dan alle andere softwarebedrijven die Stacey ooit had bezocht. Het was gevestigd ergens in een buitenwijk van Preston in een twee-onder-een-kapwoning vlak bij de M6. Het maakte een wat vreemde indruk dat een bedrijf dat nog maar een paar maanden geleden betrokken was geweest bij een overname waarbij vele miljoenen gemoeid waren, zijn thuisbasis had in een huisje uit de jaren zeventig waarvoor je met de beste wil van de wereld niet veel meer zou betalen dan een paar honderdduizend pond. Maar het was het adres waarop ze geregistreerd stonden bij de Kamer van Koophandel en ze hadden het haar per e-mail doorgegeven.

De voordeur ging open toen Stacey uit haar auto stapte en een vrouw van achter in de twintig, gekleed in een moderne gescheurde spijkerbroek en een rugbyshirt met het logo van de Gemenebestspelen, glimlachte haar vrolijk toe. 'U bent agent Chen, hè?' zei ze met een accent dat verraadde dat ze uit Cornwall kwam. 'Kom binnen.'

Stacey, die keurig gekleed was in een wat tuttige, maar chique kaki broek van Gap en een vest met capuchon, glimlachte terug. 'Gail?'

De vrouw duwde haar gestreepte blonde haren naar achteren en stak haar hand uit. 'Aangenaam, kom binnen.' Ze loodste Stacey een woonkamer in die stampvol stond met stoelen en banken. Kinderspeelgoed lag in een slordige hoop in de hoek waar de tv stond. Een bijzettafel lag vol met tijdschriften en uitdraaien van lijsten. 'Sorry voor de troep. We zijn al ongeveer een jaar van plan te verhuizen, maar we hebben nooit tijd om naar huizen te kijken.'

Het idee dat ze nooit kinderen zou krijgen was voor Stacey geen enkel probleem. Ze hield van de eenvoud van haar bovenverdieping, van de ruimte en van de manier waarop alles bij elkaar paste. Ze zou knettergek worden als ze hier moest wonen. Dat wist ze honderd procent zeker. 'Het geeft niets,' loog ze.

'Wil je misschien iets drinken? Thee, koffie, kruidenthee, Red Bull. Cola light... Melk?'

'Ik hoef niets, dank u.' Stacey glimlachte waarbij haar donkere amandelvormige ogen bij de hoeken omhoogkrulden. 'Ik wist niet dat jullie dit bedrijf vanuit jullie huis runden. Superidee, trouwens.'

'Bedankt.' Gail liet zich op een van de banken vallen en trok een grimas. 'Het is begonnen als een hobby. Toen heeft het onze levens overgenomen. Er zijn bijna elke dag wel een paar grote bedrijven die contact met ons zoeken en die ons over willen nemen. Maar we willen niet dat het verandert en dat het alleen nog maar om geld gaat. We willen dat het om mensen blijft gaan, om levens die weer met elkaar in contact komen. We hebben meegemaakt dat er mensen weer bij elkaar kwamen die elkaar hun hele leven niet hadden gezien. We zijn naar huwelijken geweest. We hebben een heel prikbord vol met foto's van baby's die dank zij Best Days geboren zijn.' Gail grijnsde. 'Ik voel me net een soort sprookjesfee.'

Stacey herkende de uitspraak. Ze had hem al gelezen in een paar interviews met Gail op internet, waarin ze het had over het bedrijf en over de impact die het had op de levens van mensen. 'Maar het is niet allemaal rozegeur en maneschijn, hè? Ik heb ook gehoord dat er huwelijken aan kapot zijn gegaan.'

Gail zat wat te friemelen aan het rafelige kleed op de arm van de sofa. 'Elk voordeel heeft ook nadelen.'

'Maar dat is geen goede reclame, hè?'

Gail keek lichtelijk verbaasd alsof ze zich afvroeg hoe de toon van dit gesprek zo snel was verkild. 'Nou, nee. Eerlijk gezegd proberen we niet over dat soort dingen te praten.' Ze grijnsde weer, maar ditmaal iets minder zelfverzekerd. 'We hoeven er niet de hele tijd over door te zeuren, vind ik.'

'Juist. En ik weet zeker dat je absoluut niet op een negatieve manier betrokken wilt raken bij een moordonderzoek,' zei Stacey.

Gail keek alsof Stacey haar een klap had gegeven. 'Moord? Dat bestaat niet.'

'Ik doe onderzoek naar de moord op Robbie Bishop.'

'Hij is geen lid van ons,' zei Gail venijnig. 'Dat zou ik me wel herinnerd hebben.'

'We hebben reden te geloven dat hij met een van jullie leden een drankje heeft gedronken op de avond dat hij is vergiftigd. Het is mogelijk...'

'Beweer je nu dat een van onze leden Robbie Bishop heeft vermóórd?' Gail deinsde achteruit op de sofa alsof ze aan Stacey wilde ontsnappen.

'Gail, alsjebieft, wil je misschien even luisteren.' Het geduld van Stacey begon op te raken. 'Wij geloven dat de persoon met wie hij iets heeft gedronken, iets gezien kan hebben, of Robbie kan iets tegen die persoon hebben gezegd. We moeten deze persoon te pakken zien te krijgen en we denken dat hij of zij lid was van Best Days of Our Lives.'

'Maar hoezo dan?' Gail keek paniekerig. 'Waarom denken jullie dat?'

'Omdat Robbie tegen een vriend heeft gezegd dat hij iets ging drinken met iemand van school. En we hebben in de zak van de broek die hij aanhad een vodje papier gevonden met jullie internetadres erop.'

'Dat betekent nog niet...' Gail bleef maar met haar hoofd schudden, alsof ze op die manier Stacey kon laten verdwijnen.

'Wat wij van jou willen is dat je een boodschap stuurt aan al jullie mannelijke abonnees die tegelijk met Robbie op Harriestown High hebben gezeten met de vraag of zij degene waren die op donderdag iets met hem hebben gedronken. En omdat ze het misschien griezelig vinden om dat toe te geven, willen we ook dat ze jullie een recente foto sturen en een verslag van wat ze gedaan hebben tussen donderdagavond tien uur en vrijdagmorgen vier uur. Denk je dat je dat voor ons kunt doen?' Stacey glimlachte weer. Het was maar goed dat de kinderen niet thuis waren, want haar gezicht zou ongetwijfeld een flinke huilbui hebben veroorzaakt.

'Ik denk niet...' Gails stem stierf weg. 'Ik bedoel... Dat is niet de bedoeling van mensen die zich bij ons inschrijven, hè?'

Stacey haalde haar schouders op. 'Internet is over het algemeen een positieve plaats. Ik denk dan ook dat de meeste reacties positief zullen zijn. Robbie was een populaire vent.' Ze haalde een mobieltje tevoorschijn waarmee ze ook kon e-mailen. 'Ik kan je de door ons gewenste boodschap wel e-mailen?'

'Ik weet het niet. Ik moet met Simon praten. Mijn man.' Gail leunde naar voren om het mobieltje te pakken dat op de salontafel lag.

Stacey schudde met een spijtig gezicht haar hoofd. 'Het probleem is dat we geen tijd te verliezen hebben. We kunnen dit op een prettige manier doen waarbij jullie de baas blijven over de adressen en het hele systeen of we pakken het anders aan. Ik haal een bevelschrift en dan nemen we jullie computers in beslag en doen we wat we moeten doen om jullie abonnees over de streep te trekken. Dat is misschien niet zo leuk en ik betwijfel of jullie bedrijf dan nog voldoende aantrekkelijk is voor de grote jongens, als de pers er eenmaal achter komt dat jullie hebben geprobeerd om het onderzoek naar de moord op Robbie Bishop tegen te werken.' Stacey maakte een verontschuldigend gebaar met haar handen. 'Maar jij mag het zeggen.' Chris Devine zou trots op haar zijn geweest, dacht ze, zoals ze dat arme mens de schrik op het lijf zat te jagen.

Gail keek haar vol haat aan. 'Ik dacht dat je aan onze kant stond,' zei ze bitter.

'Je bent niet de eerste die die fout maakt,' zei Stacey. 'Kom op, dan gaan we een paar e-mails versturen'

Vanessa zette haar leesbril af en liet hem naast haar muismat vallen. 'Zo, dat was het wel, denk ik,' zei ze.

De mollige vrouw tegenover haar ging achterover in haar stoel zitten. 'Ik zal de zaak op gang brengen,' zei ze. Melissa Riley was al vier jaar de assistente van Vanessa Hill. Ondanks alles wat op het tegendeel wees, bleef ze erin geloven dat onder het ijzeren vakvrouwschap van Vanessa een hart van goud school. Als je zo intelligent was en zo goed was in het beoordelen van menselijk gedrag en karakter, kon je in werkelijkheid niet zo ongevoelig zijn als Vanessa op het oog leek. En vandaag had ze daar eindelijk het bewijs van gevonden. Vanessa had al haar afspraken afgezegd om aan het ziekbed van haar gewonde zoon te kunnen zitten. Oké, ze was halverwege de morgen alweer terug en had sindsdien als een paard zitten werken, maar toch. Ze was alleen maar teruggekomen omdat de partner van haar zoon haar per se had willen aflossen. 'Hoe voelt u zich?' vroeg ze. Haar rimpelloze gezicht glom van het medeleven.

'Hoe ik me voel?' Vanessa fronste haar wenkbrauwen. 'Ik voel me best. Ik lig niet in het ziekenhuis.'

'Het moet toch een afschuwelijke schok zijn geweest om je zoon daar zo te zien liggen... Ik bedoel, als moeder wil je altijd wat het beste voor ze is, je wilt hun pijn wegnemen...'

'Dat is zo,' zei Vanessa op een toon die aangaf dat het gesprek ten einde was. Ze voelde dat Melissa duidelijk zat te snakken naar iets intiemers. Haar opleiding als sociaal werkster had haar begerig gemaakt naar de ellende van anderen. Er waren momenten dat Vanessa zich afvroeg of het briljante organisatietalent van Melissa wel voldoende opwoog tegen haar verlangen om haar dikke vingertjes in ieder hoekje te wringen van elk zieltje dat voorbijkwam. Vandaag had ze die knoop bijna doorgehakt.

'En u wordt natuurlijk gek van de zorgen of hij wel beter wordt,' zei Melissa. 'Hebben ze gezegd of hij ooit weer normaal zal kunnen lopen?'

'Misschien blijft hij wat mank lopen. Waarschijnlijk moet hij nog een keer geopereerd worden.' Vanessa vond het afschuwelijk dat ze zoveel prijs moest geven. Maar ze begreep dat ze af en toe een beetje water bij de wijn moest doen om het respect van haar team te behouden. Terwijl Melissa doorkwebbelde, vroeg ze zich af hoe het voelde om te worden verteerd door moederlijke zorg. Moeders hadden het over de emotionele band die ze met hun kinderen hadden, maar zij had die brandende intimiteit nooit gevoeld. Ze had wel beschermende gevoelens voor haar baby gekoesterd, maar het voelde ongeveer hetzelfde aan als de manier waarop ze om haar eerste puppy had gegeven, de kleinste van de worp die met een fles moest worden gevoerd. Op een bepaalde manier voelde ze zich opgelucht. Ze wilde niet vastzitten aan dit kind, ze wilde geen fysiek gemis voelen, zoals ze dat bij andere vrouwen had gehoord. Maar ze had meteen vanaf het begin geweten dat ze beter niet over haar gebrek aan betrokkenheid kon praten. Waarschijnlijk waren er miljoenen vrouwen die net als zij geen echte band met hun kind hadden. Daar hoorde je nooit over.

Maar zolang er Melissa's op de wereld waren, vrouwen die aanspraak maakten op het morele gelijk, zouden Vanessa en al die anderen moeten doen alsof. Nou, dat was niet zo moeilijk. Ze had het grootste deel van haar leven net gedaan alsof ze zus was, of zo. Soms vroeg ze zich wel eens af of ze nog wel wist wat echt was en wat verzonnen.

Niet dat het er iets toe deed. Ze zou doen wat ze altijd had gedaan. Ervoor zorgen dat ze zelf niets tekortkwam. Ze was Tony absoluut niets verschuldigd. Ze had hem eten gegeven en kleren en had gezorgd dat hij een dak boven zijn hoofd had totdat hij naar de universiteit was gegaan. Als er al sprake was van een schuld, was het eerder andersom.

Als je de leiding had over een team als het hare, kon je je nergens verbergen, dacht Carol bitter, Haar zesde zintuig had opeens de kop opgestoken en toen ze opkeek zag ze de deur van het grote kantoor opengaan en John Brandon binnenkomen. De tijd die het haar korpschef kostte om door het kantoor naar haar hokje te lopen was voldoende voor Carol om het weinige dat er viel te melden op een rijtje te krijgen.

Ze ging staan toen hij haar kleine territorium betrad. Ze was zich ervan bewust dat Brandon en zijn vrouw haar vrienden waren, een bewustzijn waardoor ze per se de uiterlijkheden in acht wilde nemen telkens als ze elkaar ontmoetten in de semiopenbare ruimte van het hoofdbureau. 'Meneer,' zei ze met een strak glimachje en met een wuifgebaar naar een stoel. Brandon, op wiens lugubere bloedhondengezicht een afspiegeling te zien was van haar eigen moedeloosheid, liet zich op de stoel zakken met de omzichtigheid van een man die pijn in zijn rug heeft. 'Vandaag zijn de ogen van de wereld op ons gericht, Carol.'

'Robbie Bishop krijgt dezelfde toewijding van mijn team als elk ander slachtoffer, meneer.'

'Dat weet ik. Maar onze onderzoeken trekken doorgaans niet zoveel aandacht.'

Carol pakte een pen en liet hem tussen haar vingers rollen. 'We hebben iets dergelijks wel vaker meegemaakt,' zei ze. 'Ik heb er geen moeite mee om in de belangstelling van de media te staan.'

'Maar anderen wel. Ik heb bazen, en die willen een snel resultaat. Het management van Bradfield Victoria wil dat dit zo spoedig mogelijk tot een succesvol einde wordt gebracht. Het heeft kennelijk een nadelige invloed op hun spelers.' Brandon was over het algemeen diplomaat genoeg om zijn gevoelens niet te tonen, maar vandaag was er onder de oppervlakte toch iets van irritatie te bespeuren. 'En blijkbaar was elke inwoner van Bradfield de allergrootste fan van Robbie Bishop.' Hij zuchtte. 'Dus hoe staat het ermee?'

Carol woog haar alternatieven tegen elkaar af. Moest ze het weinige dat ze in handen had groter of kleiner doen lijken dan het was? Groter zou haar onder druk zetten om het waar te maken; kleiner zou haar onder druk zetten om snel iets te vinden waar ze mee aan de slag konden. Uiteindelijk vertelde ze hem precies hoe de zaken ervoor stonden. Aan het eind van haar korte opsomming keek John Brandon nog ellendiger. 'Ik benijd je niet,' zei hij. 'Maar ik wil resultaten zien. Als je daarvoor extra mensen en middelen nodig denkt te hebben, moet je me dat laten weten.' Hij stond op.

'Het is nu geen kwestie van middelen, meneer. Het is een kwestie van informatie.'

'Ik weet het.' Hij draaide zich om. Zijn hand lag al op de deurkruk toen hij weer omkeek. 'Wil je dat ik voor een andere profielschetser zorg? Nu Tony is uitgeschakeld?'

Carol voelde heel even paniek. Ze wilde geen werkrelatie moeten aangaan met iemand wiens oordeel gebaseerd zou zijn op een oppervlakkige kennis van haar en haar team. Ze wilde zich geen zorgen hoeven te maken over hoe ze de conclusies van een andere psycholoog moest bijstellen. 'Het is zijn been dat kapot is, niet zijn hersens,' zei ze snel. 'Het komt wel in orde. Als er zich iets voordoet waar een psycholoog zijn tanden in moet zetten, dan kan dr. Hill dat best voor ons doen.'

Brandon trok zijn wenkbrauwen op. 'Stel me niet teleur, Carol.' Toen was hij weg, maar niet voordat hij onderweg nog een paar mensen bemoedigend had toegesproken.

Carol staarde hem na en stikte van woede. De onuitgesproken kritiek die doorklonk in zijn woorden, sloeg werkelijk nergens op. Ze had als geen ander lid van het korps dat onder John Brandon werkte, laten zien hoe betrokken ze was bij haar werk of bij de abstracte rechtvaardigheidsprincipes die haar voortdreven. Geen andere politiefunctionaris had een betere staat van dienst bij dit soort politiezaken waar de ogen van de hele wereld op gericht zijn en die levens verwoestten en ervoor zorgden dat de burgers van Bradfield angstig over hun schouder moesten kijken. En dat wist hij. Hij moest van iemand ongelooflijk op zijn donder hebben gehad, anders had hij nooit gedaan alsof hij dat niet wist.

Agent Sam Evans moest de deuren langs bij de bewoners van het verbouwde pakhuis waar Robbie Bishop had gewoond. De chef had opeens bedacht dat Robbie misschien in de sauna of in de steamroom iets tegen een medebewoner had gezegd na zijn avondje uit in Amatis, iets dat hen op het spoor zou zetten van de gifmenger. Sam vond het gelul. Als er één ding was dat mensen als Robbie Bishop wisten, was het wel dat ze hun mond dicht moesten houden tegenover iedereen die in de verleiding zou kunnen komen om uit de school te klappen tegen *Heat* of tegen iemand van de *Bradfield Evening Sentinel*. Hij wist dat Carol Jordan vond dat hij iets moest doen aan zijn eigenzinnige gedrag, vooral nadat Don Merricks beslissing om een vers spoor te volgen zonder op ondersteuning te wachten zulke rampzalige gevolgen had gehad. Ze wilde dat er nu alleen nog maar ruimte was voor teamwork, maar hij wist dat zij zelf nooit zover gekomen was als ze haar eigen belang op de tweede plaats had gezet. Ze kon hem niet kwalijk nemen dat hij wat initiatief toonde, zolang het maar resultaten opleverde. Dus in plaats van zinloos op deuren te kloppen zat hij lekker in zijn eigen huiskamer met zijn laptop op zijn knieën en met de e-mails van Robbie Bishop op het scherm. Stacey had gezegd dat er niets bijzonders in stond, maar volgens hem had ze geen tijd gehad ze een voor een door te nemen. Niet als ze ook nog al die technische trucjes met zijn harde schijf had moeten uithalen. Misschien had ze de e-mails vluchtig bekeken, maar hij wilde er wel een maandsalaris onder verwedden dat ze er niet echt goed naar had gekeken.

Een uur later had hij Stacey nog op geen enkele nalatigheid kunnen betrappen. Het was al erg genoeg dat Robbie verslaafd leek te zijn aan het proza van sms'jes waardoor het lezen wat moeizaam ging. Maar de banaliteit van zijn boodschappen was zo mogelijk nog erger. Als er iemand bestond die saaiere briefjes schreef dan Robbie Bishop, hoopte Sam vurig dat hij nooit diens mail zou moeten doorploeteren. Hij veronderstelde dat de mails over muziek misschien wel de moeite waard waren voor iemand met een passie voor de meest onbenullige details over volkomen onbekende triphopnummers. Misschien zette Robbies fascinatie voor het aantal beats per minuut het hart van Bindie wel in vuur en vlam. Het enige wat het bij Sam teweegbracht was een hevig verlangen naar slaap.

De mails die over liefde gingen waren bijna even saai als die over muziek. En daar Bindie zijn voornaamste schrijfpartner was, ging het bijna allemaal over liefde en muziek. Maar Sam was niet van plan de handdoek in de ring te gooien. Hij wist dat de interessantste informatie vaak verborgen zat in regels die het diepst begraven waren. En dus zette hij door.

Hij vond de aanwijzing halverwege het derde uur van tenenkrommende liefdesverklaringen en muziekanalyses. Hij las er bijna overheen omdat het achteloos tussen alle andere rotzooi zat verborgen. Robbie had geschreven: **'Misschien moet je die idioot aangeven. Je zegt dat hij jou geen kwaad wil doen, maar mij dan? Dat soort mensen haalt de vreselijkste dingen uit met pistolen en zo. We hebben het er nog wel over.'**

Op zichzelf zei dit bericht nog niet zo veel. Sam ging terug naar alle e-mailbestanden en haalde de map met de bewaarde binnengekomen mails tevoorschijn. Toen hij erop klikte om die te openen, las hij: 'Er zitten 9743 boodshappen in deze map. Het kan enige tijd duren om deze boodschappen te sorteren. Wilt u doorgaan?' Hij klikte op 'ja' en terwijl hij wachtte keek hij na op welke datum Robbie de boodschap had verstuurd.

Binnen een paar seconden had hij de boodschap van Bindie waarop Robbie had gereageerd. **'Ik begin een beetje de kriebels te krijgen van die kerel die de hele tijd bij concerten opduikt,'** las Sam.

> **Hij stuurt me al een hele tijd brieven – prachtig overdreven handschrift, ziet eruit alsof het met een vulpen is geschreven – en in allemaal staat dat we voor elkaar bestemd zijn en hoe de BBC met een complot bezig is om ons uit elkaar te houden. Allemaal niet zo slim, maar ja, het kon vol-**

gens mij niet zo veel kwaad. Hoe het ook zij, hij is er eindelijk achter dat ik ook liveshows in clubs draai en daar komt hij nu ook naartoe. Gelukkig wordt hij bij de meeste niet binnengelaten omdat hij niet voldoet aan de kledingvoorschriften, maar dan blijft hij gewoon buiten wachten. Hij is nu al zover dat hij rondloopt met een bord waarop staat dat wij door een complot uit elkaar worden gehouden. Dus heeft een van de portiers het laatst in zijn bolle hoofd gehaald om hem die reportage te laten zien die wij voor de *Sunday Mirror* hebben gedaan ter gelegenheid van Valentijnsdag. En kennelijk was hij daar nogal overstuur van. Sindsdien heeft hij tegen alle mensen die bij de deur staan beweerd dat je mij hebt gehypnotiseerd en mij tot jouw seksslaaf hebt gemaakt. En dat hij daar een eind aan gaat maken. Ik denk geen moment dat hij iets gaat doen behalve dat hij uiteindelijk wel in zijn hol terug zal kruipen, maar het is wel een BEETJE raar.'

Sam haalde langzaam adem. Hij was er zeker van geweest dat er iets te vinden was op Robbies computer. Iets dat hun eindelijk een duidelijke aanwijzing zou geven. En hier was het dan. Een onvervalste psychopaat. Precies het type dat met een gecompliceerd scenario op de proppen komt, compleet met een zeldzaam gif en een langzame afgrijselijke dood.

Hij glimlachte naar het scherm. Een paar telefoontjes om het te verifiëren en dan zou hij Carol Jordan wel eens laten zien dat ze Sam Evans niet op een zijspoor had moeten zetten.

Tony verfijnde nogmaals de zoekparameters en zette zijn metazoekmachine weer aan het werk. Google was prima geschikt voor het wat grovere werk, maar als het op het fijnere werk aankwam ging er niets boven de zoekmachine waarover een collega-profielschetser van de FBI hem met een veelzeggend knipoogje had getipt. 'Het duurt wat langer, maar je kunt de haartjes in hun oren en neusgaten zien zitten,' had hij gezegd. Tony vermoedde dat veel van wat de machine deed in strijd was met de Europese wetten ter bescherming van persoonsgegevens, maar de politie zou hem voorlopig wel met rust laten.

Zijn grote voordeel ten opzichte van zijn Amerikaanse collega's was dat het aantal gevallen waar hij naar keek veel kleiner was dan dat van hen. Als een profielschetser van de FBI wilde kijken naar verdachte sterfgevallen van blanke mannen tussen de twintig en de dertig in de afgelopen twee jaar, moest hij met zo'n 11.000 gevallen rekening houden. Maar in het Verenigd Koninkrijk was het totale aantal moorden dat in die twee jaar was gepleegd nog geen 1600. Als je er dan verdachte sterfgevallen aan toevoegde, ging dat aantal wel een beetje omhoog, maar niet veel. Het probleem waar Tony nu eigenlijk mee te maken had, was het bepalen van de doelgroep waar hij in geïnteresseerd was. Als er betrekkelijk weinig moorden werden gepleegd, was er minder behoefte om ze uit te splitsen in keurige, aparte categorieën van leeftijd, geslacht en ras. Hij had een groot deel van de dag verdaan met het vergaren van informatie die volkomen irrelevant bleek te zijn. Het hele gebeuren had nog meer vertraging opgelopen doordat zijn concentratiespanne tijdelijk veel korter was door de medicijnen en de narcose. Tony geneerde zich voor het aantal malen dat hij was wakker geschrokken met de laptop in de slaapstand en met kwijl dat van zijn kin droop.

Maar tegen de tijd dat Carol hem vroeg in de avond kwam opzoeken, had hij zijn zoektocht teruggebracht tot negen gevallen. Hij had nog meer willen doen, hij had iets concreets willen hebben om te bewijzen dat hij nog steeds meetelde. Maar dat was duidelijk niet het geval, nog niet. Dus besloot hij maar te zwijgen over zijn speurtocht.

Ze zag er afgepeigerd uit, dacht hij, toen hij toekeek hoe ze haar jas uitdeed en een stoel bijtrok. Ogen met zware oogleden, nieuwe rimpels in de ooghoeken als gevolg van spanning. De mondhoeken hingen mistroostig naar beneden. Hij kende haar goed genoeg om te zien hoe ze met veel moeite een glimlach tevoorschijn wist te toveren. 'En? Hoe ging het vandaag?' vroeg ze. 'Vanaf hier ziet het er heel anders uit.' Ze knikte naar wat er onder de dekens te zien was.

'Er is best veel gebeurd vandaag. De drains zijn eruit gegaan en dat was zonder overdrijven de pijnlijkste ervaring van mijn leven tot nu toe. Daarna was het een fluitje van een cent toen de spalk eraf ging.' Hij glimlachte wrang. 'Nee hoor, ik overdrijf. De spalk eraf halen was ook geen pretje, maar het is allemaal betrekkelijk. En nu heb ik een beugel om mijn been die het gewricht op zijn plaats houdt.' Hij gebaarde naar de bobbel onder de dekens. 'Klaarblijkelijk geneest de wond goed. Ze hebben beneden nog een röntgenfoto gemaakt en het bot ziet er ook vrij goed uit. Dus morgen worden de sadisten van fysiotherapie op me losgelaten om te kijken of ik zelf uit bed kan komen.'

'Dat is fantastisch,' zei Carol. 'Onvoorstelbaar dat je al zo gauw weer op de been bent.'

'Hé, laten we nu niet meteen overdrijven. Uit bed betekent een korte strompelpartij met een looprek, niet de marathon van Londen. Ik heb nog een lange weg te gaan voordat ik weer in de buurt kom van wat ik vroeger kon.'

Carol snoof. 'Je klinkt net alsof je Paula Radcliffe bent die het wereldrecord marathon heeft. Kom op, Tony, je was niet bepaald de sportman van het jaar.'

'Misschien niet. Maar ik was in topconditie,' zei hij, terwijl hij met zijn bovenlichaam een atletische beweging maakte.

'En die komt wel weer terug,' zei Carol toegeeflijk. 'Dat was dus geen gekke dag.'

'Het gaat wel, ja. Mijn moeder is ook nog langs geweest, wat elke willekeurige dag minder aantrekkelijk maakt. Kennelijk ben ik voor de helft eigenaar van het huis van mijn grootmoeder.'

'Heb je behalve een moeder, van wie ik nooit had gehoord, ook nog een grootmoeder?'

'Nee, nee. Mijn grootmoeder is drieëntwintig jaar geleden gestorven. Toen ik nog studeerde. De helft van een huis was me toen heel goed van pas gekomen. Ik was altijd blut,' zei hij vaag.

'Ik weet niet of ik het allemaal nog wel snap,' zei Carol.

'Ik weet ook niet of ik het snapte, niet helemaal. Ik denk dat ik nog steeds wat last heb van die morfine, maar als ik mijn moeder goed heb begrepen, heeft haar moeder mij de helft van haar huis nagelaten toen ze stierf. Dat was mijn moeder schijnbaar vergeten. De afgelopen drieëntwintig jaar is het verhuurd geweest, maar mijn moeder denkt dat het tijd is het te verkopen en daarvoor heeft ze mijn handtekening nodig. Het is natuurlijk maar de vraag of ik ooit een cent zie van de opbrengst.'

Carol staarde hem met open mond aan. 'Dat is diefstal, weet je. Althans technisch gesproken.'

'O, ik weet het. Maar ze is mijn moeder.' Tony probeerde wat lekkerder te gaan liggen. 'En ze heeft gelijk. Wat heb ik nou aan geld? Ik heb alles wat ik nodig heb.'

'Zo kun je er ook tegenaan kijken, ja.' Ze kwakte een plastic zak op zijn nachtkastje. 'Maar toch kan ik niet zeggen dat ik het goedkeur.'

'Mijn moeder is een natuurkracht. Dan praten we niet meer over goedkeuring.'

'Ik dacht dat je moeder dood was. Weet je wel dat je het nooit over haar hebt gehad?'

Tony ontweek haar blik. 'We hebben nooit een wat je noemt hechte band gehad. Mijn oma heeft het merendeel van de opvoeding op zich genomen.'

'Dat moet vreemd zijn geweest. Hoe heb je dat ervaren?'

Hij perste er een droog lachje uit. '*De Goelag Archipel*, maar dan in Yorkshire. En zonder sneeuw.' *In godsnaam, laat haar over iets anders beginnen.*

Carol schraapte haar keel. 'Jullie mannen zijn zulke slapjanussen. Ik wed dat je nooit koud en hongerig naar bed bent gegaan.' Tony zei niets, want hij wilde geen woede over zich afroepen, en ook geen medelijden. Carol haalde een houten doos uit haar tas en toen ze die opendeed kwam er een schaakspel tevoorschijn. Tony trok verbaasd zijn wenkbrauwen op. 'Waarom zet je die schaakstukken op?' vroeg hij.

'Men zegt dat intelligente mensen dat doen als een van hen in het ziekenhuis ligt.' Carol klonk vastbesloten.

'Heb je soms stiekem naar films van Ingmar Bergman zitten kijken?'

'Het hoeft toch niet zo moeilijk te zijn? Ik ken de zetten, jij vast ook. We zijn allebei slim. Het is een manier om onze hersenen te oefenen zonder te werken.' Carol liet zich niet van de wijs brengen en ging door met het opzetten van de stukken.

'Hoe lang kennen we elkaar nu?' Tony had een binnenpretje.

'Een jaar of zes, zeven?'

'En hoe vaak hebben we een spelletje gedaan, even afgezien van schaken?'

Nu hield Carol een moment op. 'Hebben we niet een keer...? Nee, dat was met Maggie en John Brandon.' Ze haalde haar schouders op. 'Nooit, denk ik. Maar dat betekent nog niet dat we het niet moeten doen.'

'Ik ben het niet met je eens, Carol. Er zijn hele goede redenen waarom we het niet moeten doen.'

Ze liet zich wat terugzakken in haar stoel. 'Je bent bang dat ik van je win.'

Hij rolde met zijn ogen. 'We willen allebei veel te graag winnen. Dat is nog maar één van de redenen.' Hij trok zijn notitieboekje en zijn pen naar zich toe en begon wat te krabbelen.

'Wat doe je?'

'Ik zal je je zin geven,' zei hij afwezig terwijl hij doorschreef. 'Ik zal een potje met je schaken. Maar eerst schrijf ik hier op waarom het een ramp wordt.' Hij bleef een paar minuten doorschrijven, scheurde de bladzijde eruit en vouwde hem dubbel. 'Oké, laten we maar beginnen.'

Nu was het Carol die moest lachen. 'Je houdt me voor de gek, hè?'

'Ik ben bloedserieus.' Hij nam een witte en zwarte pion in zijn hand, schudde ze een beetje door elkaar en stak zijn vuisten naar haar toe. Carol koos wit, en ze begonnen.

Twintig minuten later hadden ze allebei nog drie stukken over en wat hen wachtte was een ellenlange saaie partij. Carol begon te zuchten. 'Dat zie ik niet zitten. Ik geef op.' Tony glimlachte en gaf haar het stukje papier. Ze maakte het open en las hardop voor. 'Ik doe er veel te lang over om een zet te doen, omdat ik al vier zetten van tevoren alle mogelijkheden naga. Carol speelt kamikazeschaak, ze probeert zo veel mogelijk stukken van het bord te vegen. Als er bijna geen stukken meer over zijn en het duidelijk een eindeloze affaire wordt, begint Carol zich te vervelen, wordt boos en geeft op.' Ze liet het papier vallen en gaf hem een speelse stomp op zijn arm. 'Rotzak.'

'Schaken is een duidelijke spiegel van hoe mensen denken,' zei Tony.

'Maar ik ben niet iemand die gauw opgeeft,' protesteerde Carol.

'Niet in het echte leven, nee. Niet als er iets belangrijks op het spel staat. Maar als het om een spelletje gaat, vind je het zinloos om er al die energie in te stoppen als je niet eens zeker weet of het iets uithaalt.'

Berouwvol grabbelde Carol de schaakstukken bij elkaar en borg ze op in de doos. 'Je kent me te goed.'

'Dat is wederzijds. Nou, ik merk dat je het de hele avond al zorgvuldig hebt vermeden, maar mag ik misschien vragen hoe het ervoor staat met het onderzoek naar de moord op Robbie Bishop?'

Carol deed de doos met het schaakspel onmiddellijk weer open. 'Wat denk je van nog een potje?'

Tony keek haar meewarig aan. 'Gaat het zo slecht?'

Vijf minuten later, toen hij had geluisterd naar Carols grondige samenvatting van wat er sinds hun laatste gesprek was gebeurd, moest hij het wel met haar eens zijn. Het ging inderdaad zo slecht. Toen ze op haar tenen naar buiten liep, omdat zijn ogen dichtvielen, lag er een heel klein glimlachje om zijn mondhoek. Misschien had hij morgen iets meer voor haar in de aanbieding dan een slecht potje schaak.

DONDERDAG

De reeks gebeurtenissen die Paula McIntyre bijna het leven hadden gekost, hadden haar ook opnieuw doen kennismaken met het troostende effect van nicotine. Ze had de pest aan de stank van oude rook in huis; het deed haar te veel denken aan de tijd dat Don Merrick zijn tenten in haar logeerkamer had opgeslagen. Hij was haar mentor geweest, hij had haar heel veel van de vaardigheden geleerd die ze zich nu volledig eigen had gemaakt. En toen was hij haar vriend geworden. Zij was degene geweest bij wie hij zijn toevlucht had gezocht toen zijn huwelijk op de klippen was gelopen. Na zijn dood was zij degene geweest die zijn persoonlijke bezittingen had moeten inpakken om die af te leveren bij de echtgenote die hem altijd het gevoel had gegeven dat hij iets moest bewijzen. Nu miste Paula zijn vriendschap nog dagelijks, zonder dat ze speciaal haar best deed om nog veel aan hem te denken. Dus had ze tijd, geld en energie gestoken in de aanschaf van een waranda achter haar huis, met een overdekt gedeelte waar ze 's ochtends lekker koffie kon drinken en een sigaret kon roken. Zo pepte ze zich op om te kunnen gaan douchen en om daarna naar het bureau te gaan. Ze wist vrij goed hoe ze in haar baan stond. Ze hield er nog steeds genoeg van en wat haar tijdens het uitoefenen ervan was overkomen had ze voor zichzelf al bijna goed kunnen praten. De gesprekken met Tony Hill hadden haar doen inzien dat ze alleen maar van haar littekens kon genezen als ze bij de politie in Bradfield bleef. Sommige mensen herstelden van een trauma door zo veel mogelijk afstand te scheppen tussen zichzelf en hun verleden. Maar zo was zij niet.

Ze nam een genietend trekje van haar Marlboro, maar eigenlijk verfoeide ze het feit dat ze er behoefte aan had. Iedere morgen sprak ze zichzelf bestraffend toe, omdat ze er weer aan begonnen was. En iedere morgen greep ze al naar het pakje voordat ze de eerste kop koffie achter de kiezen had. In het begin had ze zichzelf wijsgemaakt dat het maar een tijdelijk hulpmiddel was. Bij de eerste zaak die ze hielp oplossen zou ze het weer kunnen laten. Ze had zich zelden zo vergist. De zaken waren gekomen en gegaan, maar de sigaretten waren gebleven.

Vandaag was een typische gure morgen in Bradfield; laaghangende bewolking, de lucht zuur van de verontreining, met vlagen vochtige wind die gemeen door je kleren waaiden en die je tot in je botten voelde. Paula rilde en rookte en sprong overeind toen haar telefoon ging. Ze graaide het ding uit haar zak en fronste haar wenkbrauwen. Alleen iemand van haar werk zou haar zo vroeg durven bellen, maar ze herkende het nummer niet. Ze verstarde, begon hardop tegen zichzelf te schelden en drukte op een knop. 'Hallo?' zei ze behoedzaam.

'Spreek ik met agent McIntyre?' Een zware bromstem met een Noord-Iers accent.

'Met wie spreek ik?

'Met Martin Flanagan. Van Bradfield Victoria.'

Een fractie van een seconde voordat hij zijn naam noemde, wist ze al met wie ze sprak. 'Meneer Flanagan, ik hoor het. Het spijt me, er is geen...'

'Nee, nee, ik heb iets voor jóú. Met al die zorgen over Robbie en dergelijke is het me helemaal ontschoten. Totdat ik vanmorgen op mijn werk kwam en daar was het.'

Paula zoog rook naar binnen en probeerde kalm te blijven. Ze mocht niet laten merken dat ze ongeduldig was. Ze werd niet voor niets de koningin van de verhoorkamer genoemd 'Volkomen begrijpelijk,' zei ze. 'Doe maar rustig aan, Martin.'

Hij haalde hoorbaar adem. 'Sorry, ik ben op de zaken vooruit aan het lopen. Sorry. Een van de dingen die we bij de Vics doen is dat we ze steekproefsgewijs testen op drugs. Het is in ons belang om ze clean te houden. Hoe het ook zij, ik was helemaal vergeten dat we op vrijdagmorgen zo'n test hebben gedaan. En natuurlijk was Robbie daar ook bij.'

Paula liet haar sigaret vallen en wreef hem met haar hak uit. 'En je hebt vanmorgen de resultaten binnengekregen,' zei ze. Ze deed haar best om niet al te opgewonden te klinken.

'Dat klopt. Daarom bel ik jou. Oh, jezus...' De stem van Flanagan begaf het en hij hoestte om dat te verbloemen. 'Ik weet niet eens of ik jou dit eigenlijk wel moet vertellen. Ik bedoel, het was dagen voor hij stierf.'

'Is er iets uit de test van Robbie gekomen?'

'Dat zou je wel kunnen zeggen, ja. Volgens het lab... Verdomme, ik kan het gewoon niet over mijn lippen krijgen.' Falnagan klonk alsof hij ieder moment in tranen kon uitbarsten.

Paula was al via de keuken op weg naar de trap. 'Ik kom eraan, Martin,' zei ze. 'Niet weggaan. Niets zeggen, tegen niemand. Ik ben binnen een halfuur bij je. Oké?'

'Dat is goed,' zei hij. 'Ik ben op mijn kantoor. Ik zal zeggen dat je eraan komt.'

Tot haar verbazing voelde Paula dat de tranen haar in de ogen stonden. 'Het komt wel goed,' zei ze, hoewel ze wist dat het niet waar was en ook dat het er niets toe deed.

De afdeling pathologie in het Bradfield Crossziekenhuis was bekend terein voor het team van specialisten van Carol Jordan. Hier kwamen de interessante lijken terecht, onder het zorgvuldige mes en de waakzame blik van dr. Grisha Shatalov. De overgrootouders van Shatalov waren vijfentachtig jaar geleden van Rusland naar Vancouver geëmigreerd; Grisha was in Toronto geboren en hij beweerde altijd graag dat zijn verhuizing naar Engeland onderdeel was van de langzame migratie terug naar het oosten. Carol hield van zijn zachte accent en zijn zelfrelativerende humor. Ze had ook waardering voor hoe hij de doden naar haar gevoel met hetzelfde respect behandelde als wanneer het om zijn eigen familie zou gaan.

Een verblijf in het lijkenhuis sterkte Carols persoonlijke betrokkenheid bij het zoeken naar rechtvaardigheid. Als ze geconfronteerd werd met de slachtoffers, voelde ze het verlangen om de schurken voor het gerecht te brengen nog net iets heviger branden. Grisha's respectvolle behandeling van die slachtoffers sprak haar aan en daardoor was er een brug tussen hen geslagen.

Vandaag was ze hier voor Robbie Bishop. De lijkschouwing had eigenlijk een dag eerder moeten plaatsvinden, maar Grisha was op een conferentie in Reykjavik geweest en Carol had niet gewild dat er iemand anders met dit speciale lichaam aan de gang zou gaan. Grisha was vroeg begonnen en toen Carol binnenkwam was hij bijna klaar. Hij keek even op en begroette haar met een afgemeten knikje. 'Nog tien minuten en dan zijn we klaar, hoofdinspecteur Jordan.' Zijn vormelijke optreden had te maken met de digitale opname die misschien ooit nog eens in de rechtbank zou worden gebruikt. Als de microfoon niet aanstond, zei hij gewoon Carol tegen haar.

Ze leunde tegen de muur. Bij de herinnering aan de levende Robbie kon ze onmogelijk een gevoel van droefheid onderdrukken. Minnaar, zoon, vriend, sportman. Iemand wiens gratie over de hele wereld te aanschouwen was geweest en wiens talent mensen gelukkig had gemaakt. Dat was allemaal weg. Weg, omdat de behoefte van de een of andere hufter om hem niet meer te laten leven zwaarder woog dan al die positieve aspecten. Aan haar de taak te ontdekken wie die hufter was, en ervoor te zorgen dat hij die destructieve daad niet meer zou kunnen herhalen. Ze had nooit echt genoten van die taak en ze had de moeilijkheden die ermee gepaard gingen ook nog nooit eerder zo hardgrondig verfoeid.

Grisha was eindelijk klaar. Het lichaam zag er weer redelijk ongeschonden uit; er waren monsters afgenomen en organen gewogen en de incisies waren gehecht. Grisha trok zijn handschoenen uit, deed zijn masker en zijn schort af en schopte zijn lablaarzen uit. Op kousenvoeten liep hij, met Carol in zijn kielzog, de gang door naar zijn kantoor.

Het kantoor was één groot protest tegen het idee van de papierloze werkplek. Uitpuilende mappen, losse blaadjes en bij elkaar gebonden stapels papier lagen overal op, behalve op de stoel achter het bureau en ook niet op een labkrukje dat tegen de muur stond. Carol ging op haar gebruikelijke plaats zitten en zei: 'Wat heb je voor me in de aanbieding?'

Grisha liet zich als een baksteen op zijn stoel vallen. Zijn volmaakt ovale gezicht was grauw vanwege een gebrek aan slaap en aan daglicht, beide een gevolg van zijn baan gecombineerd met een baby die nog niet was ingewijd in de geneugten van een ononderbroken slaap. Zijn grijze ogen die de vorm hadden van lange, lage pyramiden, hadden wallen die er in vorm niet voor onderdeden en zijn volle lippen zagen eruit alsof al het bloed eruit verdwenen was. Hij leek meer op een gevangene dan op een patholoog. Hij krabde over een stoppelige wang en zei: 'Niet veel wat je al niet weet. Doodsoorzaak: alle organen hebben het opgegeven ten gevolge van ricinevergiftiging.' Hij stak een vinger op. 'Ik moet daar een restrictie bij aanbrengen. Mijn conclusie is gebaseerd op de informatie die ik van de artsen heb gekregen die hem ten tijde van zijn overlijden behandelden. We moeten op de uitslagen van onze eigen giftesten wachten voordat we dat officieel kunnen bevestigen, laat me dat even duidelijk stellen.'

'Nog iets anders?'

Grisha glimlachte. 'Ik zou je van alles kunnen vertellen over zijn lichamelijke conditie, maar daar schiet je, denk ik, niet veel mee op. Er is één ding dat wel of niet te maken kan hebben met de manier waarop hij gestorven is. Er is sprake van rectaal trauma – niet veel, alleen wat inwendige beschadigingen in de anus. En ook wat lichte irritatie van het weefsel net boven de sluitspier.'

'Veroorzaakt door wat?' vroeg Carol.

'De beschadigingen zouden kunnen wijzen op seksuele activiteit. Het kan met instemming van het slachtoffer zijn gebeurd, maar het is er wel wat ruw aan toe gegaan. Geen verkrachting. Nou ja, geen verkrachting in de zin van iemand vasthouden en met geweld penetreren. Maar er is wel wat geweld bij te pas gekomen. Geen sporen van sperma, dus ik zou niet met zekerheid durven te zeggen of hij gepenetreerd is door een penis of door iets anders. Een dildo, een fles, een wortel. Het zou eigenlijk van alles kunnen zijn dat een redelijke omvang heeft.' Hij grijnsde. 'In ons werk weten we zo langzamerhand wel dat Onze-Lieve-Heer rare kostgangers heeft.'

'Heb je de indruk dat hij dit soort seksuele activiteit met enige regelmaat praktiseerde?'

Grisha streek over zijn kin, die tot voor kort nog versierd was geweest met een sikje. 'Dat lijkt me niet. Niets wijst erop dat Robbie regelmatig aan anale seks deed. Misschien heeft hij wel eens iets uitgehaald met een leuk klein buttplugje, maar niet met iets zo groot als een penis.'

'En die irritatie van dat weefsel? Hoe zit het daarmee? Wat kunnen we daaruit concluderen?'

Grisha schokschouderde. 'Moeilijk te zeggen. Omdat het op die specifieke plaats zit, is er van de eventuele oorzaak geen spoor meer te vinden. Het lijkt op iets wat je kunt krijgen als er daar een vreemde substantie wordt ingebracht.'

'Zoals ricine? Zou dat een dergelijke reactie kunnen veroorzaken?'

Grisha leunde achterover en staarde naar het plafond. 'Theoretisch wel, vermoed ik.' Hij ging met een ruk rechtop zitten. 'Ik dacht dat men ervan uitging dat hij het heeft geïnhaleerd?'

Carol schudde haar hoofd. 'We zijn er gewoon van uitgegaan dat er iets in zijn drinken of eten is gedaan.'

'Uitgesloten. Niet als het verhaal van dr. Blessing klopt, waarin ze beschrijft hoe hij is gestorven. Het is namelijk zo, Carol... De symptomen manifesteren zich anders als je ricine via de mond binnenkrijgt dan als je het inhaleert. Maar als het door het lichaam geabsorbeerd zou worden via bijvoorbeeld het gevoelige slijmvlies van de endeldarm, zouden de symptomen meer lijken op die van inhaleren. Welnu, tot aan de lijkschouwing zou ik voor die inhalatietheorie hebben gestemd.'

Carol schudde haar hoofd. 'Iedereen met wie we gesproken hebben, houdt keihard vol dat hij geen drugs gebruikte. Ik geloof niet dat ze zijn nagedachtenis willen beschermen. Ik geloof dat ze de waarheid spreken. Bovendien hebben ze in het ziekenhuislab ook naar de monsters gekeken en zijn er geen sporen aangetroffen van partydrugs.'

Grisha trok een beetje sceptisch zijn wenkbrauwen op. 'Afhankelijk van wat hem is gegeven en wanneer hij het heeft ingenomen, waren die sporen waarschijnlijk allang verdwenen, toen ze hun monsters afnamen. Maar als hij echt geen drugs heeft gesnoven, dan kan hij heel goed de ricine op deze manier hebben binnengekregen. Het zou ergens in hebben moeten zitten – in een zetpil of een gelcapsule, zoiets dergelijks. Maar hier geldt ook weer dat we geen sporen meer zullen vinden, want het is te lang geleden. Ik heb uiteraard ook monsters afgenomen. Misschien hebben we geluk, maar verwacht er niet te veel van.'

Carol zuchtte. 'Fijn. Het ziet ernaar uit dat deze zaak uitdraait op een nachtmerrie. Ik heb de hoge pieten en de aasgieren van de pers al over me heen gekregen, die willen allemaal snel resultaat zien. Wat eerlijk gezegd ongeveer even waarschijnlijk is als dat ik door de Bradfield Vics wordt gecontracteerd om Robbie te vervangen.'

Grishe boog voorover en klikte op zijn muis. 'Ik zal doen wat ik kan, maar je hebt gelijk, het is niet gemakkelijk.' Hij wierp haar een meelevend glimlachje toe. 'Maar nu je hier toch bent, je bent al veel te lang niet meer bij ons te eten geweest. Ik weet dat Iris het leuk zou vinden als je kwam.' Hij tuurde naar het scherm. 'Kun je zaterdag?'

Carol dacht even na. 'Dat lijkt me leuk.'

'Om zeven uur?'

'Doe maar acht uur. Ik moet eerst nog op bezoek in het ziekenhuis.'

'In het ziekenhuis?'

'Tony.'

'O, natuurlijk, daar heb ik over gehoord. Hoe gaat het met hem?' Voordat Carol kon antwoorden, werd er op de deur geklopt. 'Binnen,' riep Grisha.

Paula stak haar hoofd om de hoek. 'Ha, Dok. Ik ben op zoek naar...'

'Je hebt haar gevonden,' zei Grisha.

Paula kwam met een grijns op haar gezicht binnen. 'Het komt prima uit dat jij hier ook bent, Dok.' Ze zwaaide naar hen met een envelop. 'Ik denk dat we eindelijk wat concreets hebben, chef. Ik ben net bij Martin Flanagan geweest. Hij wilde dit eigenlijk niet naar buiten brengen...'

'Maar jij had je charmes al op hem losgelaten,' zei Carol. Ze had genoeg van Paula's fantastische interviewtechnieken gezien en stond dus nergens van te kijken.

'Ik denk dat hij het belangrijker vindt dat we Robbies moordenaar vinden. De reputatie van de club interesseert hem eerlijk gezegd niet zo veel. Hoe dan ook, meneer Flanagan zegt dat hij totaal vergeten was dat de club vrijdag een routineonderzoek op drugs heeft gedaan. Robbie heeft net als alle anderen in een flesje gepist. Bij de andere spelers was er niets aan de hand maar bij hem kwam eruit dat hij rohypnol had binnengekregen.' Ze haalde een vel papier uit de envelop en overhandigde het aan Grisha.

'Positief getest op rohypnol,' las Grisha. 'Ik heb wel eens over dit lab gehoord, volgens zeggen gaan ze daar vrij grondig te werk. Maar je zou contact met ze moeten opnemen of ze nog iets van het urinemonster van Robbie hebben bewaard. Dit is niet voldoende gedetailleerd om precies te weten hoeveel hij heeft ingenomen en wanneer.' Hij gaf het papier aan Carol.

'Ik denk dat we wel weten wanneer. Op donderdagavond in Amatis,' zei Carol met een zuur gezicht.

Grisha trok een bedenkelijk gezicht. 'Dat denk ik toch niet, nee.' Hij tikte op toetsen en klikte op zijn muis. 'Precies. Dat dacht ik al. Ze noemen het de vergeetpil. Hij begint twintig minuten tot een halfuur nadat hij is ingenomen te werken. Dus als Robbie hem in de nachtclub van iemand heeft gekregen, zou hij tegen de tijd dat hij er wegging al een volledig laveloze indruk hebben gemaakt.'

'Er is door niemand gesuggereerd dat hij zat was,' zei Paula. 'En op de opname van de bewakingscamera liep hij volkomen normaal.'

'Dus hij had voldoende vertrouwen in de persoon met wie hij was om met hem mee te gaan. Naar een plek waar hij een drankje heeft gedronken waar rohypnol in was gedaan,' zei Carol hardop denkend.

'Het effect van rohypnol wordt versterkt door alcohol, dus als we ervan uitgaan dat hij al wat had gedronken, moet hij een uur nadat hij het had ingenomen al niet meer bij de tijd zijn geweest,' zei Grisha. 'Hij zou alles hebben goedgevonden wat ze met hem deden. Hij zou zich niet hebben verzet tegen anale penetratie. Hij zou geen bezwaar hebben gemaakt tegen het rectaal inbrengen van een zetpil. En achteraf zou hij zich er niets meer van hebben herinnerd. Het is eigenlijk de perfecte moord. Tegen de tijd dat je slachtoffer sterft, kun je als dader allang niet meer met hem in verband worden gebracht.'

Carol gaf het papier terug aan Paula. 'Goed werk,' zei ze. 'Maar dit is een afschuwelijk moeilijke zaak. En ieder stukje nieuwe informatie dat we binnenkrijgen, lijkt het alleen nog maar moeilijker te maken.'

Een halfuur later was het nog moeilijker. Carol zat in haar kantoor met de deur dicht en de jaloezieën naar beneden om niet te worden afgeleid. Ze zat met haar ellebogen op het bureau. Met de ene hand hield ze de telefoon tegen haar oor en met de andere had ze een lok haar vast. 'Ik heb je hopelijk niet wakker gemaakt,' zei ze.

'Eerlijk gezegd heb je dat wel. Maar dat geeft niet want ik moest toch nog een stel vervelende klusjes opknappen,' zei Bindie Blyth, met een schorre stem van de slaap. Ze kuchte, schraapte haar keel en haalde toen een keer diep adem. Carol kon horen hoe ze overeind kwam.

'Er is nog iets dat ik je moet vragen. Het is nogal persoonlijk.'

Het onmiskenbare geluid van een aansteker en daarna het inhaleren van de rook. 'Is dit niet het moment dat ik moet zeggen: "Het is wel goed, bij een moordonderzoek bestaan er geen persoonlijke zaken"?' zei Bindie met een vrij acceptabel Amerikaans accent.

Daar kon Carol niet zo goed op antwoorden. 'Ik denk dat het meer zo is dat er niets meer privé is bij een moordonderzoek. We moeten al het mogelijke over onze slachtoffers te weten komen, ook al blijkt het achteraf volkomen onbelangrijk te zijn. We zijn geen voyeurs. We zijn voorzichtig.' Ze maakte een afkeurend geluidje dat tegen haarzelf was gericht. 'Het spijt me, dat klonk nogal gladjes. Dat was niet mijn bedoeling. Ik heb het met je over mijn collega gehad, de psycholoog. Hij wrijft me constant onder mijn neus dat je nooit te veel kunt weten over het slachtoffer van een moord. Dus ik hoop dat je me vergeeft als je mocht vinden dat ik me bemoei met dingen die me niets aangaan.'

'Ga je gang maar. Ik verberg me ook achter grapppen. Kom maar op met je vragen. Ik zal niet boos worden.'

Carol haalde diep adem. Het had geen zin om nu preuts te gaan doen. 'Hield Robbie van anale seks?' vroeg ze.

Een verbaasde proestlach knalde door de telefoon. 'Robbie? Robbie die zich in zijn kont liet neuken? Doe niet zo raar. Ik heb wel geprobeerd hem over te halen, maar hij was er absoluut van overtuigd dat elke hetero die van pluggen hield, stiekem toch homo was.'

'Pluggen?' Carol voelde zich vergeleken met Bindie stokoud en vastgeroest.

'Je weet wel. Je hebt toch wel eens zo'n film gezien? Je vent met een dildo neuken. Dat noemen ze pluggen.'

'Ik had die term nog nooit gehoord.'

'Dat komt, denk ik, omdat je niet in Londen woont,' zei Bindie. Uit haar toon bleek dat ze plaagde, maar niettemin voelde Carol zich als het provinciaaltje van de eeuw. 'Mijn ex, de man met wie ik was vóór Robbie, die was daar helemaal gek van. Ik heb nog steeds het harnas en de dildo's en alles wat er nog meer bij hoorde. Ik heb geprobeerd om Robbie ook zover te krijgen, maar, eerlijk waar, je zou denken dat ik had voorgesteld om buiten een stelletje straathonden te zoeken om mee te neuken. Hij vond het zelfs niet fijn als ik een vinger in zijn kont stopte tijdens het neuken.'

'We hebben een buttplug in het laatje van zijn nachtkastje gevonden,' zei Carol neutraal.

Het was even stil. 'Die zal wel van mij zijn,' zei Bindie. 'Het is oké. Ik hoef hem niet terug.'

'Juist,' zei Carol. 'Bedankt dat je zo eerlijk tegen me bent geweest.'

'Geen probleem. En wat was nou die persoonlijke vraag?' Bindie stootte een verbitterd lachje uit. 'Sorry. Ik zei al dat ik flauwe grappen maakte. Waarom wil je weten wat Robbie leuk vond in bed?'

'Het spijt me, ik mag je over een lopend onderzoek geen bijzonderheden vertellen,' zei Carol, die merkte dat ze als tegenprestatie graag ook iets aan Bindie wilde geven. 'We zijn met verscheidene onderzoekslijnen bezig. Maar ik zal eerlijk zijn, we vorderen maar langzaam.'

'Het gaat niet om tijd, hoofdinspecteur,' zei Bindie, voor haar doen zeldzaam ernstig. 'Waar het wel om gaat is dat jullie die klootzak te pakken krijgen die dit gedaan heeft.'

Imran deed de laden in zijn slaapkamer nog een keer open en dicht. Voor de vijfde keer, dacht Yousef. 'Je hebt nu onderhand toch wel alles wat je nodig hebt, man,' zei hij. 'Je hebt alles al een miljoen keer gecontroleerd.'

'Jij hebt gemakkelijk praten. Ik wil niet op het vliegveld zitten en dan plotseling ontdekken dat ik mijn iPod niet bij me heb. Of op Ibiza zitten en merken dat mijn favoriete Nikes hier nog onder het bed staan, snap je wat ik bedoel?' Imran liet zich op de grond vallen en graaide met een arm onder het bed.

'Als je niet als de donder opschiet, kom je helemaal niet op dat vliegveld,' zei Yousef. 'Jij hebt een gammele Vauxhall bestelwagen, geen Batmobiel.'

'En jij moet niets zeggen over auto's, neefje.' Imran sprong weer overeind. 'Oké, ik heb alles.' Hij ritste zijn reistas dicht, maar hij keek nog steeds een beetje onzeker en klopte op zijn zakken. 'Paspoort, geld, tickets. Laten we maar gaan.'

Yousef liep achter Imran aan naar beneden en wachtte geduldig tot hij afscheid had genomen van zijn moeder. Je zou bijna denken dat hij voor een tocht van drie maanden over de Zuidpool vertrok, niet voor een gratis reisje met drie overnachtingen op Ibiza. Uiteindelijk lukte het om het huis uit te komen. Imran gooide de sleutels van het busje naar Yousef toe. 'Je kunt er beter vast aan wennen, nu ik er nog bij ben om eventuele problemen op te lossen,' zei hij. 'Soms blijft de koppeling een beetje hangen, begrijp je wat ik bedoel?'

Yousef was niet geïnteresseerd in de koppeling. Wat hem wel interesseerde was dat hij nu beschikte over een bestelbusje met op de zijkant in grote letters *AI Electricals*. 'Je doet maar,' mompelde hij. Hij startte het busje en ramde hem in de eerste versnelling. De stereo denderde de auto in met een Tigerstyle remix van drum en basgitaar, zo hard dat Yousef zich een ongeluk schrok. Hij stak zijn hand uit naar de volumeknop en draaide hem een heel stuk zachter. 'Schei daarmee uit, Imran,' klaagde hij. 'Mijn oren, man.'

'Sorry, hoor. Die jongens weten wel hoe ze hem moeten raken, hè?' Imran gaf hem een zachte stomp tegen zijn schouder. 'Man, op Ibiza ga ik toch naar gave muziek luisteren! Ik vind dit echt cool van je, neefje.'

'Hé, het is prima, joh. Ik bedoel, ik ben nooit zo'n feestbeest geweest,' zei Yousef. Zodra hij had beseft dat hun plan veel gemakkelijker kon worden gerealiseerd als hij een echt bestelbusje te pakken kon krijgen van een echte firma, had hij geweten dat de oplossing bij zijn neef Imran lag. De vraag werd toen hoe hij Imran en zijn voertuig twee of drie nietsvermoedende dagen van elkaar moest scheiden. Ze hadden het een paar keer besproken zodat ze met een plan konden komen dat zou werken en toen had Yousef opeens die ingeving gekregen. Het was niet ongebruikelijk dat klanten en leveranciers gratis vakantiereisjes uitdeelden, zogenaamd om de klanten aan zich te binden. Noch Yousef noch Sanjar waren echte clubtijgers, maar Imran ging graag de hele nacht dansen. Yousef kon net doen alsof hij een korte vakantie van drie dagen naar een club op Ibiza had gekregen en dan kon hij het als een gebaar van goodwill aan Imran doorgeven. Imram zat veilig op Ibiza en Yousef had de beschikking over het busje. Het was fantastisch uitgepakt. Imran was zo in zijn nopjes geweest dat het niet bij hem was opgekomen ergens vraagtekens bij te plaatsen, bijvoorbeeld waarom ze naar het vliegveld reden in zijn busje en niet in dat van Yousef. Nu zei Yousef: 'Graag gedaan, man,' en hij meende het nog ook.

'Ja, maar ik bedoel, je had het door kunnen verkopen, dan had je wat geld in handen gehad.' Imran maakte een wrijvend gebaar met zijn duim over zijn vingers.

'Hé, we zijn familie, man,' zei Yousef met een licht schouderophalen. 'We moeten wat voor elkaar over hebben.' Hij voelde een scheut van schuldgevoel. Wat hij van plan was, zou zijn familie diep in het hart raken. Het zou de kaleidoscoop een hele slag draaien waardoor zijn daden in een volledig ander licht kwamen te staan. Hij dacht niet dat er de eerste tijd familieleden zouden zijn die zijn gevoel voor familiebanden zouden kunnen waarderen.

'Ja, dat zegt iedereen, maar als er geld mee gemoeid is, praten ze opeens anders,' zei Imran cynisch. 'Dus ja, ik vind dit echt helemaal te gek, man.'

'Oké, oké, zorg nu maar dat je heelhuids terugkomt, hè?'

'Het wordt echt helemaal te cool.' Imrans vingers kropen weer stiekem naar de volumeknop. 'Heel zachtjes, ja?'

Yousef knikte. 'Ja, hoor.' De muziek vulde het hele busje, zelfs met het volume bijna op z'n zachtst voelde hij de basgitaar in zijn botten trillen. Er zat maar twee jaar tussen hem en Imran, maar hij had het gevoel dat zijn neef nog een kind was. Nog niet zo lang geleden was hij hetzelfde geweest, maar hij was veranderd. Hij had dingen meegemaakt, dingen waardoor hij volwassen was geworden en waardoor hij zijn verantwoordelijkheden had genomen. Als hij nu naar Imran keek, had hij het gevoel dat ze van verschillende generaties waren. Van verschillende planeten zelfs. Het was verbazingwekkend hoe de manier waarop iemand anders de wereld interpreteerde tot gevolg had dat jij ging twijfelen aan dingen die je je hele leven als vanzelfsprekend had beschouwd. Nog niet zo lang geleden was Yousef gaan begrijpen hoe de wereld werkelijk in elkaar zat en het had alles tenietgedaan waar ze hem altijd in hadden laten geloven.

'Het enige wat ik jammer vind, is dat ik de wedstrijd van zaterdag mis. Ze gaan heel veel werk maken van het afscheid van Robbie. Gaat Raj wel?'

Yousef knikte. 'Dat zou hij voor geen geld ter wereld willen missen, man. Je zou bijna denken dat ík dood was, of Sanjar. Niet de een of andere voetballer.'

Imran schoot overeind. 'Hé, dat is ketterij, man. Robbie was niet zomaar de "een of andere voetballer".' Hij maakte een gebaar in de lucht alsof hij aanhalingstekens schreef. 'Hij was dé voetballer. De gewone jongen hier uit de stad die een held werd. We hielden van Robbie, echt waar. Hielden van hem. Dus zeg maar tegen Raj dat hij ook namens mij afscheid moet nemen.'

Yousef sloeg zijn ogen ten hemel. Was de wereld gek geworden? Hysterisch verdriet om Robbie Bishop en geen traan over het dagelijkse dodencijfer in Irak, en Palestina, en Afghanistan? Er was iets goed mis met de normen en waarden. Nu moest hij ook niet net gaan doen alsof hij altijd de meest volmaakte moslim van de hele wereld was geweest, maar zijn ideeën waren in ieder geval niet zo verwrongen geweest als die van Imran

Imran zweeg en trommelde met zijn vingers de maat mee op zijn in spijkerbroek geklede dijen. Met zijn Nikes tikte hij de maat mee op de rubbermat. Het hield hem de rest van de rit naar het vliegveld van Manchester zoet. Yousef zette het busje stil op de parkeerplaats waar je mensen voor de vertrekhal kon afzetten. Hij liet de motor draaien, terwijl Imran zijn tas pakte en uitstapte. Hij stak zijn hoofd door het portierraampje. 'Het beste, Yousef. Tot maandag.'

Yousef glimlachte. Hij zou Imran niet zien op maandag. Maar dat hoefde hij zijn neef niet te vertellen.

Tony kwam uit een heerlijke slaap omhoog zweven. Heerlijk, omdat hij echt uitgeput was geweest en omdat hij nu eens geen medicijnen nodig had gehad om in slaap te vallen. Ongelooflijk hoeveel energie het kostte om uit bed te komen, om zich drie meter te verplaatsen tot in de badkamer, zich ondertussen vast te klampen aan een looprek, om te plassen en dan weer terug naar bed gaan. Toen hij zich uitgeput in de kussens had laten zakken had hij het gevoel alsof hij een bescheiden berg had beklommen. De fysiotherapeute was tevreden geweest met zijn vooruitgang; hijzelf was bijna uit zijn dak gegaan. Ze had hem voor morgen elleboogkrukken beloofd. Al die opwinding was hem bijna te veel geworden.

Hij ging overeind zitten, wreef de slaap uit zijn ogen en haalde de laptop uit de slaapstand. Voordat hij weg was gegleden, had hij een laatste serie zoekbewerkingen opgestart, maar hij was al onder zeil geweest voordat het was afgelopen. Hij was niet optimistisch gestemd geweest; hij was er langzamerhand zelfs al van overtuigd geraakt dat hij niet zou vinden waar hij naar zocht. Dat betekende niet dat het er niet was, alleen dat het goed verborgen was.

Het scherm werd wit, en tot zijn verbazing stond er in een vakje midden op het scherm: '(1) resultaten gevonden'. De haakjes gaven aan dat het resultaat niet helemaal klopte, maar dat er meer dan 90% overeenstemming was met de gegevens die hij had ingevoerd. Klaarwakker riep Tony de zoekresultaten op.

Het was een verhaal uit een gratis krant waarin artikelen stonden die allemaal te maken hadden met de regio aan de westkant van Sheffield. Er werden niet veel bijzonderheden genoemd, maar toch wel genoeg om Tony stof tot nadenken te geven en daarbij ook materiaal voor meer specifieke zoekbewerkingen. Gretig typte hij een nieuw stelletje kenmerken in. Dit werd interessant. Het begon erop te lijken dat hij misschien toch iets voor Carol in de aanbieding had.

Sam Evans liet zijn jasje over zijn stoel hangen en liep op zijn dooie gemak het kantoor uit, alsof hij niets anders in gedachten had dan een bezoek aan het toilet. Maar toen de deur achter hem dichtviel versnelde hij zijn pas en zette hij koers naar de liften. Hij daalde af naar de parkeerplaats en ging in zijn auto zitten. Hij haalde zijn mobieltje tevoorschijn en toetste het nummer van Bindie Blyth in.

Ze nam op nadat er twee keer was overgegaan. Toen hij zijn naam zei, kreunde ze: 'Niet nog meer vragen. Ik heb vanmorgen al je hoofdinspecteur aan de telefoon gehad.'

Sams voorhoofd was opeens drijfnat van het zweet. Stel dat hij eerder had gebeld, vóór Carol Jordan? Wat had hij als verklaring kunnen aanvoeren tegenover de vrouw die hem nu al veel te veel een vrijbuiter vond? Shit, hij moest zorgen dat hij nu geen fouten maakte. 'Het spijt me dat we u voor de tweede keer moeten lastigvallen. We zijn allebei met een andere onderzoekslijn bezig,' zei hij, en hij deed een schietgebedje dat hij niet met dezelfde vragen aan kwam zetten als zijn chef.

'Nou, dat is een opluchting. Ik had geen zin om nog een keer op reis te gaan naar de wildere regionen van mijn seksleven. Oké, wat kan ik voor je doen, rechercheur?'

'Afgelopen februari hebt u een e-mail aan Robbie gestuurd over de een of andere kerel die u lastigviel. Die bij concerten opdook. Een soort stalker eigenlijk. Herinnert u zich dat?'

Bindie kreunde. 'En of ik me dat herinner! Zoiets vergeet je niet.'

'Kunt u me daar iets meer over vertellen?'

'Je denkt toch niet dat dit iets te maken heeft met de dood van Robbie? Dit ging om een zielig onbeduidend mannetje, niet om een geniale misdadiger.'

'Ik zou mijn werk niet goed doen als ik niet alle mogelijkheden natrok,' zei Sam. 'Vertel me dus maar om wat voor kerel het ging.'

'Het begon met brieven, kaarten, bloemen, dat soort dingen. En toen dook hij telkens op als ik als dj in een club optrad. Meestal lieten ze hem niet binnen, omdat hij er te lullig of te raar of zoiets uitzag. Maar soms werd hij wel binnengelaten, en dan hing hij rond bij het podium of bij het dj-hokje, en dan probeerde hij een gesprek met me aan te knopen of wilde hij met me op de foto. Het was irritant, maar ik zocht er niet al te veel achter. Toen, op een avond, kregen Robbie en ik in het openbaar een ruzietje. Je weet hoe dat gaat. Je hebt wat op en dan loopt het een beetje uit de hand. Uiteindelijk mondde het uit in een schreeuwpartij op straat voor de club. De paparazzi kregen er lucht van en toen stond het in alle kranten en tijdschriften. Ik bedoel, we hadden het al goedgemaakt toen de foto's uitkwamen, maar je komt alleen maar in de krant met een ruzie, niet met een verzoening.' Hij hoorde hoe ze een sigaret opstak en wachtte tot ze verderging. Wachten. Een trucje dat hij van Paula had geleerd.

'Dus vindt die lulhannes het zijn plicht om mijn eer te verdedigen tegenover dat slechte vriendje dat mij niet naar behoren behandelt. Hij spreekt Robbie erop aan als hij uit het teamhotel in Birmingham komt. Hij begint hem van alles en nog wat voor de voeten te gooien. Hij wordt niet gewelddadig, maar zit hem alleen maar op een wat gênante manier uit te schelden, volgens Robbie. Hoewel Robbie uiteraard de laatste persoon was die toe zou geven dat hij bang was. Hoe dan ook, de politie is erbij gehaald en die hebben hem ingerekend. Dat bleek hij net nodig gehad te hebben. Volgens de smeris met wie ik heb gesproken, heeft hij het licht gezien toen de mogelijke gevolgen van zijn gedrag aan hem waren uitgelegd. Hij had verschrikkelijke spijt, zag in dat hij alles veel te veel had opgeblazen. En uiteraard zou hij mij en Robbie voortaan met rust laten. Dus hebben ze hem met een waarschuwing laten gaan. En eerlijk is eerlijk, ik heb sindsdien niets meer van hem gehoord. En meer kan ik niet vertellen.'

Op de een of andere manier klonk het Sam allemaal een beetje te gemakkelijk. Voor zover hij wist, pakten stalkers niet zomaar hun boeltje bij elkaar en gingen naar huis, wanneer iemand hun de wacht aanzegde. Als ze stom waren, bleven ze gewoon hetzelfde doen, alleen met nog een schepje erbovenop, totdat ze uiteindelijk achter de tralies verdwenen. En als het zover was, lagen er meestal bloed en tanden op het tapijt. Als ze slim waren, vonden ze gewoon een ander doelwit voor hun perverse genegenheid of ze pakten het subtieler aan. En de slimmeriken veroorzaakten uiteindelijk vaak nog meer bloed en tanden op het tapijt. Vraag maar aan Yoko Ono.

'Hebt u echt nooit meer iets van hem gehoord?'

'Nee. Niet eens een kaart om medeleven te betuigen over Robbie.'

'Hebt u er daar veel van gehad?' vroeg Sam.

'Er zijn er gisteren zevenenveertig persoonlijk bij de BBC afgegeven. Ik verwacht er vandaag nog een heel stel met de post.'

'Misschien moeten wij die ook doorkijken.'

Bindie maakte een geluid waarin irritatie doorklonk. 'Ze had gelijk, jouw chef. Niets is er privé in een moordonderzoek. Wat wil je dat ik doe? Ze in een zak doen en opsturen?'

'Als u ze in een zak zou kunnen doen, dan laat ik die wel door iemand ophalen. Als het u uitkomt, natuurlijk. Maar nog even over het vorige onderwerp...'

'Zijn naam was Rhys Butler. Hij woonde in Birmingham. Meer weet ik niet. Ik heb alle brieven en kaarten aan de politie in Birmingham gegeven. Voor het geval hij er weer mee ging beginnen.'

'Bedankt. Dat bedoelde ik inderdaad.'

Bindie snoof verachtelijk. 'Dat was niet zo moeilijk, rechercheur. Daar hoef je geen David Copperfield voor te heten.'

Sam had de pest aan getuigen die dachten dat ze de politie te slim af waren. 'De naam van de politieman of vrouw met wie u te maken hebt gehad, zou ook handig zijn,' zei hij. Hij probeerde uit alle macht niet sarcastisch over te komen.

'Wacht even, ik heb daar ergens iets over liggen...' Toen volgde het geluid van heen en weer geloop, van een lade die werd opengetrokken, van een nieuwe sigaret die werd opgestoken. Ten slotte had ze de informatie te pakken. 'Rechercheur Jonty Singh. God, wat mooi toch wat er met de namen in dit land is gebeurd. Jonty Singh. Wat een gave naam. Ik vind het prachtig dat er bij cricket, het meest Engelse instituut in de hele wereld, Ramprakash en Panesar naast Trescothick en Strauss in het veld staan. Echt geweldig hoe het in een periode van vijftig jaar van keizerrijk naar multiculti is gegaan. Ga jij daar ook niet vrolijker van kijken, Sam?'

Hij liet haar maar praten. Het enige wat telde was dat Jonty Singh een naam was die niet moeilijk op te sporen zou zijn bij een groot korps als dat van de West Midlands. Wat hem ook opviel was dat hij opeens geen 'rechercheur' meer was, maar 'Sam'. Zou ze met hem aan het flirten zijn? Moeilijk te zeggen, vooral als je in ogenschouw nam hoe ze op de radio overkwam. En ook al was het wel het geval, was het niet iets waar hij iets mee wilde. Hij wilde niet de volgende zijn in de rij van vriendjes die sociaal onder haar stonden. 'Bedankt voor uw tijd,' zei hij.

'Ik vind het niet erg,' zei ze opeens weer ernstig. 'Het is het enige wat ik nog voor hem kan doen. Ik heb echt om hem gegeven, weet je.'

'Ik weet het,' zei Sam. Hij zat te trappelen om het gesprek te beëindigen en om aan de slag te kunnen gaan met de nieuwe aanwijzing. 'We houden contact.' Hij brak het gesprek abrupt af. Had hij nu maar een computer in zijn auto, zoals de jongens in uniform in hun patrouillewagens. Dan zou hij nu al met vliegende vingers op weg zijn naar de volgende stap van zijn tocht. In plaats daarvan moest hij terug naar zijn bureau en hopen dat Stacey niet kon zien welke toetsen hij aansloeg. Hij was iets op het spoor en hij peinsde er niet over om iemand anders mee te laten kijken.

Hij zat vol spanning op haar komst te wachten, maar ondanks dat begon Tony niet onmiddellijk over zijn ontdekking toen Carol binnenkwam. Hij verheugde zich al op haar verbaasde reactie. Bovendien moest hij toegeven dat het hem goed deed dat ze zo zorgzaam met zijn welzijn bezig was. Al dat komen en gaan van pijn en gevaar dat ongemerkt hun relatie was binnengeslopen had weinig ruimte overgelaten voor zoiets simpels als alleen maar aardig tegen elkaar zijn. Hij wist dat ze dat wel had ervaren in haar familie – bij zijn beste weten was dat nog steeds het geval – maar het was nooit iets geweest waar hijzelf ervaring mee had. Aardig doen werd altijd als een zwakheid beschouwd in zijn familie. Dus ook al wist hij niet precies wat hij ermee aan moest, toch wilde hij geen seconde van hun intimiteit opofferen aan de eisen die door het werk werden gesteld. Die waren gauw genoeg weer aan de beurt.

Hij moest erkennen dat het om een herordening van zijn prioriteiten ging. Dat deel van hemzelf dat zijn eigen reacties beschouwde als een eeuwigdurend experiment vond het bijster interessant om te zien hoe lang het zou duren en wat het inhield. Maar tot zijn verbazing was er ook een ander deel dat het gewoon over zich heen wilde laten komen.

Dus vroeg Carol hoe zijn dag was geweest en gaf hij daar antwoord op. Ze hadden een gesprek dat, voor zover hij wist, gewone vrienden of zelfs geliefden elke dag met elkaar voerden. Maar natuurlijk kwam daar een eind aan. Er moest een punt komen waarop hij omwille van een evenwichtige verdeling vroeg hoe haar dag was geweest. En dat vertelde ze hem.

Aan het eind van het verhaal liet ze een elleboog op de armleuning van de stoel rusten en haalde ze haar vingers door haar dikke haardos. 'Dit lijkt in niets op alle andere zaken waar ik ooit aan heb gewerkt. Als er een moord plaatsvindt, staan er twee of meer mensen tegenover elkaar. Er gebeurt iets en iemand gaat dood. Je kunt de puntjes met elkaar verbinden. Dan heb je de technische recherche, getuigen, bewijzen. Een precies tijdstip. Maar hier is niets van dat alles. Er zit een grote kloof tussen de daad waardoor Robbie Bishop om het leven is gekomen en het overlijden zelf. En we weten niet waar of wanneer of in het gezelschap van wie die fatale daad heeft plaatsgevonden.' Ze schampte over het tapijt met de punt van haar schoen. 'Hoe meer we ontdekken, hoe onduidelijker het wordt. Kevin had gelijk, deze moordenaar is verdomme net Casper, het vriendelijke spookje.'

Tony wachtte even tot hij zeker wist dat ze al haar frustraties had geuit. 'Zo negatief als jij het voorstelt is het nu ook weer niet. We weten wel een paar dingen over hem. Ik bedoel, afgezien van dat verband met Harriestown High en dat hij Temple Fields even goed kent als een hoer.'

Carol keek hem sceptisch aan. 'Wat dan bijvoorbeeld?'

'We weten dat hij van tevoren alles plant. Hij heeft hier goed over nagedacht en toen besloten hoeveel risico hij kon lopen, dus we weten dat hij niet roekeloos is. Hij heeft geen behoefte om zijn slachtoffer te zien lijden. Hij vindt het prima als dat ergens anders gebeurt. Dus wat voor soort leerling hij ook geweest moge zijn, hij was in ieder geval niet de grootste pestkop van de klas. Weten we of Robbie op school bekend stond als een pestkop?'

Carol schudde haar hoofd. 'Schijnbaar niet. Volgens iedereen was het een leuke jongen. Hoewel we ons nog heen moeten ploeteren door iedereen die op de website van Best Days staat en hem heeft gekend.'

'Juist. Dus dit heeft niets te maken met de wraak van iemand die als puber vernederd is. Tenzij die wraak te maken heeft met succes...' Tony's stem stierf weg en hij trok rimpels in zijn voorhoofd. 'Daar moet ik wat langer over nadenken. Maar we weten wel dat hij over kennis moet beschikken van scheikunde of farmacologie. Ik bedoel, hij maakt niet alleen ricine, hij maakt ook zetpillen met ricine erin. Ik zou niet weten hoe ik dat moest aanpakken.'

Carol bukte zich om uit de plastic zak die ze bij zich had een fles Australische *shiraz* met een schroefdop te halen. 'Ik zou met internet beginnen. Daar leer je tegenwoordig toch alle nieuwe dingen? Mag je hier iets van hebben?'

'Waarschijnlijk niet, maar laat je daardoor niet weerhouden. Er staan plastic bekers in de badkamer.'

Toen Carol terugkwam met twee flinke bekers rode wijn, zei hij: 'En nu we het toch over internet hebben...'

'Mmm?' Carol proefde genietend van haar drankje. Ze had na de lijkschouwing stiekem een paar glazen achterovergeslagen, maar afgezien daarvan was dit haar eerste van de dag, een prestatie op zich.

'Ik denk niet dat dit de eerste keer is dat hij dit heeft gedaan. Hij is veel te zelfverzekerd voor een beginneling.'

Hij zag de sceptisch blik op haar gezicht. 'Jij ziet overal seriemoordenaars, Tony. Wat heb je daar in vredesnaam voor bewijs voor. Behalve dat het je niet bevalt dat deze moordenaar gewoon heel goed is, of dat hij geluk heeft gehad.'

'Ik geloof niet in geluk hebben. Geluk hebben is als onze intuïtie ons de goede kant op stuurt. En intuïtie is een resultaat van observatie en ervaring. Wist je dat er een recent onderzoek is geweest waaruit naar voren komt dat we betere beslissingen nemen als we op onze instinctieve reacties vertrouwen dan wanneer we de voor- en nadelen van een situatie tegen elkaar afwegen?'

Carol grijnsde. 'Ik zie dat je alweer gezond genoeg bent voor een paar wilde gedachtesprongen. Je hebt de vraag niet beantwoord, Tony. Wat voor bewijs heb je voor je bewering dat hij het al eens eerder heeft gedaan.'

'Zoals ik al zei, Carol: internet. De bron van alle lulkoek en soms ook van verstandige zaken. Sinds ons gesprek van gisteren ben ik op jacht geweest en ik heb iets heel interessants ontdekt.' Hij trok zijn laptop naar zich toe, klikte de muis aan en draaide de computer om naar Carol. Terwijl zij het korte artikel uit de plaatselijke krant op het scherm doorlas, zei hij: 'Danny Wade. Zevenentwintig jaar oud. Hij is twee weken geleden gestorven in zijn luxe huis in een buitenwijk aan de rand van Sheffield. Hij was vergiftigd met wolfskers. Belladonna, de mooie dame. Ze gaan ervan uit dat het in een vruchtentaart zat die door zijn Poolse huishoudster is gebakken. Vruchtentaart is prima geschikt, zie je, want belladonnabessen zijn berucht vanwege hun zoetheid. En er staat een belladonnastruik bij het terras. Je moet er trouwens achter zien te komen of het een potplant is. Het is mogelijk dat de moordenaar hem bij zich had. De huishoudster ontkent dat ze ooit een vruchtentaart heeft gebakken, ook al stond er nog een stuk van de taart in de ijskast met daarin de dodelijke bessen van de wolfskers. En de avond dat hij is gestorven had zij vrijaf. Ze was bij haar vriend in Rotherham, zoals elke woensdag en zaterdag. Ze zijn met een gerechtelijk onderzoek begonnen, maar hebben dat afgebroken omdat ze eerst nog meer informatie wilden hebben.'

'Ik begrijp niet waarom je denkt dat dit' – ze wees naar het scherm – 'iets te maken heeft met Robbie Bishop,' zei Carol. 'Het lijkt me een duidelijke zaak. De huishoudster heeft een fout gemaakt met de bessen en nu liegt ze erover. Een tragisch ongeluk. Dat staat hier ook.'

'Maar stel dat ze niet liegt? Als ze de waarheid spreekt, is dit het tweede voorbeeld van een man van in de twintig die slachtoffer is van een hele bizarre vergiftiging.' Tony probeerde wat bij te draaien zodat hij Carol recht kon aankijken, maar dat lukte niet. 'Verzet die stoel eens een beetje, dan kan ik je tenminste zien,' zei hij ongeduldig. 'Alsjeblieft.'

Een beetje verbaasd voldeed Carol aan zijn verzoek. 'Oké, nu kun je me zien. Dit is niet meer dan een veronderstelling, Tony.'

'Het is altijd een veronderstelling, totdat je het bewijs in handen hebt. Ik werk nu eenmaal met veronderstellingen. Dat noemen we profielschetsen. Anderen, niet ik, praten erover alsof het een wetenschap is, maar het gaat om veronderstellingen die gebaseerd zijn op ervaring, waarschijnlijkheid en instinct. Meestal meer kunst- en vliegwerk dan wetenschap, als we eerlijk zijn. Zelfs de algoritmes die de geografische profielschetsers gebruiken draaien om waarschijnlijkheden, niet om zekerheden.'

'Laat me dan iets zien wat zwaarder weegt dan de waarschijnlijkheid dat een allochtone huishoudster liegt over het per ongeluk doodmaken van haar baas,' zei Carol. Hij zag dat ze probeerde hem te ontzien, dat ze dacht dat zijn scherpe verstand was afgestompt door pijn, medicijnen en vreemde slaappatronen.'

'Danny Wade kwam oorspronkeljk niet uit de stad waar hij is vermoord. Hij is een paar jaar geleden naar Dore aan de westkant van Sheffield verhuisd, omdat hij zijn buik vol had van de manier waarop hij werd lastiggevallen in de plaats waar hij woonde. Dat was in Bradfield. De reden waarom hij daar geen rust kreeg was dat hij drie jaar geleden de loterij heeft gewonnen. En dat ging om een substantieel bedrag. Meer dan vijf miljoen. Hij had als conducteur op de treinen van Virgin gewerkt. Hij was niet getrouwd. De twee dingen waar hij van hield waren zijn modeltreinen en zijn honden, een paar Lakeland terriërs. Hij was een beetje een eenling. Totdat hij het geld won. Toen kwamen ze opeens uit alle hoeken en gaten gekropen. Oude schoolvrienden die ook wel een graantje mee wilden pikken. Vroegere collega's die net deden alsof hij hun iets schuldig was. Verre familieleden die zich opeens herinnerden dat het hemd nader is dan de rok. En dat werd Danny allemaal een beetje te veel.'

'Maar hij had tenminste nog geld,' zei Carol 'Daar kun je een heleboel rust mee kopen, met vijf miljoen.'

'Daar kwam Danny ook achter. Hij nam de benen en kocht een prachtig huis aan de rand van de Yorkshire Moors. Hoge muren, elektrische hekken. Ruimte genoeg voor al zijn modeltreintjes. Hij zei tegen niemand waar hij heen was verhuisd, zelfs niet tegen zijn pa en ma. Niemand die hem lastigviel, behalve Jana Jankowicz, die – daar is iedereen het over eens – een erg aardige jonge vrouw is met een verloofde die als elektricien in de bouw werkt in Rotherham.'

Carol schudde ongelovig haar hoofd. 'Waar heb je dat allemaal opgeduikeld? Dit is honderd keer zoveel achtergrondinformatie dan in de plaatselijke krant stond.'

Tony zat er tevreden bij. 'Ik heb met de verslaggever gesproken. Bij dit soort verhalen hebben ze altijd meer in hun notitieboekje staan dan wat er uiteindelijk in het artikel komt te staan. Zij heeft me het mobiele nummer van Jana gegeven. Die heb ik dus gebeld. En volgens de mooie Jana was Danny zo blij als een kind met zijn honden en zijn treintjes en zijn drie maaltijden per dag. En nog iets. Ik had al ontdekt dat Danny op Harriestown High heeft gezeten. Twee jaar boven Robbie Bishop. En hoewel het Engels van Jana nog niet goed genoeg was voor diepzinnige en intieme gesprekken begreep ze er genoeg van om me te kunnen vertellen dat Danny een paar dagen voor zijn dood thuis was gekomen uit de plaatselijke pub en had gezegd dat hij iemand had ontmoet met wie hij op school had gezeten.' Hij grijnsde, zo blij als een kind. 'Wat denk je daarvan?'

Carol schudde haar hoofd. 'Ik denk dat je te lang opgesloten hebt gezeten.'

Hij spreidde zijn armen in een gefrustreerd gebaar. 'Er zijn verbanden, Carol. Moord op afstand met rare vergiften. Beide slachtoffers zaten op dezelfde school. Beide waren rijk. En beide zijn vlak voordat ze stierven een oude schoolvriend tegen het lijf gelopen.'

Carol schonk haar glas bij en nam een slok van haar wijn. Haar lichaamstaal was even strijdlustig als haar woorden. 'Kom nou, Tony. Danny's dood was geen moord. Voor zover ik kan zien denkt niemand, behalve jij, dat het meer was dan een tragisch ongeluk. Ik weet niet veel van vergiften, maar ik weet wel dat als je iemand stiekem wolfskers toedient in een pub, dat ze dan diezelfde nacht al dood zijn en niet een paar dagen later. En Danny zat niet in hetzelfde jaar als Robbie. Denk eens terug aan je eigen schooltijd. Je gaat om met de kinderen uit je eigen jaar. Oudere kinderen willen niets met je te maken heben en alleen losers gaan om met kinderen die jonger zijn dan zij. Dus een schoolvriend van Robbie zou niet gauw een vriend van Danny zijn geweest. Ik bedoel, het klinkt niet alsof ze veel gemeen hadden.' Carol liet haar handen openvallen alsof ze twee dingen tegen elkaar afwoog. 'Laten we eens kijken. Topvoetballer. Treintjesgek. Hmm. Even denken.' Ze wees naar het krantenartikel op het scherm van de laptop. 'Kijk eens naar Danny. Hij is niet aantrekkelijk. Hij is niet sportief. Wat zou hij nu gemeen kunnen hebben met Robbie Bishop?'

Tony keek wat beteuterd. 'Ze zijn allebei rijk geworden en zijn arm begonnen,' probeerde hij.

'En daar hebben ze allebei niets aan gehad. Je kunt beter geluk hebben dan rijk zijn, als je doodgaat voor je dertigste.' Carol sloeg de rest van de wijn achterover. 'Leuk bedacht, Tony. Heel interessant. Maar ik denk dat je spoken ziet. En ik moet nodig naar huis, want ik moet eens een keertje behoorlijk slapen.' Ze stond op en trok haar jas aan, boog zich toen voorover om hem wat onhandig te omhelzen en een zoen op de wang te geven. 'Ik probeer morgen weer te komen. Kijk maar eens of je nog iets kunt bedenken waar je me mee kunt vermaken, oké?'

'Ik zal mijn best doen,' zei hij. Hij had lang geleden al geleerd dat teleurstelling vaak de drijfveer was voor zijn beste werk.

Jonty Singh zag eruit als een grote dikke verkreukelde beer, zoals hij daar in een hoek van het Balti restaurant in het centrum van Dudley zat. Hij zag er wat misplaatst uit tegen de traditionele kitscherige achtergrond. Toen Sam hem eenmaal had opgespoord, was rechercheur Singh met het voorstel gekomen om elkaar in een restaurant bij hem in de buurt te treffen. Daar hij Sam een gunst bewees, kon hij er alleen maar mee instemmen. 'Ik ben die grote griezel achterin met het bruine streepjespak zonder tulband,' had Singh gezegd. Sam verwachtte dat hij hem zonder problemen zou herkennen en dat klopte ook. Zodra hij de Shishya Balti was binnengestapt, zag hij Singh al zitten. Hij was in een geanimeerd gesprek verwikkeld met een ober. Singh had niet gelogen over zijn omvang; hij zat op een stoel gepropt aan de hoek van een tafeltje voor vier personen en zelfs zittend torende hij nog hoog boven de tafel uit. Hij had een dikke bos glanzend zwart haar, grote bruine ogen, een flinke joekel van een neus en een vooruitstekende kin. Het was niet een gezicht dat je gauw zou vergeten.

Sam zocht zich een weg door het overvolle restaurant. Hij was nog geen zes passen binnen of de forse man brak zijn gesprek af en richtte zijn blik op de vreemde eend in de bijt. De ober schoot weg en Sam liep naar Singh toe. Toen hij bij hem in de buurt was, duwde Singh zich overeind. Hij was bijna twee meter lang en zag er indrukwekkend uit. 'Sam Evans?' zei hij met een veel lichtere tenor dan je van iemand van die omvang zou verwachten. Hij stak zijn handen uit en schudde de hand van Sam met twee handen tegelijk. 'Ik ben Jonty Singh, aangenaam. Hoe is het?' Die paar woordjes, in het onmiskenbare accent uit het industriegebied rondom Birmingham, deden Sam al pijn aan zijn oren.

'Goed, dank je.'

'Ga zitten.' Singh gebaarde naar de stoel tegenover hem en zwaaide naar een ober. 'Twee grote glazen bier, als dat kan.' Zijn grijns was open en vriendelijk. 'Durf je het aan dat ik voor ons beiden bestel?'

Sam verkeerde in geen enkele twijfel over het juiste antwoord. 'Doe maar,' zei hij, en hij berustte al in het vooruitzicht van een gigantische verzameling vlees met te veel saus, onherkenbare groenten en klonterige rijst. Daarvoor hoefde hij niet dat hele eind naar

Dudley te rijden, maar als hij daar relevante informatie over Rhys Butler mee in handen kreeg, zou hij alles manmoedig doorslikken en op de snelweg wel even stoppen om een paar maagtabletten in te nemen.

'Ik ben gek op deze tent,' vertrouwde Singh hem toe. 'Hij is van twee ooms van me, maar dat is alleen maar meegenomen. Als ik kon, at ik hier verdomme elke avond.'

Sam probeerde de omvangrijke buik van Singh te negeren en wist een voor de hand liggende reactie binnen te houden. 'Er gaat niets boven een goede curry,' loog hij. Singh riep de ober en begon enorm te ratelen in een taaltje waarvan Sam vermoedde dat het Punjabi was.

Singh richtte zijn aandacht weer op Sam. 'Zo, jij ben dus geïnteresseerd in Rhys Butler. Nou, zij zijn hier niet van gisteren, Sammy. Je hoeft geen genie te zijn om uit te vogelen dat je op de zaak van Robbie Bishop zit. Het grappige is dat ik het er nog over had dat ik jullie eens moest bellen over onze Rhys, maar mijn brigadier dacht dat het wat te vergezocht was. En dan sta jij opeens op mijn voicemail met al je vragen.' Hij begon bulderend te lachen waardoor de mensen drie tafels verderop nog omkeken. 'Leuk dat ik gelijk had.'

'Om je de waarheid te zeggen, Jonty, hebben we nog geen enkel houvast. Ik zit me hier aan een paar strohalmen vast te klampen,' zei Sam. De ober kwam aanrennen met een stapel gekruide papadums en een bord met tafelzuur. Jonty stortte zich op het eten als een agressieve hond op een klein poesje. Sam wachtte tot zijn eerste aanval voorbij was en brak toen voorzichtig een stukje van een papadum af. Ze waren in ieder geval knapperig vers, dacht hij, toen een rokerig hapje met zwarte peper het zachte deel van zijn gehemelte kietelde.

'Dus toen de lieftallige Bindie je vertelde over Rhys Butler dacht je, laat ik maar eens gaan rondsnuffelen. Heel terecht, Sammy, precies wat ik ook zou hebben gedaan.'

Sam deed maar geen moeite om de misvatting te corrigeren over hoe de naam van Butler in het onderzoek was opgedoken. 'Wat kun je over Rhys Butler vertellen?'

Een enorme berg bhaji's en pakora's werd op tafel gezet en Singh ging er eens goed voor zitten. Tussen de happen door en soms, tot schrik van Sam, ook tijdens het kauwen vertelde hij het verhaal van Rhys Butler. 'Normaal gesproken zou zo'n vechtpartij op de stoep van een nachtclub door de jongens in uniform zijn afgehandeld. Maar wij werden erbij betrokken vanwege de persoon die het betrof.' Hij grijnsde. 'Natuurlijk waren er ook lui die vonden dat we die Rhys zijn gang hadden moeten laten gaan. Hem lekker op Robbie los laten timmeren, omdat Robbie vorig jaar die voorzet heeft gegeven voor de winnende goal van de Vics tegen Aston Villa in de kwartfinale van de beker. Er wordt wel veel verteld over de West Midlands, maar aan dat soort onzin doen we niet meer.'

Sam zette zijn tanden in een perfecte vispakora – knapperig van buiten, zacht op de tong, mals van binnen – en hij begon zijn eerste indruk van de Shishya te herzien. Dit was bepaald niet meer van hetzelfde. 'Heerlijk eten,' zei hij, waardoor hij meteen de juiste snaar wist te raken bij Singh.

De dikke man begon te stralen. 'Verdomde lekker, hè? Oké, toen wij er eenmaal waren, was het al voorbij. Volgens getuigen komt Robbie de club uit met een paar vrienden en Rhys Butler vliegt op hem af en begint hem met voeten en vuisten te bewerken. Gelukkig voor Robbie is onze meneer Butler niet zo'n vechtersbaasje. Een paar van zijn schoppen en klappen komen wel aan, maar de vrienden van Robbie trekken hem weg en blijven hem vasthouden tot mijn collega's in uniform er zijn. Eenmaal ter plekke besluiten we om iedereen mee naar het bureau te nemen om te zien wat er is gebeurd, weg van nieuwsgierige blikken en de camera's.'

Er waren alleen nog maar een paar kruimels over van de voorgerechten. Voordat Sam adem kon halen, werd het bord onder zijn neus weggerukt en vervangen door een zestal schaaltjes met verschillende hoofdgerechten. Er verscheen een schotel met champignonbiryani geflankeerd door allerlei Indiase broden. De verschillende geuren prikkelden Sams neus en veroorzaakten een hongergevoel dat hij niet had verwacht. Singh laadde zijn bord vol en gebaarde naar Sam dat hij dat ook moest doen. Sam had geen tweede uitnodiging nodig.

'Eerst is Robbie er helemaal voor om het erbij te laten. Hij is niet echt verwond, die dingen gebeuren nu eenmaal in het vuur van de strijd, het stelde niets voor, bla bla bla. Dan noem ik Butlers naam en opeens begint hij met "geef hem maar een flinke straf, zet hem achter de tralies, hij is een gevaar voor de samenleving". Eerlijk gezegd snap ik er niets van. Ik laat hem maar wat raaskallen tegen mijn collega en ik ga weer terug naar de verhoorkamer om te zien of Butler nog iets wil zeggen. En dan komt het er allemaal uit. Hoe Bindie Blyth de liefde van zijn leven is. Maar dat Robbie ertussen is gekomen, en dat hij haar niet goed behandelt. En dat Butler dus besloten had om hem een lesje te leren.'

Singh wees met zijn vork naar een donkerbruine prut. 'Dat moet je ook nog even proeven. Lamsvlees met spinazie en aubergine en alleen mijn tante weet welke kruiden erin gaan. Ik kan je verzekeren dat je je eigen grootmoeder zou verkopen voor een kommetje met dat spul.' Hij scheurde een stuk van een brood af en schepte er de lamsstoofpot mee op. Daarna bracht hij handig het afgeladen stuk brood naar zijn mond zonder een druppel te morsen.

'Dus vertel ik hem eens goed waar hij mee bezig is. Hoe hij, als hij zo doorgaat, achter de tralies terechtkomt. En hoe een keurige jongen als hij daar kapot aan gaat. Hoe hij zijn huis zal verliezen, zijn baan... En dan is er geen houden meer aan. Tranen, gesnotter, noem maar op. Blijkt dat hij zijn baan al kwijt is. Daardoor is hij door het lint gegaan. Dus kletsen we een poosje en als we klaar zijn, heeft hij ingezien dat hij fout zit.' Hij zweeg om nog wat meer eten naar binnen te laden.

'Het smaakt super,' zei Sam. 'Dit doet me echt goed na de week die ik heb gehad. Wat is er toen gebeurd?'

'Nou, ik ga terug om nog eens met Robbie te praten. Ik breng naar voren dat hij zijn vriendin en zichzelf geen dienst bewijst als hij deze arme zielenpoot een proces aandoet. Ik zeg dat Butler belooft om nooit meer contact met Bindie op te nemen, om haar vanaf dat moment met rust te laten en dat ik denk dat het voor iedereen het beste is om Butler een waarschuwing te geven en de hele zaak te laten zitten. Robbie is daar niet zo enthousiast over, maar hij ziet wel in dat ze het beter uit de kranten kunnen houden. Ten slotte beloof ik ook nog dat ik persoonlijk een oogje op Butler zal houden en dan gaat Robbie overstag. En we komen overeen dat als Bindie nog één keer iets van Butler hoort, ik hem daarvoor zal arresteren.' Hij keek Sam verwachtingsvol aan.

'En?' zei Sam gehoorzaam.

'Ik heb mijn woord gehouden. Gedurende de maanden daarop ben ik om de paar weken onverwacht bij Butler langsgegaan. De eerste keer hing zijn hele huis vol met foto's van Bindie en met artikelen over haar. Ik heb hem gezegd dat hij die rotzooi moest weggooien. Dat als hij van plan was om haar te vergeten en een eigen leven te beginnen dat hij dan niet haar gezicht iedere minuut van de dag moest zien. De keer daarop hing er niets meer. Je kon nergens aan zien dat hij ooit van haar had gehoord. En dat was het. Ik heb ook nooit meer iets van haar of van Robbie gehoord, dus ik neem aan dat hij zijn woord heeft gehouden. Toen, een week of zes geleden, kreeg hij eindelijk een andere baan en is hij verhuisd naar Newcastle en meer weet ik niet.' Hij lette heel even niet meer op het eten en zocht zijn zakken af. Hij haalde een opgevouwen stukje papier tevoorschijn en gaf dat aan Sam. 'Een nieuw adres in Noord-Oost-Engeland.'

Sam stak het bij zich zonder ernaar te kijken. 'Die nieuwe baan... Wat doet Butler eigenlijk voor de kost?'

Jonty grijnsde langzaam en vals waarbij een stukje spinazie zichtbaar werd dat in de spleet tussen zijn voortanden zat. 'Ik vroeg me al af wanneer je met die vraag zou komen,' zei hij. 'Hij werkt als laboratoriumassistent in de farmaceutische industrie.'

Carol had gelijk. Hij klampte zich vast aan spoken. Maar aan andere spoken dan zij dacht. Tony rolde zijn hoofd van de ene naar de andere kant op zijn kussen. Hij moest praten, maar er was niemand die naar hem kon luisteren. Hij kon Carol hier niet bij betrekken, want er waren dingen over hemzelf waarvan hij niet wilde dat zij die te weten kwam. De enige psychiater die hij voldoende vertrouwde om zijn hart bij te luchten was op vakantie in Peru. En hij dacht er nog niet aan om deze ellende aan een van de assistenten van mevrouw Chakrabarti op te biechten.

Hij zuchtte en drukte op de knop om een verpleegster te roepen. Er was wel iemand bij wie zijn geheimen veilig zouden zijn. De enige vraag was of hij bij die persoon op bezoek mocht.

Na twintig minuten, een telefoontje naar Grisha Shatalov, en dankzij een rolstoel en een portier, zat Tony uiteindelijk dan toch alleen bij het kille lijk van Robbie Bishop. Tony's stoel stond met de rug tegen een rij laden in het mortuarium aan en de la met Robbie erin was er naast hem uitgetrokken. 'Ik zou je niet hebben herkend,' zei Tony, toen de deur achter de portier in het slot viel. 'Ik beloof je dat ik mijn uiterste best zal doen om Carol te helpen de persoon te vinden die jou dit heeft aangedaan. Als tegenprestatie mag jij nu even naar me luisteren.'

'Er zijn een paar dingen die je nooit tegen een ander levend wezen kunt zeggen. Niet bij het werk dat ik doe. Je zou de afschuw en walging die je op hun gezichten zou zien niet kunnen verdragen. En dat zou nog maar het begin zijn. Ze zouden het daar niet bij kunnen laten. Ze zouden er iets aan moeten doen. Iets aan mij moeten doen.'

'En ik wil echt niet dat er iets aan mij wordt gedaan. Niet omdat ik gelukkig ben, en pijnloos en goed aangepast door het leven ga. Want dat is overduidelijk niet zo. Hoe zou dat ook kunnen met de baan die ik heb'

'Maar wat ik wel ben, is evenwichtig. Wat zei W.B. Yeats daar ook al weer over? *In balance with this life, this death*. Dat ben ik. Een perfecte balans precies op de grens tussen leven en dood, evenwichtigheid en krankzinnigheid, genot en pijn.

Ik rommel daar op eigen risico maar wat mee aan.

Dus ik zeg nu niet dat ik wil veranderen. Ik zie namelijk geen enkele reden om te veranderen Ik kan heel goed met mezelf leven, dank je. Maar als je doet wat ik doe is het onmogelijk te ontkennen dat het een impact heeft. Per slot van rekening ben ik afhankelijk van de meningen van anderen. Mensen die niet zijn zoals ik – en dan hebben we het waarschijnlijk over zo'n negenennegentig procent van de bevolking – hebben constant een mening over mij die meer gebaseerd is op hun eigen behoeften dan op mijn waarheid. Daarom wil ik niet dat iemand hoort wat ik te zeggen heb over mijn moeder. Vooral Carol niet.

Ik kwam laatst op een morgen langs de basisschool bij mij in de buurt, omdat ik melk moest kopen en daar waren ze, de kinderen en de ouders, en op de gezichten van beide groepen het hele scala aan gezichtsuitdrukkingen dat tussen vreugde en wanhoop ligt. Ik begon me dingen af te vragen over mijn eigen jeugdherinneringen. Er zijn veel fragmenten – een beeld van een huiskamer. Ik kan niet meer op de naam van de bewoner komen. De smaak van frisdrank voor eeuwig geassocieerd met het geluid van regen op het dak van de bijkeuken. De geur van de hond van mijn grootmoeder, het gevoel van nat gras op mijn knieën, de schokkende intensiteit van wilde aardbeien op de tong. Fragmenten, maar niet veel volledig afgeronde voorvallen.' Hij streek met een hand over zijn gezicht en zuchtte.

'Ik ben aanwezig geweest bij groepstherapiesessies en heb geluisterd naar andere mensen die uitgebreid en met opmerkelijk veel details praatten over dingen die ze als kind hadden meegemaakt. Ik kan niet met zekerheid zeggen of ze zich dit echt herinnerden of dat ze het verzonnen en daarmee een verhaal construeerden dat paste bij de paar sleutelelementen die ze echt uit de modder van hun geheugen konden opgraven. Wat ik wel weet is dat het niet overeenkomt met de manier waarop mijn herinneringen werken. Niet dat ik hun herinneringen wil hebben. Ze zijn banaal of afgrijselijk en alles wat daartussenin zit. Geen van hen praat over zijn jeugd zoals schrijvers en dichters en filmmakers. Dit zijn geen geschiedenissen waar je heimwee naar zou voelen.

Dat is het enige wat ik gemeen heb met die mensen die een volledig verhaal vertellen en geen fragmenten. Ik heb geen heimwee naar mijn jeugd. Ik ben niet de persoon aan de eettafel die lyrisch wordt als hij verhaalt van de eindeloze zomers van zijn jeugd, het gouden licht op geschaafde knieën en de heerlijke geneugten van het hutten bouwen. Bij de zeldzame gelegenheden dat ik ergens wordt uitgenodigd, ben ík degene die stijf zijn mond houdt over het onderwerp van zijn jeugd. Geloof me maar, niemand wil die paar losse stukjes horen die ik me kan herinneren.

Een voorbeeld. Ik ben aan het spelen op het kleed voor het haardvuur bij mijn grootmoeder thuis. Mijn grootmoeder verzamelt halve stuivers met schepen, waarom weet ik niet meer. Ze heeft er een heel koekblik vol van, dat zo zwaar is dat ik het bijna niet kan tillen. Ik mag met de stuivers spelen en ik vind het leuk om er kasteelmuren mee te bouwen. Het leukste is om dan net te doen of je de vijand bent als het af is; ze storten op een erg bevredigende manier in. Ik zit dus op dat kleed met die halve stuivers en val niemand lastig. Grootmoeder is tv aan het kijken, maar het is een programma voor volwassenen dus ik let er niet op.

De deur gaat open en mijn moeder komt binnen, nat van de regen tijdens de wandeling vanaf de bushalte. Ze ruikt naar rook en mist en muffe parfum. Ze kan bijna haar jas niet uit krijgen. Ze ploft neer in een leunstoel, graait in haar tas naar haar sigaretten en zucht. Grootmoeders mond verstrakt en ze staat op om thee te zetten. Terwijl ze weg is, negeert mama me. Ze legt haar hoofd in haar nek en blaast rookkringetjes naar het plafond. Ik herinner me dat ik vond dat ze er nukkig en verongelijkt uitzag. Als kind kende ik die woorden nog niet, maar ik wist zelfs toen al dat ik uit haar buurt moest blijven.

Grootmoeder kwam weer binnen met de thee en reikte mama een beker aan. Ze nam een slok, trok een lelijk gezicht omdat de thee te heet was en zette die toen neer op de brede leuning van de stoel. Haar mouw moet erachter zijn blijven haken toen ze haar hand terugtrok, want de beker viel om in haar schoot. Ze sprong op omdat ze zich verbrandde, deed een raar dansje en trapte de halve stuivers over de vloer.

En ik moest lachen.

Ik lachte haar niet uit. God mag weten dat ik onderhand maar al te goed begreep dat pijn nooit om te lachen was. Ik lachte van de zenuwen, een ontlading van angst en verbazing. Maar omdat ze zelf buiten zichzelf was van pijn en van de schrik, begreep mijn moeder daar niets van. Ze trok me bij mijn haren overeind en gaf me zo'n harde klap dat ik niets meer kon horen. Ik zag haar mond bewegen, maar ik hoorde niets. Mijn hoofdhuid was een bevend omhulsel van helse pijn en mijn gezicht gloeide alsof ik er met een bos brandnetels van langs had gekregen.

Daarna duwde oma mama weer in haar stoel. Mama liet mijn

haren los toen ze neerplofte en oma greep me bij de schouders en duwde me voor zich uit de hal in en gooide me zo hard de kast in dat ik terugstuiterde van de achtermuur. Het was al morgen toen de deur weer openging.

Ik weet dat dit geen opzichzelfstaand incident was. Ik weet dat omdat ik veel verschillende fragmenten van verblijven in de kast heb. Wat ik over het algemeen niet heb, zijn hele voorvallen. Verscheidene beroepsmensen hebben aangeboden me te helpen met het opvullen van die lege plekken, alsof dat zo wenselijk was. Alsof het een traktatie voor me zou zijn om toegang te krijgen tot nog meer van die heerlijke herinneringen.'

'Zij zijn gekker dan ik.' Hij zuchtte. 'En nu is ze terug. Ze is al zo lang weg uit mijn leven dat ik mezelf kon wijsmaken dat ik er overheen was. Als bij een ongelukkige liefdesaffaire. Maar dat is niet zo.' Hij rolde met de stoel naar voren en duwde de lade dicht. 'Bedankt voor het luisteren. Je hebt wat van me te goed.'

Tony knipperde de tranen in zijn ogen weg en manoeuvreerde de rolstoel naar de telefoon toe. Hij begreep niet precies hoe, maar iets in hem was veranderd. Hij kon niet precies zeggen waarom, maar hij voelde zich prettiger. Hij toetste het nummer van de portiersloge in. 'Hoi,' zei hij. 'Ik ben klaar.'

De Moeder van Satan. Zo noemden ze het eindproduct waar Yousef naar streefde. Triacetontriperoxide. TATP. Het had blijkbaar die bijnaam gekregen vanwege het instabiele karakter ervan. En daarom ging hij voorzichtiger te werk dan hij ooit in zijn leven had gedaan. Als je voorzichtig was kon je buitengewone dingen te doen. De mensen die een bom wilden laten afgaan in de Londense ondergrondse sleepten het hele zootje in rugzakken met zich mee. Eerst de ene trein in, de andere uit. Op weg van de trein naar de ondergrondse. Dus als hij het goed deed was het veilig. Totdat hij wilde dat het onveilig werd natuurlijk.

Hij las nog een keer de instructies door. Hij had ze al uit zijn hoofd geleerd, maar hij had ze ook nog in grote letters uitgeprint. Nu bevestigde hij de vellen papier aan de muur boven de geïmproviseerde laboratoriumwerkbank. Hij trok zijn beschermende uitrusting aan, haalde toen een voor een zijn chemicaliën uit de ijskast, en zette de drie vaten op de werkbank. Achttien procent waterperoxide gekocht bij een leverancier van chemische stoffen om hout mee op te bleken. Zuivere aceton bij de gespecialiseerde verfhandel. Zwavelzuur voor accu's bij de winkel voor motoraccessoires. Hij zette een bekerglas klaar, een maatbuisje, een thermometer, een roerstokje en een pipet, allemaal van glas, en ernaast een afsluitbare wekfles. Het gaf hem een merkwaardig gevoel. Hij had nog nooit zoiets volwassens gedaan en toch leek het net alsof hij weer in het scheikundelokaal op school zat. De maffe scheikundefreak in de korte broek.

Hij verwijderde zich van de werkbank, deed zijn handschoenen uit en zette zijn oorbeschermers af. Hij had iets nodig om zijn zenuwen te helpen kalmeren. Hij pakte zijn iPod uit zijn rugzak, deed de kleine dopjes in zijn oren en zette zijn favoriete muziek op een random shuffle. Het langzame ritme van Talvin Singh vulde zijn hoofd. Imran zou lachen om zijn muziekkeuze, maar dat kon hem niets schelen. Yousef zette zijn oorbeschermers weer op, trok zijn handschoenen aan en ging aan het werk.

Eerst vulde hij de gootsteen met ijs en goot er nog wat koud water overheen om het effectiever te maken als afkoeler. Hij zette het lege bekerglas in het ijsbad en haalde diep adem. Nu kon hij niet meer terug. Van nu af aan was hij een bommenmaker. Om wat voor mooie reden hij het ook deed, in de ogen van de wereld overschreed hij nu een grens die door niets kon worden goedgemaakt. Gelukkig dus maar dat het hem geen moer kon schelen wat de wereld van hem dacht. Waar het er wel toe deed, zou hij voor altijd een held zijn, een man die deed wat er gedaan moest worden en op een manier die heel veel duidelijk maakte.

Hij mat de waterstofperoxide af en goot het toen in de beker. Hij slikte eens flink en deed toen hetzelfde met de aceton. Voorzichtig plaatste hij de thermometer in de beker en wachtte tot de temperatuur was gedaald tot het juiste niveau. Hij stond zachtjes mee te neurieën met 'Migration' van Nitin Sawhney. Alles liever dan na te moeten denken over wat er ging gebeuren nadat hij de procedure doorlopen had.

Nu kwam het lastige deel. Hij zoog precies de juiste hoeveelheid zwavelzuur op met de pipet. Druppeltje voor druppeltje voegde hij dit bij het mengsel en hield ondertussen de temperatuur goed in de gaten. Boven de tien graden ontplofte het. Dit was het punt waarop amateurbommenmakers te enthousiast werden, te snel te veel toevoegden en in stukjes gereten tegen de dichtstbijzijnde muren spetterden. Yousef wist absoluut zeker dat dit hem niet zou overkomen. Zijn vingers trilden, maar hij lette er goed op dat hij telkens als hij een druppel toevoegde de pipet van de beker weghaalde.

Toen het recept klaar was, begon hij er met het glazen staafje in te roeren. Vijftien minuten, stond er in het recept. Hij hield de tijd in de gaten. Toen, oneindig langzaam, haalde hij de beker uit het bad en zette hem in de ijskast na eerst nog te hebben gecontroleerd of de temperatuur op z'n laagst stond. Morgenavond zou hij terugkomen en de volgende stap uitvoeren, maar voorlopig had hij al het nodige gedaan.

Yousef deed de ijskast dicht en voelde hoe zijn schouders zich ontspanden van opluchting. Hij had op het recept vertrouwd; hij was niet stom en hij had het met andere recepten vergeleken die hij op internet had gevonden. Maar hij wist dat er dingen fout konden gaan bij het fabriceren van explosieven en dat dat ook gebeurde. Dat zou een zinloze verkwisting zijn geweest. Hij trok zijn beschermende kledij uit en gooide het op het rommelige bed.

Tijd om naar huis te gaan en de plichtsgetrouwe zoon en broer uit te hangen. Nog twee nachten en dan hoefde dat niet meer. Hij hield van zijn familie. Hij wist dat die liefde in twijfel zou worden getrokken door wat hij ging doen, maar voor Yousef stond het onomstotelijk vast. Hij hield van hen en hij vond het vreselijk dat hij ze zou gaan verliezen. Maar sommige dingen wogen zwaarder dan familiebanden. Dat had hij nog niet zo lang geleden ontdekt.

VRIJDAG

De vaalgrauwe stadslucht begon lichter te worden boven de andere kant van de stad, toen Carol haar auto vlak voor de tribune aan Grayson Street neerzette. Ze had haar motor nog niet afgezet of een agente in uniform die bijna letterlijk gebukt ging onder het gewicht van de wapenuitrusting aan haar riem, kwam haar kant al uitlopen. Carol stapte uit en wist precies wat ze te horen zou krijgen. 'Het spijt me, u mag hier niet parkeren,' zei de agente. Haar stem klonk vermoeid en toegeeflijk tegelijk.

Carol haalde haar identiteitskaart uit de zak van haar leren jack en zei: 'Ik ben zo weer weg.'

De jonge vrouwelijke agent kreeg een vlekkerig gezicht van schaamte. 'Sorry, mevrouw, ik herkende u niet...'

'Waarom zou je ook,' zei Carol. 'Ik draag geen uniform.' Ze gebaarde naar haar spijkerbroek en haar stoere laarzen. 'Ik wilde er niet als een smeris uitzien.'

De agente lachte onzeker. 'Misschien zou u dan ook niet hier moeten parkeren.' zei ze. Ze was zich er duidelijk van bewust dat ze zich op glad ijs begaf.

Carol lachte. 'Je hebt gelijk. En als ik niet zo weinig tijd had, zou ik hem ergens anders neerzetten.' Ze liep door naar de hekken waarvoor het trottoir bedolven was onder de bloemen, kaarten en speelgoedbeesten. Op sommige plaatsen lagen er zo veel dat je er bijna niet meer langs kon zonder op de straat te stappen.

Het leed geen twijfel dat Robbies dood een gecompliceerde emotionele reactie opriep. Door haar werk was Carol gehard tegen voorspelbare gevoelens. Je kon je niet permitteren om daaraan toe te geven als je een baan als deze had. Politiemensen, brandweerlieden, ambulancepersoneel – ze moesten allemaal al vroeg leren dat ze zich niet moesten laten meezuigen in het oprechte persoonlijke verdriet van de mensen met wie ze beroepshalve in contact kwamen. Ze hadden een bepaalde hoeveelheid immuniteit opgebouwd tegen de overweldigende uitingen van openbare emoties die volgden op gebeurtenissen als bijvoorbeeld de dood van Diana en de moord op de twee meisjes in Soham. Theoretisch wist ze dat ieder leven dat vroegtijdig werd beëindigd evenveel waard was. Maar bij een moord op iemand als Robbie Bishop – iemand die jong was en getalenteerd, iemand die miljoenen plezier verschafte – was het moeilijk om niet nog meer woede te voelen, nog meer verdriet, nog meer vastbeslotenheid om een zo goed mogelijke oplossing te vinden.

Ze had er af en toe een glimp van opgevangen achter de tv-verslaggevers, maar Carol had geen idee gehad van de omvang van de uitstalling voor het stadion. Het ontroerde haar, maar niet vanwege het sentimentele claimen van het recht op verdriet. Het ontroerde haar omdat het zo aandoenlijk was. De speelgoedbeesten en de kaarten zaten vol modderspatten die er door de passerende auto's waren opgespetterd. Ze waren doorweekt van de regen van de afgelopen nacht. Het trottoir, waarop overal verspreid verwelkte bloemen lagen, zag er langzamerhand uit als een illegale vuilstortplaats.

Zo vroeg in de morgen was zij de enige die bij de gedenkplaats stond. In een traag tempo reden er een paar auto's voorbij waarvan de bestuurders nauwelijks op de weg letten. Ze liep langzaam het hele hek langs. Aan het eind bleef ze staan en haalde haar mobieltje tevoorschijn. Ze wilde net op de beltoets drukken, toen ze zich bedacht. Tony lag in een ziekenfondsziekenhuis, niet in een particuliere kliniek en daarom was hij waarschijnlijk allang wakker. Maar als hij nog sliep, wilde ze hem niet wakker maken. Daarmee rechtvaardigde ze haar beslissing om niet te bellen, waarna ze haar telefoontje weer bruusk in haar zak stopte.

De waarheid was dat ze niet nog eens met hem wilde gaan bekvechten over het onwaarschijnlijke verband tussen Robbie Bishop en Danny Wade. Dat hij het ziekenhuis niet uit mocht was zo frustrerend voor hem dat hij spoken verzon om zijn hersens op gang te houden. Hij moest zich ergens mee bezig houden, dus had hij zich laten meeslepen door een combinatie van toevalligheden waar hij in andere omstandigheden om had gelachen. En in plaats van dat hij het van zich af zette, zag hij nu op de meest onwaarschijnlijke plekken seriemoordenaars. Ze vond het allemaal heel logisch. Het was zijn specialiteit en die miste hij waarschijnlijk het meest. Carol vroeg zich af hoe lang het zou duren voordat hij weer aan het werk kon, al was het maar parttime. Dan hielden de gekken van Bradfield Moor misschien zijn eigen demonen onder controle.

Ze kon alleen maar hopen. En in de tussentijd kon ze op haar eigen intuïtie vertrouwen. Haar intuïtie, moest ze toegeven, die was bijgeslepen door haar nauwe samenwerking met Tony. Ze hoefde hem haar ideeën niet altijd ter bevestiging voor te leggen. Ze haalde het mobieltje weer uit haar zak en toetste een nummer in. 'Kevin,' zei ze. 'Sorry dat ik je thuis stoor. Zou je op weg naar je werk even langs kunnen gaan bij onze jongens in uniform en vragen of er een paar naar Victoria Park kunnen komen om foto's te nemen van alles wat hier ligt. Ik wil een foto van elke kaart, brief en tekening. Alles wat er maar enigszins verdacht uitziet moet hiernaartoe worden meegenomen, zodat wij er met het team naar kunnen kijken. Tot straks,' Ze klapte haar telefoontje dicht en liep terug naar de auto. Tijd om naar huis te gaan om de kleren aan te trekken die ze altijd naar haar werk droeg. Tijd om tegenover zichzelf te bewijzen dat ze, als het moest, lastige zaken nog steeds zonder Tony kon oplossen.

Stacey Chen was steevast als eerste in de teamkamer aanwezig. Ze vond het fijn om in alle rust alleen met haar computers te zijn. Toen ze die vrijdag bij binnenkomst op kantoor Sam Evans aantrof, die al water had gekookt en een zakje earl grey in haar beker had gedaan, was ze onmiddellijk op haar hoede. Weliswaar kwam het bij dit team niet zo vaak voor, maar op al haar andere werkplekken stonden er altijd collega's in de rij om haar om een gunst te vragen. Iedereen wilde profiteren van de voordelen van de elektronica, maar erachter komen hoe ze het maximum uit computers konden halen was meestal te veel moeite. Ze vonden het veel gemakkelijker om van haar diensten gebruik te maken. En ze baalde er veel meer van dan ze ooit liet zien.

Ze nam de kop thee beleefd maar koeltjes in ontvangst en verborg zich toen weer achter haar twee schermen. Ze gunde zichzelf alleen nog even de tijd om het jasje van haar strenge Pradapakje op een hangertje te hangen. Sam zat kennelijk heel tevreden te werken achter zijn eigen computer, dus in plaats van waakzaam rond te kijken concentreerde ze zich op haar diepteanalyse van de meest intieme geheimen op de harde schijf van Robbie Bishop. Er waren een paar foto's die hij nog niet zo lang geleden gedeletet had en ze was vastbesloten om erachter te komen wat er stond op wat er nog van over was. Waarschijnlijk niets, maar Stacey kon niet goed tegen haar verlies.

Ze was er zo in verdiept dat ze pas in de gaten had dat Sam opstond en naar haar werkplek kwam, toen hij pal naast haar stond. Hij boog zich over haar heen waarbij hij een citrusachtige, kruidige en vooral mannelijke geur verspreidde. Stacey voelde hoe haar spieren zich spanden alsof ze bang was voor een klap. *Doe niet zo stom*, zei ze tegen zichzelf. *Het is Sam maar, jezusmina. Hij gaat je heus niet mee uit vragen of zoiets.* Ze zou dat best leuk hebben gevonden, ware het niet dat ze vermoedde dat hij uit was op iets in de virtuele wereld en niet in de werkelijkheid. 'Wat is er?' vroeg ze. Haar stem klonk absoluut niet uitnodigend.

'Ik vroeg me gewoon af of je wat hulp kon gebruiken bij het doorspitten van die e-mails van Robbie en zo.'

Stacey's wenkbrauwen schoten omhoog. Ze kon zich niet herinneren dat Sam ooit eerder een dergelijk aanbod had gedaan. 'Ik weet waar ik mee bezig ben, bedankt,' zei ze, zo stijf als een priesterboordje.

Sam stak zijn handen omhoog in wat zij interpreteerde als een gebaar van verzoening. 'Dat weet ik,' zei hij. 'Ik bedoelde alleen dat ik zou kunnen helpen als er echt iets gelezen moet worden. Ik laat het helemaal aan jou over als het ingewikkeld wordt. Maar ik dacht dat je misschien wat hulp kon gebruiken bij de stukjes die iedere simpele ploeteraar ook kan vinden.'

'Het gaat prima, dank je. Alles is onder controle. Robbie Bishop wist gelukkig niet zoveel van computers,' zei Stacey en ze wond er geen doekjes om dat ze mensen die niet zoveel wisten van computers eigenlijk maar niets vond. Misschien had ze meer succes met een paar subtiele insinuaties nu het blijkbaar niets uithaalde dat ze hem recht in zijn gezicht zei dat ze zijn hulp niet nodig had en ook niet wilde.

Sam haalde zijn schouders op. 'Je moet het zelf weten. Ik kom zelf namelijk niet veel verder, totdat iemand mij weer wat nieuwe informatie geeft. En wees nou even reëel...' Hij lachte wel leuk, dacht ze. Heel verleidelijk, als je tenminste het type was dat zich gemakkelijk liet verleiden.

'Reëel over wat?' moest Stacey vragen.

'Nou ja, eerlijk gezegd ben je veel te goed voor die onzin. Wat ik al zei, iedere simple ploeteraar kan dat ook. Maar die andere dingen, dingen waar stomkoppen als ik geen moer van begrijpen – daar hebben we jou voor nodig. De eenvoudige kost? Daar moet je mensen als mij mee opzadelen.'

'Mensen die wel de eer willen opstrijken, maar er niets voor willen doen, bedoel je?' Stacey glimlachte om haar woorden wat te verzachten.

Sam keek beledigd. Ze was verbaasd over zijn lef. Iedereen wist dat hij een streber was. Hij greep zijn borst vast en deed net alsof hij dodelijk bedroefd was. 'Ik kan niet geloven dat je dat zei.'

'Sam, je hoeft de schijn toch niet op te houden. Ik ben niet op mijn achterhoofd gevallen. Ik herinner me dat onderzoek naar de Sluiper, toen je op het laatst nog probeerde de chef de loef af te steken. Je moet wel een ongelooflijke streber zijn om zoiets krankzinnigs te proberen.'

Hij keek schaapachtig. 'Dat was toen. Geloof me, Stace, ik heb uit dat kleine misstapje mijn lesje wel geleerd. Kom op, laat me je helpen. Ik verveel me.'

'Je gaat je nog veel meer vervelen als ik je het verzamelde gelul van Robbie Bishop zou overhandigen. Daar ben ik al wel achter.'

De deur ging open en ze keken allebei op toen Chris Devine binnen kwam lopen. Ze zag eruit alsof ze een wandeling op het platteland ging maken met haar waxcoat, haar corduroy broek en groene rubberlaarzen. Ze zag hoe ze keken en trok een grimas. 'Ik weet het, ik weet het. Ik heb me verslapen, de hond moest worden uitgelaten en Sinead zit voor zaken in Edinburgh en wat moet je dan?' Ze schopte haar laarzen uit en trok een paar schoenen aan die ze uit een plastic zak van Tesco haalde. Onder de jas droeg ze een buitengewoon nette kasjmier trui.

'Een hele metamorfose,' zei Sam.

'Ja, ik zie er nog niet zo gek uit voor een ouwe taart, hè,' zei Chris. 'Wat voeren jullie in je schild?' Ze liep naar de elektrische waterkoker en de cafétière. Haar bijdrage aan de koffiezetapparatuur van het team.

'Ik bied aan om Stacey te helpen, maar dat wil ze niet,' zei Sam. Stacey tuitte haar lippen. Hij deed nu net alsof het probleem bij haar lag.

'Dat verbaast me niets,' zei Chris. 'Jij en computers? Voor zover ik kan oordelen...'

'Hij is er veel beter in dan hij laat blijken,' zei Stacey die verbaasd stond van haar eigen openheid. De blik die Sam haar toewierp straalde geen warmte uit, alleen maar kille berekening. Ze zag hoe Chris de situatie probeerde in te schatten. Van wat ze van Chris wist, zou die er alleen maar in geïnteresseerd zijn hoe ze deze spanning tussen haar en Sam op een zo creatief mogelijke manier kon gebruiken. Een manier die in het voordeel van het team werkte. Stacey vreesde voor wat er ging komen.

'Wat zou je dan willen doen, Sam?' vroeg Chris met een blik op hen beiden.

'Ik dacht dat Stacey meer tijd zou krijgen voor het moeilijkere spul als ik de e-mails zou doorlezen,' zei Sam met grote onschuldige ogen.

Chris keek naar Stacey. 'En dat is een probleem... Hoezo?'

Omdat, als hij iets vindt, hij wel zal zorgen dat ik iets over het hoofd heb gezien en dat hij de eer krijgt. Omdat ik hem niet vertrouw. Om-

dat ik denk dat ik hem misschien te aardig zal vinden en ik hem niet in mijn leven wil. 'Vanwege de veiligheid, brigadier. We kunnen ons niet veroorloven dat dit materiaal overal terechtkomt. Als bij een zaak als deze achtergrondinformatie in de verkeerde handen valt, dan staat het voordat je het weet in de sensatiebladen.'

'Ik snap wat je bedoelt, maar Sam is een van ons, Stacey. Hij begrijpt het belang van vertrouwelijke informatie. Ik zie het probleem niet. Als Sam geen eigen werk meer heeft, kan hij net zo goed jouw vervelende karweitjes opknappen.'

'Geen probleem, brigadier.' Stacey keek weer naar haar schermen, omdat ze niet aan Chris wilde laten zien hoe kwaad ze was. 'Ik zal alle relevante bestanden uitprinten,' zei ze in een laatste wanhopige poging om te verhinderen dat hij een directe toegang tot de bestanden kreeg.

'Dat hoeft niet,' zei Sam. 'Brand maar een cd'tje voor me of stuur ze naar mijn mailbox. Ik heb er geen probleem mee om van het scherm te lezen.'

Stacey wist wanneer ze verslagen was. Wat had het in godsnaam nog voor zin om lesbiennes in het team te hebben als ze de kant van de mannen kozen? 'Prima,' mompelde ze.

Toen Carol een uur later binnenkwam, had Stacey heel wat anders om zich zorgen over te maken dan wie Robbie Bishops e-mails zat te lezen.

Carol staarde met een ongelovige blik naar het scherm. Het tijdelijke postvak dat Stacey had geopend voor de reacties van abonnees van Best Days of Our Lives bevatte al meer dan tweehonderd antwoorden. Ze keek Stacey verdwaasd aan. 'Dat bevestigt jouw bewering dat we de onlinegemeenschap aan onze kant moeten krijgen,' zei ze droog. 'Wat heb je ze precies gevraagd?'

Stacey keek verveeld. 'De gebruikelijke dingen. Wanneer ze op school zaten, of ze Robbie kenden, alles wat ze uit de eerste hand kunnen vertellen over Robbie op school en daarna. Recente foto's van zichzelf en van iedereen met wie ze op school hebben gezeten. Wat ze op donderdagavond hebben gedaan. Of iemand dat kan bevestigen. En of ze misschien een slim idee hebben over wie Robbie dood wilde hebben en waarom.' Ze begon te grijnzen. 'Ik denk dat er heel wat mensen bij zitten die suggereren dat die rijke stinkerds die Chelsea en Man United hebben opgekocht erachter zitten.'

Carol kon niets inbrengen tegen de logica van Stacey. 'Oké. Chris en Paula, ik wil dat jullie alles onderling verdelen. Probeer er eventuele kandidaten uit te halen. Print de foto's uit. En vanavond moeten jullie daar nog maar eens mee naar Amatis. Eens kijken of een van de feestvierders er een gezicht uitpikt, of een van de mensen achter de bar.'

Chris boog zich naar voren om het scherm te bestuderen. 'Dat is nogal veel gevraagd. Terwijl we zitten te praten zijn er al weer vier binnengekomen. We hebben meer mensen nodig.'

'Ik heb het begrepen. Kijk maar hoe ver je vanmorgen komt. Als het te lang duurt moeten we elders een paar lui vandaan halen.' Carol keek de teamkamer rond. 'Sam, waar ben je mee bezig?' vroeg ze.

'Met Robbies e-mails,' zei hij zonder op te kijken.

'Oké. Als Chris en Paula hulp nodig hebben, kun je dat wel op een laag pitje zetten en hen gaan helpen.' Carol ging in gedachten na wat er allemaal nog moest gebeuren. Kevin zorgde ervoor dat de gedenkplaats bij het Victoria Park stadion grondig werd gefotografeerd en bekeken; hij zou op een bepaald moment ook terugkomen met nog meer potentieel bewijsmateraal, en dat moest dan weer ergens ingevoegd worden. Overal was men druk bezig. Maar de vraag was, zat er lijn in? Gingen ze de goede kant op? En hoe wisten ze wanneer dat zo was?

Op momenten als deze miste Carol de mogelijkheid om op de inzichten van Tony terug te vallen, hoe vergezocht die soms ook leken. Ze was zelf ook niet vies van een onorthodoxe denkwijze. Maar als je in het diepe sprong, gaf het altijd een veiliger gevoel als er iemand met een zwemband klaarstond die je bemoedigend toesprak.

In ieder geval kon ze erop vertrouwen dat de leden van haar team ook verder keken dan hun neuzen lang waren. Als er iets te vinden was, zouden ze het vinden. Het probleem was om erachter te komen wat het dan betekende en waar het naartoe leidde. Maar voorlopig kon ze alleen maar afwachten.

Het was altijd minder pijnlijk om van de fouten van anderen te leren dan om je eigen fouten te maken, dacht Yousef. Zoals die terroristen in Londen. Ze hadden elkaar ergens ontmoet en waren groepsgewijs met de trein naar Londen gereisd. Toen de veiligheidsdiensten de video's uit de camera's begonnen te bekijken, vielen ze meteen op. Ze waren gemakkelijk te herkennen, gemakkelijk op te sporen en daarna ook gemakkelijk te beschuldigen. Het was gemakkelijk om erachter te komen waar ze woonden, gemakkelijk om de netwerken te ontrafelen waar ze steun en vriendschap van hadden gekregen.

Dat zou allemaal veel meer vertraging hebben opgelopen als ze ieder op eigen gelegenheid naar het doelwit waren gereisd. Achteraf gezien hadden ze uiteraard de veiligheidsagenten op het verkeerde been moeten zetten, maar toen dat niet lukte hadden ze veel beter een vertraging in kunnen lassen. Nu hadden ze het hun wel erg gemakkelijk gemaakt. De verstandigste optie was om tijdens de periode voorafgaand aan het leggen van de bom zo weinig mogelijk contact met elkaar te hebben. Gezien het feit dat de Britten het best beveiligde volk ter wereld waren en gezien het feit dat het gros van de films uit de bewakingscamera's niet langer dan een paar weken werd bewaard, hadden ze afgesproken dat ze elkaar in die tijd niet zouden ontmoeten, tenzij er zich een noodsituatie voor zou doen. Het contact zou tot een minimum worden beperkt en als het niet anders kon, zouden ze zich bedienen van sms'jes met afgesproken codes. Het doelwit was volgens die code 'het huis', de bom was 'maaltijd', enzovoort. Ieder wist wat gedaan moest worden en ze waren bereid het te doen.

En dus zat Yousef in het café op het dak van het Stedelijk Museum van Bradfield. Aan het derde tafeltje links tegen de muur, onopvallend tussen de klanten die wat later op de morgen hun koffie kwamen drinken. Hij zat met zijn rug naar de kassa en naar de vitrine waaruit je zelf je eten kon pakken. Voor hem stonden een glas cola en een stuk citroencake die berucht was om de hoeveelheid calorieën. Hij had maar een paar happen naar binnen kunnen krijgen; het bleef in zijn keel steken als een brok zoete zandsteen. Niet alleen thuis had hij moeite met eten. De *Guardian* van die morgen, zonder het sportkatern, lag uitgespreid voor hem op tafel. Hij deed net alsof hij verdiept was in het G2-bijvoegsel, zijn linkerhand lag zo dat hij op zijn horloge kon kijken. Hij wipte nerveus met zijn rechterbeen.

Terwijl de minutenwijzer langzaam naar tien over kroop, voelde hij zijn gezicht warm worden, het zweet liep in een straaltje in zijn nek en langs zijn schouders. Zijn darmen krompen samen in angstige spanning.

Het duurde maar een paar seconden. Een vrouw in een wijdvallende regenjas liep vlak langs zijn tafeltje. Hij zag haar alleen maar van achteren, toen ze via de deur naar het terras toe liep, waar ze ging zitten met haar rug naar hem toe, een flesje mineraalwater naast zich. Ze droeg een donkere hoofddoek. Hij wou dat hij naast haar kon gaan zitten om de eenzaamheid die hij voelde wat op te heffen.

Op de tafel voor Yousef lag het sportkatern. Hij dwong zichzelf de rest van de cake op te eten en spoelde het weg met cola. Terwijl hij probeerde te verhullen hoe misselijk hij zich voelde door de plotselinge hoeveelheid suiker die hij had binnengekregen, raapte hij de krant bij elkaar en liep zo nonchalant mogelijk naar de uitgang.

Hij kon niet wachten tot hij terug was bij het busje. Hij glipte het herentoilet in, dat zich buiten het café bevond, en sloot zichzelf op in een hokje. Met onhandige zweterige vingers van de zenuwen bladerde hij het sportkatern door. Daar, ironisch genoeg tussen een groot artikel van twee pagina's over de kansen van Bradfield Victoria in de Premier League zonder Robbie Bishop, lagen veilig opgeborgen in een plastic mapje de papieren die hem naar de plaats zouden brengen waar hij morgen moest zijn. Een fax, zogenaamd van de algemeen directeur van Bradfield Victoria aan de firma die ze gewoonlijk inhuurden bij elektriciteitsproblemen, met een klacht over een dringend probleem met een kabelkast onder de Albert Vestey tribune. En een tweede fax van hun aannemers aan A1 Electricals, aan wie ze de dringende klus hadden uitbesteed.

Yousef haalde diep adem en durfde zich eindelijk een beetje te ontspannen. Het ging lukken. Iedereen zou er versteld van staan. Morgen zou de wereld er anders uitzien. Insjallah.

Tony raapte al zijn moed bij elkaar en zette met een zwaai het been dat nog heel was op de vloer. Dat was voldoende voor een scherpe pijnscheut door het hele andere been, ondanks de beugel die de kapotte knie op zijn plaats hield. Hij klemde zijn tanden op elkaar en gebruikte zijn handen om het been met beugel een stukje verder te tillen. Toen het de rand van matras had bereikt, liet hij los en viel bijna voorover, waarna hij met behulp van de zwaartekracht weer min of meer overeind kon komen. Het zweet stond in druppels op zijn voorhoofd en hij veegde het af met de rug van zijn hand. Hij moest en zou dit onder de knie krijgen, want anders mocht hij niet naar huis.

Hij rustte even uit en verdeelde zijn gewicht tussen zijn billen op het bed en zijn rechtervoet. Toen hij niet meer zo hijgde, stak hij zijn handen uit naar de elleboogkrukken die hij eerder op de dag had leren gebruiken. Zorgvuldig greep hij ze vast en zorgde ervoor dat zijn onderarmen in de plastic manchetten lagen. Nu de rubberen doppen nog op de vloer. Diep ademhalen.

Tony duwde zich overeind en stond verbaasd over zijn stabiele houding. Zijn krukken naar voren, een zwaai met het goede been, het slechte been erachteraan, tenen op de vloer, minimaal gewicht op de beschadigde knie. Pijnscheut. Niet ondraaglijk. Te harden met de tanden op elkaar en met samengeknepen billen.

Vijf minuten later had hij het toilet weten te bereiken. De terugkeer kostte hem acht minuten, maar zelfs in die korte tijd voelde hij al dat zijn bewegingen soepeler waren geworden, zelfverzekerder; hij kon Carol iets laten zien als ze weer langskwam. Als hij naar huis mocht, zou hij haar hulp nodig hebben. Het zou moeilijk zijn om erom te vragen, maar hij had zo het vermoeden dat wachten tot ze er zelf mee kwam, nog moeilijker was.

Weer in bed gaan liggen en een goede houding vinden nam een paar minuten in beslag. Hij beloofde zichzelf plechtig dat hij zoiets simpels als opstaan om naar de wc te gaan nooit meer als iets vanzelfsprekends zou beschouwen. Het kon hem niets schelen als de mensen lachten, maar hij zou daar met alle liefde gaan staan roepen: 'Kijk mij eens. Ik ben gewoon opgestaan en ben hierheen gelopen. Hebben jullie dat gezien. Ongelooflijk, hè?'

Toen hij eenmaal lag had hij geen excuus meer om niet aan Robbie Bishop en Danny Wade te denken. Of liever gezegd Danny Wade en Robbie Bishop. Het was mogelijk dat Danny Wade niet het eerste slachtoffer van Stalky was, maar nadat hij tot in den treure het internet had afgespeurd, kon Tony geen eerder voorbeeld vinden van iets wat op een karwei van zijn hand leek.

'Je houdt van het plannen en van het resultaat, maar je vindt de daad zelf niet zo leuk,' zei hij. 'Technisch gezien ben je nog geen seriemoordenaar, maar ik denk dat je die kant op gaat. En wat jou tot een uitzondering maakt is dat seriemoorden meestal om seks gaan. Misschien ziet het er niet altijd zo uit, maar daar gaat het toch telkens weer om. Verwrongen omwegen die verwrongen scenario's nodig hebben om te bewerkstelligen wat de meeste mensen betrekkelijk gemakkelijk gedaan krijgen. Maar daar gaat het jou niet om, hè? Je bent niet geïnteresseerd in de lichamen, als lustobjecten. Tenminste niet van seksuele lust.

'Dus waar haal jij je voldoening uit? Heeft het met politiek te maken? Een soort boodschap van "dood aan de rijken"? Ben je een neomarxistische strijder die per se degenen willen straffen die rijkdom hebben vergaard en die daar niets van willen delen met de mensen die nog steeds in de toestand verkeren waar onze helden uit zijn voortgekomen? Dat klinkt niet onlogisch...' Hij staarde naar het plafond, liet het idee op zich inwerken en bekeek het vanuit diverse perspectieven.

'Maar als dat zo is, waarom schreeuw je het dan niet van de daken? Je kunt geen politieke boodschap overbrengen als die is geschreven in een taal die niemand begrijpt. Nee. Je doet dit niet uit een behoefte om de een of andere abstracte politieke boodschap uit te dragen. Dit is hoe dan ook iets persoonlijks.'

Hij krabde op zijn hoofd. God, wat verlangde hij naar een keer echt douchen, heel lang onder een stroom water staan, zijn haren wassen en zijn hoofd opfrissen. Morgen misschien, had de verpleegster gezegd. Plasticfolie om zijn beugel doen, het aan zijn been vasttapen en dan maar afwachten.

'Dus als het niet seksueel is en niet politiek, wat zit er dan achter? Wat wil je hiermee bereiken? Als het alleen maar om Robbie ging, had het nog om wraak kunnen gaan voor iets wat op school is gebeurd – hij heeft iets van je afgepakt, hij heeft je gekleineerd, hij heeft je gekwetst en heeft dat waarschijnlijk niet in de gaten gehad. Maar Danny Wade kan zoiets onmogelijk hebben gedaan. Danny was een sukkel – modeltreintjes, godverdomme. Dan zit je onderaan de populariteitsladder. De enigen die nog lager zaten, waren de jongens met een geestelijke handicap. Hij zuchtte. 'Het klopt gewoon niet.'

Maar wat wel klopte, was dat de moordenaar sporen moest hebben achtergelaten. In de plaatselijke kranten was het afgedaan als een tragisch ongeluk, daarom was er op dat moment waarschijnlijk alleen maar wat vluchtig onderzoek gedaan in en om het huis, temeer omdat er al was vastgesteld dat Jana geen enkel voordeel had van Danny's dood. Maar zelfs nu zouden er nog antwoorden te vinden kunnen zijn, als de juiste vragen werden gesteld. Iemand kon Danny hebben gezien toen hij zijn moordenaar in de pub trof. Iemand kon hem hebben gezien toen hij op de avond van de moord bij het huis van Danny arriveerde. Lag hij maar niet in dit ziekenhuisbed, dan zou het er niet toe doen dat Carol zijn vermoedens naar het rijk der fabelen verwees. Dan zou hij zelf naar Dore kunnen gaan om met de mensen daar te praten. Hoewel, bij nader inzien was dat niet altijd de beste manier.

Tegenover iedere persoon met wie hij een goed contact had, stond minstens één andere die meteen in de gaten had dat hijzelf ook niet helemaal normaal was, en die dan paniekerig werd. Zijn hele leven had Tony al het gevoel gehad dat hij speelde dat hij een mens was. Het was een maskerade waarmee hij niet iedereen een rad voor ogen kon draaien. En die beugel om zijn been hielp daar ook niet bij.

Maar dat was uiteraard allemaal niet belangrijk, want hij kon helemaal niet op eigen houtje voor wat speurwerk naar Dore gaan. Tony slaakte een gefrustreerde zucht. Toen sperde hij opeens zijn ogen open. Hij kende iemand die met haar charmes nog informatie zou kunnen ontfutselen aan een trappist. Iemand van wie hij nog iets te goed had.

Met een glimlach op zijn gezicht pakte Tony de telefoon.

Carol keek door de glazen tussenwand naar haar team. Iedereen zat naar een scherm te staren of was verdiept in een telefoongesprek. Ze haalde stiekem een miniflesje wodka uit haar la, draaide onder haar bureau het dopje eraf en goot het toen ongemerkt leeg in haar koffie. Ze had van haar eigen trauma's op het werk geleerd dat koning alcohol een goede vriend was, maar een slechte meester. Het was hem bijna gelukt om haar tot zijn dienares te maken, maar ze had er zich met veel moeite aan onttrokken en nu maakte ze zich maar al te graag wijs dat zij zelf het heft in handen had. De waarheid was dat ze in tijden van stress en teleurstelling, tijden als deze, er steun en kracht aan ontleende. Vooral als Tony er niet was.

Niet dat hij haar verwijten zou maken. Zo bot was hij niet. Nee, het was meer zo dat zijn aanwezigheid haar op haar fouten wees, dat ze daardoor herinnerd werd aan het feit dat er andere ontsnappingsmogelijkheden waren. Mogelijkheden waar ze al verscheidene keren mee aan de slag waren gegaan. Maar telkens was er in de beginfase van het aftasten iets tussen gekomen. Meestal iets dat met het werk te maken had. Dat was eigenlijk de ironie ten top. Datgene waardoor ze bij elkaar kwamen, gooide steevast barricades op hun pad. En geen van beiden kon erachter komen hoe ze over die barricades heen moesten stappen totdat de kans weer verkeken was. Ze nam een slokje en genoot toen ze de drank door haar hele lijf voelde stromen. God, wat zou ze niet over hebben voor een klein doorbraakje in deze zaak.

Als een soort antwoord op haar vurige smeekbede stak Sam Evans zijn hoofd om de hoek van de deur. Carol knikte dat hij kon binnenkomen. Ze had altijd een enigszins tweeslachtig gevoel ten opzichte van Sam. Ze wist dat hij ambitieus was en omdat ze vroeger zelf ook zo was geweest, begreep ze hoe waardevol dat voor een smeris kon zijn, maar ook hoe gevaarlijk. Zijn vrijbuiterachtige neigingen kwamen haar ook heel bekend voor. Hij was geen teamspeler. Maar anderzijds was dat ook niet haar sterke kant geweest toen ze nog niet zo hoog op de ladder stond. Ze was pas een teamspeler geworden toen ze een team had gevonden dat het waard was om voor te spelen. Sam had voldoende eigenschappen met haar gemeen waardoor ze hem kon begrijpen en daarom ook vergeven. Wat ze echter niet kon vergeven was zijn achterbaksheid. Ze wist dat hij zijn collega's bespioneerde, hoewel hij er zo goed in was dat ze daar nog niet achter waren. Hij had haar een keer volkomen af laten gaan bij Brandon om zijn eigen prestaties nog beter uit te laten komen dan ze al waren. Waar het eigenlijk op neerkwam was dat ze hem niet kon vertrouwen, wat naarmate het team beter ging functioneren een steeds grotere bedreiging vormde.

'Ik denk dat ik misschien iets heb, chef,' zei hij. Hij streek nog net niet zijn veren glad toen hij ging zitten. Hij trok aan de knieën van zijn broek om de plooi erin te houden en rechtte zijn schouders in het keurig gestreken overhemd.

Ze durfde nauwelijks te hopen. 'Wat voor iets?'

Hij gooide de oorspronkelijke e-mail op haar bureau en gunde haar een moment de tijd om hem te lezen. 'Ik heb met Bindie gesproken. Deze stalker, Rhys Butler, is Robbie op zijn nek gesprongen voor het hotel in Birmingham waar ze met het elftal overnachtten. De politie heeft hem opgepakt, maar ze hebben hem met een waarschuwing weer laten gaan. Ik heb met de man gepraat die hem had ingerekend. Ze hebben Butler niet al te hevig op de huid gezeten, omdat Robbie en Bindie geen publiciteit wilden. Hoe dan ook, deze rechercheur Singh heeft Butler in de gaten gehouden. Hij is bij hem langsgegaan en heeft ervoor gezorgd dat hij zijn rukmuur met plaatjes van Bindie heeft ontmanteld en dat hij niet meer in de buurt van die twee opdook. Butler heeft gezworen dat hij eroverheen was. Hij was zijn baan kwijt en daardoor was hij door het lint gegaan, beweerde hij. Hij heeft zich een paar maanden netjes gedragen. Toen kreeg hij een nieuwe baan en is hij naar Newcastle verhuisd. Maar nu komt het interessante, chef.' Hij lastte een dramatische pauze in. 'Hij werkt op een laboratorium bij een farmaceutisch bedrijf.'

Ervaring had Carol geleerd dat je bij een moordonderzoek vaker op een bedrieglijk lichtpuntje stuitte dan in een politiekantine op een lekkere maaltijd. Maar bij gebrek aan een betere aanwijzing was ze meer dan bereid om deze serieus te nemen. 'Knap werk, Sam. Ik wil dat je contact opneemt met de politie in Northumberland om te zien of ze ons aan een adres kunnen helpen.'

Sams glimlach deed haar denken aan Nelson die opeens een bakje met kippenlevertjes op zijn pad vindt. Hij legde een tweede vel papier voor haar neer.

'Al gedaan,' zei hij.

Nu vond ze dat ze zijn grijns wel mocht beantwoorden. De enige vraag was of ze hem al in Northumberland door de mensen daar zouden laten oppakken. Die beslissing was gauw gemaakt. Carol zei tegen zichzelf dat ze het huis van Rhys Butler met eigen ogen wilde zien. Ze wilde het niet uitbesteden aan de een of andere agent in uniform die niet wist waar hij naar moest zoeken. Ze duwde haar stoel achteruit en stond op. 'Kom op, waar wachten we nog op?'

Yousef deed de ijskast open. Het bekerglas stond op een schap en was voor het grootste deel gevuld met een heldere vloeistof. Maar onderin zat een laagje kristalpoeder dat hij nodig had. Voorzichtig haalde hij het glas tevoorschijn en zette het op de werkbank. Hij had al een trechter klaarstaan waarin een papieren filter zat. Hij deed zijn ogen dicht en mompelde een gebed om aan de profeet te vragen een goed woordje voor hem te doen zodat zijn plan zou slagen. Toen tilde hij het glas op en goot de vloeistof door de filter.

Het kostte hem minder tijd dan hij had verwacht. Hij tuurde door het glas van zijn gezichtsbeschermer naar het hoopje witte kristallen. Je zou niet verwachten dat zoiets nietigs zoveel chaos kon veroorzaken. Maar wat wist hij daar nu van? Weefsels en handel in lappen stof, daar wist hij wat van. Hij moest vertrouwen op wat hem was verteld. Anders had het allemaal geen enkele zin. Dat gold voor de slapeloze nachten, voor de verandering van zijn geestestoestand, en voor de afschuwelijke dingen die hij zijn familie ging aandoen. Hij was vast niet de enige die zich zo voelde. Hij moest gewoon zijn zwakheden overwinnen en zich concentreren op het doel.

Zorgvuldig tilde hij de papieren filter uit de trechter en goot de inhoud in een kom met ijswater. Hij spoelde de kristallen om ze vrij te maken van de vloeistof waarin ze waren ontstaan. Daarna verdeelde hij het explosief over een paar dozijn papieren borden, zodat het kon opdrogen met de minste kans op een toevallige ontploffing.

Hij duwde zijn beschermkap omhoog en schudde verbijsterd zijn hoofd. Het was hem gelukt. Hij had genoeg TATP gemaakt om een gat te blazen in de hoofdtribune van Victoria Park. Het enige wat hem nog te doen stond was morgen de rest van de onderdelen bij elkaar brengen.

Daarna kon hij het overbrengen naar de plaats waar het zou laten zien dat de oorlog tegen het terrorisme nog bepaald niet gewonnen was. Yousef stond zichzelf een scheef glimlachje toe. Hij zou ze de echte betekenis van 'shock and awe' eens laten zien.

'Je bent hartstikke gek,' zei Paula resoluut. Ze had het vaak genoeg gedacht, maar er was nooit een geschikt moment geweest om het te zeggen.

'Wat is er dan gek aan?' vroeg Tony liefjes.

'Wat niet?' Ze keek om zich heen. 'Heb je een rolstoel? Kunnen we naar buiten?'

'Nee en nee. Voor een gesprek met mij heb je geen sigaret nodig.'

'Wel als het zo'n gek gesprek is,' zei ze.

'Dat zeg je nu al de hele tijd. Maar alleen omdat Carol Jordan er niets in ziet, is het nog geen hartstikke gek idee. Ze is niet onfeilbaar.' De opmerking *wat jij beter weet dan wie dan ook* hing in de lucht tussen hen in.

Paula wees op zijn been. 'En jij ook niet.'

'Dat heb ik nooit beweerd. Maar, Paula, dit moet gewoon worden nagetrokken. Als ik het zelf kon doen, deed ik het. Maar dat kan ik niet. Bekijk het eens zo. Als ik ongelijk heb, is er nog geen man overboord. Maar als ik gelijk heb, werpt dat een heel ander licht op de moord op Robbie.'

Paula voelde dat ze begon te twijfelen. Ze moest zich verdedigen tegen zijn logica en tegen het feit dat hij nog wat van haar te goed had, hij had haar weer op het droge getrokken toen ze verzoop in haar eigen ellende en zelfmedelijden. 'Jij hebt gemakkelijk praten, "geen man overboord". Jouw carrière staat niet op het spel. Ik kan niet zomaar op andermans terrein gaan rondrennen en hopen dat het de chef niet ter ore komt.'

'Waarom zou het haar ter ore komen? In eerste instantie wil ik alleen maar dat je met wat mensen praat. De plaatselijke pub, de plaatselijke hondenuitlater, Jana Jankowicz. Ik zeg niet: "Ga naar het bureau in Sheffield en zeg dat ze het hebben verknald en of je misschien inzage mag hebben in de papieren over een moord die zij niet als zodanig hebben herkend."'

'Dat is maar goed ook,' mopperde Paula. 'Dan zou ik mijn baan wel helemaal op mijn buik kunnen schrijven.'

'Zie je nou? Dat vraag ik helemaal niet van je. Gewoon een paar vraagjes, Paula. Je moet toegeven dat het de moeite waard is er een kijkje te nemen.'

En dat had de doorslag gegeven. Ze vereerde Carol Jordan. Ze wist dat ze misschien wel een beetje verliefd was op haar chef. Maar zijn suggestie was juist, ze wist beter dan wie dan ook dat de hoofdinspecteur het soms bij het verkeerde eind had. Onbewust wreef Paula over haar pols. De wonden waren allang geheeld, maar er liep nog steeds een netwerk van fijne littekens nauwelijks zichtbaar over de onderkant van haar handpalm en haar pols. 'Het is vrij mager,' zei ze. Ze koos haar woorden zorgvuldig, omdat ze aan de ene kant wilde laten blijken dat hij misschien wel een punt had, maar waarmee ze aan de andere kant Carol niet afviel.

'Voor zover ik Carol begrijp, is mager beter dan wat jullie in handen hebben.'

Paula liep rusteloos de kamer op en neer. 'Misschien niet. Zij en Sam zijn naar Newcastle vertrokken voor een veelbelovende aanwijzing. De een of andere stalker van Bindie Blyth die Robbie Bishop te lijf is gegaan bij het hotel van de ploeg.'

Tony liet een afkeurend geluidje horen. 'Tijdverspilling. Dat heb ik haar verteld toen ze belde dat ze vanavond niet zou komen. Als stalkers doorslaan, willen ze de wereld laten weten wat ze allemaal voor hun liefde over hebben. Dan krijg je iemand als John Hinckley die Reagan probeert te vermoorden om de liefde van Jodie Foster te winnen. Het zijn geen stiekeme idioten, het zijn meer types die het van de daken schreeuwen. Degene die Robbie heeft vermoord, deed dat niet om indruk op Bindie te maken.'

'En wanneer zou ik die gesprekken precies moeten gaan voeren?'

vroeg Paula. Toen ze dat zei, besefte ze dat ze haar verzet had opgegeven.

Tony spreidde zijn handen. Hij was het toonbeeld van de vermoorde onschuld. 'Vanavond? Nu je geen dienst hebt?'

'Ik heb wel dienst,' zei Paula met opeengeklemde tanden. 'Ik mag hier niet eens zijn. Ik moet eigenlijk Chris helpen met die stortvloed aan e-mails die we van de website van Best Days hebben binnengekregen. Dan kunnen ze er vanavond weer met een stapel foto's op uit trekken, of ze in Amatis iemand kunnen identificeren.'

Tony vertrok geen spier. 'Nou, morgen dan misschien?'

Paula trapte tegen het voeteneind van zijn bed in de hoop dat het hem pijn deed. 'Doe nou niet zo stom, Tony. Je weet hoe we te werk gaan. Als we een grote zaak hebben werken we elk uur dat God ons gegeven heeft. Er bestaat niet zoiets als overwerk bij het Team Zware Misdrijven. We slapen pas als alles voorbij is.'

Tony schudde zijn hoofd. 'Allemaal mooie woorden, Paula. Iemand die niet weet hoe dit team te werk gaat, zou daar misschien intrappen. Jullie hebben je mond vol over teamwork. Jullie verafgoden het begrip 'team'. Maar ik heb jullie tijdens het werk van dichtbij meegemaakt. Jullie zijn net Real Madrid. Een stelletje galácticos die op jullie eigen stokpaardjes de horizon tegemoet rijden. Soms rijden jullie allemaal in dezelfde richting en dan lijkt het erop dat jullie een team vormen. Maar dat is meer per ongeluk dan met opzet.'

Paula bleef stokstijf staan. Het schokte haar om Tony op die manier te horen praten over Carols trots. Ze had niet gedacht dat hij zo bot kon zijn. 'Dat zie je verkeerd,' zei ze. Het was niet zozeer een openlijk protest, meer een automatische ontkenning.

'Ik zie het niet verkeerd. Jullie willen stuk voor stuk ontzettend graag iets bewijzen. Jullie leven voor je werk. En jullie willen allemaal de beste zijn, dus trekken jullie er allemaal op eigen houtje op uit.' Hij klonk nu kwaad. 'Als het werkt is het prima. En als het niet werkt...'

'Don Merrick.' Paula deed vreselijk haar best om haar stem koud en emotieloos te houden.

Tony sloeg met zijn vuist op de matras. 'Verdomme, Paula, begin daar nu niet over. Het was jouw schuld niet.'

'Hij wilde ons allemaal laten zien dat hij zijn promotie verdiende. Dat hij het verdiende om bij ons elitegroepje te horen.' Paula wendde haar blik af. Er waren een paar dingen die zelfs Tony niet mocht zien. 'Je hebt gelijk. We houden ons allemaal aan onze eigen wetten.'

'Dan kun je me ook wel hierbij helpen.'

Hij had iets onverbiddelijks. Daarom was hij als psycholoog ook zo goed in zijn contacten met patiënten. Hij accepteerde geen 'nee' als antwoord. Maar daardoor was hij soms ook een echte klootzak. Ze vroeg zich af hoe Carol daarmee omging. 'Als ik kan,' zei ze. 'Ik beloof niets.'

'Ik eis ook niets,' zei hij. 'Ik zou het niet vragen als ik niet dacht dat het belangrijk was, Paula.'

Ze knikte. Ze kon al niet meer terug en was nu ongewild zijn medeplichtige. 'En als het allemaal misloopt, geef ik jou de schuld.'

Tony lachte. 'Natuurlijk doe je dat. Want zeg nou zelf, als ze mij de laan uit stuurt, kan ik haar altijd nog het huis uit zetten.'

Het einde van een vrijdagmiddag op de A1 was een ervaring die zelfs voor de meest geduldige chauffeur een aanslag op zijn zenuwen betekende. Het was al lang geleden dat iemand Sam Evans had beticht van geduld en bij Carol Jordan was het al niet veel beter. Zoals de meeste passagiers was zij ervan overtuigd dat ze sneller op de plaats van bestemming zou zijn dan de persoon die achter het stuur zat. Toen ze het wegrestaurant bij Washington naderden, kwam het verkeer langzaam tot stilstand. Vrachtwagens, busjes en personenauto's vormden een grote gefrustreerde verkeerskluwen, die nog werd verergerd door de opportunisten die de hele tijd probeerden een andere rijbaan op te schieten waar ze ogenschijnlijk sneller vooruitkwamen. Met al dat zilver, wit en zwart vormden ze in de vallende schemering van de late namiddag een monochrome vlek in het landschap. 'Dit neemt ons de beslissing uit handen,' zei Carol, en ze maakte een handgebaar naar de muur van voertuigen om hen heen.

'Sorry?' Sam klonk alsof ze hem tegen zijn zin had teruggesleurd uit een verafgelegen oord.

‘Of we hem op moeten pakken op zijn werk of bij hem thuis. We hebben er al zo lang over gedaan dat bij hem thuis overblijft als de enige reële mogelijkheid.’ Ze bladerde de vellen papier door met de routebeschrijvingen die ze voor hun vertrek had uitgeprint. ‘We hadden met mijn auto moeten gaan, die heeft een navigatiesysteem,’ mompelde ze, terwijl ze er probeerde achter te komen waar ze zich op dat moment bevonden en hoe ze vandaar naar hun bestemming moesten komen.

Het kostte hun bijna een uur om het adres te vinden waar Rhys Butler woonde. Het was een rijtjeshuis van rode baksteen met zowel boven als beneden twee kamers en het bevond zich in het midden van een rij in een van vele identieke straten die allemaal uitkwamen op de Town Moor. Het huis maakte een trieste en vervallen indruk, alsof het alleen maar dankzij de wilskracht van de buren aan weerskanten overeind bleef staan. Er waren geen lichten aan en er stond geen auto voor geparkeerd. Carol keek op haar horloge. ‘Hij is waarschijnlijk op dit moment op weg naar huis. Laten we maar een halfuurtje wachten.’

Een paar straten verder vonden ze een pub. Het was er druk en de sfeer was vriendelijk en dat was voldoende compensatie voor het feit dat er duidelijk al heel lang geen enkele renovatie meer had plaatsgevonden. In de stampvolle ruimte kon je drie groepen onderscheiden: jongemannen die bier dronken, in overhemden met korte mouwen die ze over hun kaki boeken droegen; oudere mannen in een trui met spijkerbroek, de pet zonder klep in de achterzak gepropt, de handen ruw van het werken, die hun pint donker bier en Newcastle Brown Ale dronken; en jonge vrouwen in het soort flodderige kledij dat er zelfs midden in de zomer nog optimistisch luchtig zou hebben uitgezien, met ondeskundig opgebrachte make-up, die hun breezers en wodka’s achteroversloegen alsof hun leven ervan afhing. Iedereen die Carol en Sam zag zitten, staarde hen aan, maar niet op een vijandige manier. Het maakte meer de indruk van de blik die een natuurliefhebber zou werpen op een tot dan toe niet gecatalogiseerde gemsbok – een beetje exotisch maar niet om je over op te winden, er is per slot van rekening niets nieuws onder de zon.

Carol wees Sam op een tafeltje in de verste hoek en kwam terug met een grote wodka-tonic voor haarzelf en een mineraalwater voor Sam. Hij keek er vol walging naar. 'Jij rijdt,' zei ze.

'Nou en? Dan had ik nog wel een gemberbiertje kunnen drinken,' klaagde Sam.

'Dat verdien je niet.' Carol nam een slok en keek hem strak aan. 'Ik heb op weg hierheen tijd gehad om na te denken. Je bent weer met je bekende geintjes bezig geweest, hè?'

Zijn blik van vermoorde onschuld was zo overtuigend dat ze hem bijna het voordeel van de twijfel gaf. 'Wat bedoel je?'

'Je hebt dit niet vanmorgen pas ontdekt, hè. Dat had nooit gekund in die korte tijd. Je hebt natuurlijk stiekem gekeken toen je Robbies appartement aan het doorzoeken was.' Ze was aan het gissen, maar de schichtige blik in zijn ogen vertelde haar dat ze gelijk had.

'Doet dat er iets toe?' vroeg hij, zo brutaal als hij durfde bij zijn chef. Wat aan strijdvaardigheid nog wel iets te wensen overliet. 'Ik heb niet geprobeerd het voor mezelf te houden. Ik heb het meteen naar jou gebracht toen ik iets concreets in handen had.'

'Dat snap ik. Maar waarom heb je gewacht? Waarom zou je het überhaupt voor jezelf houden? De enige reden die ik kan bedenken is dat het je niet alleen ging om de eer van het vinden van een aanwijzing. Je wilde tegelijkertijd ook Stacey in verlegenheid brengen. Want dit was haar taak in het onderzoek. Dus dat ze die aanwijzing had gemist was haar fout. Ging het je daarom?' Carol praatte zo zachtjes dat hij voorover moest buigen om haar te kunnen horen. Ze dacht dat ze een blos op zijn koffiekleurige huid zag, maar dat kon ook komen van de warmte in de pub.

Sam keek de andere kant uit, kennelijk gefascineerd door de navelpiercing van een vrouw aan een naburig tafeltje. 'Ik wist dat ze te veel op haar bordje had. Ik wilde er zeker van zijn dat we niets over het hoofd zouden zien.'

'Dat is lulkoek, Sam. We hebben onderzoeken gehad waar vijf keer zo veel IT-onderdelen bij zaten als hierbij en Stacey heeft daar geen probleem mee gehad. Stacey had dit ook wel gevonden. Jij wilde de held zijn en wel ten koste van Stacey. Dit hebben we al eerder met jou meegemaakt.' Carol schudde haar hoofd. 'Ik wil jou niet kwijt, Sam. Je bent slim en je bent een harde werker. Maar waar ik meer behoefte aan heb, is dat ik erop kan vertrouwen dat iedereen in het team met elkaar samenwerkt. Ik heb een keer zo'n prullige kaart gezien waarop stond dat ware liefde niet bestaat uit elkaar in de ogen kijken. Het bestaat eruit dat je schouder aan schouder staat, met de gezichten dezelfde kant op. Welnu, dat geldt ook voor de leden van het Team Zware Misdrijven. Dit is echt je allerlaatste waarschuwing. Als je ons nog een keer hetzelfde flikt, word je overgeplaatst.' Ze dronk de rest van haar drankje in één teug op, maar bleef hem wel de hele tijd aankijken. 'En nu had ik nog graag een wodka-tonic.'

Carol keek hem na. Aan zijn manier van lopen kon ze zien dat hij woedend was. Ze hoopte dat er behalve woede ook nog iets anders was, iets dat hem aan het denken zou zetten, over zijn toekomst bijvoorbeeld. Ze wou dat ze op de een of andere manier tot hem door kon dringen, dat ze hem kon uitleggen waarom ze zo streng tegen hem was. Maar ze wist ook dat hij dat, als het van haar kwam, verkeerd zou interpreteren.

Toen hij terugkwam met haar drankje, had hij zijn woede weggeslikt. De indruk die hij wekte was die van de plichtsgetrouwe ondergeschikte. Hij ontweek haar blik en zei: 'Ik zat fout. Op school heb ik hardgelopen, niet gevoetbald. Dat heb ik nooit onder de knie kunnen krijgen. Snap je wat ik bedoel?'

'Het klinkt misschien vreemd, maar dat snap ik inderdaad.' Ze nipte aan haar drankje. Er zat zo weinig wodka in dat het nauwelijks de moeite waard was. 'Wat denk je ervan? Zullen we nog eens een kijkje gaan nemen?'

Tien minuten later stonden ze weer voor het huis van Rhys Butler. Het was onderhand helemaal donker geworden. En nog steeds was er geen teken van leven. 'Zullen we eens aan de achterkant van het huis gaan kijken?' vroeg Sam.

'Waarom niet?' Ze liepen de straat uit tot ze bijna bij de hoek waren. Waar de huizenrij ophield was een steegje dat langs alle achtertuinen liep. Sam telde de huizen tijdens het lopen en bleef ten slotte staan bij de achterkant van het huis van Butler. Hij rammelde aan de klink van de deur in de muur en schudde zijn hoofd. Carol legde haar hand achter haar oor. 'Hoorde je dat, agent?'

Sam grijnsde. 'Bedoel je de gil of het geluid van brekend glas?'

'Waarschijnlijk de gil,' zei Carol die een stap achteruit deed om Sam de ruimte te geven voor een goede aanloop. Ze maalde niet om de ongelijkheid tussen de seksen als het alternatief een pijnlijke schouder was. Hij ramde tegen de deur en draaide gelijktijdig aan de klink. Het zachte hout rondom het slot versplinterde en de deur viel open.

Door de schaduwen van de hoge muren zag het plaatsje achter het huis er nog donkerder uit dan het steegje. Er was geen licht aan in het huis. Carol grabbelde in haar tas en haalde er een rechthoekig geplastificeerd stukje karton uit, zo groot als een creditcard. Ze boog het om en er verscheen een smalle lichtbundel. 'Handig,' zei Sam.

'Met Kerstmis gekregen.'

'Je ligt duidelijk goed bij de Kerstman. Ik heb sokken gekregen.'

Carol liet het lichtje in het rond schijnen. Het binnenplaatsje was min of meer leeg. In een hoek stond een buitentoilet met de deur halfopen. 'Hij kan in de korte tijd dat hij hier woont nog niet zo veel troep hebben verzameld,' zei ze. De achterkant van het huis had een L-vorm, de keuken was de poot die uitstak de tuin in. De ramen van zowel keuken als achterkamer keken uit op het lege plaatsje. Carol liep naar het keukenraam en scheen naar binnen. De keuken was uitgerust met de donkere, houten kastjes die populair waren in de jaren zeventig. Het geheel zag eruit alsof er sindsdien niets meer aan was gedaan. Op het werkblad aan de overkant zag Carol een elektrische waterkoker, een broodrooster en een broodtrommel staan. In de gootsteen kon ze een kommetje, een beker en een glas zien liggen. In het afdruiprek een kom en een wijnglas. Sam keek over haar schouder mee en zei: 'Het ziet ernaar uit dat hij de ware Jacoba nog niet heeft gevonden.'

Het ziet eruit als thuis, dacht Carol met een schok van herkenning. Ze draaide zich om en probeerde het andere raam in het lichtbundeltje te vangen. Binnen zagen ze een reusachtige collage die alle muren besloeg.

'Shit,' zei Sam. 'We zijn blijkbaar op de hoofdader gestuit.'

Voordat Carol kon antwoorden, hoorde ze achter zich een geluid. Het getik van een langzaam rijdend fietswiel viel op te midden van het gezoem van de verkeersgeluiden op de achtergrond. Ze draaide zich met een ruk om en zag nog net het silhouet van een man met een fiets in de deuropening. 'Wat doen jullie daar, godverdomme?'

Sam rende op hem af, maar hij was niet vlug genoeg. De deur viel voor zijn neus dicht. Carol rende naar hem toe om hem te helpen met de deur, maar er was niet genoeg ruimte voor hen tweeën om er vat op te krijgen. 'Jullie zijn te laat,' schreeuwde een stem aan de andere kant. 'Ik heb mijn fiets met een ketting aan de deur vastgemaakt. Jullie krijgen hem niet open. Ik haal de politie erbij, smerig stelletje dieven dat jullie zijn.'

'Wij...' Carol hield haar hand voor Sams mond voordat hij op de proppen kon komen met dat afgezaagde zinnetje waar schrijvers van tv-comedies zo gek op waren.

'Kop dicht,' beet ze hem toe. 'Als we zeggen wie we zijn en hij is schuldig, dan gaat hij ervandoor en dan zal het ons een heleboel moeite kosten hem weer te vinden. Laten we gewoon rustig wachten tot de plaatselijke jongens er zijn en dan zien we wel verder.'

'Maar...'

'Niks maar...'

Ze konden het zwakke gepiep horen van de toetsen van een mobieltje die werden ingedrukt. 'Hallo, ik wil met de politie spreken...' Dit was een nachtmerrie, dacht Carol.

'Je zou me een voetje kunnen geven om op het dak van die plee te komen. Die is lager dan de muur,' mompelde Sam. 'Dan kan ik in ieder geval iets zien, kijken of hij niet wegloopt.'

'Het lijkt godverdomme wel op de Keystone Cops,' foeterde Carol.

'Ja, ik heb net twee mensen betrapt die bij mij probeerden in te breken. Ik heb ze opgesloten in mijn achtertuin... Butler. Rhys Butler...' Hij noemde het adres. 'Wat ik al zei, ze kunnen geen kant op, ik heb ze opgesloten... Nee, ik ga niet iets doms doen, ik wacht gewoon tot jullie er zijn.' Een stilte en toen schreeuwde de stem: 'Zien jullie wel? De politie komt eraan, dus probeer maar niet iets stoms te doen.'

'Dit blijven we ons hele leven horen,' zuchtte Carol.

'Help me nu maar om op dat dak te komen,' drong Sam aan.

'Je wilt alleen maar een nieuw pak van de zaak,' zei Carol. Ze liep achter hem aan naar de kant van de plee die het verst van de deur af lag. Maar toch zette ze zich gehoorzaam schrap en maakte een kommetje van haar handen. Ze bukte zich zodat Sam zijn voet erin kon zetten. 'Een, twee, drie,' hijgde ze, en ging rechtop staan toen hij zich had afgezet.

Sam viel met zijn borst tegen de dakrand aan en gebruikmakend van de kracht in zijn schouders en bovenarmen wist hij zich omhoog op het dak te wurmen. Carol riep intussen keihard: 'Je zit hartstikke fout, man, hier ga je spijt van krijgen,' om het lawaai dat hij maakte te overstemmen.

'Hou je kop,' schreeuwde Butler terug. 'De politie is er zo en dan hebben jullie spijt dat jullie mij hebben proberen te verneuken.'

Het klonk, dacht Carol, als het hanige gedrag van het typische kleine mannetje dat iets te bewijzen heeft. Die glimp die ze van hem had opgevangen, was voldoende om te zien dat Rhys Butler een iel mannetje was. Hij moest knettergek geweest zijn om met Robbie Bishop op de vuist te gaan. Des te meer reden hem voorzichtig aan te pakken. 'Dat zullen we nog wel eens zien,' riep Carol. 'Lekker stoer doen, hè?'

Ze leunde tegen de plee, woedend en koud. Ze was er niet het type naar op haar strepen te staan, maar dit soort akkefietjes zou als een lopend vuurtje in haar eigen korps de ronde doen en waarschijnlijk belanden op iemands weblog. Carol Jordan, gevangengezet door de boef die ze wilde arresteren.

De plaatselijke agenten lieten niet lang op zich wachten. Zo te horen waren het er twee. Butler, die zo opgewonden klonk als een kind dat jarig is, vertelde hun wat er volgens hem was gebeurd. 'Ik kwam thuis en daar waren ze. Ze probeerden in te breken in mijn achterkamer. Ze hebben de deur al kapotgemaakt, kijk, je kunt de splinters zien. Ik moest met een ketting mijn fiets aan de klink vastmaken.'

Butler bleef zich maar herhalen. Een van de agenten vond het kennelijk wel genoeg. 'Dit is de politie,' schreeuwde hij. 'We gaan de deur nu openmaken. Ik adviseer u om kalm te blijven en probeer alstublieft niet weg te lopen.'

Sam stak zijn hoofd over de rand van het dak. 'Naar boven of naar beneden, mevrouw?'

'Blijf daar maar zitten,' gromde ze. 'Dit wordt toch al een gênante vertoning.' Ze haalde haar identiteitskaart tevoorschijn en hield die voor zich uit. Verscheidene metaalachtige geluiden kwamen van de andere kant van de muur en toen werd de deur voorzichtig opengeduwd. Een rijzige man vulde bijna de hele deuropening. Zijn zaklantaarn hield hij op schouderhoogte en hij scheen er recht mee in haar ogen.

'Wat is er hier aan de hand?' vroeg hij.

'Hoofdinspecteur Jordan van de politie uit Bradfield,' zei ze. 'En dat...' ze gebaarde naar het dak; de lichtbundel van de zaklantaarn volgde haar arm, '– is rechercheur Evans. En hij –' ze wees over de schouder van de agent naar de plaats waar Butler naast de andere agent in uniform verbaasd stond toe te kijken, '– is Rhys Butler, die ik zo meteen ga vragen om met mij mee naar Bradfield te komen om vragen te beantwoorden die te maken hebben met de moord op Robbie Bishop.'

Butlers mond viel open en hij deed een stap achteruit. 'Dat meent u niet,' zei hij. Maar toen hij de blik op haar gezicht zag, zei hij: 'Nee toch?' En toen, geheel volgens de verwachtingen, zette hij het op een lopen.

Hij had nog geen twee stappen gezet of Sam sprong hem op zijn nek, waarbij hij hem en passant van zijn adem en van twee tanden beroofde.

Dit ging een heel lange, heel lachwekkende avond worden, dacht Carol uitgeput.

Paula liet haar duim en wijsvinger over het glas glijden en tekende een paadje in de condens. 'Dus zie je, ik weet gewoon niet waar ik goed aan doe,' zei ze. 'Aan de ene kant ben ik Tony iets verschuldigd voor de steun die hij me na... na mijn pijnlijke akkefietje van toen heeft gegeven. Aan de andere kant wil ik niet iets achter de rug van de chef om doen.'

Chris zat achter een stapel foto's die ze had uitgeprint van de e-mails waar Stacey om had gevraagd. Alle mensen op de foto's hadden met Robbie op school gezeten en geen van hen had een alibi voor afgelopen donderdag, behalve van echtgenoot of partner. Ze keek ze nog eens door en legde ze op andere stapeltjes volgens een aantal criteria die zij alleen kende. 'Je kunt het altijd nog aan haar vragen,' zei ze.

'Tony zegt dat ze duidelijk heeft laten merken dat ze er niets in ziet,' Paula pakte de foto's en keek ze kritisch door. De meesten waren heel behoorlijk uit de bus gekomen. Ze zagen er in ieder geval uit als mensen, in tegenstelling tot de meeste andere politiefoto's.

Chris haalde haar schouders op. 'Wat je in je eigen tijd doet is jouw zaak. Zolang je maar niet iets doet waarmee je een bestaand onderzoek in gevaar brengt.'

'Maar moet ik er überhaupt wel aan beginnen?' In de loop van de avond was Paula er steeds meer van overtuigd geraakt dat Tony's verzoek eigenlijk niet door de beugel kon.

Chris legde haar handen plat op het kleine bartafeltje, haar duimen stak ze eronder alsof ze het in een snelle beweging om ging kieperen. Ze keek neer op haar keurig gemanicuurde nagels. 'Er was eens een persoon van wie ik dacht dat die iets van mij tegoed had. Zo ongeveer als jij met Tony, maar om een andere reden. Ze vroeg me om iets. Alleen maar een telefoonnummer, meer niet. Een nummer waar ik gemakkelijk aan kon komen en zij niet zonder dat er vragen gesteld zouden worden. Om een lang verhaal kort te maken, ik deed wat er gedaan moest worden. En dat was de eerste stap op een weg die eindigde met haar dood.' Chris slaakte een diepe zucht en keek toen Paula recht in de ogen. 'Ik geef mezelf niet de schuld van wat er gebeurd is. Als ik haar die dienst niet had bewezen was ze er wel op een andere manier aan gekomen. Wat ik belangrijk vind, is dat toen ze bij mij kwam om hulp, ik er voor haar was. Als ik nu aan haar denk, weet ik dat ik haar niet in de steek heb gelaten.' Chris liet het tafeltje los en glimlachte weemoedig naar Paula. 'Je moet het zelf weten. Jij weet wat het betekent om met de gevolgen van iets te leven. Je moet je proberen voor te stellen hoe je er over een halfjaar of een jaar over denkt.'

Paula was geroerd. Chris deelde niet vaak persoonlijke dingen, zelfs niet met haar. Ze wist dat alle anderen dachten dat er een speciale band tussen hen bestond omdat ze allebei lesbisch waren, maar dat was niet zo. Chris behandelde Paula op precies dezelfde manier als alle anderen. Geen speciale gunsten. Geen geheime intimiteit. Gewoon een brigadier en een agent, die elkaar op professioneel gebied respecteerden en die waardering hadden voor wat ze van elkaar wisten. Paula voelde zich daar prima bij. Ze had buiten haar werk vrienden genoeg en de enige keer dat ze was gezwicht voor een hechte vriendschap op haar werk had het uiteindelijk zoveel ellende veroorzaakt dat ze er niet meer aan wilde denken. Maar de biecht van vanavond maakte haar duidelijk dat ze nog een heleboel niet wist over haar brigadier. Ze knikte. 'Dat is duidelijk. De vraag is nu alleen nog wanneer ik er tijd voor heb. Het ziet er niet naar uit dat we hier binnen afzienbare tijd mee klaar zijn.'

Chris wierp een blik op haar horloge. 'Als je nu vertrekt, kun je tegen een uur of negen in Sheffield zijn. Dan zou je nog best met wat mensen in de pub kunnen praten. En als je dan een kamer in een goedkoop motel neemt, kun je morgenvroeg nog met de huishoudster praten.'

Paula keek verbaasd. 'Maar ik moet toch...'

'Kevin en ik kunnen het wel alleen af in Amatis. Het is waarschijnlijk sowieso tijdsverspilling. Morgenvroeg doe ik jouw werk wel. Als Carol die man in Newcastle te pakken krijgt, heeft ze niet eens in de gaten dat je er niet bent.'

'Als ze iemand gaat verhoren, misschien wel. Daar heeft ze mij graag bij als het moeizaam verloopt.'

'Je hebt gelijk.' Chris glimlachte. 'Ik zal wel zeggen dat je een paar uur later komt. Ik kan zeggen dat je doodmoe was en dat je van mij wat later mocht komen. Maar dan moet je zelf ook doen wat we hebben afgesproken. Je moet zorgen dat je die huishoudster bij het krieken van de dag bij de lurven pakt. Denk je dat ze in Rotherham ook al weten wat ontbijtvergaderingen zijn?'

Paula grijnsde. 'Het is een Poolse. Die werken de godganse dag.

Maar zo'n vroege vergadering heeft ze vast nog nooit gehad.'

Chris duwde een stapel foto's naar haar toe. 'Neem deze ook maar mee. Als het om dezelfde moordenaar gaat, zit hij hier misschien tussen.'

'En jij en Kevin dan?'

'Ik ga wel terug en print ze nog een keer uit. Dat duurt niet lang, vooral niet nu Stacey er een bestand van heeft gemaakt. Als ik haar nu bel, heeft ze ze klaar tegen de tijd dat ik dit heb opgedronken en terug ben op het bureau.' Ze pakte haar glas. 'En als ik jou was, zou ik me maar eens als de bliksem klaar gaan maken, agentje.'

Dat hoefde ze Paula geen tweede keer te zeggen. Ze greep de foto's bij elkaar en liep met verende tred naar de deur. Ze wilde er nu niet aan denken hoe pijnlijk het zou zijn als Carol ongelijk bleek te hebben. Waar ze zich nu op focuste was bewijzen dat Tony Hill gelijk had.

Paula had nooit aan de loterij meegedaan. Ze had altijd gedacht dat het een zinloze bezigheid was. Maar toen ze de Blacksmith's Arms inliep, een pub aan de rand van Dore, vroeg ze zich af of ze dat misschien toch had moeten doen. Het huis van Danny Wade lag zo'n vijfhonderd meter van de pub verwijderd en op weg erheen was ze er langsgekomen. Wat ze door het hek had kunnen zien, had haar een bewonderend fluitje ontlokt. Ze kon een heleboel dingen bedenken die je met zo'n landgoed zou kunnen doen zonder dat je rekening hoefde te houden met je portemonnee. Ze nam zich voor dat ze meteen zou gaan uitzoeken wie er ging erven. Het kon nooit kwaad om de meest voor de hand liggende verdachte te elimineren. Of niet, zoals vaak bleek

De pub paste precies bij de omgeving. Paula vermoedde hat hij veel minder oud was dan hij eruitzag. Om te beginnen waren de plafonds te hoog. Ze gokte dat de balken van plastic waren, maar dat deed er niet toe. Ze maakten een authentieke indruk. De bar was uitgerust met houten panelen en chintz, de tafels en stoelen stonden zo gegroepeerd dat het geheel meer op een huiskamer leek dan op een bar. Aan de ene kant van de ruimte was er een open haard met aan beide kanten kerkbanken als zitplaatsen. Het brandende houtvuur lag op een groot ijzeren rooster.

Paula vermoedde dat het er tijdens de lunch en in het weekend erg druk was. Maar om kwart over negen op een vrijdagavond was het er stiller dan in een pub in een willekeurig stadscentrum. Aan een stuk of wat tafeltjes zaten een paar stelletjes en groepjes van vier. Ze zagen er in haar ogen allemaal uit als accountants en directeuren van een bouwfonds. Keurig gekleed, een chic uiterlijk, op een griezelige manier onderling verwisselbaar. Klonen als in *The Stepford Wives*. In haar leren jack, haar zwarte spijkerbroek en ook nog partnerloos, viel ze op als een puber in een vest met capuchon op een feestje bij de Conservatieve Partij. Toen ze naar de bar liep, voelde ze dat de gesprekken verstomden en dat de hoofden allemaal haar kant uit draaiden. Een burgerlijke variant op de film *Straw Dogs*.

Aan de bar zaten een paar mannen op hoge barkrukken. Dure truien van Pringle en een donkere sportpantalon. Ze zagen eruit alsof ze rechtstreeks van de golfbaan in de buurt kwamen. Toen ze dichterbij kwam, besefte ze dat ze waarschijnlijk een paar jaar jonger waren dan zij. Niet veel ouder dan vijfentwintig, vermoedde ze. Misschien was haar eigen pa nog wel avontuurlijker. Ze pasten waarschijnlijk precies in het straatje van Danny Wade.

Paula glimlachte tegen de barman, die eruitzag alsof hij zich beter thuis zou voelen in een Spaanse karaokebar dan hier. 'Wat kan ik voor je inschenken,' vroeg hij met een accent dat paste bij haar vooronderstelling.

God, wat had ze de pest aan die frisdranken als ze werkte. 'Sinaasappelsap met bitter lemon, alsjeblieft,' zei ze. Terwijl hij met haar drankje bezig was, haalde Paula haar stapeltje foto's tevoorschijn. Het had geen zin om hier om de hete brij heen te draaiden. Hier zou ze echt geen vrienden maken. De Spaanse barman niet, de Nick Faldo-klonen niet en de gezellige stelletjes niet. Ze had haar identiteitskaart in de hand toen het drankje voor haar werd neergezet, precies in het midden van het bierviltje. 'Bedankt. Ik ben van de politie.'

De barman keek verveeld. 'Het is van de zaak,' zei hij.

'Dank je, maar dat is niet nodig. Ik betaal wel.'

'Zelf weten.' Hij nam het geld aan en bracht haar wisselgeld terug. De Pringle tweeling zat haar ongegeneerd aan te gapen.

'Ik doe onderzoek naar de dood van Danny Wade. Die woonde hier toch iets verderop?'

'Is dat die man die vergiftigd is?' De barman vond het niet erg interessant.

'Dat krijg je als je gebruik maakt van goedkope buitenlandse arbeidskrachten,' zei de Pringle die het dichtst bij haar zat. Hij was ofwel ongelooflijk stom ofwel ongelooflijk ongevoelig ofwel ongelooflijk walgelijk. Paula wist niet welk van de drie. Ze moest wachten tot hij weer iets zei om zekerheid te krijgen.

'Meneer Wade is vergiftigd, ja,' zei ze koel.

'Ik dacht dat het allemaal duidelijk was,' zei de andere Pringle. 'De huishoudster heeft een tragische fout gemaakt. Zo was het toch?'

'We moeten nog een paar kleinigheden ophelderen,' zei Paula.

'Godverdomme, heeft ze het dan expres gedaan?' zei Pringle Een, die er, met een gretige blik op zijn gezicht, eens goed voor ging zitten.

'Kende u meneer Wade, meneer?' vroeg ze.

'Ik heb wel eens met hem gesproken.' Hij wendde zich tot zijn vriend. 'We groetten elkaar, hè, Geoff?'

Geoff knikte. 'Af en toe een praatje aan de bar. Hij had twee schitterende Lakeland terriërs, keurig opgevoede hondjes. 's Zomers bracht hij ze wel eens mee en dan dronk hij wat op het terras. Wat is er met die honden gebeurd? Carlos, weet jij wat er met de honden is gebeurd?' Hij keek de barman verwachtingsvol aan.

'Ik heb geen idee.' Carlos ging door met het oppoetsen van de glazen.

'Was hij altijd alleen?' vroeg Paula. 'Of kwam hij wel eens met vrienden?'

Pringle Een snoof minachtend. 'Vrienden? Doe me een lol!'

'Ik heb gehoord dat hij hier pas geleden nog een oude schoolvriend tegen het lijf is gelopen. Weten jullie dat niet meer?'

'Ik wel,' zei Carlos. 'Jullie tweeën kennen die gast ook. Hij kwam hier een paar keer in zijn eentje. Toen kwam Danny op een avond en die andere kerel herkende hem. Ze hebben wat met elkaar gedronken daar bij de open haard.' Hij wees naar de andere kant van de pub. 'Wodka-tonic, dat dronk hij.'

'Kun je je nog iets anders over hem herinneren?' vroeg Paula zo achteloos mogelijk. Je moest ze nooit laten merken dat iets belangrijk was; dan wilden ze je een plezier doen en vulden ze met hun fantasie de lege plekken in.

De Pringles schudden hun hoofd. 'Hij had altijd een boek bij zich,' zei Carlos. 'Een dik boek, niet zoals normaal.' Met zijn handen gaf hij iets aan van zo'n twintig bij vijfentwintig centimeter. 'Met plaatjes. Bloemen, tuinen, geloof ik.'

'Je hebt niet genoeg om handen, dat is de pest bij jou,' verkondigde Pringle Een.

Paula spreidde de foto's uit op de bar. 'Zit hij hierbij?'

Ze kwamen er met z'n drieën omheen staan. Geoff schudde aarzelend zijn hoofd. 'Deze zouden het alledrie kunnen zijn,' zei hij met zijn vinger wijzend op drie donkerharige, blauwogige mannen met smalle gezichten.

De barman fronste zijn voorhoofd en pakte een paar foto's om ze beter te kunnen bekijken. 'Nee,' zei hij resoluut. 'Die zijn het niet. Het is deze.' Hij legde zijn wijsvinger op een vierde plaatje en duwde het naar Paula toe. Er stond iemand op met donker haar en blauwe ogen. Zijn gezicht was lang, net als bij de andere drie, maar veel breder bij de ogen en het liep smal toe naar een vierkante kin. 'Hij heeft zijn haar nu korter, meer naar opzij gekamd. Maar hij is het.'

Geoff staarde naar de bewuste foto. 'Die had ik er zelf niet uit gehaald, maar nu ik hem nog eens bekijk... Je zou gelijk kunnen hebben.'

'Ik kijk de hele tijd naar gezichten en prent me in welk drankje erbij hoort,' zei Carlos. 'Ik ben er vrij zeker van dat hij het is.'

'Bedankt. Dat is erg nuttig. Heb je toevallig ook nog iets van hun gesprek opgevangen?' vroeg Paula. Ze verzamelde de foto's en legde degene die herkend was bovenop.

'Nee,' zei Carlos. 'Mijn Engels is niet goed genoeg voor dat soort gesprekken.' Hij spreidde zijn handen met een gebaar dat zo buitenlands was dat Paula intuïtief wist dat hij loog. 'Ik neem alleen maar bestellingen op voor eten en drinken.'

Ja, maak dat de kat maar wijs. Ze zou hem vermoedelijk nog wel eens spreken. 'Geeft niet,' zei ze met een geruststellende glimlach. 'Je hebt me heel erg geholpen. Misschien dat ik nog een keer met je moet komen praten, Carlos.' Ze haalde een notitieboekje tevoorschijn. 'Zou je misschien je volledige naam op kunnen schrijven en een adres waar ik je kan bereiken?'

Terwijl hij aan het schrijven was, richtte ze haar aandacht weer op de Pringles. 'Hebben jullie die vent nog een keer gezien na die avond dat hij Danny ontmoette?'

Ze keken elkaar aan. Geoff schudde zijn hoofd. 'Nee, hij is spoorloos verdwenen, hè?'

Hij had zijn opdracht uitgevoerd en hoefde niet meer terug te komen. Paula stak haar notitieboekje bij zich en maakte dat ze wegkwam. Terug in de auto bekeek ze de foto die door Carlos was geïdentificeerd aandachtig. Nummer 14. Volgens de sleutel van Stacey was dit Jack Anderson. Hij had zijn eigen foto niet opgestuurd. Hij had op de foto van iemand anders gestaan. Hij was er een van een groepje van drie. Maar hij had op Harriestown High gezeten en voor een deel gelijktijdig met Robbie.

Paula keek op het klokje op het dashboard. Het was pas kwart voor tien. Ze had de volgende morgen om acht uur een afspraak met Jana Jankowicz. Ze kon een goedkoop motel zoeken in Sheffield en slecht slapen, of teruggaan naar Bradfield en dan een paar uur lekker in haar eigen bed slapen. En dan kon ze haar gezicht nog wel even laten zien bij Amatis. Misschien hadden ze geluk en werd de foto ook nog door iemand anders geïdentificeerd. Ze kon in ieder geval iets terug doen tegenover Chris Devine. Voor Paula, die liever niet bij iemand in het krijt stond, liever andersom eigenlijk, was het een duidelijke zaak.

MIDDERNACHT

Zou hij erachter komen dat ze hier zoveel tijd had doorgebracht? Zou haar aanwezigheid vlekken achterlaten? Zou hij haar toespreken als een van de drie beren en zeggen: 'Wie heeft er op mijn stoeltje gezeten?' Carol was misschien wel blond, maar ze was beslist geen Goudlokje. Ze slikte de laatste slok wijn door die nog in haar glas zat en strekte haar hand uit naar de fles die voor het gemak binnen handbereik op de vloer stond. Er ging iets troostends vanuit om hier te zijn. Ze had net een verdachte ingerekend die absoluut niet strookte met Tony's theorie over de moord op Robbie Bishop, maar desondanks vertrouwde Carol op haar beroepsoordeel.

Het waren haar eigen emoties over haar privéleven die haar meer dwars zaten. Als hij er niet was, waren haar gevoelens veel gemakkelijker te duiden – ze miste hem, ze kon in gedachten een gesprek met hem voeren over van alles en nog wat. Ze zag zijn wisselende gezichtsuitdrukkingen voor zich. Ze was bijna zover dat ze durfde te denken aan het woord dat begint met een l. Maar als ze zich in dezelfde ruimte bevonden, werden al haar zekerheden opeens aan het wankelen gebracht. Ze had hem te erg nodig, en haar angst om iets te doen of te zeggen waarmee ze een wig tussen hen dreef werd een overweging die zwaarder woog dan alle andere. En dus waren de dingen die niet waren gezegd of gedaan prominent aanwezig bij alles wat ze deden of zeiden. Ze had geen idee hoe ze dit moest oplossen. En ze had het vermoeden dat Tony, ondanks al zijn vakkennis, in dit cruciale opzicht niet veel wijzer was dan zij.

Tony lag in zijn ziekenhuiskamer met de lichten uit en de gordijnen open. De dikke wolken weerspiegelden de lichten van de stad, waardoor de duisternis wat minder intens werd. Hij was eerder op de avond in slaap gevallen, maar het had niet lang geduurd. Hij verlangde naar huis, naar zijn eigen bed. Of in ieder geval naar zijn eigen sofa, want de gedachte aan het beklimmen van een trap leek op dit moment vrijwel onmogelijk. Niemand die hem om zes uur wakker maakte met een kop thee die hij niet wilde. Niemand die kritiek had op zijn keuze van boxershorts. Niemand die hem behandelde alsof hij vijf was en niet in staat om zijn eigen beslissingen te nemen. En vooral, niemand die zijn moeder binnenliet.

Hij zuchtte, een lange, diepe zucht die hem met een hol gevoel achterliet. Wie dacht hij voor de gek te kunnen houden? Thuis zou hij zich net zo rusteloos en ellendig voelen als hier. Wat hij nodig had, was werk. Dat hield hem altijd op de been, daardoor kon hij het met zichzelf uithouden. Zonder werk, zonder structuur, leken zijn gedachten op een hamster in een tredmolen. Ze draaiden en dansten maar wat rond, zonder zicht op een eindpunt. Als hij werk had, kon hij al het andere uitschakelen, behalve af en toe een vluchtige gedachte aan Carol Jordan en aan zijn gevoelens voor haar. Ooit was er misschien een zwak vlammetje van hoop geweest dat ze samen een toekomst konden opbouwen. Maar de omstandigheden en zijn reacties daarop hadden dat vlammetje uitgeblazen. Als er ooit een echte mogelijkheid was geweest dat zij van hem kon houden, was dat wel verleden tijd.

En dat was waarschijnlijk ook maar het beste voor alle betrokkenen. Vooral nu zijn moeder weer op het toneel verschenen was.

Het dwingende geluid van de basgitaar leek zich in de dijen van Chris te hebben genesteld. Bij iedere maat krompen haar spieren ineen en haar botten leken mee te trillen. Ze zweette op plekken waarvan ze niet wist dat je er kon zweten en haar hartslag leek ook een hogere versnelling te hebben gekozen. Vreemd. Als ze voor de lol uitging, had ze dit soort reacties nooit. Dan ging ze te veel op in het ritme, was ze te zeer gebrand op plezier hebben met Sinead of met wie dan ook. Dan was ze zo ontvankelijk voor wat de nacht voor haar in petto had, dat ze de onrust die de muziek nu bij haar teweegbracht, niet voelde.

Ze bewoog zich tussen de dansers door en sprak de mensen aan die aan de rand van de dansvloer stonden. Ze kwam eerst met haar identiteitskaart op de proppen, spreidde dan de foto's in een waaier uit en dwong ze om ernaar te kijken. Een paar keer had ze iemand dreigend bij zijn T-shirt naar zich toe moeten trekken omdat hij te beroerd was om mee te werken, of simpelweg te stoned. Ze ving af en toe een glimp op van Kevin of Paula die met hetzelfde bezig waren.

Petje af voor Paula, dat ze terug was gekomen. Chris was verbaasd geweest, toen ze de jonge rechercheur zich een weg zag banen naar de bar, maar ze was verdomde blij geweest bij het nieuws van haar succes in Dore. Zo had ze nog net meegekregen dat Carol en Sam Rhys Butler hadden opgepakt. Dus nu hadden ze twee sporen die ze konden natrekken. Hoe je het ook bekeek, de speurtocht naar de moordenaar van Robbie Bishop had precies de impuls gekregen die nodig was. Sinead had dit weekend net zo goed bij haar vrienden in Edinburgh kunnen blijven, dacht Chris. Gezien de huidige gang van zaken zag het er niet naar uit dat ze voorlopig op veel vrije tijd kon rekenen. Maar oké, dat hoorde nu eenmaal bij haar baan. En de flexibiliteit die Carol Jordan zo hoog in haar vaandel had staan voor haar team, had tot gevolg dat ze nog nooit zoveel vrije tijd had gehad in al de tijd dat ze bij de politie werkte.

Er was eigenlijk maar één ding dat ze vervelend vond. Ze kende geen oudere rechercheur die ze respecteerde die niet een soortgelijke last op haar schouders had rusten. Toen ze eerder op de dag met Paula had gepraat, had dat gesprek weer alles bij haar opgerakeld. Chris had ooit met een jonge rechercheur gewerkt die, als ze lang genoeg had geleefd helemaal uit haar dak was gegaan als ze voor het Team Zware Misdrijven had mogen werken. Een agente die net had leren vliegen toen de een of andere klootzak haar voorgoed kortwiekte. Een vrouw van wie Chris tegen wil en dank meer was gaan houden dan had gemogen. Een dood waarvoor ze, of ze het nu leuk vond of niet, voor een deel verantwoordelijk was geweest. Een leegte die er altijd zou blijven. Een leegte die ze probeerde op te vullen door zich met hart en ziel op haar baan te storten.

'Sentimentele trut,' mompelde Chris zachtjes.

Ze rechtte haar schouders en ging zo staan dat de volgende danser haar met geen mogelijkheid kon negeren. Het deed er niet toe voor wie je het deed. Als je het maar deed.

Verminkte brokstukken van codes rolden over het scherm. Ze ging ze te lijf met algoritmes, die de kluwen van sporen ontrafelden en ervoor zorgden dat de rijen met getallen weer betekenis kregen. Stacey leunde achterover en gaapte. Ze had alles gedaan wat menselijkerwijs mogelijk was met Robbie Bishops harde schijf. Nu moesten de computers zelf aan de gang.

Ze stond op uit haar ergonomisch ontworpen stoel, rekte zich uit en voelde hoe haar nek en schouders piepten en kraakten. Ze liep zijwaarts naar het raam toe, bewoog spieren en gewrichten die veel te lang vast hadden gezeten in dezelfde positie en staarde naar de stad die aan haar voeten lag. Zoveel mensen op straat, zo laat op de avond. Ze liepen daar, en deden allemaal vreselijk hun best om te krijgen wat ze wilden. Vol hoop, zoekend, wanhopig.

Stacey wendde zich af. Dat kreeg je als je zoveel behoeften had. Vrijdagavond in Temple Fields, zielige klootzakken die smachtten naar iets waarmee ze de nacht door konden komen. Als ze pech hadden, werden ze misschien wel opgezogen in een van die gretige relaties die alleen maar energie kostten, en geld.

Ze had er te veel gezien die op die manier werden opgeslokt. Prima mensen die allemaal iets bijzonders te bieden hadden. Maar die zielige, emotionele afhankelijkheid van de ander had hen telkens weer de vernieling in geholpen. Als ze met Sam Evans aan zoiets begon, zou het nooit zo'n kannibalistische, uitputtende affaire worden. Want één ding wist ze zeker, zij zou er nooit aan beginnen. Niemand zou tussen haar en de geheimen die ze wilde ontrafelen komen, tussen haar en de oplossingen die ze ging vinden.

Haar ouders wilden dat ze trouwde en kinderen kreeg. Ze hadden het vreemde idee dat eerst Stacey en dan haar man en hun kinderen de familieketen van Chinese supermarkten en de groothandels in voedingsmiddelen over zouden nemen. Ze hadden nooit begrepen hoe anders haar leven zich ontwikkelde. Haar computers en zij zouden niet door een huwelijk worden gescheiden. Als haar biologische klok om kinderen ging vragen, nou, dan waren er wel oplossingen denkbaar en genoeg geld om dat op een zo prettig mogelijke manier te regelen.

Voldoen aan de eigen behoeften, daar ging het om. Sam zou leuk zijn om mee te spelen, maar ze kon het ook prima zonder hem stellen. Op blote voeten liep ze door haar penthouse en trok intussen haar kleren uit. Dan op naar het grote bed waar haar hand automatisch naar de afstandsbedieningen tastte. Het scherm van de homecinema ging aan en de dvd-speler deed mee. Op het scherm duwde een vrouw een dildo in een man die op zijn beurt een vrouw in haar mond neukte. Hun gesteun en gekreun stroomde de antiseptische sfeer van Stacey's appartement in. Ze rommelde wat tussen het beddengoed totdat ze haar vibrator vond. Ze spreidde haar benen.

Wat haar betrof, kon het feest beginnen.

De stroboscooplichten pulseerden en de muziek dreunde. Het was net alsof hij in het oog van een cycloon was terechtgekomen, dacht Sam, die vreselijk zijn best moest doen het ritme vast te houden. Hij bewoog zich goed. Dans was de enige taal waarin het hem was toegestaan om alles uit te drukken wat hij normaal zo goed onder controle had. En vanavond was een van die keren dat hij echt de afgelopen dag kwijt wilde raken. De kloterige rit, de oneerlijkheid van Jordans uitbrander, de gênante situatie van het gevangen gezet worden door hun verdachte, het geestdodende wachten terwijl Butler een noodbehandeling van een tandarts kreeg – vandaag was niet een dag geweest om uit te knippen en in een lijstje te bewaren.

Op de terugweg in de auto met Jordan en Butler had hij vurig gehoopt dat ze niet direct aan het verhoor zou willen beginnen. Gelukkig was Butler op de hoogte geweest van zijn rechten en had om een piketadvocaat gevraagd. En het eerste waar zijn raadsman op had gestaan was een pauze van acht uur om te gaan slapen. Jordan had hem vrij gegeven en nog geen uur later had hij op de dansvloer gestaan, in passende kledij, klaar om John Travolta naar de kroon te steken. Toen hij opgroeide, was dansen voor het merendeel van de tijd voldoende voor hem geweest. Zo lang hij zich kon herinneren, had hij op muziek moeten bewegen. Tikken met de tenen, buigen door de knieën, zwaaien met de heupen, wiegen met de schouders, knippen met de vingers. Het had zijn ouders hooglijk verbaasd omdat ze geen van beiden verder waren gekomen dan af en toe een dansje op een feest. Zijn leraar op de basisschool had voorgesteld dat hij balletles zou nemen, maar dat idee had zijn vader meteen de grond in geboord vanwege het mietjesachtige karakter ervan. Sam vond het allemaal prima – dansen deed hij toch wel, wanneer hij maar de kans kreeg.

Als tiener had hij iets heel belangrijks ontdekt. Meisjes waren gek op een jongen die gek was op dansen. Iedere jongen die hen weghaalde uit het zielige kringetje muurbloepjes met de tasjes was al halverwege het paradijs, wanneer hij op de dansvloer avances maakte. In zijn tienertijd was het zijn enkeltje naar de zevende hemel geweest.

Tegenwoordig werkte het nog precies hetzelfde, maar daar kwam nog een voordeel bij, namelijk dat hij er fit bij bleef. Hij kon niet meer zo vaak als hij wilde de vloer op, maar dat betekende alleen maar dat hij nog meer opgekropte energie had. Het was zijn enige vorm van ontspanning en hij genoot er met volle teugen van.

Toen de klok twaalf uur sloeg, was Sam zich helemaal aan het uitleven in het bijzijn van een bewonderend vrouwelijk publiek. Hij dronk een flesje mineraalwater half leeg en goot de rest over zijn hoofd. Van kennis kreeg je macht. Maar van dansen ging je stralen.

Aan de andere kant van de stad lag Yousef op zijn rug, met zijn handen gevouwen tussen zijn hoofd en het kussen dat hij al sinds zijn jeugd had, een kussen met zijn vertrouwde eigen geur. Vanavond bevatte die vertrouwdheid niets van de gebruikelijke onderbewuste geruststelling. Vanavond kon Yousef alleen maar denken aan wat er komen ging. Het was zijn laatste kans op een gezonde slaap, maar hij wist dat het er niet van zou komen. Het deed er niet toe. De laatste paar weken hadden hem geleerd dat er andere energiebronnen waren.

In het andere bed lag Raj zachtjes te snurken. Zijn dekbed ging bij iedere adem op en neer. Zelfs de dood van zijn idool kon zijn nachtrust niet verstoren. Elke avond was hij al onder zeil tegen de tijd dat Yousef naar bed kwam en dan was hij niet meer wakker te krijgen. Niet als het grote licht aan ging, niet door het aanhoudende gepiep van een gameboy, niet door het geschetter van de Bhangramuziek, noch door het geritsel van snoeppapiertjes. De jongen sliep alsof hij de onschuld hoogstpersoonlijk had uitgevonden.

Onschuld. Het leed geen twijfel dat Yousef die was verloren. Hij had geleerd op een andere manier naar de wereld te kijken, en morgen zou de wereld leren ook anders naar hem te kijken. Hij zou bijna willen dat hij erbij kon zijn om te zien wat iedereen te zeggen had. Hij vond het niet prettig dat hij zijn ouders en broers opzadelde met de gevolgen van zijn daden. Maar het kon niet anders.

Overal in Bradfield sliepen er mensen voor de laatste keer met elkaar. Sommigen hielden van elkaar, sommigen konden elkaar nauwelijks verdragen, en sommigen stonden onverschillig tegenover elkaar. Maar ze hadden één ding gemeen. Geen van allen beseften ze dat ze op een gewelddadige manier zouden worden gescheiden. Voor zover zij wisten was het een vrijdagavond als alle andere. Sommigen hadden speciale rituelen – een Chinese afhaalmaaltijd, een dvd'tje huren en plichtmatige seks; zwemmen en daarna naar de sauna in de fitnessclub; of een spelletje monopoly of triviant of risk met de kinderen. Anderen improviseerden op vrijdag wat – een paar drankjes en daarna een curry; met een bord eten op schoot voor de tv; lastminutekaartjes voor een rockconcert in het BEST-stadion; of gezamenlijk langs de schappen in de supermarkt dwalen. Wat het ook was, het zou de laatste keer zijn dat ze die dingen samen deden. De gebeurtenissen van die avond zouden een bijna gewijde betekenis krijgen vanwege de dingen die gingen gebeuren.

Overal in Bradfield sliepen er stellen voor de laatste keer samen. En daar hielp geen lieve moeder meer aan.

Lijst 1

1. Miljonair zijn op mijn dertigste
2. Als beroepsvoetballer in de Premier League spelen
3. Een huis bezitten in Dunhelm Drive
4. Mijn eigen Ferrari hebben
5. Een cd opnemen die in de top tien komt
6. Uitgaan met een topmodel

ZATERDAG

Het ging allemaal wat gemakkelijker en dat was geen droom. Tony was even na zessen wakker geworden, omdat hij moest plassen. Het had minder tijd en moeite gekost om bij zijn krukken te komen en hij wist zeker dat hij zijn kapotte knie al wat meer kon belasten. Misschien kon hij de fysiotherapeut zover krijgen dat hij vandaag de trap mocht proberen.

Hij ging weer in bed liggen en genoot van het gevoel van opluchting. Tijd om weer contact met de buitenwereld op te nemen. Hij trok het nachtkastje naar zich toe en startte de laptop op. Te midden van de nieuwe e-mails, sprong die van Paula er meteen uit. Het bericht was geschreven om 2.13 's nachts en er stond: **Het ziet ernaar uit dat je gelijk had. Hij is geïdentificeerd in de pub in Dore. Later meer. Goed zo, Dok, fijn te zien dat je het nog niet verleerd bent.**

Tony balde een vuist en maakte er een bescheiden triomfantelijk gebaar mee. Misschien leek het niet zo veel, maar vanuit de positie waarin hij zich bevond was het al heel wat. Profielschetsen leek wel wat op koorddansen. Vertrouwen was een cruciaal onderdeel van het optreden. Als je niet in jezelf geloofde, als je niet op je intuïtie en op je oordeel vertrouwde, hield je uiteindelijk zoveel slagen om de arm dat je profiel waardeloos was. En het was een proces dat zichzelf bevestigde. Als je het bij het juiste eind had, voelde je je beter in staat om het de volgende keer weer te doen en daardoor werd de kans dat je nuttig was groter. En omgekeerd hoefde je het maar één keer te verknallen en je moest de volgende keer weer bij af beginnen.

Dus gezien het feit dat hij nog aan het herstellen was van een grote chirurgische ingreep en dat hij zich zo traag voelde als een verhaallijn in *The Archers* en gezien het feit dat Carol het idee al helemaal naar de prullenmand had verwezen, gaf het hem een verdomd goed gevoel dat hij gelijk had over Danny Wade. Als dezelfde persoon zowel Danny als Robbie had vermoord, dan moest hij eens gaan denken over het verband tussen de slachtoffers onderling, en met hun moordenaar. Misschien kon hij vanuit een ziekenhuisbed toch nog wat nuttigs doen.

De flat waarin Jana Jankowicz samen met haar vriend woonde, was brandschoon. Het rook er naar poetsmiddel en luchtverfrisser en was kennelijk gemeubileerd verhuurd. Iemand die zo netjes was, zou nooit zulke haveloze, niet bij elkaar passende, ondeugdelijke spullen hebben uitgekozen. Maar het zag er toch huiselijk uit vanwege de handgemaakte foulards op de sofa en de foto's aan de muren – uitgeprint op een kleurenprinter en gelamineerd, een goedkoop en vrolijk alternatief voor professionele prints en dure lijsten. Jana, een vrouw met een rond gezicht, donker haar en knap op een manier die zich niet gemakkelijk liet beschrijven, zat tegenover Paula aan een schoongeboend formicatafeltje waarvan de randen oneffen en kapot waren. Tussen hen in stond een geëmailleerde pot met sterke koffie en een asbak. De aanwezigheid van de asbak verklaarde de sterke chemische lucht van synthetische geurtjes, dacht Paula. Haar hoofdholtes zouden uit protest in staking gaan als ze hier moest wonen.

Jana had geen vragen gesteld over Paula's aanwezigheid hier. Ze had met het gesprek ingestemd met een vriendelijk soort berusting en had haar beleefd begroet. Alsof ze tot de conclusie was gekomen dat je met de politie in een vreemd land het best uit de voeten kon als je gedwee meewerkte. Paula had een vaag vermoeden dat Jana doorgaans heel anders was.

Jana keek de foto's voor de tweede keer door en schudde haar hoofd. 'Ik heb geen van deze mannen ooit samen met meneer Wade gezien,' zei ze in een bijna accentloos Engels. Ze was, vertelde ze tegen Paula, in Polen afgestudeerd als lerares Engels en Frans. Vaardigheden die haar land zich op dit moment niet kon veroorloven. Zij en haar verloofde waren hier om genoeg geld te verdienen om straks in Polen een huis te kunnen kopen. Dan zouden ze teruggaan. Ze konden net de eindjes aan elkaar knopen als ze geen huur hoefden te betalen.

Ze bleef even hangen bij de foto van Jack Anderson. 'Maar deze man, ik denk dat ik hem gezien heb, maar ik weet niet waar of wanneer.'

'Misschien is hij wel eens op bezoek geweest?' Paula bood Jana haar sigaretten aan. Ze nam er een en ze staken er allebei een op, terwijl Jana nadenkend naar de foto keek.

'Ik geloof dat hij een keer is langs geweest, maar niet om meneer Wade te zien,' zei ze langzaam. Ze blies een dunne sliert rook uit. 'Hij verkocht iets. Ik weet het niet meer. Hij had een busje.' Ze deed haar ogen dicht en fronste haar voorhoofd. 'Nee, het heeft geen zin. Ik weet het niet meer. Het is al een tijd geleden.' Ze schudde verontschuldigend haar hoofd. 'Ik kan het niet met zekerheid zeggen.'

'Geeft niet,' zei Paula. 'Heb je ooit meneer Wade horen praten over een man die Jack Anderson heet?'

Jana nam een trekje van haar sigaret en schudde haar hoofd. 'U moet begrijpen dat meneer Wade nooit over iets persoonlijks praatte. Ik wist niet eens dat hij uit Bradfield kwam.'

'En voetbal dan? Heeft hij het ooit over een voetballer gehad die Robbie Bishop heet?'

Jana keek verward. 'Voetbal? Nee, modeltreinen. Daar was meneer Wade in geïnteresseerd.' Ze spreidde haar handen. 'Hij keek nooit naar voetbal.'

'Dat is oké. Is er wel eens iemand bij hem op bezoek geweest?' Paula inhaleerde de rook. Ook al leverde het gesprek niet veel op, ze mocht tenminste roken. Dat kon je heden ten dage niet van veel gesprekken zeggen. Zelfs in de verhoorkamers op het bureau mocht niet meer gerookt worden en daarvan zeiden sommige arrestanten dat het tegen de mensenrechten indruiste. Paula was het eigenlijk wel met hen eens.

Jana hoefde niet eens na te denken. 'Niemand,' zei ze. 'Maar ik geloof niet dat je daarom medelijden met hem hoefde te hebben. Sommige mensen zijn gelukkiger in hun eentje en ik denk dat hij ook zo was. Hij vond het prettig dat ik er was om schoon te maken en te koken, maar hij wilde niet vriendschappelijk met me omgaan.'

'Je moet dit niet verkeerd opvatten...' Paula haalde even hulpeloos haar schouders op alsof ze wilde zeggen: Ik moet dit vragen en ik wou dat het niet zo was. 'Weet je wat hij deed met seks? Ik bedoel, hij was een jonge man, je mag toch aannemen dat hij seksuele behoeften had...'

Jana had blijkbaar niet de minste moeite met de vraag. 'Ik heb geen idee,' zei ze. 'Hij heeft zich tegenover mij nooit ongepast gedragen. Maar hij was ook geen homo, geloof ik.' Paula trok een wenkbrauw op. Jana grijnsde. 'Geen pornoblaadjes voor homo's. Maar soms wel die tijdschriften die je in de boekhandel kunt krijgen. Niet heel erg. Maar met meisjes, niet met jongens. Soms ging hij een paar uur weg met de auto zonder de honden. Als hij terugkwam leek het of hij zich een beetje schaamde en dan nam hij meestal een bad. Misschien ging hij naar de hoeren, ik weet het niet.' Ze wierp Paula een pientere blik toe. 'Waarom stelt u deze vragen? Begint u misschien te geloven dat ik de waarheid vertel? Dat ik die taart niet heb gebakken?'

'Het is mogelijk dat de dood van meneer Wade in verband staat met een moord in Bradfield. Als dat het geval is, dan ja, inderdaad, dan moeten we er wel van uitgaan dat u de waarheid hebt verteld,' zei Paula.

'Het zou goed zijn als dat gebeurde,' zei Jana. Een wrange glimlach vertrok haar volle lippen. 'Het valt niet mee om een baan als huishoudster te krijgen als de kranten schrijven dat je je vorige baas hebt vergiftigd.'

'Dat snap ik.' Paula beantwoordde Jana's glimlach. 'Maar als we gelijk hebben over dat verband tussen die twee sterfgevallen, kom je waarschijnlijk nog veel meer in publiciteit – dat je de taart niet hebt gebakken en zo – dan toen we nog dachten dat je het wel had gedaan. Misschien kun je dat gebruiken als referentie.' Ze verzamelde de foto's en stopte ze weer in de envelop. 'Je hebt me erg geholpen,' zei ze.

'Ik wou dat ik meer wist,' zei Jana. 'Voor hem, maar ook voor mezelf. Hij was een goede werkgever, weet je. Niet veeleisend, heel dankbaar. Ik denk niet dat hij eraan gewend was dat iemand iets voor hem deed. Het zou goed zijn als u de persoon vindt die hem heeft vermoord.'

Rhys Butler hield zijn linkerarm voor zijn smalle borstkas, met zijn hand om zijn rechterelleboog. Met zijn andere hand bedekte hij zijn mond en kin. Met gekromde schouders wierp hij Carol Jordan vanonder zijn rossige wenkbrauwen een woedende blik toe. Zijn rode haren stonden in bosjes en pieken overeind, de klassieke haardracht van mensen die een nacht in de cel hebben doorgebracht. 'Mijn cliënt zal een eis tot schadevergoeding indienen tegen het politiekorps van Bradfield voor de aanval op zijn persoon,' zei zijn advocaat liefjes, terwijl ze een lok van haar lange zwarte haar met een volmaakt gemanicuurde en gelakte nagel achter haar oor duwde.

Die kloterige Bronwen Scott, dacht Carol. *Het levende bewijs dat de duivel inderdaad Prada draagt*. Dat moest zij verdorie net treffen, dat de piketadvocaat van de avond tevoren een van de stagiaires was bij de op publiciteit beluste strafrechtpraktijk van Bronwen Scott. En natuurlijk was Bronwen Scott er onmiddellijk zelf ingesprongen, want het betrof een interessante combinatie van Robbie Bishop, Carol Jordan en een potentieel lucratieve rechtszaak tegen de politie. In haar onberispelijke, op maat gemaakte mantelpakje en volledige make-up was ze al helemaal klaar voor het zogenaamde spontane interview met de pers dat ze later op de morgen ongetwijfeld op het programma had staan. En dus zaten de oude tegenstanders weer, klaar voor de strijd, tegenover elkaar. 'Fijn te horen dat hij tot een besluit is gekomen,' zei Carol. 'Ik persoonlijk ben er nog steeds niet helemaal uit of ik uw cliënt een proces zal aandoen voor onwettige gevangenzetting.'

Sam boog zich voorover. 'Om nog maar te zwijgen over het feit dat hij er niet vandoor had mogen gaan, toen hij hoorde dat we van de politie waren. Dat begint te lijken op verzet bij arrestatie.'

Bronwen wierp hen beiden een medelijdende blik toe en schudde haar hoofd alsof ze wilde zeggen: 'Hebben jullie niet iets beters in de aanbieding? Mijn cliënt ondervindt nog steeds pijn ten gevolge van uw optreden. Niettemin is hij bereid uw vragen te beantwoorden.' Ze klonk alsof dit een buitengewone gunst was die hun werd verleend door iemand die ver boven hen stond.

Carols zelfvertrouwen liep weer een deuk op. Ze had de ervaring dat de cliënten van Bronwen Scott doorgaans hun toevlucht namen tot 'geen commentaar', wat volgens Carol vertaald kon worden met 'ik heb het gedaan'. Dat ze het goedvond dat Rhys Butler met hen praatte, was voor Carol het signaal dat ze zeer waarschijnlijk haar tijd aan het verspillen was. Maar dit was misschien ook die ene keer dat een stomme cliënt de pittige mevrouw Scott had kunnen overstemmen. Ze probeerde zich te concentreren en glimlachte naar Rhys Butler. 'Het spijt me dat we een week die er zo goed uitzag, voor u hebben verpest,' zei ze vriendelijk.

Zijn voorhoofd rimpelde zich als het vel op een rijstpudding. 'Wat bedoelt u,' mompelde hij door zijn hand heen.

'Dat Robbie is gestorven, natuurlijk. Daar moet je van zijn opgekikkerd.' Butler keek weg en zei niets. 'Je vindt waarschijnlijk dat hij het heeft verdiend,' vervolgde ze. 'We weten namelijk dat je geen hoge pet ophad van de manier waarop hij Bindie behandelde.'

Butler keek haar woedend aan. Hij haalde zijn hand weg van zijn gezicht en toen hij wat zei klonk het venijnig. 'Bindie heeft hem al eeuwen geleden de bons gegeven. Waarom zou het mij iets doen wat er met hem is gebeurd?'

'Nou, je zou het vast niet leuk hebben gevonden als ze weer bij elkaar waren gekomen.'

Butler schudde zijn hoofd. 'Dat was nooit gebeurd. Ze zou zich nooit zo hebben verlaagd. Ze wacht gewoon op het juiste moment dat wij samen kunnen zijn.'

'En nu Robbie dood is, kan dat niet lang meer duren.'

'Niets zeggen, Rhys,' kwam zijn advocaat tussenbeide. 'Laat je niet opjutten. Geef gewoon antwoord op de vragen.'

'Wilt u een vraag? Oké. Waar was je vorige week donderdag tussen tien uur 's avonds en vier uur op de vrijdagmorgen daarop?' Carol keek hem strak aan.

'Thuis. In mijn eentje, voordat u het vraagt. Maar ik heb gewerkt tot zes uur en de volgende morgen ben ik om acht uur weer begonnen. En ik heb geen auto, alleen een fiets. Ik ben snel, maar niet zo snel,' zei Butler. Zijn poging om boosaardig te grijnzen ontaardde in een grimas vanwege de pijn in zijn mond.

'Je hebt treinen,' zei Sam. 'Tweeënhalf tot drie uur van Newcastle naar Bradfield, afhankelijk van een eventuele overstap in York. Je zou een auto hebben kunnen lenen. Of kunnen jatten. Hoe dan ook, het is te doen.'

'Behalve dat ik het niet heb gedaan. Ik ben de hele nacht in Newcastle geweest.'

Ze zouden bij de stations en het treinpersoneel langs moeten gaan, dacht Carol. Ze had dat graag achter de rug gehad voordat ze Butler arresteerden, maar zodra ze hem achter zijn huis van de grond hadden geraapt, hadden ze geweten dat hij nooit vrijwillig met hen mee zou gaan. Ze hadden hem wel moeten arresteren, anders was hij er weer vandoor gegaan. En nu verstreek de tijd en ze had nog geen enkel bewijs in handen. 'Dacht je dat je Bindie een dienst bewees door Robbie uit de weg te ruimen?'

'Degene die hem uit de weg heeft geruimd, heeft haar inderdaad een dienst bewezen, maar dat was ik niet,' zei hij koppig.

'Ben je daar zeker van? Volgens mij past vergif helemaal in jouw straatje,' was de bijdrage van Sam. Dat hadden ze van tevoren zo afgesproken. 'Laten we wel wezen, toen je hem persoonlijk te lijf wilde gaan, heeft Robbie je er flink van langs gegeven. Je zou geen enkele kans hebben gehad in een eerlijk gevecht. Maar vergif, dat lijkt er meer op. Een man kan tegen vergif niets beginnen.'

Butler werd knalrood, wat erg lelijk stond bij zijn bleke sproetige huid. 'Ik heb duidelijk gemaakt wat ik bedoelde. Ik heb Bindie laten zien dat mensen die echt om haar gaven, bereid waren om het voor haar op te nemen. En ze heeft hem de laan uitgestuurd. Ik heb hem niet vermoord.'

'Mijn cliënt heeft een duidelijke verklaring afgelegd, hoofdinspecteur. Ik stel voor dat u zich beperkt tot vragen. Daar horen insinuaties en bedekte toespelingen niet bij.' Scott maakte een aantekening op haar blocnote.

'Farmacologie, daar houd jij je mee bezig, hè?' vroeg Carol, die hoopte dat hij van zijn stuk zou raken van de vreemde gedachtesprong.

'Dat klopt,' zei Butler.

'Dus dan weet je alles over ricine?'

'U weet waarschijnlijk meer over ricine dan ik. Ik ben technicus op een lab van een bedrijf dat een hoestmedicijn maakt. Ik kan nog geen ricinezaadje van een pinda onderscheiden.'

Er viel even een akelige stilte. Carol had kunnen zweren dat Bronwen Scott heel even haar ogen ten hemel sloeg. 'Dus je weet wel waar het vandaan komt?' vroeg Carol.

'Dat weet het halve land,' zei Butler met overslaande stem. 'Al die artikelen in de kranten over terroristen die ricine maken. En nu Bishop die eraan overlijdt. We weten godverdomme allemaal waar het vandaan komt.'

Carol schudde haar hoofd. 'Ik wist het niet meer. Ik moest het opzoeken nadat de diagnose bij Robbie werd gesteld. Ik wed dat dat geldt voor de meeste mensen. Maar jij weet het wel.'

Butler keek zijn advocaat aan. 'Kunt u dit niet stoppen? Ze kunnen me niets maken.'

Scott glimlachte met kleine scherpe tanden. Ze was vast bij een piranha in de leer geweest, dacht Carol. 'Mijn cliënt heeft gelijk. U probeert maar wat. Tenzij u iets heeft wat u tot dusver nog niet hebt prijsgegeven, heeft u geen reden om ons hier vast te houden. Ik wil dat u mijn cliënt onmiddellijk in vrijheid stelt zonder tenlastelegging. Want we zijn hier wel klaar, hè? Hij houdt verder zijn mond en u hebt niets in handen.'

Het ergste was dat ze gelijk had. 'Op borgtocht,' zei Carol terwijl ze opstond. 'We zien elkaar weer aan deze tafel, mevrouw Scott.'

Bronwen Scott glimlachte nog eens. 'Alleen als u uw zaakjes op orde hebt, hoofdinsprecteur Jordan. U hoort nog van ons in verband met die aanklacht wegens agressief optreden.'

Carol keek hen na en haalde toen mismoedig haar schouders op. 'Dan had ik maar niet zo ongeduldig moeten zijn,' zei ze. 'We staan voor gek van John O'Groats tot Land's End.' Ze maakte een beweging alsof ze iets van zich af wilde schudden. 'De volgende keer dat je iets achter de rug van je collega's om doet, Sam, zorg er dan alsjeblieft voor dat het de moeite waard is.'

Toen Carol terugkwam in de TZM-kamer stonden Chris en Paula haar op te wachten. Ze zagen er allebei uit alsof ze nog wel een paar uur slaap konden gebruiken, en Paula keek bepaald schichtig. 'En? Heeft Butler bekend?' vroeg Chris.

'We hebben niets tegen hem en hij heeft die stomme Bronwen Scott als advocaat.' Meer hoefde ze niet te zeggen. Ze onderdrukte een geeuw, hield zichzelf voor dat ze geen behoefte had aan iets alcoholisch en ging op haar stoel zitten. 'En jullie tweeën dan? Is er gisteravond nog iets uitgekomen bij Amatis?'

De andere twee wisselden een blik van verstandhouding. 'Er is wel iets uitgekomen, maar niet bij Amatis,' zei Chris, die wat ging verzitten op haar stoel. 'Paula mocht van mij achter iets anders aan gaan...'

'Zo is het niet gegaan, chef,' viel Paula haar in de rede. 'Het was niet de verantwoordelijkheid van brigadier Devine. Ik heb haar overgehaald. Het is mijn schuld. Als er moeilijkheden van komen, is het mijn schuld.'

'Waar hebben jullie het over?' vroeg Carol, die hun heilige ernst wel grappig vond. 'Als jullie resultaat boeken, intereseert het me niet wie ervoor verantwoordelijk is. Voor de dag ermee, Paula. Waar ben jij achteraan gegaan?'

Paula staarde naar haar voeten. Ik weet niet of u het weet, maar dr. Hill heeft mij geholpen om de dingen op een rijtje te zetten,' zei ze haperend. 'Ik wilde nokken met alles. Maar dankzij hem ben ik er anders tegenaan gaan kijken.'

'Ik weet hoe goed hij daarin is,' zei Carol vriendelijk. Ze had zelf zijn talent om te repareren ook nodig gehad, hoewel ze vermoedde dat het bij Paula beter had gewerkt vanwege het gebrek aan intimiteit tussen hen.

Paula keek Carol recht in de ogen, haar kaaklijn straalde iets uitdagends uit. 'Ik ben hem wat verschuldigd. Dus toen hij me gisteren vroeg of ik bij hem langs wilde komen, heb ik niet geaarzeld. Hij vertelde me over een andere zaak die volgens hem met die van Robbie Bishop in verband stond. Hij zei dat jij het idee naar de prullenmand had verwezen en ik moet zeggen dat me dat niet verbaasde toen ik van hem hoorde hoe weinig hij in handen had.'

Carol kon met veel moeite haar gezicht in de plooi houden, maar van binnen was ze allesbehalve kalm. Waar was hij in vredesnaam mee bezig? Dit voelde op z'n minst aan als verraad. Hoe kon hij nu iemand uit haar eigen team uitzoeken en die rechercheur gebruiken om haar te laten zien hoe ze haar werk moest doen? 'Ga je me nu vertellen dat je inlichtingen bent gaan inwinnen over de dood van Danny Wade?' vroeg ze. Haar stem klonk griezelig neutraal.

Paula verstijfde op haar stoel, maar ze bond niet in. 'Ja, chef.'

Carol hield haar hoofd scheef en bekeek Paula met de minachting waarop ze arrestanten in de verhoorkamer trakteerde. 'En zou u me er even aan willen herinneren, rechercheur McIntyre, wanneer u precies ontslag hebt genomen bij het Team Zware Misdrijven en begonnen bent met uw werk voor dr. Hill?'

'Zo zit het niet,' begon Paula. 'Hij heeft wat van me te goed.'

'Je had een taak opgedragen gekregen in een moordonderzoek en je hebt die op eigen houtje in de steek gelaten, omdat de een of andere burger die af en toe met dit team samenwerkt je iets anders heeft opgedragen?' De stem van Carol had een storm tot bedaren kunnen brengen. Ze zag hoe haar woorden Paula raakten en ze was op dat moment kinderachtig genoeg om daar blij om te zijn.

Tot haar verbazing sprong Chris in de bres voor Paula. 'Ik denk dat het nu belangrijk is wat Paula heeft ontdekt, chef. Je ziet wel dat ze niet trots is op wat ze heeft gedaan, maar ze heeft wel succes gehad. Ze is een goede smeris en ze verdient het niet op haar donder te krijgen omdat ze een risico heeft gelopen. Dat doen we allemaal wel eens.' Met haar blik daagde ze Carol uit. Ze hadden tegelijkertijd bij de politie in Londen gewerkt. Carol besefte dat Chris Devine ongetwijfeld meer over haar wist dan alle anderen in het team.

'Als het onderzoek is afgerond, zullen we wel eens kijken wat de disciplinaire gevolgen hiervan zijn,' zei ze koeltjes. Ze wilde niet toegeven aan de angst die de woorden van Chris bij haar hadden teweeggebracht. Paula had een resultaat geboekt. Wat inhield dat Carol ten onrechte de mening van Tony naast zich neer had gelegd. Was ze niet meer tegen haar taak opgewassen? Zat ze haar eigen glazen in te gooien, omdat hij dingen had gezien die zij zelf had moeten zien, maar wat niet gebeurd was? Begon haar beoordelingsvermogen eronder te lijden dat ze zoveel dronk? God mocht weten dat ze dat vaak genoeg om zich heen had zien gebeuren. 'Wat heeft dr. Hill je laten doen?'

Paula zag er wat overstuur uit, maar ze vertelde Carol over haar tochtje naar de pub en over haar gesprek met Jana Jankowicz. Ze legde de foto van Jack Anderson op het bureau neer. 'Dit is de man die door Carlos is geïdentificeerd. Jana denkt dat hij een keer aan huis is geweest toen Danny er niet was, maar ze kan zich niet herinneren waarom en wanneer.'

'We hebben bij Amatis geen positieve identificatie van Anderson gekregen, maar een van de barkeepers denkt dat hij die kerel kan zijn geweest met wie Robbie die donderdagavond wat heeft gedronken,' voegde Chris eraan toe. 'Allemaal een beetje vaag, maar we dachten dat het misschien wel de moeite waard was om Carlos te vragen hierheen te komen. Dan kan hij samen met Stacey kijken of we van deze foto een betere gelijkenis kunnen maken. Ander haar, een beetje mooier maken met de computer, dat werk.'

Carol voelde zich verscheurd door tegenstrijdige gevoelens. Een deel van haar wilde haar woede koesteren en hun de scherpe kant van haar tong laten voelen. En het andere deel wilde hen feliciteren en meteen in actie komen om Jack Anderson in te rekenen. Ze herkende wat er met haar aan de hand was en onmiddellijk sloeg de smeris in haar het verwende kind de kop in. Op hetzelfde moment zag ze dat Paula merkte dat de vlag er wat anders bij hing, en dat ze zich een beetje ontspande. 'Shit,' zei Carol, die een wrang glimlachje niet kon onderdrukken. 'Je hebt geen idee hoe ik ervan baal dat ik fout zit. Maar de volgende keer, Paula – als er nog een volgende keer is –, kom je eerst naar mij toe, voordat je op pad gaat op basis van een van Tony's ingevingen. Hij heeft niet altijd gelijk, hoor. En ik heb altijd een luisterend oor.' Terwijl ze dit zei, zag ze hoe Paula haar schouders ontspande. Er lag nog steeds een gloeiend kooltje van woede te smeulen in Carols hart, maar dat bewaarde ze voor de persoon die het echt verdiende. 'Nou, vertel maar. Wie is Jack Anderson en waar kunnen we hem vinden?'

'Dat,' zei Chris met een zucht, 'is waar we enigszins in de problemen komen. Volgens Stacey bestaat hij niet.'

'Hoezo?' Carol was nog steeds prikkelbaar en niet in de stemming voor raadseltjes. 'We hebben zijn foto. Die moet toch ergens vandaan gekomen zijn.'

'We hebben met de persoon gepraat die de foto naar ons toe heeft gestuurd. En met de derde persoon op de oorspronkelijke foto. Ze zeggen beiden hetzelfde. Ze hebben op school gezeten met Jack Anderson en hij deed vroeger altijd met dezelfde pubquiz mee als zij. Elke donderdagavond in de Red Lion in Downton. Hij zat in een team dat zichzelf The Funhouse noemde. Ongeveer drie jaar geleden kwam hij opeens niet meer. Onze jongens hebben aan de andere leden van The Funhouse gevraagd waarom Anderson ermee was opgehouden en zij zeiden dat hij naar Stockport was verhuisd. En daar raken we het spoor bijster,' zei Paula.

'Omdat hij volgens Stacey niet naar Stockport is gegaan,' ging Chris verder. 'Of als dat wel zo was, staat hij er niet ingeschreven. Hij betaalt geen gemeentelasting, hij staat niet in het telefoonboek, hij hoeft geen btw te betalen en hij heeft al vier jaar geen belastingformulier ingevuld. Hij heeft geen faillissement aangevraagd en hij heeft geen lopende creditcard. Vind je het niet eng wat die meid op een gewone zaterdagmorgen allemaal kan uitvissen?'

Carol huiverde theatraal. 'Daar probeer ik niet aan te denken. Hoe zit het met familie? Oude schoolvrienden?'

'Daar zijn we mee bezig,' zei Paula. 'Volgens die vent die ons in eerste instantie de foto heeft gegeven, zat Andersons vader bij het leger. Blijkbaar is hij omgekomen tijdens de eerste Golfoorlog, niet lang nadat Anderson op Harriestown High is begonnen. Onze bron weet niet zeker of hij zich alles nog goed herinnert, maar hij denkt dat die vader door zijn eigen troepen is doodgeschoten.

'Dat heeft er vast ingehakt.' zei Carol, 'En hoe zit het met zijn moeder?'

Chris keek in haar notitieboekje. 'Ik ben er nog steeds mee bezig, maar volgens zeggen heeft ze zelfmoord gepleegd in de zomer na Andersons eerste jaar op de universiteit. Klinkt alsof ze heeft gewacht tot hij zogezegd onder de pannen was en dat ze toen heeft gedaan wat ze moest doen. We weten niet precies welke universiteit. De ene vent dacht Leeds, de andere Manchester. En we weten ook niet precies wat hij heeft gestudeerd. Zou biologie kunnen zijn, maar ook zoölogie. Zou verdomme ook borduren kunnen zijn, eerlijk gezegd. Ik denk dat ze toen met z'n tweeën maar wat zaten te verzinnen.' Ze schudde vol walging haar hoofd. 'Waarom doen die kerels toch zo hun best om indruk op ons te maken?'

'Waarschijnlijk omdat wij gemachtigd zijn ze met hun dikke reet in de bak te gooien, Chris,' zei Paula ad rem.

'Oké, oké, zo kan-ie wel weer. Donder alsjeblieft gauw op met z'n tweeën. En waag het niet terug te komen voordat je letterlijk alles over Jack Anderson weet. Inclusief zijn huidige adres.' Ze stond op en plukte haar jasje van de kapstok. 'Ik ga nog even langs bij de vader en moeder van Robbie. Misschien herinneren zij zich Jack Anderson nog. Je kunt nooit weten. En dan ga ik met een man praten over het op persoonlijke titel inzetten van politiemensen. Maar goed dat hij al in het ziekenhuis ligt, dan is de Spoedeisende Hulp vlak in de buurt.'

Ex-hoofdinspecteur Tom Cross bewoonde een van de duurste huizen in Bradfield dankzij een spectaculaire prijs in de voetbalpool een paar jaar voor zijn gedwongen pensionering. Van zijn pensioen konden zijn vrouw en hij er een comfortabel leventje op na houden. Maar ondanks dat vond hij toch niet dat hij had geboft. Er zijn mensen die niet tot tevredenheid in staat zijn en Tom Cross was zo iemand.

Hij staarde somber vanuit het badkamerraam naar een perfect onderhouden gazon dat zachtjes afliep naar de rivier de Brade, waar een leuk bootje aan een betonnen aanlegsteiger lag. Ellendige klotedag voor de wedstrijd, dacht hij. Hoe dik hij zich ook zou aankleden, zijn neus zou bij de rust één grote ijsklomp zijn.

Cross keek weer in de spiegel, schakelde zijn elektrische scheerapparaat in en begon er zijn zware kaken mee te bewerken. Zijn bleekgroene ogen puilden een beetje uit, vandaar dat zijn oude bijnaam Popeye luidde. Net als zijn naamgenoot uit het stripverhaal, had Cross nog steeds de massieve gespierde schouders en bovenarmen van zijn tijd als aanvaller van een rugbyteam. In de spiegel was de enorme buik niet te zien waar het jarenlange genieten van snacks en bier de oorzaak van was; Cross was altijd geneigd geweest zijn ogen te sluiten voor de waarheid als die niet in zijn straatje paste. Sommigen zouden zeggen dat hij daardoor in zijn beroep was mislukt. Cross zelf legde de verantwoordelijkheid daarvoor op het bordje van die schijnheilige trut Carol Jordan.

Hij schoor zich snel en liet toen de wasbak vollopen met warm water. Hij dompelde zijn hele hoofd erin en streek met zijn handen over het grijze stoppelhaar dat zijn kale kruin omkransde. Hij kwam naar lucht happend overeind en met zijn kleine mond met het cupidoboogje sproeide hij druppeltjes water over de marmeren rand van de wasbak. Die trut van een Jordan en die lul van een John Brandon. Een stelletje zelfingenomen zakkenwassers. Jordan was zijn opvolgster en Brandon had het bericht in omloop gebracht dat Tom Cross een bedrieger was, en een leugenaar. Daardoor was het verdomd moeilijk geworden om te worden ingeschakeld bij het soort beveiligingswerk dat hem paste. Maar voordat hij vandaag dood zou vriezen als toeschouwer bij de Vics, die er nog wat van probeerden te bakken zonder Robbie Bishop, zou hij in ieder geval met iemand te maken krijgen die hem naar waarde wist te schatten.

De brief van Harriestown High was als een donderslag bij heldere hemel gekomen. Hij was daar sinds zijn zestiende verjaardag niet meer teruggeweest, toen hij 'm was gesmeerd om in de bouw te gaan werken totdat hij een plaatsje kreeg op de politieschool. Maar volgens de brief van de directeur had de school nu de gewoonte om, waar mogelijk, ex-leerlingen in te schakelen. Toen er sprake was van de beveiliging bij een grote liefdadigheidsactie was de naam van Tom Cross als eerste naar voren gekomen.

Hij had braaf het nummer gebeld dat boven aan het briefpapier stond. Tot zijn verbazing kreeg hij een antwoordapparaat dat alleen maar zei: 'U bent verbonden met Harriestown High School. Wilt u uw naam en telefoonnummer achterlaten, dan bellen wij u zo spoedig mogelijk terug.' Nog geen vijf minuten later werd hij teruggebeld door de directeur zelf. 'Sorry voor dat antwoordapparaat,' had hij gezegd. 'U zou niet geloven hoe vaak we agressieve en onheuse telefoontje van ouders krijgen.'

Cross snoof minachtend. 'Dat wil ik graag geloven. Toen ik nog op school zat, wist je dat je het wel kon schudden als de school of de politie contact opnam met je ouders. Nu kiezen de ouders de kant van hun kinderen en krijgen wij de volle laag.'

'Precies. Bedankt dat u me hebt teruggebeld. Als u geïnteresseerd bent in dit project, denk ik dat u het beste een afspraak kunt maken met Jake Andrews. Jake is de organisator van het geheel. Hij kan u op de hoogte brengen van alle bijzonderheden. Het is allemaal heel groots opgezet. Robbie Bishop heeft al beloofd dat hij aanwezig zal zijn en hij heeft zijn vroegere verloofde overgehaald om als dj op te treden. Ze werkt voor Radio One, weet u,' voegde hij er samenzweerderig aan toe. 'Ik zal vragen of Jake u belt.'

En later die dag had Jake inderdaad gebeld. Ze hadden tijdens een lunchafspraak in een zeer goed Frans restaurant in de stad een oriënterend gesprek gevoerd. Normaal gesproken zou Cross daar nooit voor hebben gekozen, maar hij moest toegeven dat ze wel wisten hoe ze steak met frieten moesten klaarmaken. Nu zouden ze de gedetailleerde plannen gaan bekijken, onder andere hoe het er op de plaats van handeling, het landgoed van Lord en Lady Pannal, uitzag. Hoewel God mocht weten wie ze moesten inhuren als boegbeeld van het evenement, nu Robbie Bishop het loodje had gelegd.

Cross kwakte wat aftershave op zijn wangen en ondanks de stekende pijn vertrok hij geen spier. Hij wierp een blik op zijn horloge, dat hij naast de spiegel had hangen. Hij moest opschieten. Hij had met Jake in een pub aan de andere kant van Temple Fields afgesproken. Ze zouden even een biertje achteroverslaan om daarna in het appartement van Jake te gaan lunchen. Het joch had zich uitgebreid verontschuldigd. 'Sorry dat we in de pub moeten afspreken, maar mijn appartement is afschuwelijk moeilijk te vinden.

Iedereen verdwaalt altijd. Ik ben erachter gekomen dat het gewoon gemakkelijker is om elkaar in de pub te ontmoeten. Ik heb alles wat we nodig hebben bij mij thuis liggen, dus ik maak wat te eten voor ons klaar en dan kunnen we onder het eten onze zaken afhandelen. Ik ben vegetariër, maar maak je geen zorgen, mijn gasten zet ik altijd vlees voor,' had hij er met een glimlach aan toegevoegd.

Cross liep naar zijn kleedkamer en haalde een lange thermische onderbroek uit de la. Een dikke onderbroek aan de buitenkant en een lekkere lunch aan de binnenkant. Zo zou hij een middag op het voetbalveld wel overleven.

Yousef sloeg de deur van de zit-slaapkamer dicht en leunde ertegenaan, zijn oogleden stijf dicht, de brok in zijn keel zo groot dat hij bijna stikte. Hij had er zo hard aan gewerkt om zijn doel zuiver te houden. Hij had stil voor zich heen zijn drijfveer als een mantra opgezegd, 's morgens, 's middags en 's avonds. Hij had zich vastgeklampt aan zijn overtuiging dat zijn hart en zijn verstand één waren. Dat wat hij deed niet alleen goed was, maar ook de enige weg die hij kon gaan. Hij had zichzelf heus niet wijsgemaakt dat zijn daad geen gevolgen zou hebben. Hij had zichzelf gedwongen te denken aan hoe het er voor zijn familie zou uitzien. Hij was slim genoeg om te weten dat ze geschokt en radeloos zouden zijn en dat ze niet zouden kunnen geloven dat hij hiertoe in staat was. Maar hij had zichzelf ingeprent dat ze eroverheen zouden komen. Ze zouden verdergaan met hun leven en hem afschrijven als familielid. De gemeenschap zou hen ondersteunen. Het zou wel weer goed komen met ze. Niet iedereen zou het eens zijn met wat hij had gedaan, maar ze zouden daarom vast niet de hele familie Aziz verstoten.

Maar vanmorgen was hij zich opeens met een schok bewust geworden van de enorme reikwijdte van alles. Niet dat er iets speciaals was gebeurd. Ze hadden allemaal dingen gedaan die ze meestal op zaterdag deden. Zijn moeder ging naar de kleine Aziatische supermarkt in de buurt om halal vlees te kopen, en groente en fruit voor het weekend. Zijn vader ging naar de moskee om te bidden en om met zijn vrienden te praten. Raj ging naar de Koranschool om een uur lang de Koran te bestuderen. Sanjar lag in bed om bij te komen van de vermoeienissen van die week. En Yousef ging naar het pakhuis om te kijken of alles naar wens verliep. Het was vreemd geweest om te beseffen dat hij alles voor het laatst deed. Vreemd maar niet emotioneel. Hij kon moeilijk emotioneel worden over een oude fabriek en een stelletje arbeiders die nooit zijn vrienden konden worden.

Wat hem wel had geraakt was het middageten op zaterdag. Traditioneel aten ze samen. Zijn moeder maakte altijd een wonderbaarlijke stoofpot klaar van gekruid lamsvlees en groenten en een hele hoop chapati's om het mee op te deppen. Het was een kort intermezzo van saamhorigheid in een leven waarin ieder voor zich druk bezig was met zijn eigen besognes. Door het besef dat hij dit nooit meer zou meemaken had Yousef bijna geen hap door zijn keel kunnen krijgen. En daardoor was zijn moeder zich gaan afvragen of er iets met hem aan de hand was. Ze was er pas mee opgehouden toen Raj was beginnen te zeuren, omdat Sanjar een spoedbestelling had in Wakefield en dus Raj niet bij zijn vrienden kon afzetten voor de voetbalwedstrijd van die middag.

'Maak je niet druk, Raj, Yousef kan je ook wegbrengen,' had zijn moeder gezegd.

'Dat kan ik niet,' zei hij. 'Ik heb een afspraak met een kerel in Bighouse over een nieuw contract. Ik heb geen tijd.'

'Wat bedoel je, ik heb geen tijd? Je hoeft er niet ver voor om te rijden om die jongen bij zijn vrienden af te zetten,' drong zijn moeder aan.

'Wat voor nieuw contract?' wilde zijn vader weten.

'Niemand bekommert zich ooit om mij,' jammerde Raj.

Sanjar keek hem aan en knipoogde. Hij geloofde duidelijk ook niets van dat nieuwe contact, maar wat hij ook dacht over Yousefs beweegredenen, hij zou in geen honderd jaar kunnen raden wat er echt aan de hand was.

En toen was het hem allemaal bijna te veel geworden. Zijn laatste maaltijd met zijn familie en de een kibbelde nog harder dan de ander. Achteraf zou er geen warme herinnering zijn aan een gelukkige familiemaaltijd, als ze zich nog vast probeerden te klampen aan hun onterechte beeld van hem. Er zou alleen maar de bittere smaak van ruzie achterblijven.

Hij had weg gemoeten, voordat hij zich zou laten gaan waar ze allemaal bij waren. Vanwege de tranen had hij tijdens de rit naar de zit-slaapkamer bijna niets kunnen zien. Hij hield van hen en hij zou ze nooit meer zien.

Yousef schudde zijn hoofd alsof hij zijn pijnlijke gedachten van zich af wilde schudden. Hij kon niet meer terug. Hij moest vooruit kijken. Hij moest aan een glorieuze toekomst denken waarin zijn dromen zouden uitkomen. Hij duwde zich af tegen de deur. De laatste fase moest nog wel worden doorlopen.

Voorzichtig vulde hij een groot blik met TATP en legde het mechanisme met buskruit uit een doe-het-zelfdoos voor raketten in het midden. Hij maakte dunne geplastificeerde draden met kleine clipjes met scherpe tandjes eraan vast en bevestigde ze daarna aan een elektronisch ontstekingsmechanisme dat weer met draden vastzat aan een elektronische tijdontsteker en een klein bundeltje dat met plakband was dichtgeplakt. Hij had dit deel van de bom niet zelf gemaakt; hij had geen vaardigheden op dat gebied. Maar het was hem uitgelegd. Hij moest de bom om halfvier 's middags hebben geplaatst, als de eerste helft een halfuur bezig was. Hij moest de tijdontsteker op veertig minuten zetten, zodat het ding midden in de tweede helft af zou gaan, waardoor hij nog genoeg tijd zou hebben om weg te komen. Een simpel plan, met opzet simpel gehouden om de kans op een eventuele fout zo klein mogelijk te houden.

Hij moest zich volledig concentreren op de montage van de bom en daar werd hij kalmer van. Toen hij ermee klaar was en het pakketje onder in de gereedschapskist van Imran had gelegd, had hij zichzelf weer helemaal onder controle.

Yousef droeg heel voorzichtig de gereedschapskist naar beneden, naar het busje van Imran. Hij wist hoe explosief de TATP was, hoe gemakkelijk door bewegen wrijving kon ontstaan die de kettingreactie teweeg kon brengen die hem en de rest van het huis op zou blazen. Hij zette het pakketje zachtjes op de grond, maakte de achterklep van het busje open en legde het toen op het schuimrubber kussen dat hij al had klaargelegd. Hij deed de deuren zorgvuldig dicht en liep toen weg van het busje. Nu wou hij dat hij rookte.

Hij keek op zijn horloge. Bijna tijd om op pad te gaan. Hij wilde ongeveer vijf minuten vóór het begin van de wedstrijd bij de ingang voor personeel en spelers aankomen. Dan hadden de beveilingsmensen het te druk om op hem te letten. Als hij rekening hield met het verkeer, moest hij over vijf minuten vertrekken.

Yousef ging in het busje zitten en stak onhandig de sleutel in het contact. Zijn handen waren nat van het zweet. 'Rustig maar,' zei hij tegen zichzelf. Geen reden tot paniek. Geen reden om bang te zijn. Er kon niets fout gaan.

Hij wist niets over het derde onderdeel, dat tussen het ontstekingsmechanisne en de tijdontsteker zat. Een onderdeel dat alle plannen die door Yousef zo zorgvuldig waren uitgedacht, zou veranderen.

Tony was heel tevreden over zichzelf. Vandaag was hij de man die de helft van een trap was opgelopen. Oké, het had hem wel enige moeite gekost om weer beneden te komen, maar hij had de overloop gehaald. Negen treden omhoog en negen treden naar beneden. En niet één keer gevallen. Achteraf was hij zo uitgeput geweest dat hij op de grond wilde gaan liggen janken, maar dat stukje van het verhaal zou hij weglaten als hij het vertelde.

Tony zette de laptop aan en ging naar de site van Bradfield Victoria. Omdat hij er niet zo goed in was om kantooruren aan te houden, had hij zich aan het begin van het seizoen geabonneerd op hun privételevisiezender. Dus waar hij ook was, zolang hij toegang had tot een internetaansluiting kon hij de wedstrijden van de Vics live meemaken. Hij logde in en draaide het geluid zacht. Al dat gezwets van een paar gepensioneerde tweederangsvoetballers en een commentator die bij de grote zenders uit de gratie was geraakt, hoefde hij niet te horen. Ze zouden het toch alleen maar over Robbie hebben en hij verkeerde absoluut niet in de veronderstelling dat ze iets bruikbaars te melden hadden.

Bij de gedachte aan Robbie schoot hem ook iets anders te binnen. Hij moest iets bedenken waardoor Carol niet het idee had dat ze voor gek stond dat ze hem niet had geloofd, nu hij gelijk bleek te hebben gehad. Ze zou woedend op zichzelf zijn en het zat er dik in dat ze als reactie die woede op hem zou willen afreageren. Hij kon maar het best iets klaar hebben liggen waarmee hij haar het initiatief uit handen zou nemen. Alleen de vraag was wat.

'Waarom kies je ze uit, Stalky? Gaat het je om Harriestown High School? Is er daar iets gebeurd waardoor je het zo belangrijk vindt?' Hij ging de diverse mogelijkheden na, maar kon niets bedenken wat Robbie Bishop en Danny Wade in hun schooltijd gemeen hadden gehad. 'Maar dat veranderde,' zei hij peinzend. 'Toen ze doodgingen, hadden ze wel iets gemeen. Ze waren allebei rijk. En rijke mensen zijn anders. Dus waren zij ook veranderd. Ze waren nu boven de rest van Harriestown High verheven. Ze hebben geboft, zou je kunnen zeggen. Voor Danny gold dat zeker. Voor de loterij heb je geen talent nodig, alleen stom geluk. Maar Robbie heeft ook geboft. De juiste club, de juiste manager. We hebben allemaal gezien dat het ook anders kan – een groot talent waar uiteindelijk niets van terechtkomt.' Hij schoot hier niet veel mee op en dat wist hij. Twee zaken leverden gewoon niet genoeg gegevens op. Dat was het moeilijkste aspect van zijn baan. Hoe meer mensen er doodgingen, hoe gemakkelijker het voor hem werd.

Dus er was niet veel wat de slachtoffers gemeen hadden. Hoe zat het met de moordmethode? Plantengiffen. Het leek wel op Dorothy Sayers of Agatha Christie. Een moordmysterie in een dorpje. 'Historisch gezien waren gifmengers huurmoordenaars of familieleden. Maar nu hebben we pistolen voor de huurmoordenaars en de forensische toxicologie heeft al lang geleden korte metten gemaakt met gif mengende familieleden... Dus waarom zou jij er gebruik van maken? Het is moeilijk het in handen te krijgen, en als je dat toch probeert, laat je een spoor achter. Maar als je geen kick krijgt van het moorden zelf, is vergif een prima optie.' Hij knikte bevestigend. 'Zo is het toch, hè? Wat jij leuk vindt, is niet het doden zelf, maar het gedood hebben. Je houdt van het gevoel van macht, maar je wilt je handen liever niet vuilmaken. Het is bijna alsof je afstand houdt. Alsof je onschuld intact blijft. Toen je bij ze wegging, was er nog niets met ze aan de hand. Je hoeft jezelf niet te zien als de een of andere ordinaire moordenaar.' Hij zweeg even, diep in gedachten verzonken. 'Je kunt jezelf bijna wijsmaken dat je ze nog een kans geeft. Misschien zullen ze er nog van genezen, misschien niet. Misschien hebben ze wel geluk. Of misschien hebben ze geen schijn van kans... En nu we het daar toch over hebben, daar komen mijn jongens op. Die hebben waarschijnlijk ook geen schijn van kans.' Op het scherm kwamen de bekende kanariegele shirts uit de spelerstunnel tevoorschijn. Om de bovenarmen van alle spelers zat een zwarte band. De spelers van Tottenham Hotspur volgden, ook met een zwarte band om de arm en met gebogen hoofd.

De twee teams gingen tegenover elkaar op een rij staan en Tony zette het geluid wat harder, zodat hij de commentator nog net kon horen zeggen: '...voor één minuut stilte ter nagedachtenis van Robbie Bishop die deze week op tragische wijze is overleden.'

Tony boog zijn hoofd en zweeg eveneens. Het leek bijna te snel voorbij te zijn. Toen begon de menigte te brullen, de spelers schuifelden wat met hun voeten en namen toen hun positie op het veld in. Robbie was officieel tot een herinnering verklaard. De show kon beginnen.

De straten rondom Victoria Park waren stampvol met supporters die allemaal naar het stadion optrokken. Auto's waren niet toegestaan, ze werden tegengehouden en omgeleid door politiemensen met gele lichtgevende jackjes aan. Alleen voetgangers en paarden mochten erdoor. De bereden politie hield van de thuiswedstrijden, omdat ze dan vaak in alle rust hun paarden uit konden laten. Midden door de gele stroom van thuissupporters liep een afgebakende streep wit waar de supporters van Tottenham uitdagend op het terrein van de vijand rondstruinden.

Er was nog een ander, kleiner vlekje wit te zien te midden van het geel. Het busje van A1 Electricals kwam maar heel langzaam vooruit in de menigte die niet van zins was om voor wie of wat dan ook aan de kant te gaan. Achter het stuur zat Yousef de hele tijd te bidden, zijn lippen bewogen zich nauwelijks, maar zijn gedachten tolden in het rond. Als hij zich op de kleine dingen concentreerde, hoefde hij niet de afgrijselijke daad onder ogen te zien die hij ging plegen. Zijn papieren hadden hem voorbij het eerste controlepunt gekregen. Een politieman die het verkeer tegenhield dat in de richting van het stadion reed, had een blik geworpen op de twee vervalste faxen en de even valse identiteitskaart en had hem zonder commentaar doorgewuifd. Nu werd het menens.

Hij controleerde hoe laat het was. Hij lag precies op schema. De Grayson tribune doemde voor hem op, de hoge gietijzeren hekken met het clubwapen waren duidelijk zichtbaar. De ingang naar de parkeerplaats voor personeel en spelers lag een meter of tien achter de hekken en werd afgesloten met een slagboom en een kordon veiligheidsmensen. Hij trok zijn baseballpetje nog verder naar beneden, zodat van bovenaf zijn gezicht moeilijker te onderscheiden was.

Yousef passeerde de hekken en drukte op zijn claxon om zich een weg te banen tussen de horden supporters door. De weg was nog meer verstopt dan anders, omdat het trottoir helemaal in beslag werd genomen door de gedenkplaats voor Robbie Bishop. Zijn foto glimlachte Yousef telkens weer toe, de zelfverzekerde grijns van een man die ziet dat het hem meezit in het leven. Wat had hij ongelijk gehad, dacht Yousef.

Hij draaide het stuur om, zodat hij met de neus van het busje naar de slagboom stond. Toen hij dichterbij kwam, werd hij omringd door veiligheidsmensen. Ze zagen er allemaal even dreigend uit met hun zwartgele vliegeniersjacks van de Vics, hun zwarte spijkerbroeken en hun kaalgeschoren hoofden. Hij draaide zijn raampje open en glimlachte. 'Een noodreparatie van de elektriciteit,' zei hij. 'Er is een probleem met de toevoer naar de hoofdleiding onder de Vestey tribune.' Hij haalde de faxen tevoorschijn. 'Als het misgaat, zitten de vips zonder stroom.'

De veiligheidsman die het dichtstbij stond, snoof minachtend. 'Dan kunnen die arme zielen hun garnalenbroodjes niet meer vinden in het donker. Wacht even, dan kan ik dit laten zien aan die vent daarginds.' Hij pakte het papier aan en liep ermee naar het kleine huisje bij de slagboom. Yousef kon zien hoe hij de faxen aan de man die erin zat, liet zien. Hij voelde het zweet in zijn oksels en bij zijn billen.

'Dat is me nogal wat, hè, al die bloemen,' zei hij tegen de bewaker die naar voren was gestapt om de plaats van de andere in te nemen. 'Arme kerel.'

'Ongelooflijk, ja,' zei de bewaker. 'Welke gemene klootzak zou nu zoiets doen?' Hij keek nog eens goed, alsof hij nu pas in de gaten had dat hij met een jonge Aziatische man stond te praten, volgens de sensatiebladen het prototype van een eigentijds monster. 'Sorry man, ik bedoelde niet... Snap je?'

'Ik snap het. We zijn niet allemaal zo,' zei Yousef. hij voelde zich zo ongemakkelijk dat hij bijna letterlijk kromme tenen kreeg. Niet omdat hij loog, maar omdat hij zo laf loog. Voordat ze hun gesprek konden voortzetten, kwam de eerste bewaker terug met de papieren.

'Je zult me even achterin het busje moeten laten kijken,' zei hij.

Yousef zette de motor af, nam de sleutels uit het contact en liep naar de achterkant van het busje. Hij kon voelen hoe zijn handen trilden, dus probeerde hij zijn lichaam tussen het slot en de beveiligingsmensen te manoeuvreren. Hij prentte zich in dat hij zich nergens zorgen over hoefde te maken, dat het allemaal in orde zou komen. Hij trok de deur met een zwaai open. Langs de zijkanten van het busje hingen kabelhaken en plastic dozen vol met klemmen, zekeringen, schroeven en schakelaars. Haspels met kabels van verschillende dikten lagen op een hoop achter een afscheiding van gevlochten touw, en Imrans gereedschapskist stond wat terzijde, een lange, platte metalen kist bedekt met geschilferde blauwe verf.

'Wil je die gereedschapskist even openmaken?' vroeg de bewaker.

'Tuurlijk.' Yousef slikte eens goed en maakte de deksel open. Hij trok de eerste laag uit elkaar waardoor er een arsenaal aan pincetten, draadtangetjes en schroevendraaiers zichtbaar werd. 'Oké?' Hij legde zijn hand op de bak alsof hij hem verder wilde openmaken. Zijn ingewanden krompen samen, zijn blaas stond op springen. Als die klotebewaker nu niet afzag van verder zoeken, dan zou hij vervolgens een bom te zien krijgen.

De bewaker wierp een vluchtige blik op het gereedschap. 'Lijken mij de spullen van een elektricien. Oké, man,' zei hij. 'Parkeer daar maar in de verste hoek.' Hij wees naar de uiterste rand van de parkeerplaats. 'Daar zie je een hek. De bewaker daar weet dat je eraan komt. Hij laat je binnen. Je volgt het pad de hoek om en dan kom je bij de personeelsingang. Zij laten je wel zien waar je moet zijn.' Hij knipoogde. 'Ze laten je misschien ook nog wel een stuk van de wedstrijd zien als je het klusje vlug klaart.'

Yousef volgde de instructies op. Hij kon bijna niet geloven dat het allemaal zo gemakkelijk ging. Toen hij eenmaal voorbij de eerste slagboom was, merkte hij dat hij werd geaccepteerd als iemand die een geldige reden had om daar te zijn. Tien minuten later liep hij, met gebogen hoofd om de bewakingscamera's te ontwijken, met de gereedschapskist van Imran met de dodelijke lading een smalle dienstgang door onder het middengedeelte van de reusachtige Vestey tribune. De tribune was vernoemd naar Albert Vestey, de legendarische aanvaller van Engeland en van de Bradfield Vics in de periode tussen de twee wereldoorlogen. Op de bovenste rij bevonden zich een perscentrum en een aantal vipboxen. Het aanzwellen en afnemen van het zingen en juichen van de fans vergezelden hun stappen tijdens het lopen. Yousef stond er versteld van hoe hard het klonk. Hij had gedacht dat het onder de tribune veel rustiger zou zijn, vanwege de beschermende laag van beton en lichamen. Maar het klonk hier bijna even schel, alsof je te midden van de schreeuwende toeschouwers stond.

Yousefs bestemming was een kleine kamer die uitkwam op de dienstgang waar de elektriciteitskasten stonden. Van hieruit werd de elektriciteit geregeld voor het nieuwscentrum en de vipboxen. Onmiddellijk boven het kamertje, gescheiden door een maaswerk van balken en gestort beton was de scheidingsmuur tussen twee boxen, die elk aan maximaal twaalf bezoekers plaats konden bieden. Deze beide boxen werden beiden geflankeerd door identieke vakken. Alle vier de vakken, net als de andere die aan weerskanten waren gebouwd, zaten vol met mensen die lekker op kosten van iemand anders zaten te eten en te drinken. Het voetbal, zo leek het, was vaak een bijkomstigheid. Wat telde was dat je erbij was.

De bewaker die met Yousef mee was gelopen vanaf de personeelsingang, bleef staan voor een grijze deur waarop een gele plaat was bevestigd met een zwarte bliksemflits erop. 'Alsjeblieft, vriend,' zei hij. Hij ontsloot de deur en maakte hem open. Hij wees naar een huistelefoon een paar meter verderop in de gang aan de muur. 'Bel maar als je klaar bent, dan doe ik de deur wel weer achter je op slot.' Hij duwde de deur open, reikte naar het lichtknopje en liet Yousef de kleine ruimte binnengaan. 'En als je klaar bent voor het eind van de wedstrijd, vinden we voor de rest wel ergens een plekje voor je.'

Yousef voelde zich misselijk, maar hij wist toch nog met een glimlach een knikje te produceren. De deur viel met een zacht klikje dicht. Het kamertje was donker en benauwd. Het rook er naar stof en olie. De kabelkasten bedekten de achtermuur. Langs alle muren hingen kluwens van kabels, helemaal bedekt met vettig stof. Hij dacht niet dat iemand hem hier zou storen, niet als er vlakbij een wedstrijd werd gespeeld. Maar voor de zekerheid duwde hij het uiteinde van de gereedschapskist tegen de deur, dan kon er in ieder geval niemand ongemerkt binnenkomen.

Zomaar, volkomen onverwacht, voelde Yousef hoe zijn keel zich samenkneep en hoe de tranen in zijn ogen sprongen. Hij was met iets verschrikkelijks bezig. Maar het was wel het juiste, daar was hij van overtuigd. Het was de beste manier om zijn doel te bereiken. Maar hij vond het vreselijk dat hij in een wereld leefde waarin dit soort gedachten noodzakelijk was. Waarin geweld de enige taal werd waar de mensen nog naar luisterden. Waar geweld de enige taal was die nog ter beschikking stond van diegenen die constant werden teleurgesteld door de manier waarop de wereld werd geleid. George Bush had gelijk gehad, het was een kruistocht. Alleen niet van het soort dat die klootzak in het Witte Huis in gedachten had.

Hij wreef met de rug van zijn hand over zijn ogen. Dit was niet de tijd of de plaats om te gaan huilen of om zich nog te bedenken. Yousef maakte de gereedschapskist open en haalde het bovenste vak eruit. Eronder, gewikkeld in diverse lagen bubbeltjesplastic, lag de bom. Hij zag er niet erg indrukwekkend uit. Op de een of andere manier vond Yousef dat hij er indrukwekkender uit zou moeten zien. Dat hij meer uitstraling moest hebben dan hij nu had met dat boterblik en die kookwekker.

Hij keek op zijn horloge. Het verliep allemaal prima. Twaalf minuten over drie. Hij haalde een rol isolatieband tevoorschijn en maakte de bom vast aan een bundel kabels die halverwege de muur hingen. Toen, met een droge mond en met een kolkende maag, begon hij de timer in te stellen.

Phil Campsie stond nog geen twee minuten op het veld of hij was al in een spectaculaire rush langs de linkerkant gesneld waar hij tegen een pijnlijke maar eerlijke tackle was opgelopen. 'O nee,' riep Tony.

'Zeg dat wel,' zei Carol, die op hoge poten binnen kwam stormen. 'Waar ben jij in godsnaam mee bezig?'

Tony keek haar verdwaasd aan als een man die gewoon iets aan het doen is wat mannen eigen is. Hij had totaal geen oog voor haar lichaamstaal. 'Ik ben het voetballen aan het kijken,' zei hij. 'De Vics en de Spurs. Het is net begonnen, trek een stoel bij.'

Carol sloeg met een klap zijn laptop dicht. Tony keek woedend. 'Waarom deed je dat?'

'Hoe haal je het in je hoofd om mijn personeel te charteren voor klopjachten op het platteland en ze achter jouw verzinsels aan te sturen?' schreeuwde ze.

'Aha.' Tony trok een grimas. 'Nu hebben we het over Paula, mag ik aannemen?'

'Hoe kon je? Vooral nadat ik had gezegd dat ik vond dat het geen zin had?' Carol liep opgewonden in de kamer op en neer.

'Dat is nou precies waarom ik het zo moest aanpakken.' Tony deed voorzichtig zijn laptop weer open. 'Als ik het zelf had kunnen doen, zou ik dat hebben gedaan. Maar intussen heb ik jou wel een gênante situatie bespaard. Nu hoef je niet toe te geven dat je de beste aanwijzing die je ooit hebt gehad, hebt laten schieten.'

'Lulkoek. We hebben een verdachte die niets te maken heeft met Danny Wade.'

Tony klikte met zijn muis om de wedstrijd weer in beeld te krijgen. 'En je komt er ongetwijfeld ook nog wel achter dat hij niets met Robbie Bishop te maken heeft. Tenminste niet wanneer het om de moord op hem gaat.' Hij glimlachte haar stralend toe. 'En nu heeft Paula je een geweldige aanwijzing gegeven. Ik bedoel, dat moet wel, want als ze bot had gevangen, had je er niets vanaf geweten.'

Carol stak haar wijsvinger naar hem uit. 'Je bent godverdomme onmogelijk. Je bent helemaal buiten je boekje gegaan. Paula werkt voor mij, niet voor jou.'

Tony schonk haar een berouwvolle glimlach. 'Ik zou kunnen zeggen dat ze me heeft geholpen in haar eigen tijd,' zei hij. 'Omdat ze me zo aardig vindt.'

Nu was het Carols beurt om zelfgenoegzaam te grijnzen. 'Maar dat zou een leugen zijn. Ze heeft het in de tijd gedaan dat ze in dienst was van de politie van Bradfield, toen ze zogenaamd aan het werk was voor het TZM.'

Tony schudde zijn hoofd, zijn blauwe ogen werden donkerder toen hij zich opmaakte voor een strijd die wat harder zou worden. Hij keek naar de wedstrijd op het scherm, maar zijn woorden waren voor Carol bedoeld. 'Je kunt niet mensen voor je laten werken met uren die niet omschreven zijn en dan beweren dat ze als ze niet in bed liggen voor jou moeten werken. Paula heeft recht op rustpauzes. Je kunt niet klagen als ze die opspaart en daar dan één langere pauze van maakt. Ik wed dat ze geen acht uur achter elkaar vrij heeft gehad tussen gisteravond toen ze ophield met werken en toen ze vanmorgen weer aan het werk ging. Zelfs jullie arrestanten hebben daar recht op.'

Carol keek hem woedend aan. 'Ik baal ervan als je de dingen zo verdraait dat ze in jouw straatje passen. Je hebt iets gedaan wat niet kon en dat weet je. En dan nog wel met Paula. Je weet dat ze kwetsbaar is.'

'Als het om de geestelijke gezondheidstoestand van Paula gaat, kan ik daar, denk ik, beter over oordelen dan jij.' Hij keek haar onderzoekend aan en probeerde in te schatten hoe kwaad ze nog was. 'Kom op. Ga hier zitten en kijk samen met mij naar het voetbal. De jongens spelen zich de longen uit hun lijf voor Robbie. Je houdt je ogen niet droog, dat verzeker ik je.'

'Je kunt niet zomaar over iets anders beginnen en net doen alsof er niets is gebeurd,' zei Carol. Maar hij kon zien dat ze al wat minder kwaad was.

'Dat doe ik niet. Ik ben het met je eens. Ik weet dat ik over de schreef ben gegaan. Het enige wat ik kan zeggen is dat ik dit normaal gesproken zelf had opgeknapt. En ik dacht dat het te belangrijk was voor een moordonderzoek om het ongedaan te laten. Ik zal mijn excuses aanbieden aan Paula, omdat ik haar in een lastig parket heb gebracht, maar ik ga geen excuses aanbieden aan jou omdat ik jouw onderzoek een zet in de goede richting heb gegeven.' Hij gaf een klopje op de leuning van de stoel naast zijn bed. 'Nou, ga je nu verdorie nog zitten om naar die wedstrijd te kijken of niet?'

Met duidelijke tegenzin liet Carol zich in de stoel vallen. 'Je weet dat ik de pest heb aan voetbal,' bromde ze.

'Wij spelen in het geel,' zei hij.

'Sodemieter op. Dat weet ik wel,' zei ze.

'En, ga je me nog iets vertellen over het briljante nieuwe spoor van Paula?' vroeg hij terwijl de Spurs aan de bal kwamen en terreinwinst begonnen te boeken.

'Heeft ze je dat zelf nog niet verteld?'

Hij grijnsde. 'Nee, we snappen allebei te goed hoe de hiërarchische structuur hier in elkaar zit.'

'Jullie hebben tegen mij samengespannen,' zei ze. Hij zag dat het ergste voorbij was.

'Wees dankbaar dat we zoveel om je geven dat we willen voorkomen dat je op je bek gaat. Zoals hij daar.' Hij wees naar een speler van de Spurs die kennelijk over een grassprietje struikelde.

Terwijl ze zaten te kijken, werd het commentaar overstemd door een bulderend gerommel. Rook dreef over het scherm en toen kwam er op één kant van het veld een enorme hoeveelheid puin naar beneden vallen. Carol en Tony staarden met open mond naar het scherm. Daar was de stem van de commentator weer die hysterisch schreeuwde: 'O mijn god, o mijn god, er is een gat... Ik kan niets horen. O mijn god, er zijn lichaamsdelen... Ik denk dat er een bom is afgegaan. Een bom, hier in Victoria Park. O jezus christus...'

Nu moest de regisseur laten zien dat hij zijn mannetje stond. De camera switchte van het veld naar wat eens de Vestey tribune was geweest. Midden in de middelste rij was er niets anders te zien dan een steeds groter wordende stofwolk. In de rijen met zitplaatsen onder de vipboxen renden mensen in paniek naar de gangpaden. Op het scherm was nu een close-up te zien van een van de uitgangen, waar een stel supporters met man en macht probeerde naar buiten te komen, terwijl anderen kinderen boven hun hoofd doorgaven om die in veiligheid te brengen. Toen hadden ze de tribune weer in beeld, alleen likten er nu vlammen aan de rand van de stofwolk en zwarte rookspiralen krulden zich naar boven terwijl de stofwolk aan het inzakken was. En er klonk overal geschreeuw van mensen.

Carol, die was opgesprongen, was al halverwege de deur. 'Ik bel wel,' zei ze. Ze opende de deur en rende weg. Tony had nauwelijks in de gaten dat ze was vertrokken. Hij lag op zijn bed en keek stil en verbijsterd naar het drama dat zich voor zijn ogen afspeelde. Zonder zijn blik af te wenden van het scherm van de laptop pakte hij de afstandsbediening en zette de tv aan. Hij kon bijna niet bevatten wat hij zag

Bradfield was lid geworden van een zeer exclusieve club. De Twin Towers, Kuta Beach, Madrid, Londen. Een lijst waar geen enkele stad op wilde staan. Maar nu stond Bradfield er ook op.

En er was werk aan de winkel.

Toen Tom Cross nog bij de politie werkte, was de terreurdreiging van de IRA bijna constant aanwezig geweest. Twaalf doden toen er een bom ontplofte in een bus op de M62, twee kinderen die waren opgeblazen in het centrum van Warrington, meer dan tweehonderd gewonden en een stadscentrum verwoest in Manchester. Hij en zijn collega's hadden waakzaamheid leren betrachten, maar er was hun ook geleerd wat er van hen werd verwacht.

Dus toen de bom ontplofte in het Victoria Parkstadion, wist Cross intuïtief dat hij naar de haard van de explosie moest gaan. De andere 9.346 mensen op de Vestey tribune deelden die gedachte niet. Een zondvloed van mensen stroomde naar de gangpaden en de uitgangen, en Cross, die zestien rijen onder de vipboxen had gezeten, boog zijn hoofd, klampte zich vast aan de rug van zijn zitplaats en liet het maar over zich heen komen.

Toen de druk van de lichamen rondom hem wat minder werd, werkte hij zich langzaam maar zeker naar het midden van de rij waar geen mensen meer waren. Hij begon zo snel hij kon naar boven te klauteren. Hij wou dat hij niet zoveel had gegeten van de heerlijke lamsstoofpot die Jake Andrewes hem had voorgezet. Zijn maag voelde vol en pijnlijk aan en leek wel wat op een opgezwollen trommel waarvan de inhoud van de ene kant naar de andere klotste als regenwater in een afgedankte autoband. *Fuck*, dacht hij toen hij zich met moeite naar boven worstelde. Overal lagen lijken, en hij maar denken aan de toestand van zijn darmen.

Toen Cross dichterbij kwam, kon hij door het stof en de rook heen het gat in de tribune zien. Kapotgeslagen beton en verwrongen staal staken de lucht in, alsof iemand er van achteren met een enorme vuist doorheen had geslagen. Lichamen lagen in groteske houdingen op het puin, de meeste waren duidelijk dood en vele misten ledematen. Door het claustrofobische gerinkel in zijn oren heen kon hij het geknetter van vlammen horen, het gekreun van de gewonden, het omroepsysteem waardoor de mensen werd gesmeekt op een ordelijke manier het stadion te verlaten, en het naderende geluid van sirenes in de verte. Hij rook bloed en rook en stront, hij kon het op zijn tong proeven. Een bloedbad. Dat proefde hij.

De eerste persoon die nog ademde was een vrouw, haar haren en huid waren grijs van het stof. Haar linkeronderbeen was verbrijzeld, bloed spoot uit de wond. Cross trok de ceintuur uit zijn broek en bracht een drukverband aan boven haar knie. Het bloed kwam er nu nog druppelsgewijs uit. Haar oogleden trilden en gingen toen weer dicht. Hij kende de regel dat je gewonden niet mocht vervoeren, maar als het vuur zich snel verspreidde, zou zij erdoor overvallen worden. Hij had geen echte keus. Cross liet zijn armen onder de vrouw glijden en tilde haar, grommend van de inspanning, op. Hij stapte over puin heen en bewoog zich in zijwaartse richting totdat hij bij een gangpad was. Hij legde haar voorzichtig neer en ging terug om te kijken of er meer lagen, zich vaag bewust van de aanwezigheid van anderen die zich bij hem voegden, sommige met het lichtgevende hesje van de hulpdiensten.

Hij had geen idee van tijd. Hij was zich alleen maar bewust van het vuil en het bloed en de misselijkheid, en het zweet dat van zijn gezicht af droop en de pijn in zijn buik, en van de lichamen, steeds maar weer die lichamen. Hij werkte alleen en met anderen, verschoof puin, gaf mond-op-mondbeademing, legde lichamen ergens anders neer en vertelde de gewonden de oude, bekende leugens. 'Het komt goed.' Het zou nooit meer goed komen, voor geen enkele van de arme zielenpoten die in deze schijtzooi waren terechtgekomen.

En terwijl hij aan het werk was, voelde hij zich steeds beroerder worden. Hij weet het aan de schok en aan de inspanning. Zijn darmen waren zo erg aan het opspelen dat hij een paar keer met zijn reddingsactie moest ophouden om een toilet te zoeken. Beide keren stroomden zijn ingewanden leeg, en daarna voelde hij zich zwak en koortsig. De derde keer dat hij naar de bomkrater probeerde terug te keren, werd hij op de trap tegengehouden door een ambulancebroeder. 'Geen denken aan, man,' zei hij. 'Je ziet er hondsberoerd uit.'

Cross zei spottend: 'Je ziet er zelf ook niet al te florissant uit.' Hij probeerde zich erlangs te duwen, maar het leek wel of hij geen kracht meer had. Verdwaasd leunde hij tegen de muur, het zweet liep in straaltjes over zijn lichaam. Bij de volgende pijnscheut greep hij zijn buik vast.

'Hier, doe dit voor.' De verpleger gaf hem een zuurstofmasker aan en een draagbare zuurstoffles. Cross gehoorzaamde. De schok en de inspanning, daar kwam het door. Hij had nauwelijks in de gaten dat de man hem bij de arm pakte en zijn hartslag opnam, maar hij merkte wel dat de verpleger bezorgd keek. 'We moeten zorgen dat je in het ziekenhuis komt,' zei hij.

Cross tilde het masker op. 'Gelul. Er liggen daarginds mensen met ernstige verwondingen. Die moeten naar het ziekenhuis.' Opnieuw probeerde hij zich langs de man te wringen.

'Kom op, man, zo meteen krijg je een hartaanval. Alsjeblieft. Gun die klootzakken niet de lol dat ze er nog eentje op hun lijst kunnen bijschrijven. Kom, doe mij een lol. Ik loop wel met je mee naar de ziekenwagens.'

Cross keek hem pisnijdig aan, maar zijn gezichtsvermogen vertroebelde en een scheut van brandende pijn schoot van zijn buik naar de vingertoppen van zijn linkerhand. 'Godallemachtig,' brulde hij. Hij struikelde en greep naar zijn schouder. De pijn verdween even snel als hij was gekomen en liet hem zweterig en misselijk achter. 'Oké,' hijgde hij. 'Oké.'

Carol was net op tijd bij de Spoedeisende Hulp om mee te kunnen rijden met een van de noodambulances die op weg gingen naar Victoria Park. Terwijl ze met loeiende sirenes en blauwe zwaailichten door de straten raceten, was ze aan het bellen. Eerst naar Stacey in de teamkamer met de mededeling dat ze de rest van het team naar het stadion moest sturen. Daarna naar John Brandon. Hij was ook al onderweg, weggerukt van een middagje winkelen met zijn vrouw, die nu tot haar eigen verbazing als chauffeur van een politieauto door de stad scheurde zonder het voordeel van de zwaailichten en de sirene. 'Ik ben er zo vlug als ik kan,' zei hij. 'Ik weet dat je eerste instinct zegt dat je moet helpen bij het redden van levens, maar ik wil niet dat jouw team betrokken wordt bij de directe hulp en de ontruiming. We mogen niet vergeten dat dit ook een plaats delict is. De technische recherche is onderweg en het is jouw taak samen met hen ervoor te zorgen dat ze zo veel mogelijk materiaal kunnen verzamelen en veiligstellen.'

'Wordt het mijn zaak?' vroeg ze.

'Totdat het *Counter Terrorism Command* uit Manchester hier is, wel.' zei Brandon. 'Ze zijn op weg en denken binnen het uur hier te zijn. Dan moet je het aan hen overlaten. Maar tot die tijd ben jij de baas.'

'Neemt het CTC het hele onderzoek over?' vroeg Carol, die zich vastgreep aan een handvat toen ze kennelijk op twee wielen de bocht om scheurden.

'In feite wel. Jij gaat voor hen werken. Het spijt me, Carol. Zo is het nu eenmaal. Zij zijn de specialisten.'

De moed zonk haar in de schoenen. Vanaf morgen zouden zij en haar rechercheurs nog slechts als loopjongens fungeren voor die arrogante zakken van het CTC, die zichzelf als de redders van de mensheid zagen en daaraan het recht ontleenden om over alles en iedereen die hun in de weg liep, heen te lopen. Ze had genoeg te maken gehad met de *Anti-Terrorism Branch* en de *Special Branch*, voordat die zich hadden samengevoegd in het nieuwe op maat gemaakte CTC. Ze wist dat ze zichzelf zagen als heersers van de Schepping en dat mensen als zij en haar team op de wereld waren gezet om zich voor hen de benen uit het lijf te lopen. Het was al erg genoeg dat er waarschijnlijk tientallen doden waren vanwege een terroristische bomaanslag. Dat was al traumatisch genoeg voor haar team en dan moesten ze het ook nog zien te rooien met een stelletje buitenstaanders die op onbekend terrein waren en die geen verantwoordelijkheid voor hun daden hoefden af te leggen. Zij hoefden het vuile werk niet op te knappen dat het gevolg was van de verwoeste relaties tussen de diverse bevolkingsgroepen onderling, en tussen die groepen en degenen van de politie die de schone taak hadden ze in het gareel te houden.

'Zijn er al getallen bekend?' vroeg ze. Ze wist dat het geen zin had om zich bij Brandon te beklagen, want hij had hier net zo weinig bij in te brengen als haar team.

'Minstens twintig. Maar daar blijft het niet bij.'

'En de rest van de toeschouwers? Waar laten we die?'

'Bij dit soort onvoorziene gebeurtenissen staat er dat ze naar de sportvelden van de school iets verderop in Grayson Street moeten. Maar vermoedelijk proberen de meesten gauw en zo ver mogelijk van het stadion weg te komen. Het opnemen van getuigenverklaringen wordt een nachtmerrie.'

'We doen ons best. Ik moet ophangen, we zijn er bijna,' zei Carol, want ondanks het geslinger kon ze door de voorruit zien waar ze waren. Aan beide kanten werden ze omringd door stromen mensen, waardoor de ziekenwagen stapvoets moest gaan rijden. Het deed denken aan een van die oorlogsfilms waarin een grote groep vluchtelingen wanhopig op de vlucht is voor de vijand.

Uiteindelijk bereikten ze de parkeerplaats achter de Vestey tribune. De auto's die daar geparkeerd stonden, werden al geblokkeerd door politie- en brandweerauto's. De ziekenwagens werden aan de rand geparkeerd zodat ze snel weg konden rijden. Op hetzelfde moment dat Carol uit de wagen sprong, racete een van de andere ziekenwagens met zwaailichten en sirene langs haar heen.

Van de buitenkant zag het stadion er nog vrij onbeschadigd uit. Er was een klein gat in de buitenkant van de torenhoge tribune, maar het zag er onschuldig uit. De aanwijzingen voor wat er hier had plaatsgevonden, moesten ze elders zoeken. Brandslangen van de brandweerauto's en van de brandkranen van het stadion kronkelden zich door de draaihekken naar binnen. Brandweerlieden liepen vastberaden naar de tribune toe. In hun beschermende pakken zagen ze eruit als astronauten. Verplegers liepen af en aan met allerlei verschillende spullen. En druppelsgewijs werden de gewonden, de stervenden en de doden door ambulancepersoneel en politie op brancards naar buiten gedragen.

Carol kon het nauwelijks bevatten. Bradfield zag eruit als Beirut. Of Bangladesh. Of een ander ver oord op het journaal. Het leek op de nasleep van een natuurramp waarop niemand was voorbereid en waarbij niemand wist wat hij moest doen. Alleen werden op de een of andere manier de essentiële dingen toch gedaan. Mensen liep door elkaar heen, sommige alsof ze wisten waar ze heen moesten, andere wat minder doelbewust. En te midden van dat alles: de gewonden, de stervenden en de doden.

Ze rechtte haar rug. Ze moest erachter zien te komen wie de leiding had, haar team om zich heen verzamelen en doen wat ze kon om de haard van de explosie veilig te stellen. Om te beginnen speldde ze haar identiteitskaart op de buitenkant van haar jasje. Toen liep ze naar de politieman toe die het dichtstbij stond. Hij had net een wat oudere man, die over een kant van zijn gezicht bloed had lopen, in een ziekenwagen geholpen en stond op het punt weer terug te lopen naar de tribune. 'Agent,' riep ze. Ze legde het korte stukje naar hem toe rennend af. Hij stopte en draaide zich om. Zijn gezicht was besmeurd met vuil en bloed, de broek van zijn uniform was smerig. 'Hoofdinspecteur Jordan,' zei ze. 'Team Zware Misdrijven. Wie heeft er hier de leiding?'

Hij keek haar ietwat glazig aan. 'Commissaris Black.'

'Waar kan ik hem vinden?'

Hij schudde zijn hoofd. 'Ik heb geen idee. Ik ben daarboven geweest...' Hij zwaaide met zijn arm naar de tribune. 'Op de dag van de wedstrijd zit hij meestal helemaal bovenin. Hij heeft een hokje naast het perscentrum. Wilt u dat ik u erheen breng?'

'Zeg maar waar ik ongeveer heen moet,' zei Carol. 'Je hebt duidelijk belangrijker dingen te doen.'

Hij knikte. 'Zeg dat wel. Neem de trap aan het eind helemaal naar boven. Het is het eerste hokje aan uw linkerhand.'

In de opening van het trappenhuis liep ze een jonge agent tegen het lijf die er doodsbang uitzag. 'U kunt daar niet naar boven,' brabbelde hij. 'Daar mag niemand komen. Het is er niet veilig, de honden zijn er nog niet geweest. Niemand naar boven, zegt de commissaris.'

'Die zoek ik net. Commissaris Black.'

De jongeman wees naar twee brandweerauto's in een L-vormige opstelling. 'Hij staat daar. Bij de brandweercommandant.'

Carol zigzagde naar hen toe. Er zaten mensen op de grond met lichaamsdelen die bloedden. Ziekenbroeders liepen tussen hen door en voerden een eenvoudige triage uit. Sommigen werden door hen geholpen, anderen stuurden ze door naar de ziekenwagens, voor anderen vroegen ze om een brancard. Brandweerlieden kwamen in golven voorbij, hun aanwezigheid werkte op de een of andere manier geruststellend. Dat kwam door 11 september, dacht Carol. Sindsdien waren brandweerlieden iconen geworden, met hun stoere gezichten die zwart waren van de rook en hun doelbewuste tred, het gevolg van hun zware uitrusting.

Tussen de gewonden zwierven andere supporters verdwaasd rond. De politie keek of er wat met ze aan de hand was, of ze geen duidelijke verwondingen hadden, en daarna gaven ze aan dat ze beter konden vertrekken. Overal om haar heen geschokte gezichten, wezenloze blikken, kapotgebeten lippen. Ze zocht zich een weg door de chaos en vroeg zich af hoe ze dit in vredesnaam als een plaats delict moest behandelen.

Tot haar verbazing herkende ze een van de slachtoffers. De vertrouwde gestalte van Tom Cross kwam op haar af strompelen. Ze had hem niet meer gezien sinds hij zeven jaar geleden het korps had verlaten, maar ze herkende hem onmiddellijk. Zijn gezicht was grauw en vies, en hij leunde op een ziekenbroeder die duidelijk moeite had met zijn gewicht. Cross zag haar ook en schudde zijn hoofd. 'Zorg dat je ze te pakken krijgt, die verdomde klootzakken,' zei hij met een dikke, slijmachtige stem.

'Gaat het?' vroeg ze aan de ziekenbroeder.

'Als we hem op tijd in het ziekenhuis kunnen krijgen. Hij heeft zich echt als een held gedragen, maar daarbij heeft hij wat te veel van zichzelf gevergd,' zei de man.

'Laat mij maar helpen,' zei Carol. Ze probeerde het gewicht van Cross over te nemen.

'Laat me maar,' snauwde hij. 'Ga je werk maar doen. Ik krijg wel een keer een drankje van je als het allemaal voorbij is.'

'Het beste met je,' riep ze hem na.

Toen ze eindelijk bij de provisorische commandopost was beland, was ze zich volledig bewust van de bijna onmogelijke taak die hen te wachten stond. Ze trof Black en een wat oudere brandweerman aan die aandachtig de bouwtekening van de tribune stonden te bestuderen. 'We hebben het vuur onder controle,' hoorde ze de brandweerman zeggen. 'Afgezien van de stoffering in de boxen is er niet veel wat brandbaar is.'

'Dat is in ieder geval iets.' Black keek om toen Carol haar keel schraapte. 'Kan ik u helpen?' vroeg hij op geïrriteerde toon.

'Hoofdinspecteur Jordan, van het Team Zware Misdrijven.'

'Dan bent u op de juiste plek,' zei de brandweerman. 'Veel zwaarder dan dit zie je ze niet vaak.'

'Ik heb de taak me te bekommeren om de plaats delict,' zei Carol.

'Ik dacht dat het CTC eraan kwam,' zei Black met gefronst voorhoofd. 'Dat is toch hun taak?'

'Totdat ze hier zijn, is het mijn verantwoordelijkheid,' zei ze kortaf. Dit was niet het juiste tijdstip om te gaan bekvechten over protocol. 'Hebben we enig idee waar we mee te maken hebben?'

De brandweercommandant wees naar een klein kamertje op het bouwplan. 'We denken dat het hier is begonnen. Mijn jongens zeggen dat daar blijkbaar menselijke resten zijn aangetroffen. Dus we gaan uit van een zelfmoordterrorist. We denken ook dat het waarschijnlijk om TATP gaat, zoals bij de bomaanslagen in de Londense metro. Dat laat sporen achter die erg herkenbaar zijn.'

'Dat is uiteraard allemaal nog specucatief. Tot de technische recherche en de mensen van de explosievendienst erbij zijn geweest,' voegde Black eraan toe.

'Waar is de technische recherche eigenlijk?'

'Ze wachten tot alles veilig is.'

'Is de explosievendienst er al?' vroeg Carol.

'Ze zijn onderweg. We laten nu een stel honden die getraind zijn op het vinden van bommen, de tribunes afstruinen,' zei Black.

'Oké. Laat een van de honden de plek doorzoeken waar de bom is ontploft, alstublieft.' Ze keek glimlachend op naar de brandweerman. 'Ik zal beschermende uitrusting voor mij en mijn team moeten hebben. En iemand zal ons de weg moeten wijzen. Kunt u ons daarbij helpen?'

'Ik zou het u niet aanraden. Het is niet bepaald veilig,' zei hij.

'Des te meer reden voor ons om bewijsmateriaal te verzamelen nu het nog kan,' zei ze. 'Hoe zit het met die uitrusting?'

Hij bekeek haar van top tot teen. 'Het zal wel wat te groot zijn voor u, maar u mag gebruikmaken van wat we hebben. Waar is de rest van uw team?'

'Wacht even.' Carol ging wat terzijde staan. Ze voelde dat Black de pest in had dat ze de verantwoordelijkheid over de plaats delict had opgeëist. Ze haalde haar mobieltje tevoorschijn en belde Kevin. 'Hoe staat het ermee?' vroeg ze.

'Ik ben er in vijf minuten, Paula en Sam zijn bij mij. Chris komt alleen. Stacey is nog op het bureau. Ze is al bezig met opnamen van bewakingcamera's van de toegangswegen naar het stadion. Ze probeert er zo veel mogelijk te pakken te krijgen.'

Ze vertelde hem waar ze haar konden vinden, vroeg of hij Chris op de hoogte wilde brengen en belde toen naar het team van de technische recherche. 'Jullie moeten over tien minuten klaarstaan,' zei ze. 'We gaan naar binnen.'

Hoe dichter ze bij de plek van de bomexplosie kwamen, hoe warmer het werd. Carol zweette zo hevig onder de enorme helm dat haar haren aan haar hoofd vastplakten. De brandweerman zocht zich voorzichtig een weg door de gang die vol puin lag. Achter Carol volgde een wat uitgedund groepje technische rechercheurs, gevolgd door haar eigen team.

Hij bleef plotseling staan, een paar meter van de rand van een rafelige krater in de vloer. 'Kijk,' zei hij. 'Dat was de kamer met de elektriciteitskasten voor de vipboxen en het perscentrum.'

Er was niet veel van over. De muren waren verpulverd, de kabels lagen aan flarden en van de buizen die in het beton waren weggewerkt, waren nu alleen nog wat scherven over. De bom had rondom en naar boven een ravage veroorzaakt. De muren boven waren als sinaasappelpartjes afgepeld en door de opening kon je daglicht zien. Kijkend naar het slagveld realiseerde Carol zich dat de rode reepjes en stukjes overal in wat er nog over was van de kamer, menselijk vlees en bloed waren. Ze werd tegenwoordig niet meer zo gauw misselijk, maar hier moest ze van kokhalzen. Ze slikte hevig. 'Kunnen we ook aan de andere kant komen?' vroeg ze.

De brandweerman knikte. 'Dan moeten we omlopen.'

'Oké.' Ze wendde zich tot de mensen van de technische recherche. 'Ik wil dat de helft van jullie aan de andere kant begint. We willen zo veel mogelijk sporen in handen krijgen, maar ik wil niet dat jullie onnodige risico's lopen. We kijken wat we kunnen doen en dan laten we door de deskundigen hier een soort plateautje aanbrengen, zodat we bij de rest kunnen komen. We hebben hier kennelijk te maken met de overblijfselen van een zelfmoordterrorist, maar laten we zo veel mogelijk materiaal verzamelen zodat we weten of er een of meer mensen bij betrokken waren.'

De techneuten in hun witte pakken gingen aan het werk. Camera's flitsten, pincetten knepen, zakken werden gevuld en van een etiket voorzien. Carol ging terug naar haar team. 'Ik wil dat jullie de hele tribune afzoeken. We weten niet hoe hij is binnengekomen, maar er moeten bewakingscamera's hebben gehangen. Paula, Sam, kijk of jullie erachter kunnen komen waar ze hangen en begin met het controleren van de opnamen. Kevin, jij blijft hier bij het rechercheteam, je bekijkt de plaats delict en je kijkt of je daar al iets wijzer van wordt. Chris, jij gaat met mij mee.'

Ze liep, met Chris naast zich, dezelfde weg terug als ze was gekomen. 'Bezoekers komen doorgaans niet in dienstgangen,' zei ze. 'Iemand heeft hem binnengelaten. We moeten het bewakingspersoneel opsporen en de persoon die dienst had toen de vips ontvangen werden. Hij is niet zomaar met een bom in zijn rugzakje binnen komen wandelen. Laten we eens kijken wat we kunnen ontdekken voordat het CTC op komt dagen.'

Het kostte hun twintig minuten om de mensen die ze wilden spreken op te sporen. Het crisisevacuatieplan voorzag in een veilig toevluchtsoord voor het stadionpersoneel in de aula van de basisschool in Grayson Street. Maar niemand had de sleutels van de school. Aanvankelijk had het erop geleken dat het personeel in het niets zou opgaan, maar een ondernemende kaartjesknipper bij een draaihek had erop gestaan dat ze bij elkaar bleven en had ze vierhonderd meter verderop naar een Chinees restaurant geloodst waar hijzelf graag tussen de middag at. De eigenaar had hen met open armen en een lawine aan gratis dimsum ontvangen. Het enige probleem was dat niemand wist waar ze waren. Uiteindelijk had Carol het telefoonnummer te pakken gekregen van een van de ontvangstdames van de vipboxen en was hen zo op het spoor gekomen.

Het kostte hun nog eens twintig minuten om in grote lijnen te horen wat er was gebeurd. Carol liet Chris achter in het restaurant om wat meer gedetailleerde verklaringen op te nemen en ging zelf terug naar het stadion. Onderweg werkte ze nog snel een aantal telefoontjes af. Zelfs in de korte tijd dat ze weg was geweest, was er al weer veel gebeurd. De straten rondom het stadion waren een stuk leger en een afdeling van de bereden politie zorgde dat het ook zo bleef. Een stel platte lange vrachtwagens haalde auto's weg uit de onmiddellijke omgeving van het stadion om de weg vrij te maken voor voertuigen van de hulpdiensten. En midden op de parkeerplaats voor de Vestey tribune stond de grootste caravan die Carol ooit had gezien. De witte trailer zag eruit als een omgebouwde vrachtcontainer met twee rijen raampjes met matglas aan de zijkant. Er stond niets op, afgezien van een strook met zwart-witte ruitjes, zoals op de band van een politiepet. Er bevond zich één deur aan de voorkant van de trailer. Aan weerszijden stonden twee in het zwart geklede agenten in ME-uitrusting en helmen, met voor zich een semiautomatisch geweer. De cavalerie was kennelijk gearriveerd. Carol liep hun kant op.

Toen ze in de buurt kwam, gingen de beide bewakers in een andere houding staan en richtten hun wapens op haar. *Daar gaan we dan. Pestkoppen en halve sociopaten die zich voordeden als redders van de mensheid.* Ze wees op haar identiteitskaart. 'Hoofdinspecteur Carol Jordan. Leider van het Team Zware Misdrijven van de politie in Bradfield meldt zich. Ik wil de persoon spreken die hier de leiding heeft.'

Een van de twee wendde zich af en mompelde wat in een portofoon. De andere bleef haar met zijn harde emotieloze blik strak aanstaren. Carol liet zich niet van de wijs brengen. Ze prentte zichzelf in dat dit niet om haar ging, maar om de gewonden, de stervenden, en de doden. *Niet kwaad worden. Geef ze geen excuus om je nog meer op een zijspoor te zetten. Dit is jouw terrein, je kunt je bijdrage leveren. Zorg dat je in ieder geval je werk kunt blijven doen.*

De man met de portofoon draaide zich weer om en deed een stap dichterbij om de foto op haar kaart te kunnen vergelijken met haar gezicht. 'Wat meer grijze haren en wat meer rimpels,' zei ze. Met die stoerebinkuitdrukking op zijn gezicht verblikte of verbloosde hij niet. Hij reikte achter zich naar de deurklink, duwde hem open en gaf met zijn geweer een teken dat ze naar binnen kon gaan. Ze beet op haar lip en weigerde toe te geven aan de verleiding om haar hoofd te schudden Carol deed braaf wat haar werd opgedragen. Ze stapte een hal binnen met een laag plafond. Een smal trapje leidde naar boven. Ze zag twee deuren en opnieuw twee in het zwart geklede agenten, eentje onderaan de trap en eentje tussen de deuren. De agent bij de trap deed een pas opzij en zei: 'Helemaal boven, mevrouw.'

Carol die langzamerhand het gevoel kreeg dat ze een rol speelde in een goedkope spionagefilm, klom de trap op, wat bij iedere trede een hol gekletter veroorzaakte. Weer een halletje, weer een bewaker. Hij gaf met een knikje aan dat ze nog een deur door moest. Ze stapte een spartaanse vergaderruimte binnen waarin een tafel met een metalen blad op schragen stond met acht klapstoelen. Op een ervan zat John Brandon; drie andere waren bezet door mannen in zwarte T-shirts met daaroverheen zwarte leren jacks. Twee hadden een lichte schaduw van stoppeltjes op hun hoofd. De derde had kort pluizig donker haar. Op het eerste gezicht kon je ze alleen maar van elkaar onderscheiden door de mate waarin de kaalheid al terrein had gewonnen op hun hoofden.

De man in het midden zei: 'Bedankt voor uw komst hier, hoofdinspecteur Jordan. Ga zitten.'

'Hallo, meneer,' zei Carol tegen Brandon, toen ze naast hem plaatsnam. Ze keek naar de man tegenover haar. 'En u bent?'

Hij glimlachte. Zijn zorgvuldig gecultiveerde dreigende uitstraling werd er niet door verzacht. 'Wij doen niet aan namen en rangen. Vanwege de veiligheid. Noem mij maar... David.'

'Veiligheid? Ik ben hoofdinspecteur. Ik heb voor de NCIS gewerkt. Wie zou ik hierover moeten inlichten?'

Hij schudde zijn hoofd. 'Trek het je niet aan, Carol. Ik ken je staat van dienst en ik heb alleen maar respect voor je. Maar wij opereren volgens zeer strenge richtlijnen die er zijn ter bescherming van onszelf. En gezien het werk dat wij doen betekent dat dat als wij beschermd zijn, alle andere mensen ook beter beschermd zijn.'

Hij mocht dan een standplaats hebben in Manchester, aan zijn accent te horen kwam hij uit Londen en had hij daar ook gewerkt. Hij had die machomanier van doen die ze was gaan verafschuwen toen ze daar had gewerkt. Ze durfde er wel iets onder te verwedden dat er niet veel vrouwen bij het CTC werkten. Het was geen vrouwvriendelijke omgeving. Met al dat machogedoe probeerden ze alleen maar te verhullen dat ze eigenlijk niet veel te zeggen hadden. Ze vonden het misschien leuk om net te doen alsof ze aan de touwtjes trokken, maar de realiteit was dat ze nog niet naar de wc mochten zonder toestemming van het toegewijde antiterroristenteam van het Openbaar Ministerie. De mannen in het zwart kwamen misschien wel dreigend over, maar ze waren alleen maar de boodschappenjongens van hun bazen in Ludgate Hill. En het was duidelijk dat Brandon geen zin had om tegen de boodschappenjongens en hun bazen in te gaan.

'Prima. Niemand genoemd, niemand gelasterd. En als het jou

niets uitmaakt, slaan we de peptalk over hoe we allemaal aan dezelfde kant staan en zo, en hoe we leuk gaan samenwerken om die klootzakken die hierachter zitten te pakken. Ik ken de regels. Mijn team en ik staan tot jullie beschikking.'

Hij ademde zwaar door zijn neus. 'Blij dat te horen, Carol. We hebben er vast veel profijt van dat jullie hier zo goed bekend zijn. Uiteraard hebben wij inlichtingen die jullie niet hebben over fanatieke fundamentalisten in dit gebied. We gaan aan bomen schudden en zien dan wel wat eruit valt. We gaan...'

'Het geëikte stelletje verdachten inrekenen?' vroeg ze liefjes. 'Misschien hebben we jullie al wat tijd bespaard. Er staat een busje geparkeerd op de parkeerplaats voor personeel en spelers in Grayson Street. A1 Electricals. Iets voor drieën is er een jonge Aziatische man naar binnen gereden. Hij had papieren bij zich die er echt uitzagen om een noodreparatie uit te voeren in de Vestey tribune. Een van de beveiligingsmensen heeft hem naar de kamer met de schakelkasten gebracht en hem daar binnengelaten. Minder dan tien minuten later is de bom tot ontploffing gebracht. Ik denk dat we redelijkerwijs mogen aannemen dat de man in het busje ook onze zelfmoordterrorist was.' Ze haalde haar notitieboekje tevoorschijn. 'Volgens de politiecomputer stond het busje op naam van ene Imran Begg, 37 Wilberforze Street, Bradfield.' Ze sloeg haar notitieboekje dicht. 'Dat is ongeveer vijf deuren van de moskee van Kenton af. Het is misschien wenselijk om enige voorzichtigheid in acht te nemen als jullie daar langsgaan.'

'Dank je, Carol. Laat het verder maar aan ons over. Als we jullie nog ergens voor nodig hebben, laten we je dat weten. Ondertussen weet ik ook dat jullie bezig zijn met een moordzaak met een hoog publiciteitsgehalte. We zullen je daar niet van afhouden. We hebben ook ons eigen speciale forensische team, dus we hebben jullie mensen van de technische recherche niet nodig; die krijgen jullie terug, zodra we hun bewijsmateriaal in handen hebben.'

Carol probeerde niet te laten zien hoe woedend ze eigenlijk was. 'Waarvandaan opereren jullie?' vroeg ze. Ze wist dat ze meestal een heel politiebureau annexeerden en de bewoners eruit zetten.

'Daar hadden we het net over,' zei David. 'Normaal gesproken nemen we de verdachten mee naar de speciaal daarvoor ingerichte ruimte in Manchester.'

'Maar ik heb voorgesteld dat David en zijn team gebruik konden maken van Scargill Street voor hun verhoren en voor eventuele arrestanten,' zei Brandon.

'Goed idee,' zei Carol. Scargill Street was uit de mottenballen gehaald voor het onderzoek naar de homomoordenaar zeven jaar geleden en had sindsdien op een laag pitje gestaan, een eeuwige Assepoester die op een makeover wachtte. Als ze het CTC daar hun gang lieten gaan, liepen ze niet in de weg en dan hoefde ze ook geen rekening te houden met grote groepen dakloze politiemensen, allemaal wanhopig op zoek naar een werkplek, op een bureau waar al een groot tekort aan kamers was.

'En daar moeten we het voorlopig maar mee doen, gezien de schaal van dit onderzoek. In Manchester zijn we uitgerust voor specifieke doelgerichte acties, niet voor de grootschalige onderzoeken waar het hier wel op uit zal draaien. Maar Scargill Street heeft geen aansluitingen voor de laatste snufjes op IT-gebied. Dus gaan we ook gebruik maken van jullie teamkamer op het hoofdbureau,' zei David.

Nu kon Carol haar ontsteltenis niet verhullen. 'Wat wordt dan de thuisbasis van mijn team?' wilde ze weten.

'Davids mensen kunnen gebruikmaken van de ruimte van HOLMES2,' zei Brandon. 'Die gebruiken jullie niet voor de moord op Robbie Bishop.'

Hij had gelijk. Het Home Office Large Major Enquiry System was door binnenlandse zaken opgericht als middel om de grote hoeveelheid informatie te filteren en te rubriceren die ofwel wordt gegenereerd door een reeks misdaden ofwel door een enkele gebeurtenis die om zich heen grijpt. Elk korps had zijn eigen speciaal opgeleide team van politiemensen die voor HOLMES2 werkten. Het waren uitstekend getrainde, kundige, agenten, en Carol aarzelde niet er gebruik van te maken als het zo uitkwam. Maar waar mogelijk vertrouwde ze bij de onderzoeken van haar eigen team op Stacey met haar wonderbaarlijke talenten.

Maar nu het erop begon te lijken dat er verband bestond tussen

Danny Wade en Robbie Bishop, zou de logische volgende stap zijn geweest om een analyse te laten uitvoeren door HOLMES2 van het materiaal dat in beide onderzoeken boven water was gekomen. Maar als het CTC er zat, was die weg afgesloten. Ze wist dat ze nu eigenlijk moest protesteren, maar dat kon ze niet doen zonder iets door te laten schemeren van waar Brandon nog niets vanaf wist. En dit was niet het moment om haar korpschef te ondermijnen.

'En dat komt mooi uit als we jullie hulp nodig hebben,' zei David opgewekt. Hij duwde zijn stoel achteruit. 'Juist, ik denk dat we voorlopig alles hebben besproken.' Hij stond op.

Carol bleef zitten. 'Hebben we al aantallen?' vroeg ze.

David keek neer op de man aan zijn rechterhand, die met het stekeltjeshaar. 'Johnny?'

'Tot nu toe zijn er vijfendertig doden geregistreerd. Een stuk of tien liggen er in kritieke toestand in het ziekenhuis. Ergens in de orde van honderdzestig gewonden, variërend van verloren ledematen tot snijwonden en kneuzingen.'

Nu stond Carol op en zette een paar passen in de richting van de deur. 'O, tussen twee haakjes, dat had ik waarschijnlijk ook moeten zeggen: er zijn nu een paar van mijn mensen op weg naar het huis van Imran Begg. Ik wist uiteraard nog niet dat jullie hier al waren, toen ik ze eropuit stuurde. Ik zal laten weten wat ze ontdekken als je me een nummer geeft waarop ik je kan bereiken.'

David vertrok geen spier. 'Bedankt voor de mededeling.' Hij viste een kaartje uit de binnenzak van zijn leren jack en liep de kamer door om het aan haar te geven. Het enige wat erop stond was DAVID en een mobiel nummer. 'Het zou leuk zijn nog eens iets van je te horen, Carol. Maar je speurhonden kun je nu wel terugfluiten.'

Ze liep weg, met Brandon op haar hielen. Toen ze eenmaal buiten stonden, begon ze tegen hem van leer te trekken. 'Verwacht je nu echt dat ik hier niets mee doe? Dat ik de grootste misdaad die er ooit op mijn stek heeft plaatsgevonden, gewoon ga negeren?'

Brandon weigerde haar aan te kijken. 'Het is ons uit handen genomen, Carol. Overmacht.'

Ze schudde haar hoofd. 'Een krankzinnige wereld. En wie moet de doden identificeren. En met hun families praten?'

'Dat doen onze mensen in uniform wel,' zei Brandon. 'Doe maar waar je het beste in bent, Carol. Ga op zoek naar de moordenaar van Robbie Bishop. Geloof me, met deze rotzooi kun je beter niets te maken hebben.' Hij zwaaide met zijn arm om te wijzen naar het stadion en de trailer. Toen schudde hij bedroefd zijn hoofd en liep weg.

'Dat zullen we nog wel zien,' mompelde Carol. John Brandon had blijkbaar even dat cruciale element uit het oog verloren dat haar maakte tot de smeris die ze was. Net als Sam Evans ging ze meestal haar eigen gang. Maar wat haar voortdreef, wat haar altijd al had voortgedreven, was geen eigenbelang, maar een enorme hang naar gerechtigheid. Iets waar David en Johnny nog heel wat over konden leren. 'De les begint hier,' zei ze zachtjes.

De architecten van de moskee van Kenton hadden geen poging gedaan om hun gebouw te laten harmoniëren met de omgeving. Een netwerk van rijtjeshuizen van rode baksteen daterend van het begin van de twintigste eeuw omringde de gebroken wit geverfde muren en de minaretten met de gouden koepeltjes. 'Ik blijf er verbaasd over staan dat ze daar ooit een bouwvergunning voor hebben gekregen,' zei Kevin, toen ze Wilberforce Street inreden. 'Hoe denk je dat ze dat hebben geflikt?'

Paula rolde met haar ogen. 'Hoe denk je, Kevin? De welstandscommissie wist dat ze een enorme heibel zouden krijgen als ze nee zeiden.'

'Foei, Paula. Je klinkt een beetje racistisch,' zei Kevin plagerig. Hij had met genoeg racistische smerissen gewerkt om te weten of iemand het wel of niet was.

'Ik heb geen moeite met ras, maar met religie. Maakt niet uit of het om de protestanten in Noord-Ierland gaat, de katholieken uit Liverpool of de moslims uit Bradfield. Ik haat geestelijken met een grote mond, die telkens als iemand nee tegen ze zegt aan komen zetten met schijnheilige praatjes. Zo scheppen ze een klimaat van censuur en angst en dat verfoei ik. Ik kan je wel vertellen dat ik nog nooit zo trots ben geweest als toen het parlement dat wetsvoorstel goedkeurde waarin discriminatie op grond van seksuele voorkeur verboden werd. Wie had kunnen denken dat er toch een kwestie was die de evangelische christenen, de katholieken, de moslims en de joden kon verbinden? Mijn kleine bijdrage aan de oecumene. Daar rechts is een plek,' voegde ze eraan toe.

Kevin wurmde de auto op de open plek en ze liepen terug langs een stuk of zes huizen. Ze wisten dat ze een onderwerp van nieuwsgierigheid, afkeer of angst waren voor iedereen die hen zag lopen. In dit deel van Kenton, het deel dat nog niet was opgestuwd in de vaart der volkeren door een invasie van ziekenhuispersoneel en studenten, waren zij de vreemdelingen. Ze bleven staan bij nummer 37, een keurig geverfd huis, met anonieme vitrage voor de ramen. De deur werd geopend door een kleine, tengere vrouw in traditionele Pakistaanse kledij. Ze keek hen vol afgrijzen aan. 'Wat is er? Wie zijn jullie?' vroeg ze, voordat ze een van beiden één woord had laten zeggen.

'Ik ben rechercheur Matthews en dit is agent McIntyre.'

Ze sloeg haar handen voor haar gezicht. 'Ik wist het wel. Ik wist dat er iets zou gebeuren als hij daarheen ging. Ik wist het.' Ze kreunde en wendde zich af en riep: 'Parvez, kom onmiddellijk hier, het is de politie, er is iets met Imran gebeurd.'

Kevin en Paula keken elkaar aan. Wat was er aan de hand?

Een grote man met een kromme rug, eveneens in traditionele kledij, kwam achter zijn vrouw staan. 'Ik ben Parvez Khan. Imran is mijn zoon. Wie bent u?'

Kevin legde opnieuw uit wie ze waren. 'We wilden met Imran Khan praten,' zei hij.

De man fronste zijn wenkbrauwen en keek neer op de vrouw. 'Zei je dat er iets met Imran is gebeurd? Wat dan?' Hij keek Kevin aan. 'Wat is er met mijn zoon gebeurd?'

Kevin schudde zijn hoofd. 'Ik denk dat we te maken hebben met een misverstand. We willen alleen maar met Imran praten. Over zijn bestelbusje.'

'Over zijn bestelbusje? Wat is er met zijn bestelbusje? Hij heeft zijn busje niet bij zich. Bent u dan niet hier omdat hij een ongeluk heeft gehad?' vroeg de man, die duidelijk niet meer wist hoe hij het had.

Kevin wilde niet degene zijn die het woord 'bom' in de mond nam. Dus drong hij nog wat aan. 'Waar is Imran?'

'Hij is op Ibiza,' zei de vrouw. 'Hij is op vakantie. Die heeft hij gekregen van zijn neef Yousef. Yousef heeft hem op donderdagmorgen naar het vliegveld gebracht. Hij heeft ons nog gebeld toen hij daarginds was, gewoon om ons te laten weten dat hij veilig was aangekomen. Hij komt morgen pas terug. Dus als zijn busje betrokken is geweest bij een ongeluk is dat niet Imrans schuld.' Zijn verbijstering was kennelijk geen toneelstuk.

'Wie heeft zijn busje nu?' vroeg Kevin, die er wat haast achter wilde zetten.

'Zijn neef Yousef. Ze zijn in het busje van Imran naar het vliegveld gereden,' zei de man. 'Het is de bedoeling dat Yousef hem morgen met het busje gaat ophalen.'

'En waar kunnen we hem vinden?' vroeg Kevin.

'In Downton Vale. Op Vale Avenue, nummer 147. Maar wat is er gebeurd? Gaat het om een ongeluk?' Meneer Khan keek van de een naar de ander. 'Wat is er gebeurd?'

Kevin schudde zijn hoofd. 'Ik vrees dat ik dat niet mag zeggen.' Hij wierp hen een snelle vermoeide glimlach toe. 'Wees maar dankbaar dat uw zoon niet in het land is. Bedankt voor uw hulp.'

Toen ze zich omdraaiden om weg te lopen, zagen ze hoe er een witte Ford Transit met gierende banden de bocht om kwam rijden en in hun richting racete. Kevin bleef staan en keek over zijn schouder naar de verschrikte gezichten van de ouders van Imran Begg. 'Het spijt me verschrikkelijk,' zei hij. 'Kom mee, Paula, we moeten nog ergens anders heen.'

Terwijl de in het zwart geklede gewapende politiemannen het busje uit rolden, liepen ze snel terug naar hun auto. Ze waren er bijna, toen ze iemand hoorden schreeuwen: 'Hé. Jullie daar.'

Kevin greep het portier van de auto, maar Paula hield hem tegen. 'Ze zijn gewapend, Kevin. Gewapend en opgejut.'

Hij bromde iets onverstaanbaars en draaide zich om. Een van de mannen in het zwart, die niet van elkaar te onderscheiden waren, stond een paar meter van hem af, met een geweer in de aanslag. De anderen waren verdwenen in het huis van Parvez Khan. 'Wie zijn jullie, godverdomme,' wilde hij weten.

'Rechercheur Matthews, agent McIntyre van het Team Zware Misdrijven in Bradfield. En wie zijn jullie, godverdomme.'

'Dat doet er niet toe. Wij zijn van het CTC. Dit valt nu onder ons.'

Kevin deed een stap naar voren. 'Ik wil dat je je identificeert,' zei hij. 'Iets waarmee je kunt bewijzen dat je niet van een of ander privéleger bent.'

De man in het zwart lachte alleen maar. 'Ik zou me maar een beetje koest houden.' Hij draaide zich met een ruk om en liep op zijn dooie gemak weg.

Kevin keek hem na. 'Ongelooflijk! Dit is toch godverdomme niet te geloven?'

'Toch wel,' zuchtte Paula. 'Gaan we nog naar Downton Vale?'

'O, dat denk ik toch wel. Maar we kunnen dit beter niet aan de hoofdinspecteur vertellen. Als dat hele zootje hetzelfde is, kunnen we haar er sowieso voorlopig beter even buiten laten.'

Het deed er niet toe hoe vaak je erop oefende, je was er nooit op voorbereid als er echt iets was, dacht dr. Elinor Blessing. Op de Spoedeisende Hulp heerste een grote chaos van stemmen en lichamen, van gewonden die nog wel op de been waren en van triageteams, afgepeigerde verpleegsters en gestreste artsen, die probeerden het hoofd te bieden aan de problemen die zich onophoudelijk bleven aandienen. Elinor had de enige twee patiënten met ademhalingsproblemen vrij snel afgehandeld. Geen van beiden was in levensgevaar en ze zouden een bed op de zaal van meneer Denby krijgen zodra hun toestand stabiel was. Toen ze in een rustig hoekje, leunend tegen de muur, hun kaart invulde, kwam een geagiteerde verpleger, die haar had zien staan, naar haar toe.

'Dokter, ik heb hier een man die met een van de ziekenwagens uit Victoria Park is binnengebracht, maar ik weet absoluut niet wat ik aan moet met zijn symptomen,' zei hij.

Elinor, die haar opleiding nog niet zo lang geleden had afgesloten, voelde zich nog voldoende thuis in medische specialismen die niet tot haar eigen vakgebied hoorden. Ze zette zich af tegen de muur en liep achter hem aan een kamertje in. 'Vertel eens.'

'Hij is binnengebracht door ambulancepersoneel. Hij heeft geholpen bij het redden van de gewonden, maar hij stond op het punt om in te storten. Ze waren bang voor een hartstilstand,' zei de verpleger. 'Zijn polsslag is ontzettend onregelmatig. Eerst rond de 140, daarna omlaag naar 50. Soms is het regelmatig, dan weer onregelmatig. Hij heeft drie keer overgegeven, in het braaksel zat bloed. En zijn handen en voeten zijn ijskoud.'

Elinor zocht op de kaart naar zijn naam en keek toen naar de forse man in het bed. Hij was bij bewustzijn, maar hij had duidelijk veel pijn. 'Wanneer bent u zich ziek gaan voelen, meneer Cross?' vroeg ze.

Voordat hij kon antwoorden ging er een hevige siddering door zijn hele lichaam. Het duurde maar een paar seconden, maar het was voldoende om Elinor Blessing ervan te overtuigen dat het hier niet ging om een normale hartkwaal. 'Bij het begin van de wedstrijd. Voor de bom. Ik kreeg ontzettende kramp in mijn buik,' wist hij met moeite uit te brengen.

Ze strekte haar hand uit en raakte de zijne aan. Ondanks de warmte in het ziekenhuis waren zijn handen net ijsklompen. Met zijn bleekgroene ogen staarde hij naar haar omhoog. Zijn gezicht stond angstig en smekend tegelijk. 'Heeft u ook last van diarree gehad.'

Hij was nog net in staat tot een knikje. 'Kwam eruit als water,' zei hij. 'Twee, drie keer.'

Elinor ging in gedachten na wat het kon zijn. Misselijkheid. Diarree. Onregelmatige hartslag. Problemen met het centrale zenuwstelsel. Hoe bizar en onwaarschijnlijk het ook leek, dit kon wel eens haar tweede geval van vergiftiging binnen een week zijn. En allebei hadden ze iets te maken met Bradfield Victoria. Ze maande zichzelf tot kalmte. Soms was toeval precies wat het was, niet meer en niet minder. En soms had vergiftiging meer te maken met het negeren van voedselhygiëne dan met criminaliteit. Het was nog niet bij de wet verboden om iets te eten dat de houdbaarheidsdatum had overschreden. 'Wat hebt u tussen de middag gegeten?' vroeg ze.

'Lamkebabs. Rijst met een exotische saus met kruiden.' Hij kon bijna niet meer praten. Het was alsof zijn mond het niet meer goed deed.

'In een restaurant?'

'Nee. Hij heeft het klaargemaakt. Jake...' Cross fronste zijn voorhoofd. Wat was de achternaam ook alweer? Hij kon er niet meer op komen. Het leek te ver weg, net buiten zijn bereik.

'Kunt u zich herinneren hoe lang dat geleden was?' vroeg Elinor.

'Om etenstijd. Een uur of een, halftwee.'

Drie uur geleden. Ruim voorbij de magische zestig minuten waarin het nog een haalbare optie was om zijn maag leeg te pompen. 'Oké, we gaan u iets geven waardoor u zich wat beter gaat voelen,' zei ze.

Ze nam de verpleger terzijde. 'Ik weet het niet zeker, maar ik denk dat hij een cardiale glycosidevergiftiging heeft opgelopen. Digoxine of zoiets'

De verpleger staarde haar aan, zijn ogen opengesperd van de schrik. 'Hij is hierheen gekomen vanaf Victoria Park. Bedoelt u dat de terroristen een of ander chemisch wapen hebben gebruikt?'

'Nee, dat zeg ik niet,' zei ze ongeduldig. 'Dergelijke ernstige symptomen zijn niet zo vlug zichtbaar. Hij had het gif al binnen toen hij het stadion binnenkwam. Ik heb vijf minuten nodig om de verschillende mogelijkheden na te gaan voor het geval ik ongelijk heb, en de behandelwijze op te zoeken voor het geval ik gelijk heb. Intussen had ik graag dat jij zuurstof toedient en een infuus klaarmaakt en een saturatiemeter aanbrengt. Er moet een ECG gemaakt worden en we moeten zijn hart de hele tijd in de gaten houden. Zou je daar vast mee kunnen beginnen? Ik ben zo terug.'

Elinor liet een verbijsterde verpleger achter en liep naar de zusterspost waar een computer stond met een internetverbinding. Binnen de kortste keren had ze alle andere mogelijkheden naar het rijk der fabelen verwezen. De behandeling leverde ook niet veel moeilijkheden op. De toediening van digoxine-specifieke antilichamen was het standaard tegengif in het geval van een digoxinevergiftiging. Ze printte de bladzijde met de behandeling uit en liep terug naar het kamertje waar ze Tom Cross had achtergelaten.

Het ging steeds slechter met hem. Hij zag er wat verdwaasd uit en zijn polsslag was nauwelijks voelbaar. 'Ik heb naar de apotheek gebeld. Ze hebben dertig injectieflacons met de antistoffen in voorraad. Ik ga zelf wel naar beneden om ze op te halen en af te tekenen. Het duurt te lang het een bode te laten doen. Ga zo gauw mogelijk met die ecg aan de gang, en als zijn hart overbelast dreigt te raken, geef hem dan lidocaïne.'

De verpleger knikte. 'Laat dat maar aan mij over.' Hij schudde zijn hoofd. 'Lijkt net iets uit een film, hè? Eerst een bom, dan een kerel die zich heldhaftig gedraagt en voor je het weet ligt hij hier en blijkt te zijn vergiftigd. Dat zou je toch niet kunnen verzinnen?'

'Laten we kijken of we hem in ieder geval een happy ending kunnen geven,' zei Elinor, die al op weg was naar de deur. Maar eigenlijk dacht ze niet dat dit een week was voor happy endings.

Zodra ze de bocht van Wilberforce Street om waren, zette Paula het blauwe zwaailicht boven op de auto. 'En nu plankgas, McQueen,' zei ze.

'Hoe lang hebben we, denk je?' vroeg Kevin.

'Hangt ervan af hoe getraumatiseerd de pa en ma van Imran raken door de keizerlijke stormtroepen. Eerlijk waar, ik deed het bijna in mijn broek van angst. Maar je kunt er je laatste stuiver wel onder verwedden dat er nog zo'n buslading klaarstaat om bij iemand anders binnen te dringen. Dus laten we er maar van uitgaan dat we geen tijd te verliezen hebben. Moet je eigenlijk niet over Downton Road?' vroeg ze. Ze greep het handvat boven haar hoofd vast, toen Kevin de auto de bocht om liet zeilen en weer zo'n labyrint van achterafstraatjes in reed.

'Het zit daar om deze tijd op zaterdag helemaal vast. Allemaal mensen die inkopen hebben gedaan in het Quadrantwinkelcentrum. Als we zo rijden, schieten we meer op.'

Als het over verkeerssituaties ging, wist Paula dat ze Kevin kon vertrouwen. In een ver verleden was hij inspecteur geweest, maar hij had zich zo dramatisch in de vingers gesneden dat hij bijna de laan uit was gestuurd. Als boetedoening had hij onder andere een halfjaar bij de verkeerspolitie moeten werken, een baantje waarvoor hij zo ontzettend overgekwalificeerd was dat ze blij waren toen ze hem weer kwijt waren. Maar hij had er wel nuttige praktische kennis aan overgehouden van de verkeerssituaties in de stad en van de sluipweggetjes die alleen taxichauffeurs weten te vinden. Dus hield ze haar mond en klampte zich vast aan het handvat.

Ze waren in recordtijd in Vale Avenue. Kevin slaakte een tevreden zucht toen hij stopte bij het huis waar neef Yousef woonde. 'Dat heeft me goed gedaan,' zei hij. 'Net alsof ik nu persoonlijk heb afgerekend met die klootzakken.'

Paula pelde met moeite haar vingers los van het handvat. 'Fijn dat het je goed heeft gedaan. Oké, hoe gaan we het hier aanpakken?'

Kevin haalde zijn schouders op. 'Gewoon eerlijk zijn. Reed Yousef in het busje? Waar is Yousef nu? Kunnen we Yousefs kamer bekijken? Jullie kunnen beter behulpzamer zijn, want wij hebben het goed met jullie voor en vrienden kunnen nog wel eens van pas komen. De mannen die na ons komen vragen het niet eens meer.'

Paula snoof minachtend toen ze uitstapte. 'De mannen na ons vegen hun voeten niet eens.' Ze keek naar de steile oprit en naar de bakstenen twee-onder-een-kapwoning die op de helling was gebouwd. Het straalde nog niet iets uit van 'we hebben het helemaal gemaakt', maar het was zeker een paar treetjes hoger op de ladder dan het huis van de familie Begg. In de oprit stonden een wat oudere Toyota Corolla en een vier jaar oude Nissan Patrol. 'Er zijn mensen thuis,' zei ze.

De deur werd opengedaan door een jongeman van midden twintig in een vrijetijdsbroek en een katoenen v-halstrui. Zijn haren zaten supernetjes, zijn gouden ketting was op het randje van ordinair. Hij had iets lichtelijk uitdagends over zich wat Paula bij te veel mannen van zijn leeftijd had gezien, ongeacht hun afkomst. 'Ja?' vroeg hij.

Ze lieten hun identiteitsbewijs zien en Kevin vertelde wie ze waren. 'En wie ben jij?'

'Sanjar Aziz. Waar gaat dit over? Willen jullie met Raj over de bom praten of zo?' Hij zag er merkwaardig onbewogen uit.

'Raj?' vroeg Paula.

'Ja, mijn kleine broertje. Hij was bij de wedstrijd, weet je? Hij heeft zijn naam opgegeven bij een van die lui van jullie en is naar huis gekomen, omdat hij wist dat mijn moeder helemaal in paniek zou zijn zodra ze hoorde wat er was gebeurd. Willen jullie binnenkomen?'

Ze stapten het halletje binnen. Laminaat op de vloer, een paar tapijten die Paula ook wel in haar eigen huis zou willen hebben. Het rook er naar lelies, een geur die werd verspreid door een grote vaas met grote tijgerlelies op de vensterbank. 'Eigenlijk komen we niet voor Raj.'

Sanjar bleef stokstijf staan en draaide zich toen met een ruk om. 'Wat is er dan?' Nu was er iets vijandigs in zijn blik. 'Waar gaat dit over, smeris?'

'We zijn hier voor Yousef.'

Sanjar trok zijn wenkbrauwen op. 'Yousef? Wat bedoelen jullie, Yousef?' Hij klonk geagiteerd. 'Jullie vergissen je vast. Yousef is de braafheid in eigen persoon. Hij gebruikt zijn mobieltje niet eens tijdens het rijden. Als ze zeggen dat hij iets gedaan heeft, dan zitten ze hartstikke fout.'

Kevin haalde diep adem. Niemand dacht ooit dat familieleden iets verkeerds konden hebben gedaan. Tenminste niet als ze met de politie praatten. 'Zouden we misschien even ergens rustig met je kunnen praten?' vroeg hij.

'Wat bedoel je, met je praten? Waar gaat dit over?' Sanjar was veel harder gaan praten en een deur ging open. Ze zagen het gezicht van een tiener, bang en met holle ogen. Sanjar had het in de gaten. 'Doe de deur dicht, Raj. Doe wat mama gezegd heeft en ga op bed liggen. Ze komt zo terug van het boodschappen doen, ze doet je wat als je hier aan het rondzwerven bent.' Hij wapperde met zijn handen om de jongen weer terug zijn kamer in te jagen. Toen de deur dicht was, ging hij hen voor naar de keuken. Een klein tafeltje met vier stoelen stond tegen de ene muur aan gepropt en tegen de andere drie muren stonden roomwitte kastjes. Het rook er een beetje naar kruiden, warm en bitter tegelijkertijd. Sanjar maakte een gebaar naar de tafel. 'Ga maar zitten.' Hij liet zich met duidelijke tegenzin op de stoel vallen die het verst weg stond. 'Zo. Hoe zit het nu met Yousef?'

'Waar zijn je vader en moeder?' vroeg Paula.

Sanjar haalde ongeduldig zijn schouders op. 'Mijn moeder is naar het winkelcentrum om spullen te kopen voor een kalmerend drankje voor Raj. En op zaterdagmiddag is mijn vader altijd in de moskee. Daar drinkt hij thee en maakt hij ruzie over de Koran.' Op zijn gezicht was de eeuwenoude medelijdende en tegelijk minachtende blik te zien van een kind voor zijn ouder. 'Hij is de vroomste hier in huis.'

'Oké. Wanneer is Yousef weggegaan?' vroeg Paula.

'Na het middageten. Mama wilde dat een van ons Raj bij het stadion zou afzetten. Ik moest naar Wakefield en Yousef zei dat hij een afspraak met iemand in Brighouse had om over een nieuw contract te praten.' Hij schoof wat ongemakkelijk op zijn stoel. Paula vroeg zich af of hij iets achterhield.

'Een nieuw contract?' onderbrak Kevin hem.

'Het familiebedrijf. First Fabrics. We zitten in de stoffenhandel. We doen zaken met zowel de importeurs van stoffen, als met de tussenpersonen die voor de detailhandel artikelen kopen als ze af zijn. Ik weet niets over de persoon met wie hij die afspraak had in Brighouse, het was nieuw voor mij. Is er daar soms iets gebeurd? Heeft hij daar met iemand ruzie gekregen?'

'Weet je waarin hij reed?'

'Hij reed in het bestelbusje van onze neef Imran: A1 Electricals. Het busje van Yousef was niet helemaal in orde, weet je, en Imran zat een paar dagen op Ibiza, dus leek het een goed idee om zijn kar te lenen. Dan hoefde hij niets te huren, weet je. Hoor eens, ik vraag het nog één keer. Krijg ik nog van een van jullie te horen wat er aan de hand is?'

Kevin keek Paula even tersluiks aan. Ze kon zien dat hij niet wist hoe hij dit moest aanpakken. 'Sanjar,' zei ze, 'zou je een reden kunnen bedenken waarom Yousef vanmiddag in Victoria Park was?'

Hij keek haar aan of ze gek was. 'Yousef? Nee, jullie vergissen je. Raj is bij de wedstrijd geweest.' Hij stootte een zenuwachtig lachje uit. 'Ik weet niet hoe, maar er zijn hier twee dingen door elkaar gehaald. Raj heeft zijn naam opgegeven bij een agent. Ik weet niet waarom jullie nu opeens met de naam van Yousef aan komen zetten. Yousef gaf geen reet om voetbal.'

'Wat had Yousef aan toen hij wegging?' vroeg Paula.

'Wat hij aan had? Shit, dat weet ik niet.' Sanjar schudde zijn hoofd en trok een grimas alsof hij vreselijk moest nadenken. 'Nee, wacht eens even. Hij had een zwarte broek en een wit overhemd aan bij het eten. Een gewoon wit overhemd. En vlak voordat hij wegreed zag ik dat hij de overall van Imran aantrok. Hij zei dat het busje een slippende koppeling had en dat hij, als hij moest uitstappen en eraan moest zitten prutsen, hij niet wilde dat zijn overhemd onder de vlekken kwam te zitten. Mijn broer wil altijd graag een goede indruk maken.'

'Moet je horen,' zei Paula vriendelijk. 'Je weet natuurlijk wat er vanmiddag is gebeurd, van Raj.'

Sanjar knikte langzaam, hij keek opeens wat argwanend. Hij was niet dom. 'Komen jullie me vertellen dat hij dood is?' vroeg hij. 'Dat hij volgens jullie bij het voetbal was? En dat hij nu dood is?' Hij keek smekend alsof hij wilde worden tegengesproken. Hij wilde niet geloven wat ze hem kennelijk wilden vertellen.

'Zo is het niet helemaal,' zei Paula.

Kevin, die vond dat het te lang ging duren, zei: 'Een man die een overall aanhad met *A1 Electricals* erop en die in het busje van A1 Electricals van jouw neef reed, heeft een bom op Victoria Park afgeleverd en tot ontploffing gebracht. Ja, we denken dat Yousef dood is, maar niet vanwege een toevallige omstandigheid. Wij denken dat jouw broer die zelfmoordterrorist is.'

Sanjar gleed weg op zijn stoel en zou achterover zijn gevallen als er geen keukenkastje in de buurt had gestaan. Hij kwam struikelend overeind en schreeuwde toen: 'Nee. Nee, dat kan godverdomme niet.'

'Het lijkt er wel op,' zei Paula. 'Sorry.'

'Sorry?' Sanjar zag eruit alsof hij zijn verstand aan het verliezen was. 'Sorry? Sorry, godverdomme? Kom daar nu niet mee aanzetten, zeg.' Hij maakte een beweging alsof hij ze weg wilde duwen. 'Jullie zitten zo ontzettend fout. Mijn broer is geen terrorist, godverdomme. Hij is... hij is... hij is gewoon niet zo.' Hij gaf een klap tegen de muur. 'Dit is zo klote. Zo absoluut klote. Hij komt zo door die deur naar binnen lopen en dan staan jullie voor gek, man. Het kan niet. Het kan gewoon niet.'

Paula legde een hand op zijn arm, en hij trok hem met een ruk terug alsof ze besmettelijk was. 'Je moet proberen wat rustiger te worden,' zei ze. 'Wij zijn de goeien. Het team van het CTC, de antiterroristenjongens, kan elk moment hier zijn en die laten van jullie huis en jullie levens niet veel heel. Ik weet dat dit een vreselijke schok voor je is, maar je moet sterk zijn, voor Raj en voor je ouders. En nu gaan jij en ik hier zitten en dan maken we een lijst van alle kennissen van Yousef met wie hij in zijn vrije tijd omging. En mijn collega gaat nu naar boven om Yousefs kamer te doorzoeken. Welke is dat?'

Sanjar knipperde hevig met zijn ogen, alsof hij zijn best moest doen om zich te oriënteren in een wereld waarin alles op zijn kop lag. 'Boven aan de trap rechtdoor. Hij slaapt met Raj op de kamer. Het bed aan de rechterkant is dat van Yousef,' Hij tastte achter zich naar een stoel en liet zich erop vallen, terwijl Kevin de kamer uit ging. 'Ik geloof het niet,' mompelde hij. 'Er moet een vergissing in het spel zijn.' Hij sloeg zijn blik op naar Paula. Er zaten rode randen om zijn donkere ogen. 'Er kan toch wel een vergissing zijn gemaakt?'

'Het is altijd mogelijk. Luister, ik ga een DNA-monster van jou afnemen, dan gaat het allemaal wat sneller.' Ze haalde een doosje tevoorschijn met spullen waarmee ze wat van zijn wangslijm kon wegschrapen, en maakte het open. 'Mond wijd opendoen.' Voordat hij in de gaten had wat er gebeurde maakte ze een uitstrijkje van het slijm aan de binnenkant van zijn wang en verzegelde het buisje. Ze deed haar notitieboekje open en gaf hem een klopje op de hand. 'Kom op, Sanjar. Help even mee. Alle mensen die je kunt bedenken die Yousef kende.'

Sanjar stak een hand in zijn zak en haalde er een pakje sigaretten uit. Paula wist intuïtief dat hij van zijn moeder niet binnenshuis mocht roken. Daaraan kon ze aflezen hoe erg hij van streek was, dat hij het zelfs maar overwoog. Maar als hij er eentje nam, deed zij het ook. Zonder zich een moment te bedenken. 'Oké,'

zuchtte hij. 'Maar die andere mensen dan, die hierheen komen?'
'Het CTC?
'Ja. Gaan die mij en mijn familie, zeg maar, arresteren?'
'Ik zal eerlijk tegen je zijn,' zei Paula. 'Misschien wel. De beste manier om dat te vermijden is door volkomen eerlijk te zijn. Je moet niet iets achterhouden waarvan je denkt dat ze dat niet hoeven te weten. Want, geloof me, ze komen er toch wel achter. En als ze ontdekken dat je hun niet de hele waarheid vertelt, dan zal je dat bezuren. Nou, kom nou maar eens op met die namen.'

Carol zat ziedend van woede in haar kantoor. Ze had in haar hele carrière nog nooit zo'n uitdagende opdracht gehad, en in feite kwam het er nu op neer dat ze op een zijspoor was gezet. In haar hoofdbureau krioelde het al van de mensen van het CTC. Volgens Brandon waren er al wel honderdvijftig ter plaatse of onderweg. Ze hadden speciale telefoonlijnen aangesloten tussen de ruimte van HOLMES2 en Ludgate Circus, het hoofdkwartier van de Geheime Dienst. Toen ze ernaartoe was gegaan om te informeren wat er van haar team werd verlangd, kreeg ze te horen dat ze niet van haar diensten gebruik hoefden te maken, hoewel ze er geen bezwaar tegen hadden om gedurende hun verblijf daar te kunnen beschikken over Stacey Chen. Ze had het laatste beetje van haar waardigheid bij elkaar geraapt en zich teruggetrokken. Ondertussen was Stacey in de teamkamer van het TZM al bezig met de coördinatie van de digitale opnamen van de bewakingscamera's rondom het stadion. 'Ze hebben hiernaast om je gevraagd,' zei Carol.
Stacey snoof eens. 'Is dat een verzoek of een bevel?"
'In dit stadium is het nog een verzoek. Maar dat kan best veranderen.'
Stacey keek op van het scherm waarop ze aan het werk was. 'Dan blijf ik hier. Ik neem aan dat we de handdoek nog niet in de ring hebben gegooid?'
Carol schudde haar hoofd. 'We houden een vinger in de pap. Het is ons terrein. En we moeten ook nog de moord op Robbie Bishop oplossen. Wil je thee?'
'Earl grey, alsjeblieft.' Stacey was alweer verdiept in haar scherm.

'Ik zou wel een groot glas wiskey lusten,' bromde Chris. 'Maar als dat niet lukt zou een sterke bak thee ook prima van pas komen.'

'Wat is er gebeurd?'

'Ik was bijna klaar met mijn gesprekken met het personeel dat zorg draagt voor de vipboxen, toen er zo'n stuk of zes van die types binnenstormden. Je kunt ze al van mijlenver horen aankomen.'

'Dat komt door de laarzen,' zei Carol, terwijl ze water over de theezakjes goot.

'Dat klopt. Voeg daarbij het zoevende geluid van hun gespierde dijen die langs elkaar heen schuren. Dus ze komen binnenstormen en ze hebben me nog niet gezien of het is al van: 'Wegwezen, schat,' alsof ik een journalist was of zoiets. Ik stond buiten voordat ik iets kon zeggen over fascisten met kaplaarzen. En voordat ik hier weer heen mocht, zetten ze me ergens neer en moest ik uittypen wat ik uit de verhoren had opgestoken. Alsof ik van plan was stiekem weg te sluipen en ze niet mijn huiswerk wilde laten zien.' Ze schudde haar hoofd. 'Ik dacht dat ik van die machoklootzakken af was, toen ik hiernaartoe verhuisde.'

Carol bracht de thee rond. 'We moeten met ze samenwerken,' zei ze. 'Wat niet wil zeggen dat wij met ons team ondertussen niet op eigen gelegenheid onderzoek kunnen doen.'

'Nu we het daar toch over hebben, waar is de rest eigenlijk?'

'Paula en Kevin zijn op pad om te achterhalen hoe het zit met dat bestelbusje van A1 Electricals, kijken wat ze kunnen oppikken voordat de jongens van het CTC de zaak overnemen. De mensen willen nog wel eens dichtklappen als de mannen in het zwart hun deur intrappen,' zei Carol. 'Ik weet niet precies waar Sam mee bezig is. De laatste keer dat ik hem zag, was hij aan het controleren hoe het zat met de camera's in de Vestey tribune.'

'Hij zal wel achter een gloeiend hete aanwijzing aan zitten, die hij niet wil delen met ons arme imbecielen,' zei Chris droog.

'Hij heeft zichzelf er het meest mee,' zei Stacey zonder op te kijken. 'Hij bedoelt het goed.'

Chris en Carol wisselden een blik van verstandhouding. Voor zover ze zich konden herinneren, had Stacey zich nog nooit over een van haar collega's uitgelaten. Haar pertinente weigering om te roddelen was legendarisch. 'Later,' mompelde Chris samenzweerderig tegen Carol. Ze slurpte van haar thee en haalde diep adem. 'Echt waar, zoiets ergs heb ik nog nooit gezien en hoef ik ook nooit meer te zien. Trouwens, ik kan nog steeds niet geloven wat voor bloedbad het was. Vijfendertig doden zeggen ze. Ik had nooit gedacht dat nog eens in Bradfield mee te moeten maken.'

'Het verbaast me nog dat het er niet meer zijn,' zei Carol. 'Als hij hem op dezelfde plek onder de tribune aan de andere kant had geplaatst waar alleen maar zitplaatsen zijn in plaats van die vipboxen, dan waren er honderden doden gevallen.' Ze deed heel even haar ogen dicht. 'Als je daaraan denkt, word je kotsmisselijk.'

'Er zouden er meer zijn geweest als het publiek zich niet zo fantastisch gedragen had. Ik verwachtte veel meer gewonden, mensen die in de verdrukking zaten. Echt waar, ik weet dat het een cliché is, maar dit soort dingen brengt het beste in de mensen boven. Heb je die vrouw gezien in Grayson Street, die een tafel op schragen voor haar huis had neergezet en die de mensen van thee voorzag? Dat had je ook ten tijde van de Blitz.'

En soms blijken mensen van wie je het het minst verwacht opeens helden te zijn,' zei Carol. 'Ik heb bijvoorbeeld vanmiddag een man gezien – een van de ziekenbroeders bracht hem naar een ambulance, hij had te veel van zichzelf gevergd bij het redden van mensen uit het puin. En laat ik die vent nou kennen. Hij heeft vroeger bij ons gewerkt, totdat hij eruit is gedonderd omdat hij met bewijzen sjoemelde in een moordonderzoek. Als ik één persoon had moeten noemen die altijd alleen aan zichzelf dacht, was hij het wel. Dus ik vermoed dat we het allemaal in ons hebben om het goede te doen.' Ze glimlachte wrang. 'Behalve misschien de mannen in het zwart.'

Precies op dat moment stak een van de infanteristen zijn hoofd om de hoek van de deur. 'Is er hier ergens ene hoofdinspecteur Jordan?'

'Ik geloof dat ik dat ben, agent. Waarmee kan ik je van dienst zijn?'

'Ze willen dat u naar Scargill Street gaat. Er zijn wat problemen met een van uw jongens.' Hij begon zich terug te trekken, maar

Carol hield hem met een vernietigende blik tegen.

'Wie heeft er om mij gevraagd?'

'Degene die de leiding heeft. Hoor eens, ik breng alleen maar de boodschap over, oké?' Hij haalde diep adem en sloeg zijn ogen ten hemel. 'U weet net zoveel als ik.'

'Ik drink verdomme wel eerst mijn thee op,' mopperde Carol. Maar die stoere houding was maar schijn. Nog geen vijf minuten later was ze al weg en Stacey en Chris bleven zitten met de vraag wat Sam Evans nu weer had uitgevreten.

Ze hadden niet veel tijd om te speculeren. Niet lang na het vertrek van Carol kwamen Paula en Kevin binnenvallen, die eruit zagen alsof ze niet ontevreden over zichzelf waren. Kevin die erbij liep als een man met rugpijn, zette linea recta koers naar Stacey, knoopte zijn jack open en haalde een laptop te voorschijn. 'Kijk eens hier,' zei hij. 'De laptop van de terrorist.'

Stacey trok haar wenkbrauwen op. 'Waar heb je die vandaan?'

'Uit zijn slaapkamer.'

'De vermeende terrorist,' viel Paula hem in de rede. 'Yousef Aziz. Het is zeker dat hij eerder op de dag in dat busje heeft gereden en dat hij de overall aanhad.'

Chris kwam bij hen staan en duwde met haar vinger tegen de laptop aan. 'Ik denk niet dat het de bedoeling is dat wij deze hebben.'

Stacey trok hem naar zich toe en zei: 'Nee, en ook niet dat we hem lang mogen houden, dus moet ik er snel zo veel mogelijk informatie vanaf halen.'

'Hoe heb je het buiten het zicht van de mannen in het zwart kunnen houden?' vroeg Chris.

'Tempo,' zei Paula. 'Voordat zij op het toneel verschenen waren wij al erin en eruit.' Ze legde uit hoe ze van Imran Begg bij Yousef Aziz waren uitgekomen. 'Ik vermoed dat ze zo van slag waren van de jongens van het CTC dat het even geduurd heeft voordat ze met Aziz en zijn adres op de proppen kwamen. Ze zijn zo verdomde angstaanjagend, dat werkt contraproductief als je te maken hebt met fatsoenlijke, oppassende mensen. Die raken gewoon verlamd. Wat weer in ons voordeel werkte. We hebben ruim twintig minuten met Sanjar, de broer van Aziz, kunnen praten, en die lui van het CTC kwamen net de hoek om toen wij de straat uit reden.

'Goed gedaan,' zei Chris. 'Waar lijkt het op? Het gewone recept? Een jongeman wiens hoofd op hol is gebracht door een stel maffe mullahs, en de kwartiermeesters van Al Qaida die dan zorgen dat hij de juiste spullen in handen krijgt?'

Paula ging naast Chris op het bureau zitten. 'Ik weet het niet. Zijn broer bleef maar volhouden dat Aziz daar niets van moest hebben. Volgens Sanjar was Yousef pertinent tegen fundamentalisme.'

'Wat Yousef betreft kunnen we niet op het oordeel van zijn broer vertrouwen,' zei Kevin. 'Denk maar aan die jongens die bommen in Londen wilden leggen. Hun vrienden en familie gedroegen zich ook alsof ze van niets wisten. Oké, ik heb geen handboek voor het maken van bommen in zijn slaapkamer gevonden, maar ik had ook niet zoveel tijd, en sommige van de kranten en boeken waren in een schrift dat ik niet kon lezen. We weten meer als het CTC het huis helemaal ontmanteld heeft en elk stukje papier heeft doorgekeken.'

'Dan weten zij meer, ja,' corrigeerde Chris hem cynisch. 'Wie weet wat ze besluiten ons te vertellen.'

'Jullie hebben ze niet nodig,' zei Stacey verstrooid. 'Jullie hebben zijn laptop en jullie hebben mij.'

'Zet 'm op, Stacey,' zei Kevin en hij stak triomfantelijk zijn vuist op. 'Waar is de chef trouwens?'

'Die is naar Scargill Street,' zei Chris.

'Uit eigen vrije wil?'

'Min of meer. Ik geloof dat Sam weer eens over de schreef is gegaan. Een van de mannen in het zwart kwam hier en zei dat er een probleem was met een van haar jongens. En daar jij hier zit, gaat het blijkbaar niet over jou.'

Paula trok haar wenkbrauwen op. 'O, shit. Die arme Sam. Wat is volgens jou erger? De Keizerlijke Stormtroepen tegen de haren in strijken of de chef op oorlogspad, die jou uit de stront moet halen?'

Carol had nog nooit zoiets gezien. Scargill Street was veranderd in een belegerde vesting. Gewapende politieagenten bewaakten alle uitgangen en er hing constant een politiehelikopter boven het gebouw. De lichtbundel van de schijnwerper pinde haar schaduw op de grond vast toen ze dichterbij kwam. Het duurde meer dan drie minuten voordat de bewaker bij de deur zei dat ze door mocht lopen en toen ze de vertrouwde hal in liep, stond er alweer een gewapende politieman op haar te wachten om haar te begeleiden. 'Ik dacht dat het geheim moest blijven waar jullie verdachte terroristen opsluiten,' zei ze op keuveltoon, toen ze de verlaten gangen doorliepen naar de vertrekken waar mensen werden vastgehouden.

'Het is ook geheim. We brengen de media er niet van op de hoogte.'

'Jullie bewaken een politiebureau in het stadscentrum beter dan Buckingham Palace en dan denken jullie dat niemand dat in de gaten heeft?'

'Maakt niks uit,' zei hij, terwijl hij een gang in liep. Carol wist dat de cellen zich daar bevonden. 'Ze mogen er toch niets over schrijven.'

De Here sta mij bij! Carol sloot heel even haar ogen. 'Ik dacht dat jullie je meer zorgen maakten over iemand die een aanval voorbereidde?'

'We maken ons geen zorgen,' zei hij op een toon die duidelijk maakte dat ze waren uitgepraat. Hij klopte op de deur die naar het cellencomplex leidde. Een paar seconden gingen voorbij en toen gaf een zoemer aan dat ze mochten binnenkomen. De bewaker maakte de deur voor haar open en deed een pas naar achteren. 'Ga uw gang,' zei hij. 'U wordt zo opgehaald.' Hij sloeg de deur met een klap achter haar dicht.

De bekende ruimte was leeg, afgezien van een brigadier van dienst achter een bureau, die wat paperassen voor zich had liggen. Tot haar verbazing herkende Carol hem van het eerste onderzoek dat ze voor de politie in Bradfield had afgerond. Ze liep naar hem toe en zei: 'Brigadier Wood, hè?'

'Dat klopt, mevrouw. Wat goed dat u dat nog weet. Dat is hoe lang geleden...? Zeven jaar?'

'Zoiets. Ik verwachtte hier niet een van ons achter het bureau aan te treffen.'

'Dat is hun enige concessie. De bewakers moeten immers zelf ook in de gaten worden gehouden,' zei Wood. 'Ik moet erop letten dat er geen burgerrechten worden geschonden.' Hij grinnikte cynisch. 'Alsof ik zou kunnen tegenhouden wat ze achter die gesloten deuren uitspoken.' Voordat Carol kon antwoorden, klonk er een harde zoemer. Wood maakte met een dringend handgebaar duidelijk dat ze aan de kant moest gaan staan. 'Tegen de muur, alstublieft, mevrouw. Voor uw eigen bestwil. Nu kunt u de infanterie in actie zien.'

Er kwamen drie gangen uit bij de receptie van het cellencomplex. Ze leken op de tanden van een drietand. Het gekletter van zware laarzen op een harde vloer was het eerst hoorbaar, waarna er een viertal mannen met halfautomatische geweren in draaghouding aan het einde van de gang de hoek om kwam rennen. Ze waren gekleed in de zwarte uitrusting van de ME, alle vier met kaalgeschoren hoofd, alle vier angstaanjagend. Ze bleven voor een celdeur staan en begonnen te schreeuwen: 'Sta op, sta op, sta op.' Het leek net of het lawaai ontzettend lang aanhield, hoewel het niet meer dan een halve minuut kon zijn geweest. Carol voelde de adrenaline door haar lichaam stromen, het angstwekkende geluid weergalmde in haar borstkas, en dan was zij nog een van degenen die aan de goede kant stonden. Hoe veel erger moest het zijn voor iemand die in een cel zat?

De hoofdinfanterist gooide de deur met zoveel geweld open dat hij tegen de muur terugketste. Drie mannen verdwenen naar binnen terwijl de vierde de hele deuropening vulde. Carol hoorde nog meer geschreeuw. 'Staan! Tegen de muur. Gezicht naar de muur. Armen wijd. Benen wijd. Stilstaan, klootzak.' Zonder ophouden, een eindeloos spervuur van bevelen. Ten slotte deed de man in de deuropening een stap opzij en twee van zijn collega's liepen achteruit de deur uit. De derde persoon die naar buiten kwam, was een jonge Aziatische man, de ogen opengesperd, de kaken op elkaar geklemd. Hij probeerde te zien wat er zich achter zijn bewakers bevond, maar zij maakten dit onmogelijk door hun gezichten naar hem toe te duwen.

Toen hij eenmaal in de gang stond, moest hij tegen de muur aan gaan staan. Eén man ging achter hem staan, één man naast hem en één pal voor hem. De vierde man liep zigzaggend voor hen uit en riep de hele tijd 'veilig', telkens als hij langs een deur kwam. Ze liepen met de gevangene met een zodanige snelheid de hal door dat hij alleen maar kleine pasjes kon maken.

Toen de leider van de vier het cellencomplex betrad, schrok hij zo toen hij Carol zag dat hij struikelde. 'Laat zien wie je bent,' blafte hij haar toe. Toen draaide hij zich met een ruk om en schreeuwde: 'Staan blijven,' naar het groepje achter hem.

Carol sloeg haar ogen ten hemel. 'Nou, het spreekt toch vanzelf dat ik van de politie ben.' Ze haalde haar identiteitsbewijs tevoorschijn en noemde haar naam en haar rang. Ze maakte een abrupte hoofdbeweging naar Wood. 'Hij weet wie ik ben.'

'Dank u wel, mevrouw,' blafte hij als een echte sergeant-majoor. 'De kust is veilig,' schreeuwde hij toen. Carol keek toe hoe de gevangene de gang met de verhoorkamers in werd geleid waar hij een van de kamers werd in geduwd. De infanterie posteerde zich voor de deur.

'Jezus,' zei Carol die nu pas durfde uit te ademen.

'Dat is nogal wat, hè? Begrijp me niet verkeerd, ik heb net zo goed als iedereen de pest aan die kloteterroristen, maar ik vraag me af welke prijs we gaan betalen als we ze op deze manier te lijf gaan,' zei Wood. 'Vóór vanmiddag was ik even fanatiek als alle anderen. Maar wat ik vandaag heb gezien... Die speciale training die ze hebben gehad. Ik geloof dat ze er maar drie belangrijke woorden leren – intimidatie, intimidatie, intimidatie. Iedereen die wordt opgebracht en aan dit soort dingen wordt onderworpen en die niets heeft gedaan – nou ja, die maffe mullahs varen er wel bij, hè? Die hoeven dan zelf het recruteringswerk niet meer te doen.'

'Ik ben de tel kwijt geraakt hoe vaak ik vandaag diep heb moeten ademhalen,' zei Carol. 'Weet jij trouwens wie me hier ontboden heeft? Ik heb wel wat meer te doen. Er zijn vanmiddag vijfendertig mensen omgekomen. Ik zie niet in hoe hun families erbij gebaat zijn dat ik hier een beetje duimen zit te draaien.'

'Hebben ze u dat niet verteld?' vroeg Wood met een berustende blik.

'Nee, dat hebben ze niet. Het enige wat ik weet is dat een van mijn jongens in de problemen is geraakt.'

Wood schudde zijn hoofd. 'Klinkt me niet bekend in de oren. Wacht maar even.' Hij pakte de telefoon. 'Ik heb hier hoofdinspecteur Jordan bij me staan... Nou, ik denk dat u dan maar tijd moet maken... Met alle respect, maar we hebben vanmiddag allemaal een heleboel op ons bord...' Hij keek vol walging naar de telefoon en legde hem neer. 'Nog één minuut,' zei hij en hij probeerde hun keiharde toon na te bootsen.

Een paar minuten gingen voorbij, en toen kwam er een man, die Carol kende als Johnny, de deur door die naar het hoofdgedeelte van het bureau leidde. 'Hoofdinspecteur Jordan. Wilt u mij alstublieft volgen?'

'Waarheen? En waarom?' vroeg Carol die langzamerhand haar zelfbeheersing dreigde te verliezen.

Johnny wierp een blik op Wood. 'Ik leg zo alles wel uit, maar kom nu maar mee.'

Carol zwaaide even naar Wood. 'Als ik over een halfuur niet terug ben, brigadier, bel dan naar meneer Brandon.'

'U hoeft niet zo agressief te doen, hoor,' zei Johnny klagerig, toen ze de trap opliepen naar het hoofddeel van het bureau. 'We staan allemaal aan dezelfde kant.'

'Dat baart me juist zorgen,' zei Carol. 'Nou, vertel op, waarom ben ik hier?'

Johnny loodste haar een kantoortje in en wees naar een stoel. Hij tilde een andere stoel op, draaide hem om en ging er achterstevoren op zitten met zijn gespierde armen over elkaar over de achterkant. 'Ik zou nu graag een paar bruggen bouwen. Jouw team en het mijne schieten er niets mee op als we met elkaar overhoop liggen.'

Carol haalde haar schouders op. 'Praat dan met me. Doe niet net alsof mijn team een deel van het probleem is. Doe niet zo neerbuigend tegen ons. Om te beginnen zou je kunnen proberen me niet te behandelen als de eerste de beste agent en me te vertellen waarom ik hier ben.'

'Ik snap het. Sam, die jongen van jou?'

'Snap je nu wat ik bedoel? "Sam, die jongen van jou." Je hebt het over rechercheur Evans, ja?'

Johnny knikte. 'Rechercheur Evans was in het stadion. Wat moest hij daar?'

'Word ik nu verhoord?' wilde Carol weten. Ze deed zelfs geen poging om de verontwaardiging uit haar toon te houden.

Johnny streek met zijn hand over zijn kaalgeschoren hoofd en keek haar stomverbaasd aan. 'Hoor eens,' zei hij geprikkeld. 'We zijn niet goed begonnen. U vindt het niet prettig dat wij hier op uw terrein de boel plattrappen en dat begrijp ik volledig. Ik ben u niet aan het verhoren, ik probeer gewoon iets op te helderen, voordat het voor ons allebei ontaardt in iets onaangenaams.'

'Die indruk maakt het anders niet.'

'Nee, dat besef ik. Goede manieren zijn niet ons sterke punt. Dat hoeft ook niet. Ze slaan de etiquette eruit als ze ons trainen voor het CTC. Het spijt me. Ik weet dat we overkomen als enorme hufters. Dat moet ook wel met een baan als de onze. Maar we zijn niet dom. We hebben het niet zo ver geschopt vanwege onze lengte.' Hij spreidde zijn handen in een gebaar van eerlijkheid. 'Een lid van ons team heeft uw rechercheur aangetroffen in een rustig hoekje van het stadion met een jonge Aziatische man in een overall. Hij was hem kennelijk aan het verhoren. Toen onze jongens arriveerden weigerde de getuige, verdachte, maakt niet uit, nog iets te zeggen. En jouw mannetje weigerde ons te vertellen waar ze het over gehad hadden. Dus hebben we hem meegenomen. Sindsdien hebben ze geen van tweeën nog een stom woord gezegd. Behalve hun naam. O, en de Aziaat wil een advocaat. Dus ik dacht bij mezelf, hoe kunnen we dit het beste oplossen? En toen dacht ik aan u.'

'Hoe dacht u aan mij? Als iemand die je kon overdonderen? Iemand die je kon intimideren?'

Johnny slaakte een diepe zucht. 'Nee. Ik dacht aan u als iemand die indruk op me had gemaakt met haar intelligentie. Iemand die een reputatie heeft bij de politie in Londen...'

'Wat bedoel je met een reputatie bij de politie in Londen?' vroeg Carol agressief.

Johnny keek verbaasd. 'Een reputatie als een verdomd goede smeris,' zei hij. 'Wat dacht u dan? Mensen voor wie ik veel respect heb, denken dat u het neusje van de zalm bent. Dus dacht ik dat u rechercheur Evans wel zou kunnen overhalen om mee te werken met dit onderzoek.'

'Waar is hij?'

Johnny moest even nadenken. 'Kom maar mee, ik zal u naar hem toe brengen.'

Ze liep achter hem aan de hal weer in, naar een andere verhoorkamer. Sam Evans zat op een stoel die hij achterover tegen de muur had gekanteld. Hij zat in een ontspannen houding met zijn handen achter zijn hoofd gevouwen. Toen Carol binnenkwam lopen, schoot hij overeind en stond op. 'Sorry dat ze jou erbij hebben gesleept,' zei hij.

Carol wendde zich tot Johnny. 'Zou u ons alleen kunnen laten?'

Johnny boog zijn hoofd en trok zich terug. Sam keek hem na en schudde zijn hoofd in nauwverholen minachting. 'Wat heb ik volgens hen gedaan?'

'Ze zeggen dat ze je hebben aangetroffen terwijl je een jonge Aziatische man in een overall aan het verhoren was in Victoria Park. Dat jullie allebei weigerden nog iets te zeggen. Dat je niet wilt zeggen waar jullie het over hadden.' Carol leunde tegen de muur, haar armen over elkaar heen geslagen.

Sam lachte even alsof hij het niet kon geloven. 'Zo zou je het misschien kunnen uitleggen. Maar je kunt het ook anders zien. Om te beginnen draagt hij een overall, omdat hij schoonmaker is in het stadion. Daar is toch niets verdachts aan? En nog iets, hij is duidelijk geen verdachte. Zijn naam is Vijay Gupta. Hij is een hindoe, geen moslim. Dus het lijkt mij dat die jongens van het CTC zich zitten op te fokken over iemand die in geen enkel opzicht een potentiële verdachte is. Ik kan niets vertellen over ons gesprek, mevrouw. We hadden bijna nog geen woord gewisseld.'

Carol wist niet of ze hem moest geloven. Hij kon immers huichelen als de beste. Waar het nu op aan kwam, was hoe ze hem hier weg moest krijgen. Dan kon ze erachter komen of hij de waarheid sprak. 'Wacht hier even,' zei ze.

Ze ging weer naar buiten, waar Johnny stond te wachten. 'Er valt niets te vertellen. Hij was nog maar net met het verhoor begonnen en de man is niet eens een moslim. Nou, als u dat verhaal over dat bruggenbouwen echt meent, dan houdt u me niet tegen als ik zo dadelijk met mijn agent vertrek. En ik stel voor dat jullie meneer Gupta naar huis laten gaan, want het enige wat hij heeft gedaan om jullie verdenking te rechtvaardigen is dat hij met een politieman heeft gepraat.' Ze draaide zich om, deed de deur open en zei: 'Rechercheur Evans? We moeten er maar eens vandoor.'

Met opgeheven hoofd liep Carol voorop door de bekende gangen naar de achteringang van het bureau. Niemand probeerde hen tegen te houden. Toen ze eenmaal in de auto de parkeerplaats af waren gereden, zei Sam: 'Uitgaande van het principe dat we werden afgeluisterd, ben ik daarnet niet helemaal volledig geweest, mevrouw.'

Carol wierp een snelle blik op zijn berouwvolle gezicht en zuchtte. 'Daar was ik al bang voor, Sam. Ruik je die vreemde lucht? Dat zijn de bruggen die in brand staan.'

Carols plannen maatregelen te nemen naar aanleiding van Sams bekentenis werden doorkruist door de aanwezigheid van John Brandon in haar teamkamer. Hij zag er grimmig uit in zijn officiële tenue en met zijn pet onder zijn arm. De moed zonk haar in de schoenen. Was het nieuws over haar laatste schermutselingen met het CTC haar vooruitgesneld? Zo ernstig als hij er nu uitzag, had ze hem zelden gezien. Ze was nog niet binnen of hij begon al tegen haar te praten: 'Hoofdinspecteur Jordan, ik zocht u al. Ik moet even met u praten.' Hij gebaarde naar haar kantoortje, en zij liep voor hem uit naar binnen.

'Carol, ik moet je iets vervelends vertellen,' zei hij, terwijl hij in een van de stoelen voor bezoekers ging zitten en zijn pet achteloos op de andere gooide.

'Meneer?'

'Je herinnert je Tom Cross nog wel, hè? Ex-rechercheur...'

Ze knikte. Ze was helemaal op het verkeerde been gezet door de wending die het gesprek nam. 'Ik heb hem vanmiddag gezien in Victoria Park. Hij werd door een verpleger naar een ziekenwagen gebracht. Hij had kennelijk geholpen met de gewonden, maar hij had te veel van zichzelf gevergd.' Het begon haar te dagen. 'Hij heeft het niet gehaald,' zei ze, verbaasd over de steek van verdriet die ze voelde.

'Nee, hij heeft het niet gehaald. Zijn hart heeft het opgegeven.'

'Dat is triest,' zei Carol. 'Wie had kunnen denken dat hij het leven zou laten, doordat hij andere mensen hielp. Had hij hartproblemen?'

Brandon schudde zijn hoofd. 'Nee. En het ziet ernaar uit dat hij niet het loodje heeft gelegd doordat hij geholpen heeft bij de reddingsacties.' Hij keek zorgelijk; Carol zag opeens hoe snel hij was verouderd in de afgelopen paar jaren en heel even zag ze een verontrustende glimp van haar eigen sterfelijkheid.

'Wat bedoelt u, meneer?'

'Een van de artsen in het burgerhulpteam in Bradfield Cross is Elinor Blessing.'

Carol knikte. 'Zij is degene die de ricinevergiftiging heeft ontdekt.'

'Precies. En volgens haar is dat waarschijnlijk de enige reden waarom ze bij dit geval ook weer aan vergif dacht. En ze had gelijk. Helaas heeft zijn hart het begeven voordat ze hem voldoende tegengif hebben kunnen toedienen. Ze hebben geprobeerd hem in leven te houden totdat ze de behandeling konden afmaken, maar dat is niet gelukt.'

Geschokt klampte Carol zich vast aan een strohalm. 'Weet u zeker dat ze nu, vanwege Robbie, niet overal vergif ziet?'

'Dat zou kunnen. Maar ze zegt dat het hier niet om ricine ging. Maar ze denkt wel dat het om een ander plantenextract gaat. Vingerhoedskruid of zoiets. Het komt erop neer, dat ze dit niet kan toeschrijven aan een natuurlijke oorzaak of aan een ongeluk.'

'Dus dan gaat het om moord?'

'Daar lijkt het op, ja. Tenminste naar de mening van dr. Blessing. Ik wil dat jouw team hiermee aan de slag gaat. Hij was een van ons, ongeacht wat er is gebeurd aan het eind van zijn carrière. Je moet ook bekijken of er een mogelijk verband is met Robbie Bishop. Misschien moet je de mening van Tony vragen als hij weer zover hersteld is.' Brandon plukte aan een stofje op zijn zwarte broek. 'Ik weet het, het is een beetje ironisch als je weet hoe Tom dacht over mensen als Tony. Maar we moeten hier alles in stelling brengen. Wacht tot morgen om naar zijn weduwe te gaan, maar er moet wel vanavond nog iemand met die arts gaan praten. Ze is kennelijk nog tot laat op de Spoedeisende Hulp.' Hij stond op en pakte zijn pet.

'We zullen ons best doen,' zei Carol. 'Maar er zijn vandaag nog vijfendertig andere moorden gepleegd. Daar proberen we ook zo veel mogelijk aandacht aan te besteden.'

Brandon draaide zich met een ijzige blik om. 'Laat die maar over aan het CTC. Concentreer je op Tom Cross.'

'Met alle repect, meneer...'

'Dat is een bevel, hoofdinspecteur. Ik verwacht maandag een voorlopig rapport.' Hij liep stijf rechtop de kamer uit, alsof hij meedeed met een parade.

'Dat is gewoon zo fout,' mompelde Carol. 'Zo hartstikke fout.' Ze leunde achterover in haar stoel en zat vijf minuten strak naar het plafond te staren. Toen sprong ze overeind en ging in de deuropening staan. 'Iedereen hier komen, nu,' riep ze.

Ze drongen zich naar binnen, Kevin en Chris eisten op grond van hun leeftijd de stoelen op. 'Sorry, mensen,' zei Carol. 'Maar ik wil niet dat we onverwacht worden gestoord. Sam, hou jij de hoofddeur in de gaten. Oké. Dit is de stand van zaken. Ik weet dat jullie even boos en geschokt zijn als ik over de aanslag van vanmiddag in Victoria Park. Het was een afgrijselijke ervaring voor alle betrokkenen. Maar het is onze taak om ons niet door onze emoties te laten leiden en om het noodzakelijke te doen.' Ze streek met haar handen door haar wilde haardos en schudde haar hoofd. 'En ik geloof dat jullie allemaal even vastbesloten zijn als ik om daarmee aan de slag te gaan.'

'Het enige probleem is dat we te horen hebben gekregen geen onderzoek te doen naar de vijfendertig moorden die er vanmiddag op onze stek zijn gepleegd. Of tenminste, alleen als ons wordt gevraagd om bepaalde taken uit te voeren namens het CTC. Nou weet ik niet hoe jullie hiertegenover staan, maar daar kan ik geen genoegen mee nemen. Het is mijn bedoeling te blijven werken aan eventuele onderzoekslijnen waar we mogelijkheden in zien. Wij hebben hier een uniek overzicht – dit is ons terrein en wij kennen het. We geven eventuele onderzoeksresultaten door aan het CTC, maar in eerste instantie houden we het binnenskamers. Het is waarschijnlijk niet goed voor onze carrières, maar ik ben niet bij de politie gegaan voor meerdere eer en glorie. Als een van jullie zich hier niet in kan vinden, moet hij of zij dat nu zeggen. Ik zal het niemand kwalijk nemen en er zijn meer dan genoeg andere werkzaamheden.' Ze keek verwachtingsvol in het rond. Niemand reageerde.

'Oké. In dat geval zitten we allemaal op één lijn. Nu...' Ze zag dat Stacey een vinger opstak. 'Stacey?'

'We hebben de laptop van Yousef Aziz al,' zei ze. 'Kevin en Paula hebben die uit zijn huis meegenomen.'

Carol fronste haar voorhoofd. 'Wie is Yousef Aziz?'

'De bommenmaker,' zei Kevin. Hij bracht haar op de hoogte van wat hij en Paula hadden ontdekt. 'We wilden je niet bellen toen je bij het CTC was,' voegde hij er verontschuldigend aan toe.

'Geen probleem. Prima werk, mensen. Heb je al iets ontdekt, Stacey?'

'Hij heeft geprobeerd zijn sporen uit te wissen, maar zijn harde schijf bevat bijna niets anders. Recepten voor TATP, hoe je een bom moet maken, hoe je een ontsteker moet maken. E-mails die gedeletet zijn, waarin hij informeert naar de beschikbaarheid van chemische stoffen. Ik ben het allemaal aan het kopiëren, voordat we het ding overhandigen aan het CTC. Wat interessant is...' Ze liet haar stem wegsterven omdat ze zich niet zeker van haar zaak voelde als ze het niet over haar specialisme had.

'Ja?' vroeg Carol. 'Wat interessant is...?

'Het is zoiets als een hond die niet blaft,' zei Stacey. 'Afgezien van die gewiste e-mails over de chemische stoffen staan er helemaal geen andere e-mails op zijn laptop. Niets dat zou kunnen wijzen op eventuele medeplichtigen. Er staat verder niets op. Of er is nog ergens een andere computer, of zij hebben rechtstreeks contact gehad en via sms'jes, of hij heeft het helemaal alleen gedaan.'

'Op zijn werk staat vast ook wel een computer. Het is een familiebedrijf, hij moet daar ook gebruik van hebben kunnen maken,' zei Chris.

'Te laat,' zei Stacey. 'Die is al bij het CTC.'

'Hoe weet je dat?' vroeg Chris.

'Via een nieuwsbulletin op Sky. Er was net een bericht over de mannen in het zwart die bij First Fabrics binnenvielen en weer naar buiten kwamen met armen vol met computerapparatuur,' zei Stacey. 'Dat is het voordeel als je twee schermen hebt.'

'Bedankt, Stacey. Dat geeft ons iets om over na te denken.' zei Carol. 'En we hebben voor zolang het duurt nog iets anders wat volgens ons nog niemand anders weet. Sam?'

Sam rechtte zijn schouders, klaar voor een bescheiden optreden. 'Ik heb ontzettend mazzel gehad in Victoria Park. Toen Chris ons een sms'je stuurde waarin stond dat de verdachte een jonge Aziatische man was in een overall en een baseballpetje, liep ik net achter langs de tribune en wat zie ik? Een jonge Aziatische man in een overall en een baseballpetje. Dus wat doe ik? Ik ga meteen naar hem toe. Blijkt dat hij helemaal geen moslim is. Hij heet Vijay Gupta en hij is schoonmaker in het stadion. Ik geef hem de beschrijving van de terrorist en als ik het heb over het bestelbusje van A1 Electricals, zie ik dat hij reageert. Hij wil er eerst niet over praten, maar als ik aandring, zegt hij dat hij op donderdagavond zo'n busje heeft gezien. Hij en zijn broer waren op bezoek bij een neef die een zit-slaapkamer heeft in Colton en het busje viel hem op, omdat het achter het huis geparkeerd stond. Het stond uit zicht op de plek waar hij en zijn neef de auto meestal neerzetten, omdat ze de bewoners niet tegen zich in het harnas willen jagen en hij had het daar nog nooit eerder zien staan.' Sam kon de zelfgenoegzame grijns niet langer onderdrukken.

'Je hebt toch wel een adres gekregen voordat ze je hebben afgevoerd naar Scargill Street?' vroeg Kevin stijfjes.

'O, jazeker heb ik een adres.' Sam pakte een stuk papier en een markeerstift van Carols bureau. Hij schreef iets op en hield het toen omhoog zodat iedereen het kon zien. 'Nou, heb ik een adres gekregen of niet?'

'Nee, Sam, je hebt geen adres gekregen. We hebben een anoniem telefoontje gehad,' zei Carol streng. 'Het gaat al moeilijk genoeg met het CTC zonder dat wij nog eens speciaal ons best gaan doen om de zaak nog erger te maken. Iemand heeft ons telefonisch een tip gegeven en wij hebben besloten die zelf na te trekken, want het CTC heeft wel wat anders te doen. Zo gaan we dit brengen. Nou, voordat we onze tanden hierin gaan zetten, zijn er nog een paar andere zaken. Paula, ik weet dat het een eeuw geleden lijkt, maar ben jij nog wat opgeschoten met het opsporen van Jack Anderson?'

Paula keek naar Stacey, die haar hoofd schudde. 'Nee, chef. We zijn nog niet verder.'

'En ik ben bij de ouders van Robbie ook niet veel wijzer geworden. Ze hadden die naam nog nooit gehoord. Dus in dat onderzoek naar de moord op Robbie zijn we in feite uitgekakt, hè?' Ze keken elkaar allemaal aan. De teleurstelling was van hun gezichten af te lezen. 'Ik had het liever anders gezien, maar dat betekent wel dat we ons zonder gewetensbezwaren op iets anders kunnen richten. En er is ons een hele grote andere zaak in de schoot gevallen. Zeven jaar geleden heeft een hoofdinspecteur de politie in Bradfield moeten verlaten onder enigszins onfrisse omstandigheden,' zei Carol, die ongewild het beeld voor ogen kreeg van haar vroegere baas zoals hij toen was.

'Popeye Cross,' zei Kevin.

Carol neigde haar hoofd in zijn richting. 'Dat klopt, ja. Welnu, Tom Cross heeft zich vanmiddag van zijn beste kant laten zien. Hij was een van de helden die de gewonden in veiligheid hebben gebracht na de bom. Hij moest uiteindelijk zelf ook naar het ziekenhuis. Hij is daar eerder op de avond overleden. Maar niet als gevolg van zijn heldendaden. Volgens de behandelende arts was hij vergiftigd.'

'Vergiftigd,' viel Paula haar in de rede. 'Net als Robbie? Met ricine?'

'Nee, niet met ricine. Hoewel de arts die Tom onder behandeling had, ook de ricinevergiftiging bij Robbie heeft gediagnosticeerd,' zei Carol.

'Klinkt alsof ze een slimme tante is, of dat ze lijdt aan het Münchhausen by Proxysyndroom,' zei Chris. Carol dacht dat ze het nog enigszins serieus meende ook.

'Oké, daar moeten we dus achter zien te komen. Paula, ik wil dat jij naar de Spoedeisende Hulp van Bradfield Cross gaat en met dr. Blessing gaat praten.'

Paula's gezicht sprak boekdelen. De anderen gingen lekker achter de grote jongens aan en zij mocht zich bezig houden met de mindere goden. 'Maar chef...'

'Paula, jij bent de beste ondervraagster die we hebben. Bovendien ken je haar al. Jij moet dit voor me doen, want we moeten zo veel mogelijk informatie krijgen. Om welk vergif het ging. Wanneer het volgens haar is toegediend. Je moet regelen dat de monsters naar toxicologie gaan en zorgen dat je de resultaten krijgt van al het laboratoriumwerk dat in Bradfield Cross is gedaan. Stacey, haal zo veel mogelijk informatie van de harde schijf van Aziz, en wees dan heel beleefd en geef het aan die lui van het CTC, die in de HOLMES-ruimte zitten. De rest gaat met mij mee. We moeten aan het werk, daar worden we voor betaald.'

'Het is wel bizar, die moord op Tom Cross,' zei Kevin, toen Chris de auto door het drukke verkeer manoeuvreerde naar het adres van Yousef Aziz.

'Hoezo? Omdat je die gast kende?'

'Nou ja, dat ook. Maar dat met dat gif. Als er verband is tussen Danny Wade en Robbie Bishop, dan zijn dat twee mannen die op Harriestown High hebben gezeten en die aan gif zijn overleden, waar of niet?'

'Waar. Maar ik denk niet dat het er veel toe doet waar ze naar school zijn gegaan.'

'Nee? Zou het je verbazen als ik je vertelde dat Tom Cross ook een oud-leerling van Harriestown High was?' Kevin trommelde met zijn vingers op zijn knieën. 'Nog eentje die met niets is begonnen en die uiteindelijk stinkend rijk is geworden. Hij heeft namelijk de voetbalpool gewonnen.'

'Dat wist ik niet,' zei Chris. 'Je hebt gelijk, het is inderdaad wel wat bizar. Maar niet meer dan dat, geloof ik.'

Kevin schudde zijn hoofd. 'Nee. Driemaal is scheepsrecht. Het is meer dan een bizarre samenloop van omstandigheden.'

Chris vloekte naar een wit bestelbusje dat haar sneed. 'Hoe kan dat dan? Denk je dat iemand mensen van jouw vroegere school vermoordt omdat ze een paar centen hebben verdiend? Laat me je verzekeren dat zelfs Tony Hill dat te vergezocht zou vinden.'

'Het zijn feiten waar je niet omheen kunt.'

'We weten nauwelijks hoe de feiten liggen,' bracht Chris naar voren. 'Maar als je denkt dat je op het juiste spoor zit, kun je zelf ook maar beter uitkijken,' voegde ze er wat plagerig aan toe.

'Wat bedoel je? Ik heb geen rooie cent,' zei Kevin.

'Ja, maar jij rijdt in een rijkeluisauto,' zei ze. Ze minderde vaart. Nog één bocht en dan waren ze op hun bestemming.

'Het is geen rijkeluisauto. Je hebt er al een voor zestienduizend pond,' zei Kevin. 'Hoe dan ook, ik maak me geen zorgen over mezelf. Er wonen hier wel een stel andere rijke gasten die op Harriestown High hebben gezeten. Misschien moeten we die waarschuwen.'

Chris schudde geamuseerd haar hoofd. 'Wil je me een plezier doen? Als je dit aan Jordan voorlegt, wil ik er wel graag bij zijn.' Ze stopte op de dubbele gele strepen voor het adres waar ze naar op weg waren. 'Oké, we zijn er.' Ze stapte uit, maar Kevin bleef zitten. Chris stak haar hoofd weer om de hoek van de auto. 'Kom op, Kev. Doe dat piekeren maar in je eigen vrije tijd. We moeten zien dat we de Keizerlijke Stormtroepen op de kast krijgen.'

Hij krabde op zijn hoofd en deed het portier open. 'Ik zeg het niet vaak, maar nu wou ik dat Tony Hill in de buurt was,' zei hij toen hij achter Chris aan de oprit in liep. 'Vergif, Harriestown High en geld. Maal drie. Hij zou er een zaak van maken.'

Binnen de kortste keren waren ze erachter welke zit-slaapkamer van Yousef Aziz was geweest. Ze hoefden maar op twee deuren te kloppen en ze hadden het antwoord. Om aan alle formaliteiten te voldoen klopte Carol aan en riep: 'Politie, openmaken,' voordat Kevin en Sam met hun schouders de deur openramden. Na te hebben gecontroleerd of ze allemaal handschoenen aanhadden, betrad Carol als eerste het nauwelijks gemeubileerde kamertje. Er hing een bittere lucht van chemische stoffen, waardoor ze tranen in haar ogen kreeg en ze voelde hoe haar neusholten protesteerden.

Er was niet veel te doen voor vier mensen. Een ijskast waarin alleen maar van etiketten voorziene flesjes met chemische stoffen stonden; een afdruiprek met afgespoelde glazen apparatuur; een gescheurd pakje met ontstekers waarin er nog twee in doorschijnend plastic zaten; en een kleine sporttas.

'Moeten we de jongens van de explosievendienst erbij roepen om de sporttas te controleren?' vroeg Kevin met een gespannen uitdrukking op zijn gezicht.

Haar eerste impuls was om 'Nee, wat dondert het?' te zeggen. Maar toen ze die instinctieve reactie nader bekeek, kon ze er geen beweegreden voor ontdekken. En zonder een geldige beweegreden kon ze hun levens niet zomaar in de waagschaal stellen. Heel even weifelde ze nog en had daar meteen de pest over in. Ze wilde een inspiratie zijn voor haar team, hun geen reden geven om zich zorgen te maken. 'Een momentje graag,' zei ze, en ze liep de overloop op. Ze haalde haar mobieltje tevoorschijn en belde naar de ziekenkamer van Tony. Na één keer overgaan nam hij op. 'Carol,' zei hij voordat ze wat gezegd had. Dat verbaasde haar, want de telefoons in het ziekenhuis hadden geen nummermelder. Toen begreep ze dat hij van niemand anders een telefoontje verwachtte.

'Hoi,' zei ze.

'Gaat het?'

'Met mij gaat het goed. Maar ik heb je hulp nodig. Stel je voor dat we in de zit-slaapkamer staan die door de bommenmaker werd gebruikt om zijn bom in elkaar te zetten. Er zijn geen aanwijzingen dat er iemand anders bij betrokken was. Er staat een sporttas bij de deur. Zou er een boobytrap in kunnen zitten, denk je?'

'Nee,' zei hij beslist.

'Waarom niet? Ik bedoel, dat was ook mijn eerste reactie, maar waarom niet?'

'Het is een gebaar van minachting. Kijk eens, hier zijn we, pal in jullie midden. Zo gaan wij te werk, zo zijn we. We willen jullie laten zien hoe ontzettend gemakkelijk dit is. Toe maar, Carol. Maak die tas maar open.'

Ze slaakte een zucht van opluchting. 'Bedankt.'

'En als ik ongelijk heb, als je toch wordt opgeblazen, dan heb je een etentje van me te goed.'

Ze kon aan zijn stem horen dat hij grijnsde. 'Ik spreek je nog wel.'

'Kom langs als je klaar bent. Het doet er niet toe hoe laat, kom maar gewoon.'

'Dat doe ik.' Ze klapte haar mobieltje dicht en liep weer naar binnen. De andere drie stonden op een kluitje bij het aanrecht en waren een lijst met instructies aan het lezen die aan de muur hing.

'Die rotzak had het goed voor elkaar,' zei Chris.

'Maar nog steeds geen spoor van medeplichtigen,' merkte Sam op.

'We maken de tas open,' zei Carol. 'Of liever gezegd, dat doe ik. Jullie gaan naar de overloop.'

'Doe niet zo idioot,' zei Chris. 'Als het veilig genoeg is voor jou, is het veilig genoeg voor ons allemaal, hè, jongens?' Beide mannen keken wat onzeker, maar ze bleven allebei staan. 'Kom op, die lui van Al Qaida leggen geen boobytraps in hun bommenfabrieken, ze willen dat we zien hoe slim ze zijn.' Met die woorden greep ze de tas, gooide hem met een zwaai op het smalle bed en ritste hem open.

Het was een moment van enorme banaliteit. Niets kon verder verwijderd zijn geweest van wat ze verwacht hadden. Een spijkerbroek, een kaki broek. Een paar blauwe Converseschoenen. Vijf T-shirts. Twee gestreepte overhemden van Ralph Lauren. Een lichtgewicht fleece jack met capuchon. Vier boxershorts, vier paar zwarte sportsokken. 'Het lijkt wel of hij van plan was hier terug te komen,' zei Carol verbaasd. 'Welke zelfmoordterrorist pakt er nu een reistas in voor zijn trip naar het paradijs?'

Chris had haar hand in de tas en friemelde aan de rits. Ze stak haar hand erin en zei: 'Er zit nog wat in.' Een ultramoderne mobiele telefoon, een digitale camera, een paspoort voor de EU, een rijbewijs en een opgevouwen vel papier. Chris overhandigde het papier aan Carol die het openvouwde.

'Het is een e-ticket. Voor de vlucht naar Toronto van vanavond,' zei ze. 'Geboekt via hopefully.co.uk.'

Chris pakte haar telefoontje. 'Jezus, ik hoop dat Stacey zijn laptop nog heeft.' Ze koos een nummer en zei: 'Stace? Met Chris. Heb je de laptop van Aziz nog? ... Geweldig. Hij heeft een vlucht laten boeken via hopefully.co.uk. Je moet... ja, dat bedoel ik. Bel me terug.' Ze beëindigde het gesprek. 'Ze gaat kijken of hij zijn identiteitsgegeven en zijn wachtwoord op de computer heeft opgeslagen. Als dat zo is, kan ze zien of hij nog vaker op die manier iets heeft geboekt, en misschien komt er nog wel meer tevoorschijn.'

Kevin stond het paspoort en het rijbewijs te bestuderen. 'Dit is heel vreemd,' zei hij. 'Hij was kennelijk niet alleen van plan om hier terug te komen, hij verwachtte ook niet dat hij een verdachte zou zijn. Hij maakt gebruik van zijn eigen paspoort en zijn eigen rijbewijs, alsof hij helemaal niet bang was dat er iemand in Canada naar hem op zoek was. Dat is wel wat raar.'

'Misschien was dat gewoon een fantasietje van hem,' zei Sam. 'Waardoor hij ermee door kon gaan.'

Carol pakte het mobieltje en stak hem bij zich. 'Deze gaat naar Stacey. Doe de rest maar weer terug, zoals je het hebt gevonden, Chris. Het is tijd om ermee voor de draad te komen.' Ze haalde haar eigen telefoontje tevoorschijn en het kaartje dat ze eerder op de dag had gekregen en toetste de onbekende nummers in. Toen er werd opgenomen, zei ze: 'David? Met Carol Jordan. Ik denk dat we jouw bommenfabriek hebben gevonden.' Ze gooide het achterovergedrukte mobieltje naar Sam toe en maakte met haar vrije hand een gebaar dat hij weg moest gaan. 'Een anonieme tip. We wilden je daar niet mee lastigvallen totdat we zeker wisten dat het geen loos alarm was.' Ze knipoogde naar Chris en Kevin. 'Nee, we zijn nergens aan geweest. Je weet nooit of er een boobytrap in zit... Nee, ik zal mijn agenten hier laten om je op te wachten.' Ze gaf hem het adres en hing op. 'Zodra het CTC hier is, mogen jullie weg.' Ze keek op haar horloge. 'Het is een lange dag geweest. We zien elkaar morgen om acht uur weer.'

Toen ze over het gebarsten asfalt naar haar auto liep, voelde Carol elke seconde van die lange dag. Haar spieren deden pijn en haar lichaam snakte naar een drankje. Thuis stonden, netjes in een rekje, meer dan genoeg flessen op haar te wachten, maar ze moest nog een bezoek afleggen, voordat ze er eentje uit kon kiezen. Misschien kon ze bij een drankzaak langsgaan en een fatsoenlijke rode wijn uitzoeken die de moeite waard was om samen met iemand op te drinken. Dat zou hij leuk vinden. En het gaf haar een bevredigend excuus om zich te hullen in de troostrijke omhelzing van de alcohol. Als ze daardoor maar even de aanblik kon vergeten van die verwrongen en in stukken gescheurde lichamen. Als ze haar ogen dichtdeed, wilde ze niet weer geconfronteerd worden met de gewonden, de stervenden en de doden.

De wachtruimte van de Spoedeisende Hulp in Bradfield Cross was niet bepaald een aanbevelingswaardige plek om je zaterdagavond door te brengen. Mensen liepen met verdwaasde en ongelukkige gezichten doelloos rond met plastic bekers thee, flessen water en blikjes fris. De stoelen waren bezet door verbijsterde en dodelijk vermoeide familieleden van de gewonden, met slapende en jengelende kinderen. Er kwamen de hele tijd stiekem journalisten binnensluipen, die van de ene naar de andere persoon liepen om deze of gene een paar aardige citaten te ontfutselen voordat ze door de mand vielen en werden weggestuurd. De afdeling was gesloten voor de normale ongevallen, wat veelvuldig aanleiding gaf tot luidruchtige gesprekken met de beveiligingsmensen. Het waren ruzies waarbij het verbale geweld ieder moment kon overgaan in lichamelijk geweld. Toen Paula binnenkwam was er een stelletje dronkelappen met bebloede gezichten hun gram aan het halen bij de bewakers. Ze was naar hen toe gelopen, en was pal voor de luidruchtigste van het stel gaan staan. 'En nu oprotten, anders kun je de nacht in een cel doorbrengen,' snauwde ze. 'Weten jullie niet wat er hier vandaag is gebeurd? Ga met die schrammetjes maar ergens anders heen.'

De dronkelap dacht er een fractie van een seconde over na en toen, met een blik op haar onverzoenlijke gezicht, koos hij eieren voor zijn geld. 'Vieze, vuile pot,' schreeuwde hij, toen hij ver genoeg weg was.

De bewakers waren duidelijk onder de indruk. 'Als wij ze op die manier de stuipen op het lijf konden jagen, hadden we het 's nachts veel rustiger,' zei er eentje, toen hij de deur voor haar openhield.

'Kennelijk hebben jullie meer vieze, vuile potten nodig die kunnen laten zien hoe het moet,' mompelde ze toen ze zich met moeite een weg naar de balie baande door de massa menselijke ellende heen. Ze keek omhoog naar de klok. Tien over tien. Haar gesprek met Jana Jankowicz leek een eeuw geleden. Een receptioniste met kleine vlechtjes en nagels die je zou kunnen gebruiken als arresleetjes voor kleine kinderen als je ze van haar vingers haalde, keek haar met een koele, vermoeide blik aan. 'Ik ben op zoek naar dr. Blessing,' zei Chris, en liet haar identiteitskaart zien.

De receptioniste zuchtte. 'Ik zal kijken wat ik kan doen. Ga zitten,' voegde ze er automatisch aan toe.

Paula wilde tegelijkertijd lachen en huilen. 'Ik wacht hier wel even, als u het goed vindt.' Ze leunde tegen de balie, deed haar ogen dicht en probeerde zich af te sluiten voor de dissonerende achtergrondgeluiden.

Toen iemand haar arm aanraakte, schrok ze weer helemaal wakker. Elinor Blessing stond haar met een flauwe glimlach aan te kijken. 'Sorry, ik wilde je niet aan het schrikken maken. Ik dacht eigenlijk dat alleen arts-assistenten staande konden slapen.'

Paula glimlachte flauwtjes. 'Welkom in mijn wereld,' zei ze. 'Bedankt dat u even tijd voor me vrij wilde maken. Ik weet dat jullie het vandaag hartstikke druk hebben.'

'Het is nu wat rustiger,' zei Elinor, die samen met Paula naar de hoofdvleugel van het ziekenhuis liep. 'We kunnen hier niet veel meer doen. Er moeten alleen nog een paar patiënten worden opgenomen, maar we hebben gewoon niet genoeg bedden. Door jouw komst hoef ik nu niet te gaan rondbellen om een plaats voor ze te vinden.'

Uiteindelijk kwamen ze in een koffiekamer voor artsen op de derde verdieping terecht. Paula had in haar leven al heel veel van dit soort kamers gezien. De bekende gammele stoelen die hun beste tijd hadden gehad, wankele tafeltjes met kringen, een allegaartje aan bekers, en bordjes met waarschuwingen over afwassen, koekjes jatten en troep opruimen. Elinor haalde koffie uit een apparaat en zette met een klap een beker voor Paula neer. 'Daar blijf je gegarandeerd tot midden volgende week wakker van. Het is bedoeld om de assistenten wakker te houden.'

'Bedankt.' Paula wist niet waarom deze vrouw zo aardig tegen haar was, maar ze had er geen bezwaar tegen. Ze nam een slokje koffie en moest toegeven dat Elinor het brouwsel correct had ingeschat. 'Tja, Tom Cross. U denkt dat hij is vergiftigd?' Paula pakte haar notitieboekje.

Elinor schudde haar hoofd. 'Toen ik eerder op de dag met iemand sprak dacht ik dat, ja. Nu heb ik wat onderzoeksresultaten uit het lab binnen en nu denk ik het niet alleen. Nu weet ik het zeker.'

'Oké. En wat is er uit die test naar voren gekomen?'

Elinor zat wat met haar beker te schuiven. 'De enige vergiftiging waar de meeste artsen ooit mee te maken krijgen is als mensen een opzettelijke of toevallige overdosis nemen. We zijn er niet op getraind om ernaar te zoeken. Niet echt. Dus het is voor mij een heel bizarre ervaring om twee gevallen van een moedwillige vergiftiging binnen een week te zien. Eerst dacht ik nog dat ik het me verbeeldde. Maar dat was niet zo. Tom Cross is opzettelijk vergiftigd met cardiale glycoside.

'Kunt u dat voor me spellen?' Paula haalde verontschuldigend haar schouders op. 'En kunt u me dan ook vertellen wat het is?'

Elinor pakte het notitieboekje van haar aan en schreef het op. 'Een cardiale glycoside is een verbinding die in de natuur voorkomt, met name in planten. Het heeft voornamelijk invloed op het hart en kan wel of niet een heilzame werking hebben, afhankelijk van de glycoside in kwestie en van hoeveel je ervan in je lichaam opneemt. Een voorbeeld is vingerhoedskruid, daar wordt digoxine van gemaakt. Het wordt gebruikt als een hartmedicijn, maar van een verkeerde dosis ga je dood.' Ze gaf het notitieblokje met een glimlach terug.

'Is Tom Cross daaraan overleden? Aan vingerhoedskruid?'

'Nee. Hij is uiteindelijk aan oleander overleden.'

'Oleander?'

'Dat heb je waarschijnlijk wel eens op een vakantie in het buitenland gezien. Het is een struikachtige heester met smalle blaadjes en de bloemen zijn wit en roze. Hij komt veel voor en is heel erg giftig. Ik heb het net opgezocht. Er is een verhaal dat enkele van de soldaten van Napoleon oleandertakjes hebben gebruikt om hun vlees aan te spiezen en de volgende morgen waren ze dood. Er is een tegengif, maar patiënten zijn vaak al dood voordat ze genoeg van dat spul in hun lichaam kunnen opnemen. En eerlijk gezegd, als je de leeftijd en het gewicht van Tom Cross in aanmerking neemt was zijn hart al niet in een erg goede conditie. Hij was van het begin af vrij kansloos. Het spijt me. Ik weet dat hij vroeger bij de politie was.'

'Ik heb hem toen niet gekend,' zei Paula. 'Maar mijn chef wel. Dus, dr. Blessing...'

'Elinor. Zeg alsjeblieft Elinor.'

Was ze aan het flirten? Paula was te moe om dat uit te vissen. Of eerlijk gezegd, om zich daarover druk te maken. Vanavond wilde ze alleen feiten horen, want dan kon ze daarna naar huis om te gaan slapen. De koffie had kennelijk toch niet het juiste effect. Ze onderdrukte een geeuw. 'Vertel me eens, Elinor, heb je enig idee wanneer het gif moet zijn toegediend? En hoe?'

'Het werkt heel vlug. Hij zei dat hij tijdens de voetbalwedstrijd maagkrampen en diarree had. Toen hij nog helder was zei hij dat hij zich na de lunch beroerd was gaan voelen. Hij had lamsspiezen met rijst gegeten met een kruidensaus, zei hij. Dan heb je meteen twee mogelijke bronnen van oleandrine. Het lam kan gemarineerd zijn geweest met oleanderbladen, of met sap. En de takjes kunnen zijn gebruikt om er lamsspiezen van te maken. Zoals bij dat verhaal over Napoleon.' Ze schudde haar hoofd. 'Afgrijselijk. Het is zo'n geniepige manier om iemand te vermoorden. Zo'n vertrouwensbreuk.'

'Heeft hij gezegd waar hij had geluncht?'

'Hij zei dat iemand het voor hem had klaargemaakt. Dus ik denk dat het bij die persoon thuis was.' Elinor wreef over de brug van haar neus. Ze deed vreselijk haar best zich te herinneren wat Tom Cross had gezegd. 'Was het Jack...? Nee, niet Jack. Jake. Dat was het. Jake.'

Opeens was Paula klaarwakker, haar hoofd zat vol met mogelijke overeenkomsten. 'Weet je zeker dat het Jake was, en niet Jack?'

Elinor keek onzeker en beet op een hoekje van haar onderlip. 'Ik ben er vrij zeker van dat het Jake was. Maar ik zou me kunnen vergissen.'

Harriestown High, dacht Paula. Jack Anderson. Robbie Bishop, Danny Wade en nu misschien Tom Cross. Was dat het verband? Was dat wat ze gemeenschappelijk hadden? Ze hadden elkaar niet op school kunnen kennen gezien het verschil in leeftijd. Maar misschien was er wel een organisatie van oud-leerlingen waar ze alle drie lid van waren? Of ze kenden elkaar van een liefdadigheidsbijeenkomst op de school, die ze alle drie hadden bezocht. Of misschien waren ze wel ergens onbedoeld getuige van geweest? 'Je hebt me erg goed geholpen,' zei ze zachtjes.

'Echt waar?'

'Je hebt geen idee hoe goed,' zei Paula. Ze was nu klaarwakker. Ze wist dat ze niet aan slapen kon denken, totdat ze erachter was waar Tom Cross op school had gezeten. Ze wist zelf niet precies hoe ze om halftien op een zaterdagavond aan dat soort informatie moest komen, maar ze kende een vrouw die dat wel wist.

Tony zweefde zachtjes naar het bewustzijn toe. In het tijdsbestek van een week was hij zo gewend geraakt aan het komen en gaan van het verplegend personeel dat de aanwezigheid van iemand in zijn kamer niet meer voldoende was om hem wakker te maken. Daar was meer voor nodig. Iets als het zuigende geluid, gevolgd door een 'plop' van een kurk die uit een fles wordt getrokken, en daarna het zachte geklok van vloeistof in plastic. 'Carol,' kreunde hij toen hij het ene met het andere had gecombineerd. In het vage stadslicht dat door de dunne gordijnen sijpelde, kon hij nog net haar gedaante onderscheiden in een stoel naast het bed. Hij graaide naar het bedieningspaneel voor het bed en ging overeind zitten.

'Zal ik het licht aandoen?' vroeg ze.

'Trek het gordijn wat opzij, dan komt er wat meer licht binnen.'

Ze stond met een vloeiende beweging op uit haar stoel en deed wat hij had voorgesteld. Op de terugweg schonk ze een glas voor hem in. Hij snoof waarderend. 'Heerlijke, heerlijke shiraz,' zei hij. 'Grappig, ik denk niet dat ik een behoorlijke wijn op het lijstje had gezet van dingen die ik het meest zou missen op een onbewoond eiland. Zo zie je hoe je je kunt vergissen.' Hij nam nog een slok, voelde hoe hij onverbiddelijk naar het bewustzijn opsteeg. 'Dit is vast een afschuwelijke dag voor je geweest,' zei hij.

'Je hebt geen idee,' zei ze. 'Ik heb vandaag dingen gezien die ik nooit meer zal vergeten. Afgrijselijke verwondingen. Lichaamsdelen die overal verspreid op een voetbaltribune liggen. Bloed en hersens in spetters tegen de muur.' Ze nam een grote slok wijn. 'Je denkt dat je alles al wel gezien hebt. Je denkt dat je nooit iets ergers zult zien dan de plaatsen waar een misdaad die je moet oplossen heeft plaatsgevonden. En dan dit. Vijfendertig doden ten gevolge van de bom, plus een.'

'Die ene is zeker de terrorist zelf?'

'Nee, die ene is Tom Cross.'

Van verbazing knoeide hij bijna met zijn wijn. 'Popeye Cross? Ik begrijp het niet. Is hij bij die bomaanslag overleden?' De naam van zijn vroegere vijand was de laatste die hij verwachtte te horen in verband met de bomaanslag in Bradfield.

'Nee. Die aanslag heeft kennelijk juist de held in hem naar boven gebracht. Hij heeft zich er gewoon helemaal in gestort. Ze zeggen dat hij ter plekke mensen het leven heeft gered. Nee, wat hem de das om heeft gedaan is vergif. Hij was al vergiftigd voordat hij überhaupt in het stadion was.'

'Vergiftigd? Hoe? Waarmee?'

'De bijzonderheden weet ik nog niet. Paula zit ergens in het ziekenhuis om van de arts die het in de gaten had de relevante informatie te krijgen. Eigenlijk hebben we geboft. Vanwege de aanslag werd zij ingeschakeld bij de Spoedeisende Hulp en vanwege Robbie Bishop kwam ze op het idee van een vergiftiging.'

'Dat is drie,' zei hij. 'En allemaal mensen uit de buurt. Ziet ernaar uit dat er een seriemoordenaar bezig is hier.'

Carol keek hem woedend aan. 'Andere vergiften, andere omstandigheden. Andere manieren van toedienen.'

'De handtekening,' zei Tony. 'Moord op afstand. Doelgerichte toediening. Een periode tussen het innemen en de dood. Dit staat met elkaar in verband, Carol. Opzettelijke vergiftigingen zijn tegenwoordig uit de mode. Daar zijn geweren en scheiding voor in de plaats gekomen. Het is heel Victoriaans, iemand vergiftigen. Gemeen, geniepig, ondermijnend voor gemeenschappen en gezinnen. Maar niet erg eenentwintigste-eeuws. Geef het maar toe, Carol, je hebt te maken met een seriemoordenaar.'

'Ik moet eerst bewijzen zien,' zei ze koppig. 'Ondertussen is de dood van Tom Cross de enige moord die ik echt mag onderzoeken.' De woede kwam niet in één keer naar buiten, maar in golven. Hij kon haar boosheid bijna voelen, een donkere bittere smaak die de simpele fruitsmaak van de wijn overschaduwde.

Tony had moeite om te bevatten wat Carol had gezegd. 'Wat bedoel je, de enige die je mag onderzoeken?'

'Ze hebben de bomaanslag van ons afgepakt,' zei ze. 'Dat nieuwe CTC, je weet wel. Dat tot mislukken gedoemde huwelijk tussen de *Special Branch* en de *Anti-Terrorism Branch*. De afdeling in het noorden is gestationeerd in Manchester. Alleen zitten ze nu in Bradfield met hun kaplaarzen en hun 'niemand genoemd, niemand gelasterd'-gelul. Letterlijk. Ze geven je niet hun eigen naam, ze dragen geen nummers. Ze zeggen dat ze op die manier represailles voor zijn. Maar volgens mij doen ze dit zodat niemand verhaal kan halen. Paula noemt ze de Keizerlijke Stormtroepen, en ze zit er niet zo ver naast. Ze zijn eng, Tony. Heel erg eng. Ik heb ze in Scargill Street in actie gezien en, eerlijk waar, ik schaamde me dat ik bij de politie was.'

'En hebben zij het heft in handen genomen?' vroeg hij, en hij stelde zich voor hoe dat moest zijn voor iemand die zo trots was op zichzelf en op haar team als Carol.

'Volledig. Wij moeten ze op hun wenken bedienen als ze iets van ons willen.' Carol liet een onaangenaam lachje horen. 'Het is net alsof we in een politiestaat leven en het belachelijke is nu dat ik er zogenaamd ook bij hoor.'

'En doe je ook braaf wat je moet doen?' vroeg Tony, die zijn best deed om op neutrale toon te praten.

'Wat denk je?' Ze wachtte niet op zijn antwoord. 'Laat ze hun gang maar gaan, laat ze het gebruikelijke rijtje verdachten maar oppakken, laat ze iedereen die toevallig jong is, van het mannelijk geslacht en moslim maar de stuipen op het lijf jagen. Wij doen wel wat wij het beste kunnen.'

Tony wist wat ze wilde, wat ze *nodig had* was dat hij met haar meevoelde, dat hij partij voor haar zou kiezen tegen de mensen die volgens haar de slechteriken waren. Hij moest aan haar kant gaan staan, of ze nu geljk had of niet. En hij was er heilig van overtuigd dat als hun relatie ook maar een knip voor de neus waard was, eerlijkheid het fundament was. Misschien dat sommige mensen vonden dat je dan iemand emotioneel in de kou liet staan, en daar zat waarschijnlijk ook wel wat in. Maar hij kon niet tegen Carol liegen, niet met enige overtuiging. En zij ook niet tegen hem, dacht hij. Er waren momenten dat het moeilijk was om de waarheid te horen; nog moeilijker om de boodschapper te zijn. Maar op de lange termijn wist hij zeker dat ze beiden met instemming op die momenten terugkeken. En dat hun relatie nog hechter werd, omdat ze die momenten hadden overleefd. Tony haalde diep adem en sprong in het diepe. 'En jouw sterke punt is niet het onderzoek doen naar en het ontmantelen van terroristische groeperingen.'

Het was even doodstil in de kamer. 'Wil je nu beweren dat je het goed vindt wat er nu gebeurt?' Hij hoefde Carol niet te zien om zich haar verontwaardigde gezicht voor te kunnen stellen.

'Ik vind het controleren van potentiële en echte terroristen een heel speciaal soort politiecontrole,' zei hij, in een poging om de waarheid, zoals hij die zag, te zeggen zonder haar woede nog verder aan te wakkeren. 'En ik denk dat daar specialisten voor zijn. Mensen die erop getraind zijn om te weten wat er in die mensen omgaat, mensen die uit hun eigen leven kunnen stappen en helemaal undercover kunnen gaan om te infiltreren, mensen die bereid zijn om zich in de hoofden van terroristen te verplaatsen om erachter te komen waar ze hun volgende doelwit zullen gaan zoeken.' Hij krabde op zijn hoofd. 'Ik geloof niet dat we het hier over de vaardigheden hebben die jij en je team bezitten.'

'Wil je daarmee zeggen dat het juist is om ons deze aanslag uit handen te nemen? Dat we zelfs in onze eigen stad het heft niet in eigen hand hebben?' wilde Carol weten. Hij kon horen hoe verraden ze zich voelde. Ze dronk haar wijn op en schonk nog een beker in.

'Ik zeg alleen maar dat het goed is dat er iets is als het CTC, waar jullie mee kunnen samenwerken. Omdat hun aanpak zo allerbelabberdst was, betekent dat nog niet dat het idee erachter slecht is,' zei Tony op verzoenende toon. 'Dit gaat niet om jou, Carol. Het is geen kritiek op jou of op jouw team. Het betekent niet dat jij niet goed bent of incompetent of zoiets. Het is een erkenning van het feit dat terrorisme anders is. En dat het vraagt om een andere benadering.'

'Een oordeel dat kennelijk niet op jou slaat. Ik wed dat jij denkt dat je even goed bent in het profileren van terroristen dan van seriemoordenaars?' zei Carol sarcastisch.

Tony voelde zichzelf wegzakken in een situatie waaruit hij alleen maar als verliezer tevoorschijn kon komen. Er was geen antwoord mogelijk waardoor Carol zou terugkrabbelen. Hij kon net zo goed open kaart blijven spelen. Dat werkte vaak het beste. 'Ik denk inderdaad dat ik wel wat nuttigs in zou kunnen brengen, ja.'

'Natuurlijk denk je dat. De grote dokter, hè?'

Nu voelde hij zich toch wel gekwetst. 'Oké. Wat denk je hiervan? Deze bomaanslag past niet in het profiel van een terrorist.'

Daar had ze niet van terug, dacht hij. Maar niet lang. 'Wat bedoel je daar nu weer mee?' vroeg Carol op een toon die je eerder bedachtzaam zou kunnen noemen dan vijandig, en op dat laatste had hij half en half gerekend.

'Denk er maar eens over na. Wat is het oogmerk van terrorisme?'

Bijna onmiddellijk daarbovenop zei Carol: 'Het is een poging sociale of politieke verandering af te dwingen met gewelddadige middelen.'

'En hoe dan wel?'

'Ik weet het niet... Door de bevolking zo bang te maken dat ze politici onder druk zetten? Ik denk dat het terrorisme van de IRA zo werkte.' Carol leunde naar voren op haar stoel, gretig en betrokken.

'Precies. Het heeft als doel om een klimaat te scheppen van angst en wantrouwen. Het beoogt om die gebieden van het leven aan te vallen waar de mensen zich juist veilig moeten voelen. Dus het openbaar vervoer. Winkelcentra. Mensen moeten reizen, ze moeten boodschappen doen. Je kunt meteen zien dat een voetbalstadion, hoe druk het daar ook kan zijn, niet in dezelfde categorie valt. Niemand is gedwongen om naar een voetbalwedstrijd te gaan om te overleven.' Hij grijnsde. 'Misschien denken sommige mensen van wel, maar zij weten diep in hun hart dat hun leven niet in duigen zou vallen op de manier als zou gebeuren als ze niet meer naar hun werk konden gaan of naar de winkels.'

'Ik snap wat je bedoelt. Maar stel nou dat ze een doelwit op een lager plan een betere optie vonden, omdat hun hoofddoelen op dit moment gewoon te moeilijk liggen.'

'Dat zou hout snijden als het waar was, maar dat is het niet en dat weet je. Je kunt niet elke trein, elke ondergrondse, elke bus, elk winkelcentrum of elke supermarkt onder politiebescherming stellen. Er zijn nog simpele doelwitten te over. Dus dat het hier gaat om een grootschalig doelwit is het eerste bewijs dat dit niet valt onder het profiel van een terrorist.'

Carol greep weer naar de fles wijn. 'Heb je nog meer bewijzen dan?'

'Je kent me, Carol. Ik vind het prettig om bij mensen als jij wat meer achter de hand te hebben. Bewijs nummer twee, het microdoelwit. Als terrorisme doeltreffend wil zijn, moet het een gevaar opleveren voor de levens van gewone mensen. Het soort terroristen waar wij op het moment mee te maken hebben mikt niet op die ene spectaculaire moord. Dat hebben ze van de IRA geleerd. Moorden op mensen die in het nieuws zijn zoals die op Lord Mountbatten en Airey Neave, krijgen inderdaad veel publiciteit. Maar mensen worden er kwaad van en verontwaardigd, maar niet bang. Vraag een willekeurige man in de straat de belangrijkste wapenfeiten van de IRA op te noemen ten tijde van de onlusten, en hij zal zeggen: Omagh, Warrington, Manchester, Birmingham. Wat ze zich herinneren zijn de gebeurtenissen waardoor ze zich persoonlijk bedreigd gingen voelen.' Hij zweeg even om een slok te nemen.

'Dus wat jij wilt zeggen is dat de vipboxen het verkeerde doelwit waren?' vroeg Carol.

Ze was altijd vlug van begrip geweest. Het was een van de dingen die hij het leukst aan haar vond. 'Precies,' zei Tony. 'De rijke stinkerds aanpakken, dat zou typisch iets voor een antiglobalistische terrorist zijn. Maar niet iets voor moslimfundamentalisten. Die willen met hun knallen het maximale effect hebben. Een aanslag zoals die van Al Qaida zou meer gericht zijn op een lager deel van de tribune op de gewone supporters. Of op een van de andere tribunes.'

'Misschien was dit de enige plaats waarvan ze zeker wisten dat ze erbij konden komen? Aziz deed zich voor als elektriciën, misschien was dit de enige ruimte met kabelkasten onder de tribunes.'

Tony schudde zijn hoofd. 'Nu zeg je maar wat. Ik wed dat er onder alle tribunes ongeveer dezelfde elektrische voorzieningen zijn. Het stadion is nog maar een paar jaar oud, het is heel anders dan het zootje ongeregeld waar het oude stadion uit bestond. Er zijn vast andere soortgelijke plekken waar ze meer van de gewone mensen om zeep zouden hebben gebracht. Nee, dit was een doelbewuste keuze, en dat is de tweede reden waarom ik eraan twijfel of we hier wel met terrorisme te maken hebben.'

'Het is een beetje mager, Tony. Of heb je soms nog iets anders achter de hand?' Hij kon het sceptische toontje in Carols stem horen.

'Rekening houdend met het feit dat ik uit de roulatie ben, vind ik dat je best al een beetje onder de indruk zou mogen zijn. Als je vastbesloten bent om je eigen onderzoekslijn te volgen in plaats van braaf te doen wat het CTC je opdraagt, dan zou je misschien hier je tanden in kunnen zetten.' En het zou haar in ieder geval kunnen vrijwaren van een directe confrontatie met het CTC, dacht hij. 'En als je meer weet over Aziz en zijn medeplichtigen, dan zou het zelfs nog wel eens steekhoudend kunnen zijn.' Tony leunde achterover omdat hij zijn energie had verbruikt.

'Eigenlijk zijn we al op iets gestuit dat een beetje vreemd is,' zei Carol. 'Als je niet te moe bent.'

Maar zijn belangstellng was al gewekt ondanks zijn vermoeidheid. 'Maak je maar geen zorgen om mij. Wat wou je vertellen?"

'Het is nogal eigenaardig. We waren eerder dan het CTC in de bommenfabriek. En die sporttas waarover ik je belde – die zat vol met schone kleren, plus zijn paspoort, rijbewijs en een e-ticket voor de vlucht naar Toronto van vanavond. Alsof hij verwachtte terug te komen. Niet alleen terug te komen in zijn zit-slaapkamer, maar hij verwachtte kennelijk ook dat hij er ongemerkt vandoor kon gaan. Wat helemaal niet klopt met het gedrag van een zelfmoordterrorist.'

Op het gebied van het menselijke gedrag was er niet veel waar Tony met de mond vol tanden van stond. Maar nu wist hij niet meteen een antwoord. 'Nee, dat is zo,' zei hij ten slotte.

'Sam had de theorie dat het misschien als een soort talisman bedoeld was,' zei Carol.

'Dat slaat nergens op,' mompelde Tony. Hij ging in gedachten zijn ervaring als clinicus na om datgene wat hij gehoord had in een begrijpelijk kader te kunnen plaatsen. 'Het enige wat ik kan bedenken is dat het niet om een zelfmoordterrorist gaat.' Hij keek naar Carol, haar gezicht een vage omtrek in het schemerdonker. 'En als het niet om een zelfmoordterrorist gaat, was het waarschijnlijk ook geen terroristische aanval.'

ZONDAG

Carol werd wakker met het zachte gemurmel van het tv-journaal in haar oren. Ze had de smaak van verschaalde wijn in haar mond en toen ze haar stijve nek probeerde te bewegen, voelde ze een scherpe pijnscheut langs haar ruggengraat naar beneden gaan. Een moment wist ze niet waar ze was. Toen herinnerde ze zich het weer. Ze kuchte en deed haar ogen open. Tony was naar het nieuws op tv over de bomaanslag aan het kijken. De nieuwslezer had het over de doden, hun afzonderlijke foto's verschenen achter hem op het scherm. Blije, lachende gezichten, zich niet bewust van enige sterfelijkheid. Mensen, wier dood gaten had geboord in de levens van de nabestaanden.

'Heb je nog wat kunnen slapen?' vroeg Tony, met een blik in haar richting.

'Kennelijk wel,' zei Carol. Ze hadden steeds over hetzelfde gepraat tot de fles wijn leeg was, waarvan zij het meeste had opgedronken. Toen ze aanstalten had gemaakt om te vertrekken had hij haar erop gewezen dat ze veel te veel wijn had gedronken om zelfs maar aan autorijden te denken. Ze wisten allebei dat de kans op een taxi in de kleine uurtjes op een zondagmorgen in het centrum van Bradfield, praktisch nihil was. Dus had hij haar een deken gegeven en zij had het zich gemakkelijk gemaakt in de stoel. Ze had verwacht dat ze wat onrustig zou dutten, maar tot haar verbazing voelde ze zich bij het wakker worden uitgerust en alert. Ze schraapte haar keel en keek op haar horloge. Kwart voor zeven. Tijd genoeg om naar huis te gaan, Nelson zijn voer te geven, te douchen en zich om te kleden. Dan was ze zelfs nog op tijd voor de ochtendbijeenkomst.

'Goed zo. Wat zijn je plannen voor vandaag?' Hij zette het geluid op de tv zachter.

'Om acht uur een teamvergadering. Daarna ga ik praten met de weduwe van Tom Cross.' Ze trok een grimas. 'Dat wordt vast leuk, vooral als je bedenkt dat hij mij er altijd de schuld van heeft gegeven dat hij uit de gratie is geraakt.' Ze stond op, probeerde de kreukels uit haar broek te schudden en wilde nog even niet denken aan de toestand van haar make-up en haar kapsel.'

'Dat zal wel meevallen. Er moet daar ergens een verband zijn.'

Carol was net met haar handen haar kapsel aan het fatsoeneren, toen haar opeens een gedachte te binnen schoot, die kennelijk tijdens het slapen door het onderbewuste was geopperd. 'Stel nou dat je gelijk hebt met je idiote idee dat het hier niet om terrorisme gaat, en dat dit allemaal onderdeel is van een vendetta tegen Bradfield Victoria?'

Tony glimlachte. 'Wat? Zeker Alex Ferguson die bang is voor wat er gaat gebeuren als Manchester United volgende maand naar Bradfield komt?'

'Geestig, hoor. Dat soort grapjes kun je beter niet maken als het CTC in de buurt is. Het is algemeen bekend dat je je gevoel voor humor operatief moet laten verwijderen als je lid van die club wordt.'

'Dat weet ik. Ik kijk ook naar *Spooks*.'

Carol stond versteld. 'Echt waar? Ik niet.'

'Moet je wel doen. Dat doen zij ook.'

'Dat denk ik toch niet.' De gedachte dat David en Johnny gezellig samen voor de tv zaten, kon er bij haar niet echt in.

Tony knikte heftig. 'Dat doen ze echt, hoor. Op die manier komen ze erachter hoe ver ze kunnen gaan.'

'Beweer je nu echt dat MI5 en het CTC hun operationele beslissingen nemen op basis van een tv-serie?' Carol tikte met haar wijsvinger tegen haar slaap. 'Te veel medicijnen, Tony.'

'Dat beweer ik inderdaad,' zei hij ernstig. 'Omdat ze mensen in dienst hebben die de psychologie van de sanctie begrijpen.'

'De psychologie van de sanctie?' Carols napraten was enigszins sceptisch van toon.

'Het werkt als volgt. Als ze naar een programma als *Spooks* kijken, stellen zelfs verstandige kijkers genoeg scepsis buiten werking om de serie te laten werken. En als die scepsis eenmaal buiten werking is gesteld, ook al is het maar gedeeltelijk, is de kijker geconditioneerd om te geloven dat het er in de echte wereld precies zo aan toe gaat. Dus daardoor krijgen die idiote klootzakken van de geheime dienst de ruimte om steeds iets verder te gaan.' Tony praatte snel, met veel handgebaren.

Carol keek nog steeds wat sceptisch. 'Beweer je nu dat de gewone man meer extreem gedrag door de vingers ziet van degenen die de wet handhaven, door wat ze op de tv zien?'

'Ja. In meer of mindere mate, afhankelijk van hun goedgelovigheid, natuurlijk.' Hij kreeg in de gaten dat Carol nog niet helemaal met hem meeging. 'Oké, ik zal je een voorbeeld geven. Ik geloof niet dat er ooit in werkelijkheid een agent van MI5 is geweest die met zijn gezicht in een frituurpan werd geduwd. Maar als je zoiets eenmaal hebt laten zien in een tv-programma dat zo geloofwaardig is als *Spooks*, ook al wordt het door de slechteriken gedaan, heb je een achterban geschapen die gewoon zegt als een MI5-agent daadwerkelijk iemand met zijn gezicht in de frituurpan duwt: "Tja, hij moet wel, hè. Anders hadden ze het bij hem gedaan." Ziedaar, de psychologie van de sanctie.'

'Als je gelijk hebt, waarom protesteren er dan nog mensen tegen martelpraktijken? Waarom zeggen we gewoon niet met z'n allen: "Nou ja, we hebben gezien hoe goed dat in de film uitpakt, laten we het maar gewoon goed vinden?"' Carol leunde met haar vuisten op de rand van het bed, haar verwarde blonde haar hing voor haar ogen.

'Carol, misschien is het je ontgaan, maar er zijn een heleboel mensen die dat nu juist wél zeggen. Kijk maar naar protesten in de Verenigde Staten toen de Senaat nog niet zo lang geleden besloot om martelingen strafbaar te stellen. De mensen geloven juist in de doeltreffendheid ervan, omdat ze het in de film hebben gezien. En sommige van die goedgelovige types bevinden zich ook nog in een machtspositie. De reden waarom we er niet allemaal intrappen is omdat we niet allemaal even goedgelovig zijn. Sommigen van ons staan veel kritischer dan anderen ten opzichte van wat we zien en lezen. Maar sommige mensen laten zich constant voor de gek houden. En als spionnen en smerissen over de schreef gaan, vertrouwen die op dat mechanisme.'

Ze fronste haar voorhoofd. 'Je maakt me soms bang, weet je dat wel?'

Ze kon aan zijn gezicht zien dat hij pijn had en dat had, volgens haar, niets met zijn knie te maken. 'Ja, dat weet ik. Maar dat hoeft niet per se slecht te zijn. Ik heb ervaren dat als iets jou schrik aanjaagt, je alleen maar meer vastbesloten wordt om dat de baas te worden.'

Carol keek van hem weg. Zoals altijd voelde ze zich niet op haar gemak bij zijn loftuitingen. 'Dus jij denkt niet dat dit de een of andere georganiseerde actie tegen de Vics is?'

'Nee. Omdat Danny Wade daar niet in past.'

Carol zuchtte geïrriteerd. 'Die stomme Danny Wade. Jij en Paula, jullie kunnen overal wel een draai aan geven.'

Tony glimlachte. 'Ik heb die uitdrukking nooit begrepen. Waar draai je eigenlijk aan?' Hij stak zijn handen omhoog om zich te verdedigen toen Carol met een opgevouwen krant die in de buurt lag op hem insloeg. 'Oké, oké, maar je weet dat we gelijk hebben. Die zaken staan met elkaar in verband.'

'Mij best,' zuchtte ze en ze gooide de krant terug op zijn tafeltje. 'Wat ik wel weet, is dat ik meer nodig heb dan jouw psychologische theorieën over doelwitten als ik iemand anders ervan wil overtuigen dat het hier niet om terrorisme gaat.' Ze liep naar de deur toe. 'Ik probeer straks nog wel even langs te komen. Sterkte bij de fysiotherapeute.'

'Bedankt. O, en Carol? Iemand moet er echt achter zien te komen waar Tom Cross op school heeft gezeten.'

Carol was nauwelijks weg of de fysiotherapeute stak haar hoofd om de hoek. Ze begroette Tony met een veelbetekenend knipoogje. 'Je was zeker de politie aan het helpen bij hun onderzoek, hè?' zei ze guitig terwijl ze hem zijn elleboogkrukken aangaf. 'Ik hoop dat ze je niet heeft uitgeput.'

'Hoofdinspecteur Jordan had gisteren de leiding in Victoria Park,' zei hij op een toon die niet tot een nader gesprek noodde. 'Ik werk bij de politie. Ze kwam langs om een paar dingen met mij door te spreken. En ze was zo moe dat ze in de stoel in slaap is gevallen.' Tony wist dat hij pedant over kwam, maar hij kon er niets aan doen. Als het over Carol ging, werd hij overgevoelig voor elke insinuatie. Of het nu zijn moeder was of een fysiotherapeute die hij na zijn vertrek uit het ziekenhuis nooit meer zou zien. Hij moest en zou de zaak rechtzetten. Nou ja, in technisch opzicht tenminste. Met de emotionele context onder de oppervlakte had niemand iets te maken.

Een halfuur later was hij weer terug op zijn kamer, moe maar niet zo uitgeput als hij de dagen daarvoor was geweest. 'Het gaat ongelooflijk goed met u. Misschien wilt u zich vandaag wel aankleden,' zei de fysiotherapeute. 'Eens zien hoe het gaat om een tijdje in een stoel te zitten, een tijdje rond te lopen. Ieder uur even de hal op en neer lopen.'

Hij zette het geluid op de tv wat harder, keek er met een half oog naar terwijl hij met zijn kleren worstelde. Het nieuws ging helemaal over de explosie in Victoria Park. Voetbalexperts gingen uitgebreid in op de vraag of het spel eronder zou lijden of niet; bouwkundig ingenieurs speculeerden over de kosten en de tijd die het zou vergen om de Vestey tribune weer op te bouwen. Toen kwam Martin Flanagan die zijn woede uitte dat het afscheid van Robbie Bishop op zo'n manier was ontheiligd, vrienden en familieleden van de overledenen die over hun geliefden praatten, en Sanjar, de broer van Yousef Aziz, die bij hoog en bij laag beweerde dat zijn broer geen fundamentalist was. Terwijl Sanjar stond te praten, zag je op de achtergrond agenten van het CTC, die dozen vol spullen het ouderlijk huis uitsleepten. Tony hield op met het geworstel met zijn sok en richtte al zijn aandacht op de tv.

Hij was geen aanhanger van de theorie dat je van iemands gezicht kon aflezen wat voor persoon het was, maar jaren van toekijken hoe mensen logen tegen hem en tegen zichzelf hadden hem een referentiekader gegeven van gezichtsuitdrukkingen en gebaren. Daar kon hij gebruik van maken als hij moest oordelen over iemands oprechtheid. Wat hij in Sanjar Aziz zag was een oprechte overtuiging dat hij weliswaar niet wist wat zijn broer tot zijn daad had gedreven, maar dat het geen religieus fundamentalisme was geweest. Het CTC was zijn hele huis aan het ontmantelen en daar gaf hij geen kik over. Wat hem kennelijk tot waanzin dreef, was dat hij de hele tijd moest herhalen wat hij zag als de waarheid – zijn broer was geen militante moslim. De tv-journalist was echter niet erg geïnteresseerd in het zoeken naar alternatieve verklaringen voor de bomaanslag. Het enige wat hij wilde was dat Sanjar op de knieën viel om spijt te betuigen. Het was duidelijk dat hij dan lang kon wachten.

Tony kon zijn gedachten er niet meer bij houden toen de verslaggever terugging naar de studio voor de zoveelste zwaarwichtige analyse van de gevolgen van de bomaanslag voor de rest van het seizoen van Bradfield Victoria. Ook al was hij een supporter van de club, het ergerde hem dat dit überhaupt op de agenda van de nieuwszenders stond, terwijl er vijfendertig doden waren. Wat hij eigenlijk wilde weten was wat Sanjar, afgezien van zijn ontkenningen, nog meer te vertellen had. Tony had zijn frustratie herkend en vroeg zich onwillekeurig af wat daaraan ten grondslag lag.

Hij worstelde opnieuw met de sok, maar kreeg hem niet aan. 'Godverdomme,' zei hij, en hij pakte het belletje voor de verpleging. Ze konden de pot op met hun zelfredzaamheid. Hij wilde horen wat Sanjar Aziz te zeggen had en het kon hem niets schelen of hij zijn zelfredzaamheid dan verder wel op zijn buik kon schrijven. Het was tijd om eens iets nuttigs te gaan doen.

Carol onderwierp haar team aan een grondige inspectie. Nu al kon je een gebrek aan slaap en een teveel aan koffie van hun gezichten aflezen. Elk moordonderzoek genereerde een soort intensiteit die lichamelijke behoeften naar het laagste plan verdreef. Als het te lang doorging, gingen mensen eraan kapot. En dat gold ook voor hun privéleven. Ze had het te vaak zien gebeuren. Maar er was zo op het oog geen gemakkelijke manier om dat te vermijden. Politiemensen voelden zich gedwongen om zo hard te werken vanwege het unieke karakter van een misdaad en vanwege de impact van die misdaad op hen als mens. Het was geen kwestie van emotionele betrokkenheid, dacht ze. Het was een kwestie van oog in oog komen te staan met je eigen sterfelijkheid. Aan een moordzaak werken, zo hard als maar menselijkerwijs mogelijk was, was een soort offer aan de goden, een symbolische manier om jezelf en je geliefden te beschermen. Ze letten allemaal heel goed op, toen Paula verslag deed van haar gesprek met Elinor Blessing, waarbij ze extra melding maakte van de mysterieuze Jack of Jake. Toen ze door haar aantekeningen heen was, keek Paula op en zei: 'Ik zat te denken. Onze drie gifslachtoffers komen allemaal oorspronkelijk uit Bradfield. We weten dat Robbie Bishop en Danny Wade beiden in Harriestown zijn opgegroeid en daar ook naar school zijn gegaan. Ik vroeg me af of het de moeite waard was om wat dieper op dat verband in te gaan. Dus toen ik uit het ziekenhuis kwam, ben ik weer hiernaartoe gegaan en heb ingelogd bij Best Days. Tom Cross was geen lid, maar er waren wel een stuk of dertig mensen van zijn leeftijd die dat wel zijn. Ze hebben een afdeling "Foto's en herinneringen", en daar heb ik dit gevonden.'

Ze haalde een uitdraai tevoorschijn en deelde die uit. 'Iemand die Sandy Hall heet, heeft dit geschreven. "Kan iemand anders zich nog herinneren hoe Tom Cross Weasel Russell opgesloten heeft in het hok bij het scheikundelokaal en toen lachgas door het sleutelgat heeft geblazen? Grappig dat hij nu iets hoogs is bij de politie." En Eddie Brant antwoordt: "Ik heb Tom Cross een paar maanden geleden bij een etentje van de rugbyclub gezien. Ik zou hem overal herkend hebben. Hij is nog steeds een enorme aansteller met allerlei sterke verhalen. Hij is nu met pensioen. Hij heeft een paar jaar geleden een bom duiten in de voetbalpool gewonnen, dus hij zit er warmpjes bij, zei hij." Dus ik denk dat we er rustig van uit kunnen gaan dat Tom Cross, net als Danny en Robbie, een oudleerling van Harriestown High was.'

'Je had het gewoon aan mij kunnen vragen,' zei Kevin. 'Ik heb ook op Harriestown High gezeten.'

Paula keek verbaasd. 'Had ik dat maar geweten,' zei ze. 'Dat had me flink wat tijd gescheeld. Hoe dan ook, we weten nu in ieder geval dat er een verband is. Ik weet niet wat het betekent en of het überhaupt iets betekent, maar het is wel iets wat ze alle drie gemeen hadden.'

'Ze hadden nog iets anders gemeen,' zei Kevin. 'Ze waren alle drie rijk. Robbie van het voetballen, Danny van de loterij en Popeye van de voetbalpool. Sommige mensen dachten dat hij steekpenningen moest hebben aangenomen, omdat hij zich een huis in Dunelm Drive kon veroorloven. Maar dat was niet zo. Hij heeft gewoon geboft.'

'Interessant punt, Kevin. En goed werk, Paula,' zei Carol.

'Denk je dat we oud-leerlingen van Harriestown High die na school een smak geld hebben vergaard zouden moeten waarschuwen?' vroeg Chris.

Carol keek verschrikt. 'Ik geloof dat we nog lang niet genoeg in handen hebben om zo de knuppel in het hoenderhok te gooien. Kun je je de paniek voorstellen als we dat deden? Nee, we moeten een veel duidelijker beeld hebben van wat er hier aan de hand is. Ik ga vanmorgen op bezoek bij mevrouw Cross. Laten we afwachten wat daaruit komt. Paula, kun jij met meneer en mevrouw Bishop gaan praten om te kijken of Robbie Tom Cross kende. En Sam, jij doet hetzelfde met de familie van Danny. Kevin, de telefoongegevens van het mobieltje van Aziz zijn net binnen. Ik wil dat jij daarnaar kijkt. En omdat jij al de juiste contacten hebt, moet je zorgen dat je de directeur van Harriestown High te pakken krijgt en hem vragen of deze drie mensen via de school met elkaar in contact zijn gekomen. Zoals je al zei, ze waren alledrie rijk. Misschien heeft de school wel geprobeerd een schenking van hen los te krijgen. Misschien dat de directeur hen voor een drankje had uitgenodigd. Ga dat na. En Chris, ik wil dat jij het mobieltje naar het CTC brengt. Put je uit in verontschuldigingen dat er wat verwarring is ontstaan en dat we dachten dat we hen er al over hadden ingelicht. En blijven glimlachen, hè? Kijk wat zij al hebben. En jongens? Ik wil dat jullie allemaal zo objectief mogelijk over die bomaanslag blijven denken. Ik heb gisteravond met Tony gepraat en hij heeft een paar ideeën die mij nogal vergezocht leken. Maar hij heeft al eerder gelijk gehad in onwaarschijnlijke omstandigheden, dus laten we ervoor waken geen overhaaste conclusies te trekken die gebaseerd zijn op vooronderstellingen en vooroordelen. Laten we het bewijs het werk laten doen. En over bewijzen gesproken, schiet jij al een beetje op, Stacey?'

'Wel een interessant allegaartje... Chris vroeg of ik hopefully.co.uk wilde checken om te zien of Aziz zijn inlogcode op zijn laptop had bewaard. Dat is gelukt. De inlogcode was nog opgeslagen. Maar hij had niets anders geboekt.' Stacey zweeg. Ze genoot er echt van om ze aan het lijntje te houden, dacht Carol, toen ze de gezichten van de rest van haar team zag. En hoe ze daar de pest over in hadden. 'Maar,' vervolgde Stacey, 'ik heb een lijstje kunnen opvissen van dingen die hij had bekeken. En wat onze terrorist uit Bradfield vooral interesseerde waren huurhuisjes in Noord-Ontario. Ik heb een lijst.'

'Was hij van plan om te ontsnappen naar een huisje in Canada?' Kevin was degene die het ongeloof verwoordde, maar volgens Carol dachten ze er waarschijnlijk allemaal hetzelfde over. 'Canada?'

'In ieder geval speelde hij met die gedachte,' zei Stacey.

'Vreemd, Canada lijkt me toch niet de favoriete bestemming van een islamitische fundamentalistische vluchteling.' zei Chris.

'Ze zijn erg tolerant, die Canadezen,' zei Paula.

'Niet zó tolerant. Maar er wonen wel vrij veel mensen uit India en Pakistan,' zei Carol. 'Oké, Kevin, jij ontfermt je over die huisjes. Je zult waarschijnlijk pas morgen echt iets kunnen doen, maar begin toch maar vast. Chris, als jij terugkomt van het CTC neem jij die mobiele nummers over van Kevin.' Ze keek hen glimlachend aan. 'Jullie doen allemaal zeer goed werk. Ik weet dat we veel op ons bord hebben, maar laten we maar eens laten zien dat we ons mannetje staan. Zorg dat alle resultaten op mijn bureau terechtkomen.' Ze stond op ten teken dat de bijeenkomst ten einde was. 'Succes. Dat hebben we wel nodig.'

Tony kreeg onwillekeurig medelijden met de bewoners van Vale

Avenue. In hun gewoonlijk zo rustige laan in een buitenwijk, met een middenberm met een gazon en met bloeiende kersenbomen langs de kant van de weg, vond een belegering plaats. Nu waren de ogen van de hele wereld gericht op een straat waar het normaal gesproken al uiterst spannend was als een hondenbezitter zijn huisdier het trottoir liet bevuilen. Tv-busjes, radiowagens en auto's van verslaggevers stonden overal geparkeerd. Busjes van de politie en van de technische recherche stonden op een kluitje rondom nummer 147. Op de bank achter in de zwarte taxi – de limousine die hij had besteld omdat er voldoende ruimte in was voor zijn been – stond Tony weer eens versteld over het vermogen van het publiek om iedere druppel van zogenaamde nieuwsverslaggeving uit te melken.

Behalve degenen die een min of meer geldige reden hadden voor hun aanwezigheid, waren er ook nog de griezels en de nieuwsgierige aagjes. Waarschijnlijk dezelfde mensen die hun bijdrage hadden geleverd aan het eerbetoon aan Robbie Bishop. Mensen die zo'n klein leventje hadden dat ze die bevestiging nodig hadden. Ze wilden op de een of andere manier deelgenoot zijn van een openbare gebeurtenis. Het was gemakkelijk om erop neer te kijken, dacht Tony. Maar hij had het gevoel dat ze toch ook een functie hadden, ze fungeerden als een soort Griekse rei, die op een spontane manier commentaar gaf op de gebeurtenissen van de dag. De tv-journalist Jeremy Paxman had dan misschien wel gesprekken met de groten der aarde, waarin hij ze om hun vlijmscherpe inzichten vroeg, maar de mensen op straat hadden ook iets te zeggen.

'Rij maar tot pal voor het politiekordon,' zei Tony tegen de chauffeur, die braaf deed wat hem gevraagd werd. Hij kwam nauwelijks vooruit vanwege de mensenmenigte en moest op zijn claxon drukken om de weg vrij te maken. Toen hij niet verder kon, kwam Tony met moeite overeind en duwde een biljet van twintig pond door de opening in het raampje. 'Wilt u alstublieft op mij wachten?' Hij deed het portier open en zette toen de krukken op straat neer. Het was geen gezicht en het was heel pijnlijk, maar hij slaagde er toch in om uit te stappen. In de oprit en langs de heg van nummer 147 stonden om de paar meter gewapende politiemensen. Op het trottoir gaf Sanjar Aziz zijn zoveelste interview. Hij was moe aan het worden. Zijn schouders begonnen wat te hangen, alsof hij wat meer in de verdediging zat, maar hij zag er nog even gemotiveerd uit. De lampen gingen uit, de verslaggever liet een plichtmatig bedankje horen en wendde zich toen af. Een bedroefde blik verspreidde zich over het gezicht van Sanjar.

Tony strompelde op zijn krukken naar hem toe. Sanjar bekeek hem eens goed en was duidelijk niet onder de indruk. 'Wil je een interview?'

Tony schudde zijn hoofd. 'Nee. Ik wil met je praten.'

Sanjar vertrok niet-begrijpend zijn gezicht in een grimas. 'Ja, dat zal wel. Praten, een interview, komt op hetzelfde neer, toch?' Hij keek over Tony's schouder, omdat hij graag weer met iemand wilde praten, met iemand die luisterde naar wat hij te zeggen had, iemand met wie hij nu eens niet zou gaan staan bekvechten.

Tony verbeet zich van de pijn. Het kostte hem ongelooflijk veel moeite gewoon rechtop te blijven staan, laat staan rechtop te staan en te praten. 'Nee, dat is niet hetzelfde. De verslaggevers willen dat je dingen zegt die zij willen horen. Ik wil horen wat jij te zeggen hebt. Waar ze je niet over laten praten.'

Nu had hij Sanjars aandacht wel. 'Wie ben je?' vroeg hij, zijn aantrekkelijke gezicht verwrongen in een gekwetst soort agressie.

'Ik heet Tony Hill, dr. Tony Hill. Als ik kon, zou ik je mijn identiteitsbewijs laten zien,' zei hij, met een gefrustreerde blik op zijn krukken. 'Ik ben psycholoog. Ik werk vaak samen met de politie van Bradfield. Niet met dit zootje,' voegde hij eraan toe, en het knikje in de richting van de onbewogen bewakers in hun ME-tenue was lichtelijk minachtend. 'Ik denk dat je dingen over je broer te zeggen hebt die niemand wil horen. Ik denk dat je je daardoor ongelooflijk gefrustreerd voelt.'

'Wat heb jij daarmee te maken?' snauwde Sanjar. 'Ik heb geen zielenknijper nodig, met alle respect. Ik wil alleen dat die gasten daar' – hij maakte een gebaar naar de politie en de journalisten – 'begrijpen waarom het niet klopt wat ze over mijn broer zeggen.'

'Dat gaan ze ook niet begrijpen,' zei Tony. 'Omdat het niet past in hun beeld. Maar ik wil het wel begrijpen. Ik geloof niet dat jouw broer een terrorist was, Sanjar.'

Opeens had hij de volle aandacht van Sanjar. 'Zeg je dat Yousef het niet heeft gedaan?'

'Nee, het staat denk ik wel vast dat hij het gedaan heeft. Maar ik denk niet dat hij het gedaan heeft om de reden waar iedereen vanuit gaat. Ik denk dat jij me misschien kunt helpen begrijpen waarom dit is gebeurd.' Hij wees naar de wachtende taxi. 'We kunnen er ergens anders over praten.'

Sanjar keek omhoog naar zijn huis waar een man van de technische recherche in een wit pak net naar buiten kwam met de zoveelste plastic zak. Toen keek hij weer naar Tony, die voelde hoe hij werd gewogen. 'Oké,' zei hij toen. 'Ik zal met je praten.'

Dorothy Cross schonk koffie uit een zilveren pot in porseleinen kopjes. Ze waren versierd met rozen die precies de tint roze hadden die weer terugkwam in de verschillende patronen die de muren opsierden. Twee verschillende soorten behang, een boven en een onder de strip van de lambrisering, de gordijnen, de tapijten, het tweezitsbankje, de twee sofa's en de sierkussens, allemaal hadden ze een ander patroon, maar door harmoniërende tinten van roze en bordeauxrood paste alles bij elkaar. Carol had het gevoel dat ze ongewild in een van die medische drama's was terechtgekomen waar de camera op reis gaat door de inwendige organen. Het was geen plezierig gevoel.

Dorothy hield op met schenken en wierp een kritische blik op beide kopjes. Toen schonk ze in een van de kopjes nog een miniem beetje. Tevreden gaf ze het aan Carol. Ze schoof het zilveren melkkannetje en het suikerkommetje naar haar toe en keek toen op met het wanhopige glimlachje van iemand die vreselijk haar best doet om niet in stukjes uiteen te vallen. 'Het is room,' zei ze. 'Geen melk. Tom houdt van room in zijn koffie. Hield van room.' Ze fronste haar voorhoofd. 'Hield. Ik moet daar goed aan denken. Hield, niet houdt.' Haar kin bibberde.

'Ik vind het zo erg voor u,' zei Carol.

De blik die Dorothy haar toewierp was zo scherp als een glasscherf.

‘Vind je dat? Vind je dat echt? Ik dacht dat jullie tweeën niet met elkaar konden opschieten.’

Shit. Hoe zat het ook al weer met de Britse terughoudendheid? ‘Het is waar dat we het niet altijd met elkaar eens waren. Maar je hoeft niet bevriend met iemand te zijn om hem op waarde te kunnen schatten.’ Carol voelde hoe ze rondglibberde op een glad oppervlak van huichelachtigheid. ‘Hij was heel populair bij zijn ondergeschikten. Dat weet u toch wel? En wat hij gisteren heeft gedaan... Mevrouw Cross, hij heeft zich als een held gedragen. Ik hoop dat iemand u dat al verteld heeft.’

‘Dat maakt mij niets uit, hoofdinspecteur Jordan. Wat ik belangrijk vind is dat ik hem kwijt ben.’ Ze had beide handen nodig om het kopje naar haar mond te brengen. Het was vreemd om zo’n forse, stevige vrouw zo te zien veranderen in een zwak vogeltje. Maar Carol zag dat ze op instorten stond. Haar gewatergolfde haren zaten merkwaardig asymmetrisch, haar lippenstift was wat slordig opgebracht. ‘Hij heeft dit huis met zijn persoonlijkheid gevuld en hij heeft hetzelfde gedaan met mijn leven. We hebben elkaar ontmoet toen we pas zeventien waren, weet u. Ik denk dat we sindsdien geen van beiden serieus naar iemand anders hebben gekeken. Ik heb het gevoel dat ik de helft van mezelf kwijt ben. Weet u wat dat betekent? Dat als de een iets onbenulligs uit het verleden vergeet, dat de ander het dan nog weet. Wat moet ik zonder hem beginnen?’ Haar ogen schitterden van de tranen, haar adem stokte in haar keel.

‘Ik zou het echt niet weten,’ zei Carol.

‘Het slaat nergens op, weet u.’ Ze raakte met het topje van haar rechterwijsvinger de hele tijd haar trouwring aan. Opnieuw wierp ze Carol die priemende blik toe. ‘Ik ben niet dom. Ik weet dat er heel wat mensen moeten zijn geweest die hem op een of ander tijdstip wel hadden willen vermoorden. Mensen die hij gearresteerd had, mensen die hij door had. Maar waarom nu? Waarom zeven jaar nadat hij het korps had verlaten? Het spijt me, ik kan gewoon niet geloven dat iemand zo lang boos blijft. En het soort mensen dat door zijn toedoen achter de tralies zat? Dat zijn geen gifmengers. Als er eentje hem toch te pakken had willen nemen, zou hij met een geweer op de stoep hebben gestaan.’

'Ik ben het volledig met u eens. Ik zal eerlijk tegen u zijn, mevrouw Cross. We denken dat dit deel kan uitmaken van een breder onderzoek, maar ik kan u daar op het moment nog niet meer over vertellen.' Carol nam een slok van de uitstekende koffie. 'Ik weet dat ik u dat niet hoef uit te leggen.'

Dorothy keek gekweld, alsof ze het idee dat de dood van haar man geen unieke gebeurtenis was niet erg kon waarderen. 'Ik wil dat degene die dit heeft gedaan, gepakt en gestraft wordt, hoofdinspecteur. Ik kan me niet druk maken over een ander onderzoek waar u mee bezig bent.'

'Dat begrijp ik. En de dood van Tom is prioriteit nummer een.'

Dorothy ging rechtop zitten, haar indrukwekkende boezem zwol op en ze keek minachtend op Carol neer. 'Moet ik dat geloven? Met vijfendertig doden in Victoria Park?'

Carol zette haar kopje neer en keek Dorothy recht in de ogen. 'Daar mogen wij ons niet mee bemoeien. Dat is in handen van het Counter Terrorist Command. Wij concentreren ons op de dood van Tom, en ik kan u vertellen dat als het op een moordonderzoek aankomt, mijn team niet te evenaren is.'

Dorothy nam een meer ontspannen houding aan. Maar de bijna veertig jaren die ze getrouwd was geweest met Tom Cross hadden hun stempel op haar gedrukt. 'Ze hadden die bomaanslag in Bradfield nooit van mijn Tom durven afpakken. Hij zou John Brandon lik op stuk hebben gegeven,' zei ze. Ze liet duidelijk merken hoe haar mening was over zowel Carol als Brandon.

Carol prentte zichzelf in dat ze hier te maken had met een diepbedroefde weduwe. Dit was niet het juiste tijdstip om het over de ideeën van Tom Cross over politiewerk te hebben. 'Ik hoopte dat u me zou kunnen helpen. Weet u hoe Toms agenda er gisteren uitzag,' vroeg ze.

Dorothy stond op. 'Ik wist dat u daar iets over zou willen weten, dus ik heb het voor u opgezocht. Ik ben zo terug.' Ze liep gehaast de kamer uit. Carol dacht er onwillekeurig aan dat als er ooit een biografie van Tom Cross verfimd zou worden, Patricia Routledge dan de rol van zijn vrouw zou moeten spelen. Dorothy leek sprekend op 'Mrs. Bucket'.

Dorothy kwam terug met een vel papier en gaf het aan Carol. Terwijl zij nog eens koffie inschonk, las Carol de brief door van de directeur van Harriestown High, waarin Tom Cross werd gevraagd om op te treden als bewakingsexpert voor een liefdadigheidsbijeenkomst. Onderaan de brief had Cross de naam van Jake Andrews gekrabbeld, met daarnaast een telefoonnummer en de naam van een restaurant. Daaronder, met een andere pen maar in hetzelfde handschrift, had hij de datum van zaterdag opgeschreven, de naam van een pub in Temple Fields, en 'om één uur'.

'Weet u wie Jake Andrews is?' vroeg Carol.

'Hij was de organisator van die liefdadigheidsbijeenkomst. Tom zei dat die zou plaatsvinden op het terrein van Pannal Castle. Hij en Jake hebben een paar weken geleden geluncht in die chique Franse tent achter de oude bierbrouwerij. Ze hadden gisteren een afspraak in een pub, de Campion Locks, en daarna zouden ze bij Jake thuis gaan lunchen. Denkt u dat het toen is gebeurd?' vroeg Dorothy. 'Is Jake ook dood? Waren jullie met de moord op hem bezig?'

'Ik heb die naam nog nooit gehoord. Weet u waar hij woont?'

Dorothy schudde haar hoofd. 'Volgens Tom hadden ze afgesproken in de Campion Locks omdat het appartement van Jake moeilijk te vinden was. Hij zei tegen Tom dat het gemakkelijker was als ze elkaar in de pub ontmoetten en dan konden ze lopend naar zijn appartement.'

Carol probeerde niet te laten merken hoe teleurgesteld ze was. Deze zaak zat vol teleurstellingen. Telkens als ze in de buurt van een aanwijzing kwamen, liep het op niets uit. 'Heeft Tom nog iets anders over Jake Andrews verteld?'

Dorothy dacht even na. Ze aaide over haar kin met een merkwaardig gebaar dat Carol deed denken aan een man die over zijn baard strijkt. Ten slotte schudde ze haar hoofd. 'Hij zei dat hij wist waarover hij praatte. Dat is alles. Is het toen gebeurd?'

'Dat weten we nog niet. Had Tom nog met iemand anders een afspraak, behalve met Jake?'

Dorothy schudde haar hoofd. 'Daar had hij geen tijd voor. Zijn taxi kwam om halfeen. Precies op tijd als je aan de andere kant van Temple Fields moet zijn.'

Daar kon Carol niets tegen inbrengen. 'Is hij wel eens bedreigd? Heeft hij het ooit over vijanden gehad?'

'Niet met naam en toenaam.' Ze aaide weer over haar niet-bestaande baard. 'Zoals ik al zei, de mensen die het op Tom hadden gemunt, zouden niet iets subtiels kiezen. Hij wist dat hij bepaalde wijken in Bradfield moest mijden. Wijken waaruit hij te veel bewoners achter de tralies had gezet. Maar hij vreesde niet voor zijn leven, hoofdinspecteur Jordan.' Ze haperde even. 'Hij heeft volop van het leven genoten. Zijn boot, zijn golf, zijn tuin...' Ze moest even stoppen met een hand op haar boezem en met haar ogen dicht. Toen ze zichzelf weer in de hand had, boog ze zich zo ver voorover dat Carol elke rimpel kon zien zitten. 'U moet degene die dit gedaan heeft pakken. Pakken en achter de tralies zetten.'

Het voelde vreemd aan om weer in zijn eigen huis te zijn. Geen wonder dat mensen het hadden over de gewenning aan een ziekenhuis. Tony was nauwelijks een week van huis en hij had nu al het gevoel dat al zijn vermogens waren aangetast. Hij ging Sanjar voor naar de woonkamer en liet zich met een grote zucht van verlichting in zijn leunstoel vallen. 'Sorry,' zei hij. 'Je kunt wel zien dat ik niet in een positie ben om de goede gastheer uit te hangen. Ik ben in een week niet thuisgeweest. Er is vast geen melk, maar als je zin hebt in thee of koffie zonder melk, ga je gang. Misschien staat er zelfs nog wel wat mineraalwater in de ijskast.'

'Wat is er met je gebeurd?' Het was het eerste wat Sanjar tegen hem had gezegd, sinds ze uit Vale Avenue waren weggereden. In de taxi had hij niets gezegd. Tony was hem daar dankbaar voor geweest. Hij had niet voorzien hoeveel energie de lichamelijkee activiteit hem zou kosten. Maar tijdens de rit van twintig minuten in de taxi was hij weer wat op krachten gekomen.

'Ik denk dat je het een gek met een bijl zou kunnen noemen,' zei Tony. 'Een van onze patiënten in Bradfield Moor had een soort toeval. Hij is uit zijn kamer ontsnapt en heeft toen de hand weten te leggen op een brandbijl.'

Sanjar wees naar hem. 'Jij bent die kerel die die verplegers heeft gered. Je bent op het journaal geweest.'

'Is dat zo?'

'Alleen op het plaatselijke nieuws. En ze hadden geen foto's van je. Alleen foto's van die mafkees die jullie heeft aangevallen. Je hebt het goed gedaan.'

Tony friemelde wat gegeneerd aan de leuning van zijn stoel. 'Niet goed genoeg. Er is iemand bij gestorven.'

'Ja, nou ja. Ik weet hoe dat voelt.'

'Je hebt nog helemaal geen gelegenheid gehad om te rouwen, hè?'

Sanjar staarde naar de open haard en zuchtte. 'Mijn ouders zijn helemaal in de war,' zei hij. 'Ze kunnen het niet bevatten. Hun zoon. Niet alleen dat hij dood is, maar dat hij al die mensen met zich mee heeft genomen. Hoe is dat mogelijk. Ik bedoel, ik ben zijn broer. Dezelfde genen. Dezelfde opvoeding. En ik kan er ook niet bij. Hoe kunnen zij dat dan? Hun leven is verwoest, en ze hebben een zoon verloren.' Hij slikte hevig.

'Het spijt me.'

'Hoezo spijt? Mijn broer was een moordenaar, of niet soms? Het is volkomen terecht dat we in de shit zitten. Het is terecht dat we de nacht moeten doorbrengen in een politiecel. Het is terecht dat ons huis helemaal wordt onttakeld.'

De pijn en de woede waren duidelijk te zien. Tony had carrière gemaakt met zijn vermogen om zich in te leven in de situatie van anderen. Hij zou voor geen goud in de schoenen van Sanjar willen staan. 'Nee, dat is niet zo. Het spijt me dat je zo'n verdriet hebt. Het spijt me dat je ouders zo moeten lijden,' zei hij.

Sanjar vermeed zijn blik. 'Bedankt. Oké, ik ben nu hier. Wat wilde je over mijn broer weten?'

'Wat wil je me vertellen?'

'Hoe hij echt was. Niemand wil horen hoe mijn broer Yousef echt was. En het eerste wat u moet weten is dat ik van hem hield. Nou, ik ben toevallig iemand die nooit en te nimmer van een terrorist zou kunnen houden. Ik haat die mensen en dat deed Yousef ook. Hij was geen fundamentalist. Je kon hem nauwelijks een moslim noemen. Mijn vader, die is echt vroom. En hij wordt altijd zo kwaad op mij en Yousef omdat wij, zeg maar, dat niet zijn. Wij verzonnen altijd een smoes om niet naar de moskee te hoeven. Zodra we oud genoeg waren, zijn we niet meer naar de Koranschool gegaan. Maar nu zal ik je nog eens wat vertellen,' ging hij verder, zodat Tony zijn volgende vraag niet meer hoefde te stellen. 'Ook al waren we wel vroom geweest, ook al hadden we elke dag in de moskee gezeten, zelfs dan hadden we geen radicaal gelul gehoord. De imam in de Kenton moskee? Die houdt helemaal niet van die radicale shitzooi. Hij is het type man die het heeft over hoe we allemaal zonen van Abraham zij en dat we moeten leren samen te leven. Er zijn geen geheime bendes die met elkaar zitten te bekonkelen hoe ze mensen moeten opblazen.' Na deze uitbarsting zakte hij weer als een plumpudding in elkaar.

'Ik geloof je,' zei Tony, en hij genoot bijna van de uitdrukking van stomme verbazing op Sanjars gezicht.

'Echt waar?'

'Ik heb het al eerder gezegd, ik denk niet dat je broer een terrorist was. Wat een vraag opwerpt die me heel erg interesseert. Waarom zou Yousef een bom meenemen naar Victoria Park en een gat blazen in de Vestey tribune?' Tony had het bewust niet over de doden. Niet dat ze een van beiden de doden gauw zouden vergeten. Maar hij hoefde het er nu niet speciaal over te gaan hebben. Het laatste wat Tony wilde, was dat Sanjar nog meer in het defensief zou gaan.

Sanjar vertrok zijn mond en perste zijn lippen op elkaar. Het duurde een hele tijd voordat hij uiteindelijk zei: 'Ik weet het niet. Volgens mij klopt het allemaal niet.'

'Ik weet dat ik nu iets ga zeggen wat krankzinnig klinkt,' zei Tony. 'Maar zou het misschien zo kunnen zijn dat hij ervoor is betaald?'

Sanjar sprong overeind en kwam met gebalde vuisten op Tony af. 'Wat bedoel je, godverdomme? Dat mijn broer een huurmoordenaar was of zoiets? Shit. Je bent al net zo lijp als die klootzakken die zeggen dat hij de een of andere fanatiekeling was.'

'Sanjar, je hoeft niet net te doen alsof je de eer van de familie moet verdedigen. Behalve jij en ik is hier niemand anders. Ik moet dit vragen omdat er materiaal is gevonden dat erop wijst dat Yousef in de veronderstelling verkeerde dat hij gistermiddag zou overleven en dat hij naderhand het land zou kunnen verlaten. Nou, zo denkt een zelfmoordterrorist niet. Dus moet ik een andere verklaring zien te vinden. Oké? Dat is het enige wat ik doe.'

Sanjar liep opgewonden te ijsberen. 'Je vergist je, man. Yousef, dat was een aardige vent. Hij was de laatste man op deze planeet die een moord zou plegen voor geld.' Hij sloeg met zijn vuist in de palm van zijn andere hand. 'Hij was nog nooit in een trainingskamp geweest. Hij was nog nooit in Pakistan of in Afghanistan geweest. Shit, we zijn godverdomme nog nooit in het Lake District of in de Yorkshire Dales geweest.' Hij sloeg met zijn handen tegen zijn borst. 'Wij zijn vreedzaam, Yousef en ik.'

'Hij heeft die mensen vermoord, Sanjar. Daar kunnen we niet omheen.'

'En dat klopt gewoon niet,' kreunde Sanjar. 'Ik weet niet hoe ik je dat aan het verstand moet brengen.' Hij zweeg opeens, en keek naar het dressoir waar Tony zijn oude laptop nog een plaatsje had gegund. 'Heb je een draadloze verbinding? Kan ik jouw computer aanzetten? Ik wil je iets laten zien.'

'Ga je gang.'

Sanjar wachtte tot de computer was opgestart en zocht zich toen een weg naar een weblog met de titel **DoorMAT – de ontmoetingsplaats van moslims tegen terrorisme.** Ondertussen was het Tony gelukt op te staan en de kamer door te lopen. Hij leunde tegen de achterkant van de sofa en keek naar het scherm. Op de plaats waar hij moest inloggen typte Sanjar een e-mailadres. 'Kijk,' zei hij. 'Yousefs adres. Niet het mijne. Toen er om een wachtwoord werd gevraagd typte hij 'Transit350'. Hij keek om naar Tony. 'We gebruiken altijd onze auto's als wachtwoord. Op die manier vergeet je het niet.' Toen hij eenmaal op de site was toegelaten, klikte Sanjar een paar keer met de muis en toen verscheen er een lijst van Yousefs bijdragen aan het blog. Sanjar klikte in het wilde weg iets aan.

Oké, Salman31, ik heb nooit in een stad gewoond waar de rechtse nationalisten in de gemeenteraad zitten. Maar ik weet zeker dat als dat wel zo was, ik zou protesteren op een manier die positiever in het nieuws komt

dan dat tuig in Burnley. Die nationalistische criminelen gedragen zich als wilden en dat verwacht men ook van die ordinaire types met kaalgeschoren koppen. Ze worden er door niemand op aangekeken, maar wij doen hetzelfde en opeens hebben wij een slechte naam, wij zouden beter moeten weten, enz. enz. We moeten ons niet verlagen tot hun niveau, daar moeten we echt voor oppassen.

'Als je door zijn bijdragen bladert, zie je dat ze allemaal zo zijn. Dat klinkt toch niet als een huurmoordenaar, hè?'

'Nee,' zei Tony. Wat zou hij graag die bijdragen van Yousef in alle rust willen bekijken. 'Ik snap precies wat je bedoelt. Maar is er de laatste tijd nog iets veranderd? Is Yousef veranderd? Was hij de laatste tijd anders dan normaal. Nieuwe vrienden? Nieuwe gewoonten? Nieuwe vriendin?'

Sanjar trok rimpels in zijn voorhoofd van de inspanning. 'Hij was het laatste halfjaar wat wisselvalliger,' zei hij langzaam. 'Geen eetlust, kon niet slapen. Vrolijk als een gozer met een nieuw meisje en dan weer depri alsof ze hem had gedumpt. En dan weer vrolijk. Maar ik heb hem niet met iemand gezien. We gingen altijd samen uit, naar clubs of uit eten met vrienden, en hij ging niet met een speciaal meisje om. Ik heb hem de laatste tijd nooit met een meisje gezien. Hij heeft het ook nogal druk gehad, nieuwe contracten binnenslepen en zo. Veel afspraken en dat soort gelul. Dus hij had niet echt tijd voor een nieuw meisje, hè?'

'En hij heeft nooit iets gezegd?'

Sanjar schudde zijn hoofd. 'Nee. Geen woord.' Hij keek op zijn horloge. 'Hoor eens, ik moet weg. Ik heb mijn vader beloofd dat ik zo terug zou zijn.' Hij stond op en strekte een hand naar Tony uit. 'Ik waardeer het dat je hebt geluisterd. Maar ik denk niet dat we dit ooit zullen begrijpen.'

Tony zocht zijn zakken door tot hij een visitekaartje vond. 'Dit ben ik. Bel me als je wilt praten.'

Sanjar stopte het weg met wat je met een beetje goede wil een glimlach zou kunnen noemen. 'Ik wil niet onbeleefd zijn, maar ik denk niet dat ik een psychiater nodig zal hebben.'

'Ik ben geen psychiater. Niet zoals jij dat bedoelt. Bij mij liggen er geen mensen op een sofa die me alles vertellen over hun ongelukkige jeugd. Ik vind het veel te gauw saai worden. Wat ik doe is proberen uit te vissen hoe ik psychologie in de praktijk kan gebruiken. Vaak weet ik nog niet precies hoe, tot ik erop stuit. Ik vind het fijn om iets te repareren wat gebroken is, Sanjar.'

De jonge man glimlachte en pakte de pen en de blocnote die naast de computer lagen. Hij krabbelde er iets op en liet het weer op tafel vallen. 'Mijn mobiele nummer, weet je. Bel me als je wilt praten. Blijf maar zitten, ik kom er zelf wel uit.'

Tony keek hem na met een groot gevoel van bezorgdheid. Zoals Sanjar al had gezegd; dezelfde genen, dezelfde opvoeding. Als Yousef ook maar een klein beetje op zijn broer leek, kon Tony zich niet voorstellen hoe hij uiteindelijk toch vijfendertig mensen had opgeblazen. Hij wilde verschrikkelijk graag die bijdragen op het weblog lezen. Maar eerst moest hij zien dat hij weer in het ziekenhuis kwam, voordat ze de politie erbij haalden. Dat zou net een kolfje naar Carols hand zijn.

Nigel Foster zou het in mijn tijd nooit tot directeur van Harriestown High hebben geschopt, dacht Kevin. De man die het toentertijd voor het zeggen had gehad, zag eruit als een rugbyspeler, en had een stem als een misthoorn. Foster was een lange man van net in de veertig die al iets gebogen liep. Zijn polo en zijn spijkerbroek hingen slobberig om zijn magere gestalte. Zijn hoofd en nek waren uitgemergeld als bij een versleten oude man. Maar zijn gezicht was levendig, en hij keek opgewekt en alert uit zijn ogen. Hij had voorgesteld om bij hem thuis af te spreken, maar Kevin had de Harriestown High persoonlijk van dichtbij willen zien. Foster had daartegen ingebracht dat het veel te veel gedoe was om het alarm van het gebouw uit te schakelen, dus hadden ze een tussenoplossing gezocht. Ze waren uitgekomen bij de gammele houten tribune die uitkeek op het voetbalveld van de school. Kevin werd overspoeld door een golf van heimwee. Hij had enkele van zijn meest glorieuze momenten op deze grasmat beleefd. Hij kon zich nog steeds een paar partijen herinneren. 'Ik vond het heerlijk om hier te spelen,' zei hij. 'Niet veel scholen hadden een echte toeschouwerstribune zoals deze. Je kon bijna geloven dat je in een echt team zat.'

'Het staat op de lijst om te worden afgebroken, vrees ik,' zei Foster met een prettige tenor waarin nog sporen van een accent uit Wales te horen waren. 'De arbodienst. Het zou te veel geld kosten als we het brandveilig zouden laten maken op hun manier.'

Kevin vertrok zijn gezicht in een cynische grijns. 'We leggen ze tegenwoordig veel te veel in de watten.'

'We hebben een cultuur ontwikkeld van elkaar de schuld geven en rechtszaken aanspannen,' zei Foster. 'Maar ik zit hier uw tijd te verknoeien. Hoe kan ik u bij uw onderzoek helpen, rechercheur?'

Het was, dacht Kevin, een subtiel verwijt dat hij de kostbare zondag van de directeur in beslag had genomen. 'In de afgelopen tijd zijn er drie mannen overleden aan verschillende soorten vergif. Wij denken dat er een mogelijk verband tussen de zaken is. Een van de dingen die die mannen gemeen hebben is dat ze alle drie oud-leerlingen van uw school zijn.'

Heel even was er iets van verbazing te zien op het gezicht van Foster. 'Ik wist dat natuurlijk wel van Robbie Bishop. Maar is het vaker gebeurd?'

'U heb het verhaal misschien gemist bij al die artikelen over de bom. Maar er is gisteren nog iemand anders gestorven die niets te maken had met de explosie. Ex-commissaris Tom Cross.'

Foster keek verbaasd. 'Is hij dood? Ik heb ergens iets gelezen dat hij een van de helden van de dag was.'

'Zijn dood heeft net de eerste edities van de kranten niet gehaald. Maar hij is ook door vergiftiging om het leven gekomen, net als Robbie Bishop. En de derde man, Danny Wade. Ook een oud-leerling. Ook vergiftigd.'

'Dat is vreselijk. Afschuwelijk.' Foster keek zorgelijk. Hij zag eruit als een priester die zijn geloof aan het verliezen is.

'Het gekke is dat het alle drie rijke mannen waren. En wij vroegen ons af of u ze misschien samen hebt gebracht bij de een of andere inzamelingsactie. Omdat ze alle drie hier op school hadden gezeten...' Kevin zweeg verwachtingsvol.

Foster schudde onmiddellijk zijn hoofd. 'Nee. Absoluut niet.' Hij liet een verbitterd lachje horen. 'Het is een goed idee, maar het is nooit bij me opgekomen. Nee, ik heb geen van hen ooit ontmoet. En voor zover ik weet hadden ze geen van drieën iets te maken met de VVHH.'

'VVHH?'

'Vrienden van Harriestown High. Het is een organisatie van oudleerlingen die reünies organiseert en geld inzamelt. Ik vind het vreemd dat er nog niet aan jou is gevraagd of je lid wilt worden.'

Kevin keek hem onbewogen aan. 'Afgezien van het voetballen moet ik eerlijkheidshalve toegeven dat dit niet de beste tijd van mijn leven was.' Zonder Foster een seconde uit het oog te verliezen haalde hij zijn notitieboekje tevoorschijn. 'We denken dat iemand die zich als u voordeed, Tom Cross de dood in heeft gelokt,' zei hij.

Foster kromp letterlijk in elkaar, alsof Kevin hem een stomp had gegeven. 'Als mij?' riep hij uit.

Kevin wierp een blik op de aantekeningen die hij had gemaakt tijdens het gesprek met Carol Jordan pal voor zijn afspraak met Foster. 'Een brief op papier dat eruitziet als het schrijfpapier van de school, is naar Cross gestuurd, ogenschijnlijk door u, waarin hem om hulp werd gevraagd bij het regelen van de beveiliging bij een liefdadigheidsactie van de school.' Kevin liet het telefoonnummer aan Foster zien. 'Is dit het nummer van de school?'

Foster schudde zijn hoofd. 'Nee. Het lijkt er nog niet op. Ik herken het niet.'

'Als je het belt, krijg je een antwoordapparaat dat zegt dat je met Harriestown High verbonden bent. Volgens de weduwe van commissaris Cross, heeft haar man een boodschap achtergelaten en toen is hij teruggebeld door iemand die zei dat hij u was.'

Foster, die er geagiteerd en zenuwachtig uitzag, zei: 'Nee. Dit klopt allemaal niet. Er is nooit iets gebeurd wat daar ook maar in de verste verte op lijkt.'

'Maakt u zich geen zorgen, meneer. We zien u niet als verdachte. We denken dat iemand zich voor u heeft uitgegeven. Maar ik moet dit gewoon met u nalopen.' Hij kreeg bijna de neiging Foster even een klopje op zijn knie te geven in een poging zijn zenuwachtige gekwek te kalmeren.

Foster klemde zijn lippen op elkaar en deed zichtbaar zijn best rustig te worden. 'Oké. Het spijt me, het is gewoon nogal schokkend als je te horen krijgt dat je bij een moordonderzoek betrokken bent.'

'Daar heb ik alle begrip voor. Die inzamelingsactie zou trouwens plaatsvinden op Pannal Castle.'

'Nee, dat is krankzinnig. Ik ken Lord Pannal niet, noch iemand die met hem te maken heeft. Ik bedoel, het zou fantastisch zijn om daar iets te mogen organiseren, maar nee. Er is nooit zoiets gesuggereerd, laat staan gepland.'

Kevin ging zonder aarzelen verder. 'Oké, mevrouw Cross zegt ook dat de persoon die zich voor u uitgaf tegen haar man heeft gezegd dat hij contact moest opnemen met de organisator van het geheel, ene Jake Andrews. Hebt u ooit met iemand gewerkt die zo heette? Jake Andrews?'

Foster ademde zwaar uit. 'Nee. Die naam zegt me niets.'

Kevin, die hem zorgvuldig in de gaten hield, zag niets dat erop duidde dat de man loog. 'Ik zou graag willen dat u het archief van de school voor mij raadpleegde,' zei hij.

Foster knikte, waarbij zijn adamsappel op en neer sprong. 'We zijn een paar jaar geleden overgegaan op een computer, maar alle oude gegevens staan nog op papier. Ik zal de secretaresse van de school bellen. Die weet waar alles ligt. Als er ergens iets over deze man te vinden is, dan vinden we het.'

'Bedankt. Eerlijk gezegd, hoe eerder hoe beter. Misschien komen we nog eens terug om met een paar personeelsleden te praten die hier al wat langer zijn,' zei Kevin, terwijl hij opstond. 'Nog een dingetje – waar was u gisteren tussen de middag? Zo rond een uur of een?'

'Ik?' Foster wist kennelijk niet precies of hij boos moest worden of bang.

'U.'

'Ik heb vogels geobserveerd bij Martin Mere in Lancashire met een groep vrienden,' zei hij, de eer aan zichzelf houdend. 'We waren er rond twaalf uur en zijn tot zonsondergang gebleven. Ik kan u namen geven.'

Kevin haalde een kaartje tevoorschijn met zijn e-mailadres. 'Stuur ze daar maar naartoe. Ik hoor graag van u.' Hij keek nog even voor de laatste keer naar het voetbalveld en liep toen met een glimlach om zijn mondhoeken weg. Het kwam niet vaak voor dat het leven hem de gelegenheid bood om in het kader van zijn werk een leraar ongelukkig te maken. Het was kinderachtig, dat wist hij, maar het had hem goed gedaan om een heel klein beetje wraak te nemen namens zichzelf als zestienjarige.

De Campion Locks was van oorsprong een etablissement waar schippers hun pintje dronken in de tijd toen er via de kanalen in het noorden van Engeland kolen en wol naar de andere kant van de Pennines vervoerd moesten worden. Het huis stond wat af van het kanaal, vlak bij het waterbekken waar drie grote waterwegen bij elkaar kwamen. Toen het werd gebouwd, had het gebied nog letterlijk Temple Fields geheten. Nu liepen er geen dieren meer te grazen voor de pub, maar in plaats daarvan deden de bezoekers zich op deze zondagmorgen te goed aan bruschetta en bagels, en probeerden ze hun opstandige maag weer wat op orde te krijgen met roereieren en gerookte zalm.

Toen ze dichterbij kwamen, liet Chris haar blik over het allegaartje aan bezoekers gaan. Ze gaf Paula een por in haar zij en zei: 'Het ziet er hier niet zo gek uit, hè? Jordan zou ons vaker naar dit soort tenten moeten sturen. Dit is typisch iets voor ons, schat. Ik moet Sinead hier een keer op een zondag mee naartoe nemen, dan herinnert ze zich weer hoe het is om verliefd te zijn.'

'Je boft dat je iemand hebt met wie je dat kunt doen,' zei Paula. 'Ik ben op het punt aanbeland dat seks iets lijkt uit een vroeger leven.'

'Je moet vaker uitgaan. Dan loop je wel tegen een bloedmooie meid op van wie je weer lichtjes in je ogen krijgt.' Chris baande zich een weg tussen de klanten door die, in afwachting van lege plaatsen, met een drankje in de hand ronddrentelden op de betegelde patio achter de eettafels.

'Ja, daar is nogal veel kans op met een baan als de onze.' zei Paula. 'Als ik eens een avond vrij heb, wil ik alleen maar slapen.'

Ze liepen naar binnen. Daar bevonden zich bijna net zoveel mensen, maar het was er veel lawaaieriger vanwege de leistenen vloeren en het lage plafond. 'Over slapen gesproken...' zei Chris. 'Hoe gaat het daar tegenwoordig mee?'

'Beter,' zei Paula kortaf. Ze stond met gebogen hoofd, terwijl ze in haar tas zat te zoeken naar de foto van Jack Anderson.

'Blij dat te horen.' Chris draaide zich om en gaf een kneepje in Paula's elleboog. 'Voor wat het waard is, schat, ik vind dat je het fantastisch doet.'

Eindelijk stonden ze bij de bar, waar drie barkeepers en een serveerster met veel moeite de bestellingen voor drankjes en eten bij probeerden te houden. Chris liet haar identiteitskaart even zien aan een van de barkeepers, die in lachen uitbarstte en zei: 'Dat meen je niet. Kom over een uur maar terug als de grootste drukte voorbij is.'

Normaal gesproken zou ze tegen de barman in zijn gegaan, omdat ze het werk achter de rug wilde hebben. Maar de zon scheen, en ze hadden allebei te veel onaangename dingen gezien in de afgelopen vierentwintig uur. Al die doden hadden Chris doen beseffen dat er momenten waren waarop je gewoon even de tijd moest nemen om aan de bloemen ruiken. Dus glimlachte ze. 'In dat geval had ik graag twee glazen bier met shandy.'

Met hun glazen in de hand vonden ze een stukje muur met uitzicht op het kanaal en ze gingen gezellig naast elkaar in de zon zitten. Ze hadden het afwisselend over de gifmoorden en de bomaanslag. Geleidelijk werd het wat minder druk toen de mensen hun drankje op hadden en eropuit trokken om van de zon de genieten. 'Als we in een tv-serie zaten, zou dit het moment zijn waarop een van ons een briljant idee kreeg dat de hele zaak oploste,' zei Chris. Ze zat in alle rust over het kanaal te staren waar een in felle kleuren beschilderde aak voorzichtig door de sluis manoeuvreerde die naar het bekken leidde.

'Als wij op tv waren, had jij nooit op de drankjes getracteerd,' wees Paula haar terecht. 'Dat had ik moeten doen als de trouwe, maar oliedomme ondergeschikte.'

'Verdorie, ik wist dat ik iets fout deed.' Met tegenzin duwde Chris zich overeind. 'Wat vind je, zullen we maar eens aan het werk gaan?'

Bij de bar stonden geen mensen meer te dringen die bediend wilden worden. De barkeeper zag hen aan komen en liep meteen naar het eind van de bar om hen op te vangen. Hij zag eruit als een student die niet rond kon komen van zijn beurs. Met zijn lange zwarte pony en zijn miezerige puntbaardje probeerde hij blijkbaar een artistieke en gevoelige indruk te maken. Hij kon daar nog wel wat hulp bij gebruiken, gezien zijn forse uiterlijk en beginnende bierbuik. 'Wat kan ik voor u doen, dames?' vroeg hij met een accent dat verraadde dat hij uit Wales kwam. 'Sorry van daarnet, maar het is 's zondags tussen de middag altijd ontzettend druk, en dan kunnen we er niet even tussenuit knijpen. We hebben namelijk een speciale aanbieding: als je na de bestelling je eten niet binnen twintig minuten hebt, hoef je er niet voor te betalen.' Hij trok een lelijk gezicht. 'En dat gaat van ons loon af.' Hij liep met ze mee naar een net vrijgekomen tafel in de verste hoek en ging zitten. 'Ik ben Will Stevens,' zei hij. 'Ik werk hier in het weekend.'

Ze stelden zich voor en Chris zei: 'Had je gisteren tussen de middag ook dienst?'

Stevens knikte, en wond ondertussen een stukje van zijn pony om zijn vinger. 'Ja. Het is ietsje minder druk op zaterdag. Waar gaat dit over?'

Paula spreidde een stelletje foto's uit op de tafel. 'Zie je hier een man bij die hier gisteren was?'

Hij wees meteen de foto van Jack Anderson aan. 'Hij.' Het begon hem opeens te dagen. 'Hij zat wat te drinken met die vent die na de bomaanslag gisteren is gestorven. Hoe heette hij ook al weer... het schiet me zo te binnen, we zaten er vanmorgen naar te kijken toen ik hier alles klaarzette en ik zei nog: "Hij is hier gisteren geweest en ik heb hem bediend." Cross, zo heette hij. Ik kreeg de indruk dat hij zich gisteren als een echte held heeft gedragen.' Hij wachtte even. 'Zeiden ze niet dat hij vroeger voor zijn pensioen bij de politie was?'

'Dat klopt. Dus hij had hier een afspraak met deze man?' Ze wees naar de foto van Jack Anderson. 'Op lunchtijd?'

'Ja. Cross was er het eerst. Hij heeft iets gedronken. Ik weet niet meer precies wat. Toen kwam die jongere vent binnen. Ze deden net alsof ze elkaar kenden. Hij dronk een glas rode huiswijn. Ik heb niet echt op ze gelet, we hadden het te druk. Toen ik weer hun kant op keek, waren ze weg.' Hij tikte op de foto van Jake. 'Ik heb hem hier wel eens eerder gezien. Hij ontmoet hier iemand, ze drinken een drankje en dan gaan ze samen ergens anders naartoe. Het gaat altijd zo. Hij eet hier nooit iets. Ik denk dat het gewoon een handige plaats voor hem is om af te spreken. Hij woont hier waarschijnlijk in de buurt.

'Je weet toevallig niet hoe hij heet?'

Stevens knikte met op zijn gezicht de zelfgenoegzame glimlach van een kind dat op een feestje de stoelendans heeft gewonnen. 'Jazeker wel. Hij heet Jake.'

'Weet je zeker dat het Jake is? Niet Jack?' vroeg Paula.

'Jake. Zo noemde die meneer Cross hem. Honderd procent zeker Jake.'

'En ze hebben hier niet gegeten?'

Hij schudde zijn hoofd. 'Geen denken aan. Een drankje, en toen waren ze foetsie.'

Chris stond op. 'Bedankt, meneer Stevens. U hebt ons erg goed geholpen.

Hij keek met een stralend gezicht naar hen op. 'Krijg ik nu een beloning?'

Er was een kameraadschap tussen computernerds onderling die andere verschillen oversteeg. Carol mocht dan wel officieel Chris Devine hebben aangewezen als verbindingspersoon met het CTC, maar Stacey had haar eigen contacten al. Een van de vele dingen waar nerds gek op zijn, zijn achterdeurtjes waardoor ze de systemen van andere mensen binnen konden dringen. En Stacey had daar een bewonderenswaardige verzameling van. Als er bijvoorbeeld geruild moest worden, had ze altijd wel iets in de aanbieding. Het kon ook geen kwaad dat in de wereld van de nerds, zij de Mona Lisa was. Ze had hangend boven de laptop van Aziz een band opgebouwd met de voornaamste nerd van het CTC, een mollige man van in de twintig met een miezerig paardenstaartje en een gebrekkige opvatting van hygiëne. Wat Gerry niet had aan persoonlijke charme, compenseerde hij met zijn kennis van systemen en zijn bereidheid om uit te wisselen. In ruil voor een achterdeur naar de vertrouwelijke databank van Sociale Zaken, had hij haar de Rijksbelastingdienst gegeven, waarschijnlijk de enige belangrijke regeringsinstantie die ze nog niet had. Ze wisten allebei donders goed dat wat ze deden verboden was, maar ze hadden er allebei alle vertrouwen in dat zij uit de gevangenis zouden kunnen blijven. Per slot van rekening waren zij de enigen binnen hun organisaties met de juiste kwalificaties om zichzelf te betrappen.

Stacey had niet verwacht dat ze de nieuwe aanwinst al zo gauw nodig zou hebben. Maar toen Carol haar zei dat ze op zoek moest naar ene Jake Andrews die in het centrum van Bradfield woonde en toen Chris belde om te bevestigen dat Jake Andrews en Jack Anderson een en dezelfde persoon waren, was ze blij dat ze de gelegenheid had met haar nieuwe speelgoedje aan de gang te gaan.

Wat ze minder leuk vond was dat Jake Andrews even onzichtbaar was als Jack Anderson. En van Jack Anderson waren er, in ieder geval tot drie jaar geleden, nog tekenen van leven geweest. Maar Jake Andrews, inwoner van Bradfield, had zelfs geen vlekje achtergelaten op de officiële bescheiden. De heftigheid van haar reactie verbaasde Stacey zelf. Ze was er zo zeker van geweest dat ze de cruciale informatie zou kunnen leveren met haar unieke talent om in alle systemen door te dringen. Maar cyberspace had haar in de steek gelaten. De een of andere onbeduidende moordenaar had zich aan haar elektronische spinnenweb weten te onttrekken.

Stacey had zelden zo gebaald, en in die stemming liep ze Carols kantoor binnen. Haar chef keek op van de stapel getuigenverklaringen die haar team voor het CTC moest natrekken. 'Heb je wat gevonden?' vroeg Carol.

'Hij staat nergens vermeld. Hij heeft geen vaste telefoon. Geen mobieltje. Hij betaalt geen gemeentebelasting, heeft geen persoonlijk wachtwoord bij de verzekeringen en ook niet bij de belastingen. Geen tv-vergunning. Geen auto die op zijn naam staat en geen rijbewijs. Nergens een spoor van betalingen per creditcard. Meneer Niemand, dat is hij.' Ze wist dat ze zich aanstelde als een klein kind, maar dat kon haar niets schelen.

Carol leunde achterover in haar stoel, rekte zich uit en vouwde haar handen achter haar hoofd. 'Ik verwachtte eigenlijk ook niet anders,' zei ze. 'Maar we moesten wel kijken. Als hij al die moeite heeft gedaan om Jack Anderson naar de andere wereld te helpen, dacht ik niet dat hij zo doorzichtig zou zijn om rechtstreeks in de schoenen van iemand anders te stappen. Wat is jouw idee hierover?'

'Ik denk dat er nog een derde identiteit is,' zei Stacey. 'Hij heeft vast al zijn officiële zaken onderbracht bij die derde identiteit. Hij maakt gebruik van Jack Anderson als hij mensen lokt die hem misschien nog van school hebben gekend en van Jake Andrews voor alle andere dingen. En identiteit nummer drie laat sporen na.'

Carol stond op, liep om haar bureau heen en zei: 'En dat is de identiteit waar wij niets over weten.'

'Ik denk dat we er wel van uit kunnen gaan dat hij dezelfde initialen heeft gebruikt,' zei Stacey. 'Dat zie je vaak bij misdadigers. Raar, maar waar.'

'Daar hebben we niet veel aan, hè? Daar schieten we niet veel mee op. Ongeveer evenveel als met die barkeeper van Chris en Paula die een beloning wilde hebben omdat hij een voornaam had opgevangen.'

Stacey schudde haar hoofd. 'Dat valt misschien nog wel mee. Ik heb vrij geavanceerde software waarmee ik kan zoeken. Die heb ik zelf in elkaar gezet. Mischien dat we daar wat verder mee komen.'

Carol keek lichtelijk bezorgd. Het was een blik die Stacey wel vaker had gezien bij haar chef. 'Ik denk soms dat je me niet alles moet vertellen wat je allemaal kunt doen, Stacey. Oké, probeer het maar. Doe je best. We moeten die kerel vinden.' Ze liep achter Stacey aan de teamkamer in. 'Paula,' riep ze. 'Ik heb een klusje voor je.'

De verpleegster kwam binnenrennen met Tony's kaart en zijn medicijnen. Ze straalde nog steeds iets zeer afkeurends uit. 'O goed, u bent hier nog,' zei ze.

Hij keek op van het scherm van zijn laptop. 'En ik dacht nog wel dat dit een ziekenhuis was, geen gevangenis.'

'Je bent hier niet zomaar,' zei ze verpleegster. 'Kijk maar eens naar dat oedeem in je knie. Het is niet de bedoeling dat je maar wat gaat fliereflüiten als je daar zin in hebt.

'De fysiotherapeute zei dat ik me vandaag aan moest kleden en wat moest rondlopen,' zei hij, terwijl hij gehoorzaam de pillen aannam en met een glas water doorslikte.

'Ze heeft niet gezegd dat je het gebouw moest verlaten,' zei de verpleegster streng. Ze stak een thermometer in zijn mond en nam zijn pols op. 'Verdwijn alsjeblieft niet nog eens, Tony. We hebben ons zorgen gemaakt. We waren bang dat je ergens gevallen was waar niemand je kon zien.' Ze trok de thermometer eruit. 'Je boft dat je er niet slechter aan toe bent.'

'Mag ik mijn kamer uit als ik zeg waar ik heen ga?' vroeg hij onderdanig. Niet dat hij van plan was ergens heen te gaan; zijn energie was nog niet zodanig op peil dat hij een soortgelijk avontuur als dat van die morgen overwoog.

'Als je het gebouw maar niet uitgaat,' zei de verpleegster streng. 'Je boft maar dat we tegenwoordig geen ouderwetse hoofdverpleegsters meer hebben. Mijn tante was er zo een. Ze had je aan je edele delen opgehangen.' Ze was halverwege de deur toen ze bleef staan. 'O, dat was ik bijna vergeten. Je moeder is eerder op de dag langs geweest. Ze vond het ook niet zo leuk.'

Tony voelde hoe er iets zwaars op hem neerdaalde. 'Heeft ze gezegd wanneer ze terug zou komen?'

'Ze zei dat ze zou proberen om later op de middag nog even langs te komen. Dan moet je er wel zijn, hoor.'

Toen hij weer alleen was, balde Tony een vuist en stompte op de matras. Hij had helemaal geen zin in het concentratieverlies dat zijn moeder altijd bij hem veroorzaakte. Hij was nog lang niet op zijn oude niveau en hij had alle scherpzinnigheid die hij kon opbrengen nodig om zich te concentreren op de bomaanslag en de gifmoorden. Ondanks de belofte die hij aan de verpleegster had gedaan, overwoog hij er die middag weer vandoor te gaan.

Maar voorlopig kon hij zijn energie weer wat op peil brengen door hier te liggen, en door niets inspannenders te doen dan lezen. Hij was teruggegaan naar het blog waar Sanjar hem mee naartoe had genomen. Het was boeiend geweest om alles door te lezen wat Yousef Aziz had geschreven. Yousef kwam naar voren als een intelligente jongeman, die niet altijd de woorden tot zijn beschikking had om zich helder en duidelijk uit te drukken. Een flink aantal van zijn bijdragen was gericht aan mensen die iets wat hij in een vorige brief had geschreven niet helemaal hadden begrepen, omdat het hem niet goed was gelukt om te zeggen wat hij bedoelde.

Het totaalbeeld dat Tony had gekregen was van een man die teleurgesteld was in het vermogen van mensen om vreedzaam samen te leven. Aziz had respect voor de mening van anderen; waarom zag niet iedereen dat je het meest verstandig zo kon leven? Waarom stopten mensen zoveel energie in conflicten?

Toen hij de brieven de eerste keer doorkeek, was Tony nog niets opgevallen. Maar toen hij de eerdere brieven nog eens doorlas met de latere nog vers in zijn geheugen, voelde hij toch iets anders. Hij ging nog een paar keer op en neer, en las lukraak een stel brieven nog eens door. Hij had gelijk. Er was iets vreemds aan de hand, iets wat klopte met wat Sanjar hem had verteld. Dit was overmacht. Hij moest er weer vandoor.

Er was meer voor nodig dan een grote bomaanslag om het voetbal in de Premier League niet te laten doorgaan. Dat ontdekte Paula toen ze bij Steve Mottishead op de stoep stond om te praten over de oude schoolkameraad wiens foto hij naar de politie had opgestuurd. 'Ik zit net naar de wedstrijd te kijken,' zei hij mokkend. 'Het is Chelsea tegen Arsenal. Ik heb jullie alles verteld wat ik weet over Jack Anderson toen ik eerder met jullie heb gepraat.'

'We kunnen toch wel praten terwijl u kijkt?' Paula glimlachte lief.

'Dat moet dan maar,' zei hij en hij hield met tegenzin de deur open om haar binnen te laten. Het huis van Steve Mottishead was een voormalige woningwetwoning aan de rand van Downton. De kamers waren aan de kleine kant, maar het huis lag tegen het golfterrein aan dat de natuurlijke grens vormde tussen Moortop en Downton, dus het uitzicht vanuit de doorzonkamer waar hij haar heen loodste was fantastisch.

Maar Paula was de enige die in het uitzicht geïnteresseerd was. Lui uitgestrekt op de sofa voor een enorme tv lagen twee andere mannen. De drie zagen er bijna identiek uit. Ze hadden een shirt aan van het Engels voetbalelftal, een trainingsbroek en grote zware sportschoenen. Ze hielden alle drie een blikje Stella Artois vast en er hing een dikke walm van sigarettenrook. Net die film *This Sporting Life*, dacht Paula. Tussen de uitgestekte benen door zocht ze zich voorzichtig een weg naar de andere kant van de kamer, waar een gammel eettafeltje stond met vier miezerige stoeltjes.

'Ik heb een verrekijker nodig als ik de wedstrijd van hieruit wil zien,' klaagde Mottishead, en hij krabde over zijn buik toen hij op een stoel ging zitten waarvan Paula had kunnen zweren dat die onder zijn gewicht zou bezwijken. Hij zette met een klap zijn blikje op tafel en haalde zijn sigaretten uit zijn zak. 'Ik neem aan dat je in werktijd geen bier mag drinken?' Hij stak een sigaret op. Paula zou er ook wel trek in hebben, maar ze probeerde niet te roken tijdens verhoren, zelfs niet als de persoon tegenover haar het wel deed. Ze was bang dat ze er dan misschien zwak en afhankelijk uit zou zien.

'Nee, bedankt. Het verbaast me dat de wedstrijd nog doorgaat na gisteren,' zei Paula.

'Het is voetbal, schat,' zei een van de anderen. 'Zelfs tijdens de Blitz ging dat nog door. Daar is dit land groot van geworden. Twee minuten stilte en hup, daar gaan we weer. Zelfs zo'n kloteterrorist uit Pakistan kan onze nationale sport niet tegenhouden.'

'Zo meent hij het niet,' zei Mottishead. 'We zijn gewoon allemaal nog van slag over die toestand van gisteren. We waren erbij, zeg maar.'

'Ja, dat is zo,' zei zijn mondige maatje. 'Dus waarom ben je niet druk bezig de kameraden van die kloteterrorist te pakken te krijgen in plaats van arme Stevie lastig te vallen?'

'Omdat ik het veel te druk heb met het onderzoek naar de moordenaar van Robbie Bishop,' zei Paula. 'Ik had gedacht dat je het daar wel mee eens zou zijn.' De agressieveling schraapte zijn keel en ging ostentatief naar de wedstrijd zitten kijken. Paula wendde zich weer tot Mottishead. 'Ik waardeer het dat je ons al eens te woord hebt gestaan. En het was heel nuttig. Maar wat ik van jou wil horen is wat voor persoon Jack Anderson was. Niet de feiten van zijn leven, maar zijn persoonlijkheid. Wat voor soort jongen was hij?'

Mottishead krabde over zijn stoppelhoofd en grijnsde. 'Hij durfde alles, Jack. Na de dood van zijn vader was het net alsof hij gek werd. Alsof hij alles nog wilde meemaken voordat hijzelf ook doodging. Hij was afschuwelijk tegen meisjes – als ze niet wilden neuken, liet hij ze vallen als een baksteen. En als ze wel met hem neukten, begon hij zich na een paar weken te vervelen en dan dumpte hij ze alsnog. Ik heb horen vertellen dat hij voor alles in was – triootjes, sm... noem maar op, hij wilde alles uitproberen. En als hij het leuk vond, deed hij het nog eens. Drank, sigaretten, drugs – hij moest overal de eerste in zijn. Het was net alsof hij geen rem meer had toen zijn vader doodging en die rem is er ook niet meer opgekomen.

'Een afschuwelijk type,' dacht Paula. Hij bofte dat hij haar nooit was tegengekomen. 'Heeft er niemand een poging gedaan om hem wat te kalmeren? Zijn moeder? Leraren?'

Mottishead tuitte zijn lippen en schudde zijn hoofd. 'Zijn moeder was de helft van tijd van de wereld. Als ik terugkijk, denk ik dat ze constant bakken met valium zat te vreten. En de leraren waren alleen maar geïnteresseerd in wat er in het klaslokaal gebeurde. Jack was te slim om zijn schoolwerk eronder te laten lijden. Hij wist dat hij alleen met de juiste kwalificaties weg zou kunnen komen uit Bradfield. En dat wilde hij. Wegwezen.'

'Heeft hij ooit gepraat over hoe hij dat dacht te gaan doen? Wegkomen, bedoel ik. Had hij de een of andere carrière in gedachten?'

'Hij heeft nooit gezegd wat hij voor de kost wilde gaan doen. Hij had het er altijd over hoe ver hij het zou brengen. Hij zou ons ver achter zich laten en zou het hoogste bereiken wat maar mogelijk was.' Hij deed zo zijn best om zich alles te herinneren dat hij rimpels in zijn voorhoofd trok. 'Ik weet nog dat we een keer bij maatschappijleer zaten en dat we het over ambitie hadden. En de leraar zat de hele tijd te ouwehoeren over die man van de Conservatieven, hoe heet ie ook alweer, Tarzan noemden ze hem...'

'Michael Heseltine?'

'Ja, die bedoel ik. Nou, toen hij nog een jongetje was, heeft hij blijkbaar een lijst gemaakt van zijn toekomstplannen. Bovenaan stond dat hij premier wilde worden. Nou, dat heeft hij niet gehaald, maar hij was er wel verdomd dichtbij, en hij heeft alle andere dingen gedaan die op de lijst stonden. De leraar zit daar over door te zagen en dat je je doelen moet stellen. En wij denken allemaal: "Een baan, een vriendinnetje, een seizoenkaart voor Victoria Park." Maar Jack niet. Hij schrijft dingen op als: "Een Ferrari. In een huis wonen in Dunelm Drive. Op mijn dertigste een miljoen hebben." We hebben hem allemaal uitgelachen, maar hij meende het echt.'

'Klinkt nogal ambitieus,' zei Paula.

'Zo was Jack.' Mottishead keek opeens ernstiger. 'Als jullie denken dat Jack de moordenaar van Robbie Bishop was dan zul je mij niet op de tv zien zeggen: "Dat kan ik niet geloven." Als je kijkt naar al die dingen die Jack jaren geleden al deed? Moord zou gewoon het zoveelste taboe zijn waar Jack mee afrekende. En hij zou het nog hartstikke goed doen ook. Jullie zouden je er je handen aan vol hebben om hem te pakken, laat staan om hem achter de tralies te krijgen.'

Paula voelde hoe ze kippenvel kreeg. 'Hoe zit het met dat team waar hij de pubquiz mee deed? Het Funhouse? Waren dat collega's van het werk?'

'Nee, ze hadden elkaar gevonden omdat ze allemaal op internet met die computerspellen meededen. Je weet wel, ik ben de tovenaar, jij de dwerg en dan gaan we vechten. Hoe dan ook, ze waren erachter gekomen dat ze bij elkaar in de buurt woonden en ze besloten dat ze samen mee zouden doen met de pubquiz. Aardige kerels, maar een stelletje geitenwollen sokken, behalve Jack. Hij paste er niet echt bij. Maar eigenlijk paste hij nooit ergens bij. Ondanks al zijn rare streken had hij eigenlijk nooit echte vrienden. Alleen mensen waarmee hij die streken kon uithalen.'

'En je hebt geen idee waar hij nu is?'

'Geen flauw idee. Sorry, ik heb her en der wat navraag gedaan nadat ik laatst met jullie heb gepraat, maar niemand heeft de laatste jaren een spoor van hem gezien.'

'Dat begrijp ik niet,' zei Paula. 'We denken dat hij een appartement heeft in Temple Fields. We denken dat hij de avond dat Robbie is vergiftigd in Amatis was. Hij moet hier toch ergens zijn. Ik kan niet geloven dat niemand hem ergens heeft gezien.'

Mottishead nam een slok uit zijn blikje. 'Misschien komt dat omdat hij daar niet woont. Een heleboel van die dure appartementen in het centrum, dat zijn alleen maar slaapplaatsen voor rijke stinkerds die ergens anders wonen. Misschien dat Jack het toch heeft gemaakt. Misschien komt hij alleen maar naar de stad als er iemand vermoord moet worden.'

Met handen en schouders die pijn deden van de krukken, bewoog Tony zich met moeite door de gang op de derde verdieping. Hij kon zich niet herinneren dat de afstand tussen de lift en de teamkamer van het TZM zo ver was. Maar anderzijds had de gang in het ziekenhuis ook veel langer geleken dan vanmorgen.

Hij had tegen de verpleegster gelogen. Hij had gezegd dat hij naar het café op de benedenverdieping ging om bij een lekker kopje koffie wat te gaan zitten lezen, en dat ze hem voorlopig niet terug moest verwachten. Het was nu eenmaal zo dat hij het beste functioneerde als hij rechtstreeks met het team kon praten en naar hen kon luisteren. Hij wilde Yousefs blogbijdragen aan Carol laten zien, omdat hij vreesde dat hij haar op een andere manier niet kon overtuigen. En wat zeker even zwaar meetelde, was dat hij de zoveelste destructieve ontmoeting met zijn moeder wilde vermijden.

Hij was teleurgesteld toen hij alleen Stacey aantrof. Niet dat hij iets tegen Stacey had. Het was onmogelijk om geen respect te hebben voor haar talenten. Hij wist uit eigen ervaring hoeveel haar talenten hadden bijgedragen aan het succes van het team. Er liepen op dit moment mensen in Bradfield rond die dat niet meer zouden doen als Stacey er niet was geweest met haar gedegen kennis van siliconen en cyberspace. Het probleem was alleen dat ze normaal menselijk contact nooit echt onder de knie had gekregen. Hij voelde zich nooit helemaal op zijn gemak bij haar, misschien omdat hij kon begrijpen hoe zijn eigen sociale vaardigheden even beperkt zouden zijn geweest als hij niet zo zijn best had gedaan om op een normaal mens te lijken.

Tony strompelde op zijn krukken de kamer door en glimlachte toen Stacey opkeek. Ze sperde haar ogen open, sprong op en zette een tweede stoel achter haar bureau. Hij maakte er dankbaar gebruik van, en ontdeed zich met veel moeite van zijn computertas. 'We wisten niet dat je langs zou komen.' Hij wist dat het niet als een beschuldiging was bedoeld, maar zo klonk het wel.

'Ik werd gek van dat stilzitten,' zei hij. 'En bovendien hoor ik nu hier te zijn.'

'Fijn dat je er weer bent,' zei ze, met de levendigheid van een sprekende pop. 'Hoe gaat het met je knie?'

'Ongelooflijk lastig. Soms heel pijnlijk. Maar ik kan me tenminste zo'n beetje redden met deze beugel en de krukken. Maar ik moet niet de hele tijd aan mijn knie denken en daarom ben ik hier. Weet je ook of hoofdinspecteur Jordan hier nog terugkomt?'

'Ze heeft een vergadering met de korpschef,' zei Stacey. Ze had haar blik alweer op het scherm gericht, omdat ze dat veel interessanter vond. 'Ze is ongeveer twintig minuten geleden vertrokken. Ze heeft niet gezegd wanneer ze weer terug zou zijn.'

'Oké, ik wacht wel. Ik moet het met haar over Yousef Aziz hebben.'

Stacey wierp hem een snelle blik toe. 'Ben je met de bomaanslag bezig?'

'En ook met die andere zaak. En jij?'

Stacey schonk hem een heel klein glimlachje, als een kat uit een stripverhaal die zojuist iets vreselijks met de hond heeft uitgehaald. 'Ik zeg liever niet hoe, maar ik heb alle gegevens af kunnen halen van de computer van First Fabrics.'

'First Fabrics?'

'Het textielbedrijf van de familie van Yousef Aziz. Ik heb de hele correspondentie uitgeprint en heb Sam naar een rustig hoekje gestuurd om het door te lezen. Hij kan de intermenselijke subtiliteiten er beter uit pikken dan ik,' zei ze.

'Heb je nu zojuist een grapje ten koste van jezelf gemaakt?' vroeg Tony.

Ze waagde een snelle guitige blik op hem. 'Ik mag dan een cyborg zijn, maar ik heb wel gevoel voor humor, hoor.'

Tony liet zijn waardering voor haar reactie blijken door spottend zijn hand naar een denkbeeldige pet te brengen. 'Waar zit je nu naar te kijken?'

'De financiën.'

'En?'

'Het is voor het merendeel afgrijselijk saai. Ze kopen textiel in bij een stuk of zes verschillende leveranciers en ze verkopen de afgewerkte producten door aan een paar tussenpersonen.'

'Tussenpersonen? Dat begrijp ik niet.'

Stacey haalde haar hand van de muis af. 'Dat staat in een of andere verordening voor de kledingindustrie. De laatste gebruiker is de detailhandelaar. Ze hebben leveranciers die in feite de groothandelaars zijn. De detailhandelaar vertelt aan de groothandelaar wat hij wil kopen en welke prijs hij ervoor wil betalen. De groothandelaar gaat naar de tussenpersoon en vertelt hem wat de bestelling is. De tussenpersoon verdeelt de bestelling onder de fabrikanten, die overigens niet in hetzelfde land hoeven te wonen. Of bij wie het zou kunnen gaan om illegale slavenhokken. Sommige legale fabrikanten zoals First Fabrics, maken ook hun eigen monsters, die ze aan hun diverse klanten laten zien en waar ze dan bestellingen voor krijgen.'

'Het klinkt... onnodig ingewikkeld, of heb ik dat mis?'

'Dat zou je bijna denken, hè? Maar kennelijk werkt het zo. En bij ieder tussenstapje is er winst te maken. Je koopt voor vijfentwintig pond een overhemd in een winkel, maar dan zou het best zo kunnen zijn dat de fabrikant er niet meer dan vijftig cent voor kreeg. Dus de naaisters moeten een heleboel overhemden maken om het bedrijf voor hun baas rendabel te houden.'

'Ben je niet blij dat je een talent hebt waarmee je meer verdient dan met het naaien van overhemden?' zei Tony met een zucht.

'Reken maar. Hoe dan ook, zoals ik al zei houdt hij zich daarmee bezig. Stof kopen, kleren maken. Kleren verkopen aan een stelletje tussenpersonen. Tenminste, dat deden ze tot zo'n halfjaar geleden.'

Tony spitste zijn oren. Alles wat te maken had met de Yousef Aziz van zes maanden geleden vond hij interessant. 'Wat is er toen gebeurd.'

'Er staat opeens een nieuw bedrijf op de rekeningen. B&R heet het. Ze betalen meer per stuk dan de tussenpersonen. Voor zover ik het kan bekijken, houdt de prijs die B&R aanbetaalt het midden tussen wat een tussenpersoon zou betalen en wat een groothandelaar aan de tussenpersoon betaalt.'

'En dat is een halfjaar geleden begonnen?'

Stacey klikte met haar muis en haalde een nieuw scherm tevoorschijn. Ze draaide haar monitor in Tony's richting. 'Daar.' Ze wees naar een ingevoerd register. 'Daar staan ze voor het eerst.'

'Wie zijn dat dan? Die lui van B&R?' vroeg hij.

Stacey maakte een bestraffend geluidje. 'Ik heb geen toegang tot de databank van de Kamer van Koophandel, en zij geven op zondag geen gedetailleerde informatie door over directeuren en leden van de raad van bestuur. Ik heb hier alleen een geregistreerd adres, het kantoor van een accountant in het noorden van Manchester, en informatie over wat voor soort bedrijf het is.'

'En wat is het?'

'Een kledinggroothandel.'

'Dus om de een of andere reden hebben ze bij First Fabrics een halfjaar geleden tot hun genoegen ontdekt dat ze de tussenpersoon konden omzeilen?'

'Daar komt het wel op neer, ja.'

Hij voelde dat ze zat te springen om verder te gaan met haar werk. 'Dat is heel interessant. Ik moet even iemand bellen.' Hij zette zich met zijn goede been af, waardoor de stoel op wieltjes een paar meter verder gleed. Hij maakte een hele draai, zodat hij met zijn rug naar Stacey toe zat, en draaide toen het nummer dat Sanjar Aziz hem had gegeven. Bij de derde keer overgaan werd er opgenomen. Maar niet door Sanjar.

'Hallo,' zei de stem. Een diepe, argwanende stem met een accent uit Manchester.

'Is dit het nummer van Sanjar Aziz?' vroeg Tony, even argwanend.

'Met wie spreek ik?'

'U spreekt dr. Tony Hill. Met wie spreek ík?'

'Meneer Aziz is op het moment niet bereikbaar. Kan ik een boodschap aannemen?'

'Geen boodschap,' zei Tony en hij beëindigde het gesprek. Hij wilde net aan Stacey vragen hoe hij erachter kon komen of Sanjar Aziz gearresteerd was, toen Kevin kwam binnenwandelen met een stapel papieren.

'Ha, die Tony, zei hij. Hij was zichtbaar blij om hem te zien. Hij ging op het bureau tegenover hem zitten en liep de gebruikelijke riedel met vragen door over de gek met de bijl en over de knie. 'Kom je ons een handje helpen?'

'Dat hoop ik,' zei Tony. 'Ik moet Carol spreken. En jij? Waar ben jij mee bezig?'

'Met van alles en nog wat. Ik ben bij de directeur van Harriestown High langs geweest. Alle drie de gifslachtoffers hebben daar op school gezeten, maar de directeur zegt dat hij ze geen van allen heeft ontmoet en dat hij Popeye niet in de val heeft laten lopen. Voor wat het waard is, ik denk dat hij de waarheid zei.'

'Wacht eens even. Welke val?'

Kevin gaf in grote trekken weer wat de weduwe van Cross aan Carol had verteld. 'Hij laat niet veel aan het toeval over, hè?' was zijn conclusie.

Tony keek peinzend. 'Nee,' zei hij. Maar zijn hersens sprongen in de hoogste versnelling. *Geraffineerd, nauwgezet. Je hebt je slachtoffers van tevoren uitgezocht. Je neemt risico's, maar die zijn van tevoren zorgvuldig ingecalculeerd en je zet alles op alles om dat risico zo klein mogelijk te houden. Je wilt wel contact hebben met je slachtoffers, maar je hoeft ze niet te zien sterven. Ik denk dat je deze campagne al lang geleden van het begin tot het eind hebt gepland, en je bent ze nu een voor een aan het afwerken. En ik begrijp niet wat voor voordeel je ervan hebt. Waar zit de winst voor jou?* Hij zuchtte. 'Daar schieten we allemaal niet zoveel mee op. Waar ben je trouwens nu mee bezig?'

'Met het mobieltje van Aziz. We hebben vanmorgen de telefoongegevens binnengekregen en ik heb me ergens in een kast opgesloten om alle nummers na te trekken.'

'Was er nog iets interessants bij?'

Kevin schudde zijn hoofd. 'Grotendeels zakelijk en familie. Een paar vrienden, maar daar hadden we de namen al van. Er is maar één ding dat er een beetje verdacht uitziet.' Hij wees Tony een nummer aan. 'Dat is van een prepaid mobieltje, gekocht onder een valse naam en adres. Die klotetelefoonwinkels zouden nog een telefoon verkopen aan Osama bin Laden als hij er netjes voor betaalde. Ze moeten eigenlijk naar een legitimatie vragen, maar legitimatie mijn reet. Hoe dan ook, je ziet wel dat er tussen die twee nummers flink gebeld en ge-sms't is. Helaas heeft Aziz alle sms'jes gewist. Ik heb erheen proberen te bellen, maar er is niemand thuis.'

'Wanneer zijn die telefoontjes begonnen?' vroeg Tony.

'Weet ik niet. Aziz heeft dit ding pas een halfjaar geleden aangeschaft. De telefoontjes staan er praktisch van het begin af aan op.'

Weer dat magische halfjaar. Voordat Tony nog iets kon zeggen, werd de deur met een zwaai opengegooid en kwam Carol binnenlopen. Ze was over haar schouder nog met iemand op de gang aan te praten. Toen ze zich omdraaide en hem in de gaten kreeg, schudde ze vertwijfeld haar hoofd.

'Wat doe jij hier?' vroeg ze. 'Hebben ze je al uit het ziekenhuis ontslagen?'

'Niet helemaal,' zei hij. 'Ik wilde jou spreken en ik wilde mijn moeder ontlopen. Snap je?'

'Wil je ons even alleen laten, Kevin? Tenzij er iets is wat niet kan wachten?' Kevin trok zich discreet terug en liep naar zijn eigen bureau. Carol duwde Tony's stoel nog wat verder weg van Stacey en trok een andere stoel bij om naast hem te gaan zitten.

'Ben je gek geworden?' vroeg ze. 'Je ligt niet voor de lol in het ziekenhuis.'

'Je klinkt net als de verpleegsters.'

'Nou, misschien hebben die wel gelijk, heb je daar wel eens aan gedacht?'

Hij wreef over zijn kaak. 'Ik moet kunnen werken, Carol. Dat is het enige wat ik kan. Ik kan niet alleen maar wat zitten lanterfanten.' Hij zag een vonkje begrip in haar ogen. Ze had een keer drie maanden lang geprobeerd om niets te doen. Ze was er niet beter van geworden. Integendeel, ze was er bijna aan onderdoor gegaan en niemand wist dat beter dan hij. Hij wees naar zijn computertas op Stacey's bureau. 'Ik heb hier iets waar je echt even naar moet kijken. Ik denk dat ik iets zie, maar ik weet niet zeker of dat alleen maar komt omdat ik iets wil zien.'

Carol pakte de laptop en wachtte tot Tony het bestand opende dat hij had gemaakt van Yousefs blogbijdragen. 'Waar heb je dit vandaan?' vroeg Carol.

'Sanjar Aziz heeft me dit laten zien,' zei hij wat verstrooid omdat hij ondertussen naar het scherm keek.

'Wanneer heb je met Sanjar Aziz gepraat?'

'Vanmorgen. Kijk daar, moet je dat zien.'

Carol legde een hand op zijn arm. 'Je weet toch dat het CTC hem heeft opgepakt om hem te verhoren?'

Hij staarde met gebogen hoofd naar het toetsenbord. 'Daar was ik al bang voor.' Hij kneep in de brug van zijn neus. 'Hij is net zo min een terrorist als zijn broer.'

'Ja, nou, er lopen hier een heel stel mensen rond die het niet met die inschatting eens zouden zijn,' zei Carol. 'Zijn broer heeft wel een voetbalstadion opgeblazen, Tony. Het is niet onredelijk dat ze hem hebben opgepakt.'

'Waarom hebben ze dat gisteren niet gedaan?'

'Ze wilden de moslimgemeenschap niet tegen de haren in strijken. Zijn broer was dood, zijn ouders en jongere broertje zaten diep in de put en hij zou er toch niet vandoor gaan.'

'Maar waarom nu? Ze moeten regelingen treffen voor de begrafenis. Wanneer gaat die plaatsvinden? Morgen? Gaan ze hem op tijd voor zijn broers begrafenis vrijlaten?' Hij begon steeds harder te praten en Carol legde weer haar hand op zijn arm.

'Heeft Aziz je nog iets zinnigs verteld?'

Tony vertelde haar hoe het contact tussen hen was verlopen en wat hij dacht te hebben gezien in de brieven in het blog van Aziz. 'Ik geloof dat ik een verandering in zijn positie kan zien. In het begin heeft hij het erover hoe we allemaal moeten leren om met respect voor elkaar te leven. Zijn toon is eerder wanhopig dan kwaad. Het is meer van: als ík dit kan begrijpen waarom kunnen onze leiders dat niet, waarom kunnen alle anderen dat niet. Maar geleidelijk komt er verandering in. Aan het eind klinkt hij veel bozer. Alsof hij het als een persoonlijke belediging opvat dat er al die culturele en religieuze conflicten zijn die de levens van mensen verpesten. Kijk, ik zal je laten zien wat ik bedoel.' Hij ging van de ene naar de andere brief en wees ondertussen op zinssneden die zijn mening onderstreepten. Nadat hij er een stuk of vijftien had laten zien, keek hij gespannen naar Carols gezicht. Hij merkte dat zijn zelfvertrouwen er bijna even slecht aan toe was als zijn knie. 'Wat denk je?'

'Ik weet het niet. Ik zie wel wat je hiermee wilt zeggen. Ik weet alleen niet hoe ik het moet interpreteren. Ik weet zelfs niet precies wat hier de consequentie van is. Want als Yousef Aziz geen terrorist was, dan is er ook geen terroristencel en zitten we allemaal onze tijd te verknoeien.'

'Dat geldt wel voor het CTC, maar dat hoeft niet voor jou te gelden,' zei Tony. 'Er kan iets heel anders aan de hand zijn. Misschien is hij door iemand ingehuurd om de bom af te leveren, maar is er iets misgegaan. Misschien is hij wel gechanteerd, werd zijn familie bedreigd. Misschien is het geen terrorisme, maar dat betekent nog niet dat er niet ergens mensen rondlopen die er ook bij betrokken zijn. We zouden naar de slachtoffers moeten kijken, Carol. Daar beginnen we altijd mee. Wie zijn er gestorven? Wie waren dat? Wie heeft er baat gehad bij hun overlijden. Ik heb informatie nodig over de slachtoffers, Carol. En wel zo gauw mogelijk.' Hij liet zich zo meeslepen dat hij niet in de gaten had dat er andere mensen waren binnengekomen.

'En wie is dit, Carol?' vroeg de kaalgeschoren man met het zwarte leren jack.

Tony fronste zijn wenkbrauwen en legde zijn hoofd in de nek om de volle lengte en breedte van de nieuwkomer te kunnen bevatten. 'Ik ben Tony Hill,' zei hij. 'Dr. Tony Hill. En u?'

'Dat gaat je eerlijk gezegd niets aan,' zei hij. Toen zei hij tegen Carol: 'Wat doet hij hier? Dat profielschetsertje van jou heeft hier niets te zoeken.'

Carol wendde zich tot Tony. 'Dit is David. Hij is van het CTC, zoals je ongetwijfeld zelf al wel zult hebben geconcludeerd. Ik heb begrepen dat ze daar niet aan goede manieren doen.' Ze stond op en ging recht tegenover David staan. 'Hij werkt hier niet aan. Hij is met een andere zaak bezig. Misschien is het je ontgaan, maar we hebben hier ook nog te maken met een gifmenger. Daar helpt dr. Hill ons bij.'

'Laten we dan maar hopen dat je niet ergens vlug heen moet,' zei David. 'Maar van wat ik over jouw wapenfeiten heb gehoord, is het waarschijnlijk maar goed dat je niet zo mobiel bent. Carol, zeg maar gedag. We hebben je hiernaast nodig.' Hij draaide zich met een ruk om en liep naar buiten.

'Jezus,' ontplofte Carol. 'Wat zijn dat toch voor rare gasten?'

'Hij heeft hoogstwaarschijnlijk een heel klein piemeltje,' zei Tony. 'En hij heeft vast ook de aanbevelingen gelezen die ik voor Binnenlandse Zaken heb geschreven over waar het CTC uit zou moeten bestaan.' Hij glimlachte triest. 'Als ze naar me hadden geluisterd, zouden mensen als hij niet de leiding hebben.' Hij knipoogde naar haar en hoorde tot zijn opluchting dat ze het uitproestte.

'Kom op, ik loop met je mee naar de lift,' zei ze.

'Stuur je me weg?' vroeg hij.

'Ja, maar niet vanwege die lul. Omdat je in bed hoort. Je ziet er beroerd uit. Als het enigszins kan, kom ik straks nog even langs.' Ze hielp hem opstaan en liep voor hem uit, zodat ze de deur voor hem kon opendoen. Ze liepen langzaam de hal door. Tony merkte hoe zijn energie snel aan het opraken was. 'Tussen twee haakjes,' zei ze. 'Je vroeg op welke school Tom Cross had gezeten. Dat had Paula al nagetrokken. Harriestown High. Daar zocht je toch naar, hè, een verband tussen hen.'

'Ja, dat had ik al van Kevin gehoord. Dat is één ding dat ze gemeen hadden,' zei hij. Hij leunde tegen de muur naast de liften aan.

'Er is meer?'

'Geluk, Carol. Ze hebben alle drie geluk gehad.'

Carol keek stomverbaasd. 'Geluk gehad? Ze zijn alle drie vergiftigd. Ze zijn een afgrijselijke dood gestorven. Hoe kun je in vredesnaam zeggen dat ze geluk hebben gehad?'

De lift hield stil en Tony strompelde naar binnen. 'Maar eerst hebben ze geluk gehad. En ik denk dat ze daarom zijn vermoord.'

Het was laat, en tegen de tijd dat ze eindelijk naar het ziekenhuis kon, was Carol de fratsen van het CTC meer dan beu. De nachtverpleegster probeerde iets tegen haar te zeggen toen ze langs kwam rennen, maar ze was niet in de stemming voor een praatje. Ze klopte zachtjes op Tony's deur en maakte hem geruisloos open, want ze wilde hem niet storen als hij sliep. Als hij onder zeil was, zou ze gewoon het stapeltje uitdraaien met informatie over de slachtoffers van de bomaanslag laten liggen en weggaan.

Er scheen een lichtbundeltje op zijn nachtkastje en Carol kon de hand van Tony zien met een pen erin die bovenop een paar papieren lag. Hij was groggy van de medicijnen en van de slaap, zijn hoofd hing op zijn schouders. Maar er lagen nog meer handen op het kastje. Ze zag ook een perfect gemanicuurde hand met bloedrode klauwen die de papieren vasthield en die zijn hand naar de juiste plaats leidde.

'Goedenavond, mevrouw Hill,' zei Carol hard.

Ze probeerde de papieren weg te grissen, maar Carol was haar te vlug af. 'Wat doe je nu, godverdomme?' vroeg Vanessa. 'Je hebt hier niets mee te maken.'

Carol deed het grote licht aan. Tony knipperde verwoed met zijn ogen, toen hij bij kennis kwam. 'Carol?' zei hij. Ze had het te druk met het nauwkeurig bekijken van de papieren die Vanessa hem had willen laten tekenen. Vanessa zelf deed een uitval naar Carol en probeerde krampachtig aan de andere kant van het bed te komen, omdat ze per se de papieren in handen wilde krijgen.

'Ik moet u eraan herinneren dat ik hoofdinspecteur van politie ben, mevrouw Hill,' zei Carol op een toon die ze normaliter reserveerde voor het meer verachtelijke soort misdadiger waar ze mee te maken kreeg. 'Tony? Wat weet je over deze papieren? Die jouw moeder jou net wilde laten tekenen?'

Hij wreef zich in de ogen en probeerde te gaan zitten. 'Ze hebben te maken met de verkoop van mijn grootmoeders huis. Ik bezit de helft van het huis. Ik moet die papieren tekenen en dan kunnen we het verkopen.'

'Je grootmoeders huis?' Carol wilde het voor de zekerheid nog een keer horen voordat ze met haar mededeling zou komen die naar ze vermoedde voor wat opschudding zou zorgen.

'Ja.'

'Hij weet niet wat hij zegt,' protesteerde Vanessa.

'Wel waar,' zei hij. Hij klonk zo dwars als een oververmoeide peuter. 'Je hebt me al de hele tijd dat ik hier lig aan mijn kop zitten zeuren dat ik moest tekenen.'

'En heette jouw grootmoeder Edward Arthur Blythe?' vroeg Carol met een quasionschuldig gezicht, waarmee ze de woede van Vanessa wilde opwekken.

'Hoe durf je,' siste ze tegen Carol.

'Wat?' vroeg Tony. 'Wie is Edward Arthur Blythe?'

Vanessa deed weer een uitval naar Carol en zij weerde haar met een gestrekte arm af zonder een moment wroeging te hebben. Vanessa wankelde achteruit en viel tegen de muur aan. Ze bleef daar even staan met een verslagen gezicht en met haar handen voor haar mond. Toen gleed ze als een dronkaard langs de muur naar beneden en bleef in elkaar gedoken op de vloer zitten. 'Nee,' kreunde ze. 'Nee.'

Carol liep naar het bed toe en zei: 'Iemand die dacht dat hij je vader was.'

MAANDAG

Tony wilde niet aan Edmund Arthur Blythe denken. Hij had de verpleegster om iets sterkers dan normaal gevraagd om in slaap te kunnen vallen, omdat hij niet klaarwakker wilde liggen piekeren over Edmund Arthur Blythe. Tony Blythe. Zo zou hij hebben geheten als Vanessa met hem was getrouwd. Hij vroeg zich af of hij ooit zou weten waarom dat niet was gebeurd. Bij een andere vrouw had hij het misschien wel kunnen raden of hij had het haar kunnen vragen. Maar aan zijn moeder kon hij het niet vragen. En raden was zinloos, want er waren zo veel mogelijkheden. Misschien was hij al met iemand anders getrouwd. Misschien was de schrik hem op het hart geslagen bij de gedachte aan een huwelijk met Vanessa. Misschien had ze hem nooit verteld dat ze zwanger was. Of misschien had ze hem gezegd dat hij op kon rotten, dat ze alleen beter af was. Drieënveertig jaar had Vanessa gezwegen over zijn identiteit en over de bijzonderheden van hun relatie. Hij dacht niet dat ze er opeens behoefte aan zou krijgen om daar in de nabije toekomst verandering in te brengen.

Voordat Carol haar er gisteravond uit had gegooid, had Vanessa beweerd dat ze Tony alleen maar had willen beschermen, dat ze hem de traumatische ontdekking had willen besparen dat zijn vader dood was. 'Ja, het besparen van een paar honderdduizend pond,' had Carol koeltjes naar voren gebracht.

Vanwege de medicijnen had hij enige tijd nodig gehad om volledig te bevatten wat Vanessa hem precies had willen laten tekenen. De papieren hadden niets te maken met het huis van zijn grootmoeder. Er stond in dat hij officieel afstand deed van het recht op de nalatenschap van zijn overleden vader ten gunste van zijn moeder. Een nalatenschap die volgens Carol bestond uit een huis in Worcester, iets meer dan vijftigduizend pond in spaargelden en een boot. 'Ze is een crimineel, Tony,' had Carol gezegd. 'Dat was een poging tot fraude.'

'Ik weet het,' had hij gezegd. 'Maar het is niet belangrijk.'

'Hoe kun je zo begripvol zijn?' vroeg Carol gefrustreerd.

'Omdat ik het begrijp,' was het simpele antwoord van Tony. 'Wat wil je dan dat ik doe? Dat ik mijn moeder ga aanklagen? Nee toch? Kun je je voorstellen hoeveel schade ze ons tweeën kan toebrengen onder het mom van juridische onschendbaarheid?' Carol had al na een paar seconden ingezien dat Tony gelijk had.

'Laten we het dan maar vergeten,' had ze gezegd. 'Maar als ze haar gezicht hier nog eens durft te laten zien, moet je niets tekenen.' En toen ze was weggegaan, had ze voor de zekerheid de papieren maar meegenomen, en had een stapel informatie over de slachtoffers bij hem achtergelaten. Hij was er blij mee geweest. Het leidde hem af van Edmund Arthur Blythe.

En daarom typte hij op maandagmorgen om zeven uur precies zijn verzoek om informatie over B&R in op de website van de Kamer van Koophandel. Hij zat te wachten tot ze hem het zoekresultaat zouden sturen, en begon ondertussen alvast met het doorwerken van de lijst met slachtoffers van Yousef Aziz.

Het was een afgrijselijke opsomming. Acht werknemers van een verzekeringsmaatschappij die de geboorte van een kind vierden; het hoofd van een basisschool met zijn vrouw, als gasten van de managers van het bedrijf die de computers aan de school had gedoneerd; drie musici van een plaatselijke band die net hun eerste cd hadden uitgebracht; een motivatiegoeroe met zijn twee tienerzoons samen met de baas van de mountainbikefabriek die hen had uitgenodigd; drie mannen die al sinds hun jeugd bevriend waren en die hoorden bij een groep succesvolle zakenlieden met een seizoenkaart voor de box waarin ze zaten. De hartverscheurende lijst ging nog verder –

de jongste erop was de zevenjarige zoon van een parlementslid, de oudste een vierenzeventigjarige gepensioneerde autohandelaar.

Op het eerste gezicht was er geen duidelijke moordkandidaat bij. Maar daar stond tegenover dat er nog niet serieus gekeken was naar de achtergronden van de slachtoffers, omdat tot dan toe niemand aan een reëel alternatief voor terrorisme had gedacht. Hij kon niet begrijpen waarom Carol daar niet wat meer enthousiasme voor kon opbrengen. Ze werkten al zo lang samen. Haar eerste instinct zou haar moeten zeggen dat ze hem moest vertrouwen. Maar het leek wel of ze zijn ongeluk als een excuus gebruikte om zijn professionele mening naast zich neer te leggen. Als ze een directe confrontatie met het CTC uit de weg wilde gaan, prima. Wat hij niet kon begrijpen was waarom ze dat niet tegen hem zei, als verklaring voor haar gebrek aan enthousiasme. Al die jaren dat ze hadden samengewerkt, alle intimiteit die automatisch ontstond als ze ideeën op elkaar uitprobeerden, alle steun die ze elkaar hadden geboden. Carol had natuurlijk wel zijn moeder de laan uit gestuurd, maar hoe zat het met hun professionele relatie?

Zijn laptop liet het geluidje horen dat aangaf dat er een nieuwe e-mail binnenkwam. Gretig maakte hij hem open. Daar, netjes op één pagina, stond de bedrijfsinformatie over B&R. De secretaris van het bedrijf was de accountant van wie Stacey het adres al had. De twee directeuren waren Rachel en Benjamin Diamond. Met een adres in Bradfield. Tony verslikte zich bijna en trok toen de gegevens over de slachtoffers naar zich toe.

Gehaast bladerde hij de vellen papier door. Ten slotte haalde hij er een pagina uit. Zijn hart klopte als een razende en hij kon het effect van een flinke adrenalinestoot in zijn hele lichaam voelen. Zijn kortetermijngeheugen had hem niet bedrogen. Wat Carol er ook over dacht, zijn hersens functioneerden nog prima. Hij wist precies waar hij die naam die morgen al eens eerder had gezien. Hij spreidde het papier uit op zijn laptop, en begon gretig te lezen. Dit kon geen toeval zijn. Carol zou nu echt naar hem moeten luisteren.

Carol herkende de HOLMES-ruimte bijna niet meer, het CTC had de plek volledig geconfisqueerd. Hun informatieborden deelden de kamer op in afdelingen, op elk bureau stonden computers en de bijbehorende apparatuur. Het stonk er naar mannenzweet en sigarettenrook. Blijkbaar gold het rookverbod in het gebouw niet voor deze door God uitverkorenen. Toen ze binnenkwam, voelde ze hoe de sfeer subtiel veranderde. Dat was tot nu toe iedere keer zo geweest. Een moment waarop alles stilviel, alsof een stel honden een vreemde ruiken; en dan de stilte voordat de nekharen overeind gaan staan. Ze vonden haar aanwezigheid niet prettig, ze wilden dat ze bang was voor hen en voor hun mannelijkheid. Ze vroeg zich, zoals altijd, af hoeveel van hen haar geschiedenis kenden, wisten over haar verkrachting en wisten dat John Brandon haar van de rand van de afgrond had gered. Ze wist bijna zeker dat ze wel wisten dat ze was aangevallen, maar dat ze niets afwisten van het verraad dat onlosmakelijk verbonden was geweest met wat haar was overkomen. Omdat mannen als zij door dat verraad in een kwaad daglicht werden gesteld.

'Ik kom voor de bijeenkomst,' zei ze tegen de agent die het dichtst bij de deur stond.

Met een stalen gezicht schakelde hij zijn computer uit en liep met haar naar het andere eind van de ruimte, waar David en Johnny bivakkeerden achter het geluid dempende schermen. Voordat ze zelfs maar was gaan zitten, boog David voorover met zijn ellebogen op de knie, en zei: 'We vinden het hier niet zo leuk, Carol. We hebben in jouw mooie stad iedereen aangehouden over wie we inlichtingen hadden. En het ziet ernaar uit dat niemand enige weet heeft van onze vriend Yousef. Aan zijn broer hebben we helemaal niets. Hij heeft evenveel met politiek te maken als een wc-bril. Dat geldt ook voor de zogenaamde vrienden van onze zelfmoordterrorist.' Hij sprong op, begon te ijsberen en haalde ondertussen een pakje sigaretten tevoorschijn.

'Je mag hier niet roken,' zei Carol.

'Wat wou je daaraan doen? Mij arresteren?' vroeg David spottend.

'Ik dacht dat ik misschien wat water over je hoofd zou kunnen gieten.' Carol wees naar de waterkan op de tafel. Haar glimlach had een jutezak van boven naar beneden kunnen doorsnijden. David gooide geërgerd zijn sigaret op tafel. 'Ik heb geen reet zin om ruzie met jou te maken,' zei hij. Het was geen slechte poging zijn gezicht te redden, maar Carol wist dat ze een kleine overwinning had behaald. Ongetwijfeld zou ze er een keer voor moeten boeten, maar op dit moment gaf het een gevoel van voldoening.

'We vroegen ons af of jij nog iets wist wat wij nog niet hadden gehoord,' zei Johnny. 'Niet per se over Yousef, maar over militante islamisten in het algemeen.'

Carol schudde haar hoofd. 'Dat laten we aan jullie over. Alles wat we weten, komt ons toevallig ter ore in de loop van andere zaken. En wij geven dat dan meteen weer door. We houden geen informatie achter die met terroristen te maken heeft.'

'Wat houd je dan wel achter?' zei Johnny. Hij stortte zich onmiddellijk op haar zorgvuldig gekozen woorden. 'Kom op. Carol. We zijn niet dom. We weten dat je soms bij iemand tussen de regels door moet lezen.'

Ze werd gered door de komst van het derde lid van hun kliekje. Degene die niet eens de moeite had genomen om haar zijn schuilnaam te geven. Hij keek vragend in Carols richting.

'Alles oké,' zei David.

'Technische gegevens,' zei de derde man, terwijl hij een map op tafel gooide. 'Over de bom. Ze boften. De opstelling in de kamer heeft ervoor gezorgd dat het mechanisme betrekkelijk intact is gebleven. Helemaal wat je zou verwachten. Behalve één ding. Ze zeggen dat er twee mechanismes waren om de bom tot ontploffing te brengen. Eén die handmatig moest worden ingesteld en een andere die de zaak op afstand activeerde.'

'Wat betekent dat?' vroeg Carol.

David pakte de map en keek vluchtig het papier door dat erin zat. 'Dat weten ze niet. Ze hebben zoiets nog nooit eerder gezien. We zullen het aan de neefjes moeten laten zien. Misschien hebben zij er ervaring mee.'

'Je bedoelt de Amerikanen?' vroeg Carol. David knikte. 'Waarom zeg je dat niet gewoon?' Ze rolde met haar ogen. *Jongens met hun speelgoed*. 'Maar kunnen jullie met al jullie ervaring niet een gokje wagen over de betekenis ervan?'

De derde man liet zich op een stoel vallen, alsof hij die wilde straffen voor een belediging aan zijn adres. 'Nee,' zei hij. 'We doen niet aan gokken. Wij doen aan conclusie en deductie. Ik persoonlijk denk dat hij de handmatige tijdklok wilde gebruiken om er daarna vandoor te gaan. Als dat niet lukte, kon hij zijn mobieltje gebruiken om het mechanisme van een afstand te ontsteken.'

David wierp hem een blik toe die priesters normaliter voor ketters in petto hebben. 'Beweer jij nu dat het volgens jou niet een zelfmoordbom was?'

'Ik bekijk het bewijsmateriaal en probeer daar een conclusie uit te trekken,' zei hij. 'Dat betekent nog niet dat hij geen terrorist is. Die klote-Ieren is het gelukt om flinke herrie te schoppen zonder dat ze zichzelf hebben opgeblazen. Dat is ook niet zo gek. Je doet al die moeite om iemand te trainen om die puinhopen te veroorzaken, dan is het zonde als je ze maar voor één opdracht kunt gebruiken.'

Dat klonk inderdaad niet onlogisch, dacht Carol. 'Vreemd genoeg zaten wij ons iets dergelijks af te vragen,' zei ze.

Alle drie de hoofden werden in één ruk naar haar omgedraaid. 'Wát hebben jullie gedaan?' David klonk verontwaardigd.

'Eigenlijk vroegen we ons af of het überhaupt om terrorisme ging,' zei ze. 'Dr. Hill heeft geopperd dat Yousef een soort huurmoordenaar was.'

De derde man barstte in lachen uit. 'Je bent godverdomme geestig, zeg,' zei hij. 'Prachtig. Ik bedoel, je hebt een huurmoordenaar nodig. Wie bel je dan op? De manager van een kledingfabriek. Ja, waarom ook niet.' Hij sloeg zich op zijn dijbeen. 'En? Wie doet er vijfendertig moorden voor de prijs van een? Zo werken gangsters niet, hoor, schat.' Hij begon weer te lachen. 'Kostelijk.'

'Zo is het wel genoeg,' zei Johnny op zachte toon maar met een gevaarlijke blik in zijn ogen. Hij wendde zich tot Carol. 'Wil je weten hoe het zit? Yousef Aziz was een moslim. Een aanzienlijk deel van de moslims haat ons. Ze willen ons allemaal de lucht in blazen, en dan willen ze de Sharia opleggen aan wat er van ons over is. Ze willen geen vreedzame samenleving, ze willen ons vernietigen. Meer hoef ik toch niet te zeggen? Daarover gaat het hier, Carol, en niet over iets anders.'

'Huurmoordenaar,' herhaalde de derde man. 'Schitterend.'

Carol stond op. 'Het heeft gewoon geen zin om met jullie te praten, hè? Jullie leven in je eigen kleine luchtbel. Als je daar even uit wilt stappen, weet je waar je ons kunt vinden.'

Ze marcheerde met opgeheven hoofd de kamer uit. Toen Tony haar pal voor de bijeenkomst had gebeld, had ze zich afgevraagd of hij aan het malen was. Omdat hij overal spoken zag, ook in de natuurlijke toevalligheden van het leven. Nu wenste ze vurig dat hij gelijk had. Ze zou niets liever willen dan hun een alternatieve, kloppende conclusie door hun arrogante strotten te duwen.

Het probleem was dat ze in de echte wereld leefde, waarin wensen meestal niet uitkwamen.

Tony belde Sanjar Aziz in de hoop dat het CTC tot de conclusie was gekomen dat hij onschadelijk was. Anders zou hij achter de rest van de familie aan moeten gaan om te zien of zij enig licht konden werpen op B&R. Hij wilde Rachel Diamond niet zonder enige voorbeiding onder ogen komen. Ditmaal nam Sanjar zijn eigen telefoon op. 'Ja?' zei hij. Hij klonk alsof hij aan het eind van zijn Latijn was, maar Tony was blij om zijn stem te horen.

'Met Tony Hill, Sanjar. Ik hoorde dat ze je hadden opgepakt. Wat vervelend voor je.'

'Was te verwachten, hè? Ze hebben me in ieder geval op tijd voor Yousefs begrafenis weer vrijgelaten.' Hij klonk verrassend kalm voor iemand die net een nacht in de cel had doorgebracht en daardoor zijn bedroefde familie niet had kunnen ondersteunen.

'Is die dan vandaag?'

'Vanmiddag.' zei hij. 'Het wordt wel een vreemde toestand. Er is kennelijk bijna niets over om te begraven.' Tony kon zijn zware ademhaling horen. Sanjar lachte flauwtjes. 'Ik weet niet hoe we het moeten klaarspelen om hem met zijn hoofd naar Mekka te laten liggen.'

'Het spijt me. Kun je het nog een beetje volhouden?'

'Wat denk je? Mijn moeder is helemaal kapot, mijn vader doet zijn mond niet open en mijn kleine broertje is ontzettend bedroefd, en doodsbenauwd bij de gedachte dat hij terug moet naar school.' Hij zuchtte. 'Sorry, dat was niet eerlijk tegenover jou. Maar waarom belde je?'

'Ik moet je een paar vragen stellen. Die met het werk te maken hebben.'

'Het werk? Bedoel je First Fabrics?'

'Ja. Wat kun je me vertellen over een bedrijf dat B&R heet?'

'B&R? Dat was een briljant idee van Yousef. Hij had bedacht hoe we op een heel andere manier het bedrijf konden runnen.'

'Wat bedoel je?'

'De marges zijn zo verdomde klein geworden, man. Dus we moesten de tussenpersoon zien kwijt te raken om onze winst te verhogen. B&R is een groothandel die rechtstreeks verkoopt aan de detailhandel. Ze doen het financieel heel goed. Voor ons was het gunstig om zaken met hen te kunnen doen.'

'Dit was dus Yousefs idee?' vroeg Tony.

'Nou, het was iets waar we al wel eerder over hadden gepraat, maar hij was degene die het er daadwerkelijk doorgedrukt heeft. Zie je, het probleem als je zonder tussenpersoon werkt is dat hij degene is die jou de opdrachten geeft. Hij zegt wat jij moet maken, daar komt het op neer. Zelfs als het je eigen ontwerp is dat namens jou wordt aangeboden aan een winkel, is hij de man. Als je de tussenpersoon tegen je in het harnas jaagt, belt hij opeens niet meer met bestellingen.'

'Hoe heeft Yousef dat dan allemaal weten te omzeilen?'

'We hebben de productie opgevoerd. Bij B&R verkopen ze alleen maar ontwerpen van ons die exclusief zijn. Dus de tussenpersoon ziet geen enkel verschil. Wij blijven even hard ons best doen voor hem. We rijden hem niet in de wielen, dus hij probeert ons ook niet te neppen. En wij hebben een nieuwe bron van inkomsten.' Sanjar klonk blasé, alsof het hem geen moer interesseerde waar First Fabrics zijn winst vandaan haalde.

'Dus Yousef is gewoon op pad gegaan en heeft dat met B&R geregeld?' vroeg Tony.

'Die indruk wilde hij wel wekken, maar het kwam eigenlijk meer door een toeval tot stand. Yousef was langs geweest bij Demis Youkalis, een van onze tussenpersonen. Voor alle duidelijkheid, gasten als Demis behandelen ons soort mensen als stomme zakken die op deze planeet zijn gezet om zijn dag te verpesten. Alleen omdat de Cyprioten vijf minuten eerder dan wij uit het vliegtuig zijn gestapt. Hoe dan ook, Demis was er niet. Hij was daar al zo lang niet geweest dat hij een eerdere afspraak had gemist en die was met die kerel van B&R.'

'Was dat Benjamin Diamond?'

'Geen idee, man. Yousef zei alleen maar "die kerel van B&R". Ze raakten in gesprek en die kerel van B&R zei dat hij onze spullen mooi vond. En hoe jammer het was dat we allebei de zak van Demis zaten te spekken terwijl hij er in wezen geen reet voor hoeft te doen. Dus ze kletsen nog wat door, gaan dan naar een broodjeszaak en proberen een andere manier van zaken doen te bedenken. En zo zijn we in deze situatie terechtgekomen, we doen direct zaken met B&R.'

'Wie was Yousefs contactpersoon bij B&R?'

'Geen idee. Hij had regelmatig afspraken met ze, nam nieuwe ontwerpen met ze door en nieuwe productlijnen, maar dat was zijn taak. Ik weet niet met wie hij daar contact had. We gingen bepaald niet vriendschappelijk met ze om, begrijp je?'

'Nee,' zei Tony. Het was een leugen, maar hij wilde horen wat Sanjar nog meer over B&R wist 'Wat bedoel je?"

'Het zijn joden, man. Dat is geen probleem als het om zaken doen gaat, hun geld is even goed als dat van een ander. Maar we worden geen vrienden, snap je?'

'Ik begrijp het,' zei Tony. Hij keek op zijn horloge. Over tien minuten zou Paula beneden op hem staan te wachten. 'Je weet toch wel dat Benjamin Diamond bij de bomaanslag van zaterdag om het leven is gekomen?'

Een lange stilte. 'Ga weg,' zei Sanjar uiteindelijk.'

'Ik vrees van wel. Weet je zeker dat Yousef nooit zijn naam heeft genoemd?'

'Nee, hij zei altijd alleen maar "die kerel van B&R. Ik weet vrij zeker dat hij nooit een naam heeft genoemd. Dus misschien was het niet die meneer Diamond met wie hij zaken deed?'

'Dat is mogelijk. Het leek gewoon een vreemd toeval,' zei Tony op verzoenende toon.

'Dat soort ellende gebeurt gewoon. Toeval kom je overal tegen, toch?

'We geloven daar in ons beroep niet zo in. Ik moet nu weg, Sanjar. Ik hoop dat jullie je broer op een waardige manier kunnen begraven.'

'We proberen de plaats geheim te houden,' zei hij somber. 'Als we één ding niet willen, is dat er nog meer rotzooi van komt.'

'Succes.' Hij beëindigde het gesprek en liet zich op zijn krukken van het bed af zakken. Hij had die morgen een zeer onaangename ontmoeting met mevrouw Chakrabarti gehad. De verpleegsters hadden gemeld dat hij een paar keer buiten het ziekenhuis was geweest en ze hadden ook geklikt over de confrontatie tussen Carol en zijn moeder. De chirurg was niet erg blij geweest.

'U werkt in een ziekenhuis, dr. Hill,' had ze op strenge toon gezegd. 'U zou moeten begrijpen dat patiënten de beste kans op herstel hebben als ze ook echt de richtlijnen volgen van degenen die de zorg voor hen hebben. Ik dacht erover u vandaag of morgen te ontslaan, maar eerlijk gezegd ben ik bang dat u een terugslag krijgt als ik naar uw gedrag kijk.' Toen had ze hem olijk toegelachen. 'Ik wil niet dat u voor het einde van de week al gaat voetballen.'

Ze had hem gezegd dat hij niet meer weg mocht gaan. Maar hij had geen keus. Iemand moest deze nieuwe aanwijzingen natrekken en toen hij Carol belde, had ze hem te verstaan gegeven dat het niet hoog op haar prioriteitenlijstje stond.

'Dan ga ik zelf wel,' had hij haar gezegd.

'Ik denk niet dat dat een van je betere ideeën is,' zei Carol.

'Wat? Denk je dat ik iets ga zeggen wat niet mag?"

'Nee, ik denk dat je over je krukken gaat struikelen, en die arme, bedroefde vrouw moet je dan van de vloer oprapen. Ik stuur Paula wel. Dan kan zij je chaperonneren.'

'Ik wed dat ze dat echt geweldig zal vinden.'

En zo was afgesproken dat Paula hem zou oppikken voor de polikliniek. Hij wilde niet langs de zusterpost, dus besloot hij om de brandtrap vlak bij zijn kamer te nemen.

Het eerste stuk trap deed hem bijna de das om. Hij baadde in het zweet, zijn goede been deed pijn en zijn kapotte knie voelde aan alsof hij in brand stond. Hij strompelde naar de lift toe en daarna wist hij onopgemerkt de plek te bereiken waar ze hadden afgesproken. Paula leunde op haar auto, die geparkeerd stond op de plaats die voor ambulances was gereserveerd.

'Je ziet eruit alsof je een halve marathon achter de rug hebt,' zei ze. Ze trok misprijzend haar neus op.

'Dat komt door de trainingsbroek. Dat is het enige wat ik over die beugel krijg.' Paula schudde geamuseerd haar hoofd en deed het portier open. Hij liet zich achterover op de stoel vallen, en zwaaide vervolgens zijn benen de auto in. 'Maar goed dat Carol Kevin niet heeft gestuurd met zijn Ferrari,' hijgde hij, terwijl hij probeerde zo gemakkelijk mogelijk te gaan zitten.

'We hadden er een kraanwagen bij moeten halen om je daarin te krijgen,' zei Paula, en ze ging achter het stuur zitten.

'Inderdaad. Waar ben jij trouwens mee bezig geweest?'

Ze praatte hem bij over haar onderzoek naar Jack Anderson en zijn schuilnamen. 'Hij klinkt wel als een rare snuiter,' voegde ze eraan toe. 'Blijkbaar had hij, toen hij nog op school zat, een lijst van doelstellingen. Zoals die lijst van Michael Heseltine waarop stond dat hij eerste minister wilde worden.'

Tot dat moment had Paula nog niets gezegd wat Tony's nieuwsgierigheid had geprikkeld. Maar dit was andere koek. 'Weten we wat er op zijn lijst stond?'

'Volgens Steve Mottishead waren het dingen als: een Ferrari bezitten, een huis in Dunelm Drive en op zijn dertigste een miljoen hebben. Niet het soort dingen waar de meeste mensen naar streven.'

Haar woorden veroorzaakten een kettingreactie in Tony's hersens. Hij staarde Paula vol ontzetting aan. 'Paula, Tom Cross woonde op Dunelm Drive. Danny Wade heeft de loterij gewonnen; hij was miljonair op zijn dertigste. Hij vermoordt mensen die op zijn school hebben gezeten, die zijn doelstellingen hebben bereikt.'

Paula haalde van verbazing haar voet van het gaspedaal. Tony gilde het uit van de pijn, toen de versnelling met een schok protesteerde. 'Dat is krankzinnig,' zei ze. 'Zelfs voor jou is dit nogal vergezocht. Beweer je nu dat hij mensen vermoordt uit jaloezie? Omdat zij iets hebben wat hij zelf wilde hebben?'

Tony's handen maakten verwarde bewegingen in de lucht. 'Dat is het niet helemaal... Het heeft ook te maken met dromen die hem zijn afgepakt. Dat doet hij nu met hun levens. Maar het komt er wel op neer, ja. Zijn lijst met doelstellingen is ook zijn moordlijst. Ik wed dat "spelen voor Bradfield Victoria" op die lijst stond. In ieder geval iets als "spelen in de Premier League".'

'Denk je echt dat het zo in elkaar zit?' Paula klonk sceptisch.

'Het klinkt logisch.'

'Dit is jouw idee van logisch?'

'Paula, in de wereld waarin ik werk is dit niet alleen logisch, het is hemelse logica.' Hij zweeg en stak een vinger op om haar tot stilte te manen toen ze iets wilde zeggen. Hij wreef met duim en vinger over zijn oogleden en draaide zich toen om op zijn stoel om haar aan te kunnen kijken. 'Kevin heeft op Harriestown High gezeten,' zei hij langzaam.

'Kevin? Je denkt toch niet...'

'Hij rijdt in een Ferrari. Hij is in Bradfield geboren en getogen.' Tony was al bezig om met veel moeite zijn mobieltje uit de zak van zijn waxcoat tevoorschijn te halen.

'Wat doe je?' vroeg Paula.

'Ik waarschuw hem.' Hij had het mobieltje eindelijk te pakken en zijn wijsvinger ging al in de richting van de toetsen.

'Dat kun je toch niet zomaar doen. Je hebt geen bewijs,' protesteerde Paula.

'Ik heb ongeveer evenveel als ik meestal heb als ik een profielschets maak,' zei Tony. 'En daarmee gaan jullie meestal maar al te graag tot actie over.'

Paula beet op haar lip. 'Moet je niet eerst met de chef praten? Kijken of zij vindt dat er iets in zit?'

'Paula, ik vraag niet aan Kevin of hij iets operationeels wil doen. Hoe zou jij je voelen als ik niets zei en...' Zijn stem stierf weg. Hij wist precies hoe ze zich zou voelen. Hij had vaak genoeg naar haar geluisterd om het antwoord te weten.

'Bel hem,' snauwde ze. 'Je hebt gelijk, godverdomme. Je bent bij deze zaak de enige geweest die er iets van gesnapt heeft. Schiet op.'

Tony toetste het nummer in en wachtte. Hij ging niet over, maar er werd meteen doorgeschakeld naar de voicemail. 'Shit, zijn telefoon staat niet aan... Kevin, met Tony. Dit zal je idioot in de oren klinken en ik leg het je later wel uit. Je moet niets eten of drinken waar mee geknoeid zou kunnen zijn. Dingen in blik en flessen en vacuüm verpakt zijn prima, zolang ze maar niet zijn opengemaakt. Of als je met verse ingrediënten kookt, waarschijnlijk. Ik denk namelijk dat er een kans is dat jij de volgende op de lijst van de gifmenger bent. Ik kan er nu niet verder op ingaan, Paula en ik gaan nu met iemand praten over zaterdag. Maar...' Hij hoorde het piepje in zijn oor dat zijn tijd om was. 'Voicemail,' zei hij. 'Ik hoop dat hij het te horen krijgt.'

Paula draaide een oprit op. Het huis moest zeker een paar miljoen gekost hebben, als je bekeek waar het lag, hoeveel grond erbij zat en hoe groot het was. Het was een prachtig geproportioneerd landhuis in zachtgetinte victoriaanse baksteen. Lange borders met overblijvende planten flankeerden de oprit. Waterpartijen flonkerden op enige afstand. Alles riekte naar overvloed en goede smaak.

Paula floot. 'Dan vraag je je toch af waarom de winkels vol liggen met al die prullerige kleren. Benjamin Diamond heeft vast al zijn goede smaak in zijn huis gestoken.'

'Het is het beste van het beste,' zei Tony. 'Maar ik denk dat het voor zijn weduwe op dit moment niet veel uitmaakt.'

Paula keek een beetje beteuterd. Ze stopte bij een rij garages die kennelijk vroeger gefungeerd hadden als stallen. 'Heb je hulp nodig?' vroeg ze.

'Je kunt me beter zelf laten modderen,' zei Tony en dat deed hij dus. Alles deed vandaag pijn. Mevrouw Chakrabarti had gelijk. Hij lag niet voor de lol in het ziekenhuis. Helaas hielden moordenaars daar nooit zoveel rekening mee.

Rachel Diamond deed open en stelde zich voor, voordat Paula gelegenheid had om iets te zeggen. Ze droeg een antracietgrijze zijden blouse in een zwarte rok, die tijdens het lopen om haar heen zwierde. Tony had niet veel verstand van kleding, maar hij was er vrij zeker van dat de rouwkledij van Rachel niet uit een van de goedkope warenhuizen kwam waar B&R aan leverde. Ze ging hen voor naar een grote zitkamer met in een hoek een diepe, achthoekige erker die uitkeek op struiken en bomen. In een opening tussen het gebladerte, zag je een stukje turquoise van een zwembad. De kamer zelf was ingericht in een afgezwakte eigentijdse versie van een victoriaanse huiselijke stijl. Er waren hier en daar slijtageplekken te zien, een bewijs dat er in deze kamer geleefd werd. Een stuk of zes levendige warme schilderijen van woestijnlandschappen zorgden voor de kleur.

Rachel begon Tony wat te betuttelen. Ze kwam aanzetten met een paar krukjes en verscheidene kussens zodat hij zo comfortabel mogelijk kon zitten. Ze knielde aan zijn voeten en zat met spullen te schuiven en te duwen tot hij goed zat. Haar donkere haren waren dik en glanzend, maar hij kon een paar minuscule stukjes zilvergrijs zien bij de wortels. Toen keek ze op en had hij voor de eerste keer de gelegenheid om haar goed te bekijken, omdat hij zich niet meer om been en krukken hoefde te bekommeren.

Ze had een mooie huid, roomachtig en een beetje olijfbruin. Hij wist dat ze vierendertig was, maar als hij dat niet had geweten had hij haar op achter in de twintig geschat. Haar mooi gevormde wenkbrauwen volgden volmaakt de hoge boog van haar oogkassen. Ze vestigden de aandacht op amandelvormige lichtbruine roodomrande ogen met een waaier van kleine rimpeltjes in de ooghoeken. Mollige wangen, een neus als de omgekeerde voorsteven van een schip, een mond met smalle lippen en aan weerszijden een paar vouwen die de indruk gaven dat ze veel glimlachte. Ze was eerder opvallend dan mooi, maar ze zag er strijdlustig en intelligent uit en haar gezicht getuigde van gevoel voor humor. 'Hoe voelt dat?' vroeg ze.

'Ik heb in een week niet zo lekker gezeten,' zei Tony. 'Dank u wel.'

Rachel kwam overeind en ging met haar benen onder zich gevouwen in een met chintz beklede leunstoel zitten waar ze helemaal in wegzakte. Paula zat wat terzijde, ze had er geen bezwaar tegen dat ze er als een meubelstuk bij zat totdat er een bijdrage van haar werd verlangd.

Nu ze zich niet meer met iets praktisch kon bezighouden, zag Rachel er triest en verloren uit. Ze vouwde haar armen voor haar borst alsof ze zichzelf omhelsde. Het was warm in de kamer, maar desondanks huiverde ze. 'Het is me niet helemaal duidelijk waarom jullie met me willen praten,' zei ze. 'Dat ligt waarschijnlijk aan mij. Op het moment komt alles een beetje onwerkelijk op me over.'

'Dat is ook heel logisch,' zei Tony vriendelijk. 'En het spijt me dat we ons aan u opdringen op een moment dat u absoluut geen behoefte heeft aan vreemden in uw huis.'

Rachel ontspande zich wat, ze liet haar schouders zakken en hield haar armen wat minder krampachtig. 'Het vult wat van de tijd,' zei ze. 'Daar heeft niemand het over, hè? Ze hebben het allemaal over het verdriet en de tranen en de wanhoop, maar ze hebben het niet over de lege uren en dat alles veel langer lijkt te duren.' Ze liet een verbitterd lachje horen. 'Ik heb er zelfs aan gedacht om naar kantoor te gaan, gewoon om iets te doen te hebben. Maar Lev is thuis van school. Ik moet er voor hem zijn.' Ze zuchtte. 'Lev is mijn zoontje. Hij is pas zes. Hij weet nog niet wat dood zijn betekent. Hij snapt niet dat het nooit meer ophoudt. Hij denkt dat papa zoiets gaat doen als Aslan, de leeuw uit de boeken van C.S. Lewis, die weer tot leven komt, en dat alles dan weer is als vroeger.'

Haar verdriet was bijna tastbaar. Het leek in golven van haar af te komen, vulde de kamer en kabbelde om hem heen. 'Ik heb een paar vragen voor u,' zei hij.

Rachel drukte als in een gebed haar handen tegen elkaar aan, met haar ellebogen op de stoelleuning, en haar wang tegen de rug van een hand. 'Vraagt u maar wat u wilt. Maar ik zie niet in hoe het u bij uw werk kan helpen.'

Er was geen tactische manier waarop ze de cruciale vraag kon stellen. 'Mevrouw Diamond, kende u Yousef Aziz?'

Ze keek verschrikt, alsof het een naam was die ze nooit in dit huis verwachtte te horen. 'De bommenmaker?' Ze kokhalsde alsof ze moest overgeven.

'Ja,' zei Tony.

'Hoe zou ik een fundamentalistische islamitische zelfmoordterrorist kennen?' Ieder woord kwam uit haar mond alsof het haar enorme moeite kostte. 'Wij zijn joods. We gaan naar de synagoge, niet naar de moskee.' Ze ging verkrampt rechtop zitten, haar handen gebaarden met onregelmatige spastische bewegingen.

'Het kledingbedrijf van zijn familie deed zaken met B&R,' zei Paula op een toon die even vriendelijk was als die van Tony. 'U bent een van de directeuren van B&R, mevrouw Diamond.'

Ze keek opgejaagd, als een in het nauw gedreven dier. 'Ik werk op kantoor. Benjamin, die deed al het... Hij was degene die met de ... Ik heb die naam nooit gehoord voordat hij mijn man opblies.'

'Is er iemand anders op het werk tegen wie hij die naam kan hebben genoemd?' vroeg Paula.

'Wij waren de enigen. Het is geen arbeidsintensief bedrijf. We deden het samen. Geen secretaresses, geen verkoopafdeling.' Ze glimlachte triest en weemoedig.

'Weet u dat zeker? Het heeft in alle kranten gestaan, Rachel,' zei Tony. 'Zijn naam. Het familiebedrijf, First Fabrics. Zegt u dat niets?'

Rachel zat heen en weer te schommelen in haar stoel, haar ogen schoten onrustig van de een naar de ander. 'Ik herken de naam. Die kom ik tegen op de rekeningen van B&R. Maar ik heb de kranten niet gelezen. Waarom zou ik hierover willen lezen? Waarom zou ik willen lezen over hoe mijn man is gestorven? Denkt u dat ik de kranten heb zitten uitpluizen'

'Natuurlijk niet,' zei Tony op geruststellende toon. 'Maar u zou het hebben kunnen zien. B&R heeft namelijk rechtstreeks met First Fabrics zaken gedaan. Zonder tussenpersoon. Dus ik denk dat Benjamin Yousef Aziz moet hebben gekend. Ze moeten met elkaar hebben gebeld. Ze moeten elkaar hebben ontmoet. Het is zeer ongebruikelijk dat er een relatie is tussen een terrorist en zijn slachtoffers.'

'Relatie?' Rachel deed net alsof ze dat woord nog nooit eerder had gehoord. 'Wat bedoelt u met "relatie"? Wat wilt u daarmee zeggen over mijn man?'

'Niets, buiten het feit dat ze elkaar kenden,' zei Tony haastig. Dit liep niet goed. 'Ziet u, over het algemeen is het zo dat een terrorist zijn opdracht kan uitvoeren onder meer omdat hij zijn slachtoffers kan depersonaliseren. Het zijn geen echte mensen, het is de vijand, ze zijn verdorven of zoiets. Als ze een persoonlijke band hebben met de potentiële slachtoffers, wordt het veel moeilijker voor hen om hun doel te verwezenlijken. Daarom zou ik graag willen weten hoe goed Benjamin zijn moordenaar kende.' Hij spreidde in een smekend gebaar zijn handen uit. 'Dat is alles, Rachel.'

'Hoe weet u nu of die... die... die terrorist enig idee had dat Benjamin daar zou zijn? Waarom zou hij van tevoren nagaan welke personen hij ging vermoorden? Hij wilde alleen maar zijn walgelijke doel bereiken.' Ze slaakte een diepe, beverige zucht. 'Dit is gewoon een afgrijselijk toeval.'

Misschien had ze wel gelijk, dacht Tony. Soms is een sigaar gewoon een sigaar. Of dat zou het zijn als Aziz geen speciaal doelwit op het oog had gehad. Maar hij bleef zich vastklampen aan zijn theorie, hij was niet gauw bereid om toe te geven dat hij ongelijk had als het aankwam op het begrijpen van menselijke gedragspatronen. 'Het is mogelijk,' zei hij.

Ze huiverde weer, en sloeg de handen voor haar gezicht. Toen wierp ze hem een zielige blik toe. 'We hebben ze geld betaald. We hebben hun... In ons pakhuis hebben we dingen liggen waar zij met hun handen aan hebben gezeten. Ik walg ervan. Wat zijn dat voor mensen die ons dit aandoen?'

'Het spijt me,' zei Tony. 'Het spijt me verschrikkelijk. Maar ik moet zekerheid hebben. Heeft uw man nooit gepraat over de persoon met wie hij zaken deed bij First Fabrics? Heeft hij nooit over zijn afspraken met hem gepraat?'

'Als u in zijn agenda wilt kijken, ga uw gang. Die ligt op kantoor. Maar ik weet niet meer dan dit. Benjamin had een afspraak met een Griekse Cyprioot van wie we spullen kopen, maar die man was verlaat. Tijdens het wachten kwam hij iemand tegen van een bedrijf waarvan we al eerder via een tussenpersoon spullen hadden gekocht. We vonden hun werk goed, van een goede kwaliteit, en ze waren betrouwbaar. Dat kun je over een heleboel van die lui niet zeggen.' Het was een terloopse opmerking waar de verbittering vanaf droop. 'Benjamin vertelde me dat ze aan de praat raakten en dat ze uiteindelijk een deal hebben gesloten over een stel exclusieve ontwerpen die First Fabrics in eigen beheer had geproduceerd. Het was een regeling waar we allebei profijt van hadden. En dat bleek ook wel.'

'Er was geen sprake van dat jullie je aan de afspraak wilden onttrekken? Geen rancune om de een of andere reden?' Paula kwam tussenbeide met de geijkte vraag.

Rachel duwde haar haren uit haar gezicht. Ze zag er opeens vermoeid uit. 'Absoluut niet, nee. Het was zelfs zo dat we nog wel meer zaken met hen wilden doen. Vanwege de manier waarop we het hadden geregeld, was de winstmarge voor ons groter. Nee, rechercheur, vanuit het bedrijf was er geen enkele reden waarom deze persoon Benjamin iets aan zou willen doen. Zoals ik al eerder zei, het kan alleen maar een afschuwelijk toeval zijn.'

Voordat ze de druk nog wat konden opvoeren, ging de deur open en kwam er een kleine jongen binnen. Hij wiebelde van de ene voet op de andere en friemelde wat aan de franje van een kleedje. 'Mam, je moet me met mijn lego komen helpen,' zei hij, zonder een blik te werpen op de vreemden in zijn huis.

'Zo meteen, schat.' Ze wendde zich weer tot Tony. 'Dit is Lev, onze zoon.' Ze stond op. 'Ik denk dat we klaar zijn. Ik kan u echt nergens meer mee helpen. Ik zal u uitlaten.'

Ze liepen achter haar aan naar de deur. Tony had moeite om de anderen bij te houden. Lev liep met hen mee. 'Ken je mijn papa?' vroeg hij opeens aan Tony.

'Nee,' zei hij. 'Lijk je op hem?'

Lev keek hem nieuwsgierig aan. 'Als ik groot ben,' zei hij. 'Maar ik ben nog te klein. Ik lijk nu alleen nog maar op mezelf.'

'En je bent een hele knappe jongen,' zei Tony.

'Wat heb je met je been gedaan? Heeft iemand jou ook opgeblazen? Iemand heeft mijn papa opgeblazen.'

'Nee, niemand heeft mij opgeblazen,' zei Tony. 'Een man heeft me een klap met een bijl gegeven.'

'Wow,' zei Lev. 'Dat is gaaf. Deed het pijn?'

'Het doet nog steeds pijn.' Hij had Paula en Rachel bijna ingehaald. 'Maar het gaat al beter.'

Lev greep zijn hand vast. 'Ga je nu die man doodmaken die jou die klap met die bijl heeft gegeven?'

Tony schudde zijn hoofd. 'Nee. Ik ga heel erg mijn best doen dat hij het niet nog een keer doet. Ik ben een soort dokter, Lev. Ik probeer ervoor te zorgen dat de mensen zich vanbinnen beter voelen. Als je je vanbinnen slecht voelt, dan zijn er mensen als ik met wie je kunt praten. Wees niet bang om dat te vragen. Je moeder zal je wel helpen om de juiste persoon te vinden, of niet, Rachel?'

Rachel slikte hevig, met tranen in haar ogen. 'Natuurlijk zal ik dat. Zeg nu maar gedag, Lev.'

Op de een of andere manier wisten ze weg te komen zonder dat er iemand helemaal instortte. 'Shit,' zei Paula toen ze terug naar de auto liepen. 'Dat was helemaal niet leuk. En het heeft ook niets opgeleverd. Ze heeft ergens wel gelijk, weet je. Hoe zou Aziz nu kunnen weten dat Diamond zich op precies dat deel van de tribune bevond? En ook al wist hij dat wel, is er geen enkel motief, als we mevrouw Diamond moeten geloven.'

'Zo ziet het eruit, ja.' zei Tony. 'En ik kan er best volkomen naast zitten.' Hij sleepte zich nog een paar stappen verder naar de auto toe. 'Aan de andere kant kan ik ook gewoon gelijk hebben. En ik had gedacht dat jullie dat met z'n allen heel graag hadden gezien.'

'Hoezo?' Paula bleef staan en wachtte op hem.

'Omdat als ik gelijk heb, het CTC met de staart tussen de benen zal moeten afdruipen.'

Paula grijnsde met tintelende ogen. 'Als je het zo stelt... Laten we eens kijken of we toch geen bewijzen kunnen vinden, dr. Hill.'

Kevin glimlachte tegen de telefoon. 'Dat klopt. Aziz. Yousef Aziz. De huur zou waarschijnlijk begin deze week ingaan... Ja, Ik blijf aan de lijn.' Hij zat met zijn pen te spelen, probeerde hem met zijn vingers van de ene naar de andere kant van zijn hand te krijgen zonder hem te laten vallen. De stem aan de lijn zei weer wat. 'Oké, prima, bedankt dat u het geprobeerd hebt.' Hij streepte weer een naam op de lijst door en maakte zich op om het volgende verhuurbedrijf van vakantiehuisjes in het noorden van Ontario te bellen. Van de websites die Yousef Aziz had bezocht, had hij er nu acht van de zeventien kunnen bereiken. Geen ervan had een huis aan Aziz verhuurd. Geen ervan kon zich herinneren met hem gesproken te hebben of een e-mail van hem ontvangen te hebben.

Net toen hij het volgende nummer wilde kiezen, bleef Carol bij zijn bureau staan. Ze hield hem een doos met gebakjes voor. 'Alsjeblieft, Kevin, tast toe. Ik dacht dat we allemaal wel wat extra suiker konden gebruiken om de middag door te komen.'

Hij keek met een vragende blik naar de gebakjes. 'Mag ik vragen waar je ze hebt gekocht?' vroeg hij.

'Bij de bakkerij in het winkelcentrum,' zei Carol. 'Bij wie we meestal onze gebakjes halen. Hoezo?'

Kevin keek gegeneerd. 'Het is alleen dat... Nou ja, Tony heeft me op de voicemail gezegd dat ik niets moest eten waarmee geknoeid zou kunnen zijn.'

'Hij heeft wat?' vroeg Carol stomverbaasd. In haar stem klonk ook iets van woede door. 'Heeft hij er een reden bij gezegd?'

Kevin schudde zijn hoofd. 'Hij zei dat hij me dat later wel zou uitleggen. Maar ik heb sindsdien niets meer van hem gehoord.'

'Ik heb Paula met hem eropuit gestuurd. Heb je haar gezien?'

'Ze zei dat ze vanmiddag de straat op zou gaan om in Temple Fields foto's van Jack Anderson aan deze en gene te laten zien, kijken of ze nog een aanwijzing kon krijgen. Ik heb haar niet meer gesproken sinds ze vanmorgen is vertrokken.'

Carol haalde diep adem. Hij zag hoe ze zich in moest houden. 'En waar ben jij mee bezig?'

'Ik ben die huisjes aan het natrekken waar Aziz op zijn computer naar heeft gekeken.'

'Oké, blijf dat maar doen.' Carol liep terug naar haar eigen kantoor en deed de deur achter zich dicht. Ze belde Paula op haar mobieltje. Toen ze verbinding kreeg, zei ze: 'Paula, was jij bij Tony toen hij vanmorgen Kevin heeft gebeld?'

'Ja, inderdaad.' Paula klonk op haar hoede.

'Kun je me vertellen waarom hij het in zijn hoofd heeft gehaald om een van mijn mensen te waarschuwen tegen vergiftiging, zonder mij daarvan in kennis te stellen?'

Het was even stil en toen zei Paula: 'Hij wist dat je een afspraak had en hij vond dat het niet kon wachten.'

'En waarom denkt hij dat iemand Kevin zou willen vergiftigen?'

'Het korte antwoord is: omdat Kevin op Harriestown High heeft gezeten en omdat hij in een Ferrari rijdt.'

Carol wreef zacht over haar gesloten oogleden en deed een schietgebedje in de hoop dat de hoofdpijn die net was opgekomen weer even snel zou verdwijnen. 'En maakt het lange antwoord de zaak een beetje duidelijker?' vroeg ze.

'Toen ik gisteren met Steve Mottishead praatte, zei hij dat Anderson een lijst met doelstellingen had gemaakt toen hij nog op school zat. Zoals Michael Heseltine die premier wilde worden.'

'Ga verder.'

'Hij kon zich nog een paar dingen van die lijst herinneren. Een huis hebben in Dunelm Drive. Op je dertigste een miljoen hebben. Een Ferrari hebben. Toen ik Tony over de lijst vertelde dacht hij dat de slachtoffers dat gemeen hadden, naast het feit dat ze alle drie oud-leerlingen waren van Harriestown High. En toen herinnerde hij zich Kevins auto. Dus heeft hij gebeld.'

'En jij vond dat niet een beetje plotseling? Een beetje overhaast?'

Een lange stilte. 'We dachten allebei dat voorkomen beter was dan genezen, chef.'

De naam van Don Merrick hing in de stilte tussen hen in. 'Bedankt, Paula. Ik spreek Tony nog wel. Weet je toevallig waar hij is?'

'Ik heb hem weer bij het ziekenhuis afgezet. Hij was doodop.'

'Is er nog iets bij mevrouw Diamond uit de bus gekomen?' vroeg Carol.

'Niet iets waar we wat mee opschieten. Ze hamerde erop dat Aziz niet had kunnen weten dat haar man bij de wedstrijd was en dat het dus toeval was.'

'Dat hoeft niet. Voor zover ik heb begrepen was dat een box voor seizoenkaarthouders die al jaren door dezelfde groep mannen werd gehuurd. Benjamin Diamond kan het er best een keertje terloops over hebben gehad tijdens een van hun afspraken. Van wat ik weet van mannen en voetbal is dat heel goed mogelijk. Ik denk dat we met de secretaresse van Diamond moeten gaan praten.'

'Die heeft hij niet. Volgens Rachel hebben ze de hele zaak met z'n tweeën gerund. Zij deed het merendeel van de administratie en hij onderhield de contacten met de klanten.'

'Oké. Succes met je fototocht. Ik spreek je nog wel.' Ze legde de telefoon neer en drukte haar vuisten tegen haar slapen. Wat voerde hij in zijn schild? Ze was eraan gewend dat Tony's gedachten af en toe onverwachte kanten op gingen, maar hij sprak die dingen meestal eerst met haar door. Na zijn recente confrontatie met een moordenaar dacht ze dat hij nu zijn lesje wel had geleerd. Dat hij eerst moest nadenken en dan pas handelen. Kennelijk had ze zich vergist. Ze pakte de telefoon en maakte zich op voor het gebruikelijke gecompliceerde gesprek. Waarom kon haar leven nu nooit eens simpel zijn?

Ze had het over zichzelf afgeroepen, want haar wens werd ingewilligd. Geen kribbig gesprek met Tony. Zijn mobiel stond niet aan en hij nam de telefoon in zijn ziekenhuiskamer niet op. Wat een klootzak. Wat een rotvent. Wat een verdomde rotvent.

De rotvent in kwestie was uit een diepe slaap gewekt door de telefoon naast zijn bed. Het kon Tony niet schelen wie het was, hij had nog geen zin om te praten. Dat was een van de weinige geneugten van een verblijf in een ziekenhuis met een kapotte knie. In het normale leven moest hij zijn telefoon beantwoorden. Hij had patiënten die soms dringende behoeften hadden. Hij had afspraken met verscheidene politiekorpsen in heel Europa die ook met dringende vragen konden zitten. Maar voorlopig stond hij officieel op non-actief en mocht hij de telefoon negeren. Iemand anders kon de verantwoordelijkheid wel op zich nemen.

Behalve natuurlijk dat hij wel verbonden was met Carol en haar team. Verbonden op een manier die het contractuele ver te boven ging. Hij had waarschijnlijk de telefoon wel moeten opnemen. Maar de ontmoeting met Rachel Diamond had hem volledig uitgeput. Hij was teruggekomen, had zijn medicijnen ingenomen, zijn lunch gegeten en was onmiddellijk daarna in een diepe slaap gevallen. En nu was hij wakker en had hij het gevoel dat hij geen verstandig woord meer kon uitbrengen. Niet een geschikt moment om met de politie te praten als je hen wilde overtuigen dat je gelijk had over iets.

Hij hoopte dat Kevin hem serieus had genomen. Wat Paula hem

had verteld over de herinneringen van Steve Mottishead was het griezeligste wat hij tot nu toe over Stalky de gifmenger had gehoord. Dat Harriestown High een schakel vormde stond voor hem al volledig vast. Maar de lijst van Jack Anderson die zo'n opvallende overeenkomst vertoonde met twee van de kennelijk lukraak uitgekozen slachtoffers, had de voelsprieten van Tony laten trillen. Iemand die met serieuze bedoelingen een dergelijke lijst op kon stellen was meedogenloos. En dan kon je ook voorspellen dat een dergelijke persoon zijn doelen zou nastreven zonder aanziens des persoons. Maar als zo iemand geen empathie kende, als hij neigingen van een sociopaat of psychopaat had, dan was het volkomen onvoorspelbaar hoe hij reageerde als die doelstellingen niet werden gehaald.

Hij herinnerde zich een patiënte die hem trots had verteld hoe ze expres het huwelijk van haar zakenpartner had kapotgemaakt. Niet om een seksuele of emotionele reden, maar omdat de vrouw van haar partner zich niet zo enthousiast over het bedrijf had getoond. 'Ik moest het doen,' had zijn patiënte hem uiterst zakelijk meegedeeld. 'Zolang hij getrouwd bleef met Maria, zou hij zich nooit volledig aan de zaak kunnen wijden. En die toewijding had ik wel van hem nodig. Dus moest ze weg.' Als Jack Anderson beroofd was van zijn dromen, wat zou hij dan een reactie vinden die hij tegenover zichzelf kon rechtvaardigen?

Hij had blijkbaar voor moord gekozen. Zijn slachtoffers waren mannen die dezelfde achtergrond hadden als hij. Ze hadden op dezelfde school gezeten. In theorie hadden ze dezelfde kansen gehad als hij. En zij hadden aangetoond dat zijn dromen nog niet zo gek waren, omdat zij ieder voor zich een van zijn doelstellingen hadden bereikt. Maar toen had Anderson om de een of andere reden besloten dat hij zijn ambities niet waar zou kunnen maken. Sommige mensen zouden zich daarmee hebben verzoend, zouden hebben erkend dat hun puberale dromen niet meer dan luchtkastelen waren geweest. Anderen zouden verbitterd zijn geworden, aan de drank zijn gegaan, hun frustraties hebben afgereageerd op manieren die voornamelijk slecht voor henzelf waren. Jack Anderson had besloten om degenen die wel iets gepresteerd hadden te doden. Op die manier konden ze hem zijn falen niet langer onder de neus wrijven.

Daarom ontbrak het seksuele element bij de moorden, daarom werden ze op afstand gepleegd. Ze hadden weliswaar te maken met verlangen. Maar niet met seksueel verlangen.

En waarom vergif? Oké, het was perfect als je het niet speciaal leuk vond om toe te kijken hoe je slachtoffers het loodje legden en als je de verdenking niet op je wilde laden. Je was immers ver weg als het gebeurde. Dat betekende dat je het anders moest aanpakken dan de meeste moordenaars die kozen voor methoden die in wezen geen speciaal talent vereisten. Geweren, messen, botte voorwerpen. Maar toch, waarom zou je iets kiezen wat zo vergezocht was, iets dat naadloos in een roman van Agatha Christie zou passen.

En aan hem de taak om dat te doorgronden. Er moest een reden voor zijn. Moordenaars maakten bij het plegen van hun moorden doorgaans gebruik van wat ze bij de hand hadden of waar ze ervaring mee hadden. Stel dat het gif niet was gekozen omdat het vergezocht was, maar omdat hij het bij de hand had? Carol had Rhys Butler al ondervraagd, een man die toegang had tot farmacologische middelen. Dat had best logisch geleken.

Maar Anderson maakte geen gebruik van medicijnen die je op recept kon krijgen. Deze giffen waren allemaal plantenextracten. Ricine kwam van de wonderboom, atropine van wolfskers, oleandrine van de oleander. Geen doorsneetuinplanten, maar ook niet buitengewoon exotisch. De vraag was nu wie er een tuin had met dat soort planten? Je zou toch een soort specialist moeten zijn. In zijn achterhoofd begon iets te kriebelen. Iets over tuinen en vergif. Hij ging overeind zitten en startte zijn laptop op. Toen hij weer online was googelde hij 'giftuin'. Het eerste wat vermeld werd was de *Poison Garden* bij Alnwick Castle in Northumberland, met kennelijk een rijkdom aan dodelijke planten, alleen onder streng toezicht toegankelijk.

Maar, zoals Tony ontdekte toen hij zijn speurtocht wat uitbreidde, dit was geenszins een origineel idee. De inspiratie kwam van de familie de Medici, die in de buurt van Padua een tuin aanlegden om op een betere manier hun vijanden te kunnen vermoorden, en van de monniken van het Soutra Hospital bij Edinburgh die slaapverwekkende sponzen gebruikten met precies de juiste hoeveelheid opium, bilzekruid en dollekervel om een lichaam gedurende twee of drie dagen onder zeil te houden. Die tijd hadden ze nodig om een ledemaat te amputeren, en het lichaam bij te laten komen van de schok en op een natuurlijke manier rustig te laten genezen. Door de eeuwen heen waren er andere privégiftuinen geweest en Tony vond verscheidene speculatieve verwijzingen in nieuwsgroepen en blogs.

Stel dat Jack Anderson toegang had tot een van deze tuinen? Stel dat vergif voor hem het wapen was dat hij toevallig bij de hand had?. Hij wierp een blik op de telefoon. Wat hem betreft zou hij nu wel gebeld mogen worden.

In plaats daarvan kwam mevrouw Chakrabarti binnen, onmiddellijk nadat ze plichtmatig had aangeklopt. 'Ik hoor dat u er weer vandoor bent gegaan,' viel ze met de deur in huis.

'Ik ben teruggekomen,' zei Tony. 'Jullie zeggen allemaal dat ik in beweging moet blijven.'

'Ik denk dat het tijd wordt dat u naar huis gaat,' zei ze. 'Eerlijk gezegd kunnen we uw bed wel beter gebruiken, en u bent zo verdomd eigenwijs dat u prima zult herstellen. Daar heeft u ons niet bij nodig. U zult voor de fysiotherapie regelmatig terug moeten komen. Als u denkt dat u het al moeilijk genoeg hebt gehad, wacht dan maar af tot u het gewricht weer moet gaan bewegen.' Ze lachte opgewekt. 'Dan gaat u zitten janken om uw moeder.'

'Dat denk ik toch niet,' zei hij wrang.

Mevrouw Chakrabarti lachte. 'Ik snap wat u bedoelt. Misschien niet. Maar janken zult u. Dus op voorwaarde dat mijn zaalarts vindt dat u niet in zeven sloten tegelijk zult lopen, mag u morgenochtend naar huis. Hebt u iemand die u kan helpen met boodschappen en koken, en zo?'

'Dat denk ik wel.'

'Dat denkt u wel? Wat bedoelt u daarmee, dr. Hill?'

'Er is iemand, maar ik geloof dat ze op het moment een beetje kwaad op me is. Ik moet gewoon hopen dat ze medelijden met me heeft. Als dat niet lukt, zijn er altijd nog afhaalchinezen die aan huis bezorgen.'

'Probeer de rest van de dag braaf te zijn, dr. Hill. Het was een interessante ervaring u als patiënt te hebben.'

Tony grijnsde. 'Dat zal ik maar als een compliment opvatten.'

Opnieuw werd er op de deur geklopt, opnieuw was het een vrouw die zich de kaas niet van het brood liet eten. Carol zeilde de kamer in, haar mond al open voor een tirade. Ze bleef plotseling staan toen ze mevrouw Chakrabarti zag. 'O, het spijt me,' zei ze vlug.

'Ik wilde net weggaan,' zei de chirurg. Ze keek Tony nog even aan. 'Dit is zeker die iemand.'

'Ja,' zei hij, en zijn glimlach zag eruit alsof hij op zijn gezicht was geplakt.

'Dan zou ik maar goed mijn best doen om bij haar in een goed blaadje te komen.' Ze gaf Carol een knikje en vertrok.

'Ik vermoed dat ik daar niet genoeg energie voor heb,' zei Tony, die meteen in de gaten had uit welke hoek de wind waaide.

Ze greep de onderste stang van Tony's bed vast. Hij zag hoe haar knokkels wit werden. 'Waar ben je in godsnaam mee bezig, Tony? Je laat een van mijn beste rechercheurs in het wilde weg rondrennen om mensen te ondervragen die niets zinnigs te zeggen hebben over een zaak die technisch gezien niet eens onder ons valt. Je maakt een andere rechercheur van me zo bang dat hij geen roomtaartje durft te eten voor het geval dat de gifmenger uit Bradfield weet welk taartje hij lekker vindt en net toevallig een baantje heeft aangenomen in de bakkerij in het winkelcentrum. En je kunt mij niet eens op de hoogte houden. Ik moet van Kevin over dat gelul over dat gif horen. Ik moet van Paula horen dat Rachel Diamond een dood spoor was. Je weet dat ik het ik weet niet hoe vaak voor je opgenomen heb...'

'Dat was al met al toch niet zo moeilijk?' onderbrak hij haar. Hij was te moe en hij had te veel pijn en nu kreeg hij de volle laag, omdat Carol baalde van het systeem waar ze geen kant mee op kon. 'Mijn staat van dienst bij het behalen van resultaten is vrij goed. En dat weet jij ook. Het heeft je bepaald geen windeieren gelegd om af en toe met mij mee te liften.'

Ze keek hem woedend aan, maar behalve boos was ze duidelijk ook geschokt. 'Zit je nu te beweren dat ik mijn succes aan jou te danken heb?'

'Dat zei ik niet, Carol. Luister, Ik weet dat je het CTC wel iets kan aandoen, maar dat je aan handen en voeten gebonden bent. Dus kom je hiernaartoe en reageer je dat op mij af. Nou, het spijt me. Ik heb op dit moment gewoon de kracht niet om als jouw boksbal te fungeren. Ik probeer je te helpen, maar als je liever hebt dat ik jou er niet meer bij betrek, oké. Dan regel ik het wel rechtstreeks met John Brandon.'

Ze deed letterlijk een stap terug alsof hij haar een klap had gegeven. 'Ik geloof mijn oren niet.' Ze zag eruit alsof ze op het punt stond iets naar zijn hoofd te gooien.

Tony vertrok zijn gezicht en schudde zijn hoofd. 'Ik ook niet. Misschien is dit niet het juiste moment voor een gesprek tussen ons. Jij bent opgefokt en ik ben kapot.'

Zijn woorden hielpen zo op het eerste gezicht niet om de zaak wat te sussen. 'Dat doe je nu godverdomme altijd,' schreeuwde ze. 'Je kunt verdomme niet eens echt ruzie maken.'

'Ik hou niet van ruzies,' zei hij. 'Dat doet vanbinnen pijn. Alsof ik weer een kind ben. In de kast, in het donker. Als de volwassenen ruziemaken is dat vast mijn schuld. Daarom doe ik niet aan ruzies.' Hij knipperde hevig met zijn ogen om de tranen binnen te houden. Zij was de enige persoon op de hele wereld die bij hem dit gevoel van kwetsbaarheid kon opwekken. Dat was niet altijd een positief gevoel. 'Carol, ik ga morgen naar huis. Zonder jou red ik dat niet. Dat bedoel ik in de ruimste zin van het woord. Kunnen we dus hiermee ophouden? Ik kan dit niet.'

Ze keek hem stomverbaasd aan. 'Naar huis? Morgen?'

Hij knikte. 'Je hoeft niet veel voor me te doen. Ik kan zorgen dat de supermarkt een stapel kant-en-klaarmaaltijden bij me aflevert...'

Carol legde haar hoofd in haar nek, sloot haar ogen en zuchtte. 'Je bent onmogelijk,' zei ze. Alle woede was verdwenen.

'Het spijt me. Ik wilde je niet op je tenen trappen. Ik wilde alleen maar helpen en je niet in de weg lopen.' De harde echo van de woordenwisseling hing nog steeds in de lucht, maar de sfeer tussen hen was veranderd in iets wat een beetje meer leek op hun normale manier van doen.

Ze ging zitten. 'Nu ik hier toch ben, kun je me ook wel bijpraten over je ideeën. Wat kunnen we aan de kwestie Aziz doen, nu Rachel Diamond ons daar de pas heeft afgesneden?'

'Ik weet niet of die pas is afgesneden,' zei hij. 'Ik moet het misschien gewoon op een andere manier benaderen.'

'Hou me alsjeblieft op de hoogte. Ik wil er dit keer bij zijn,' zei ze resoluut. 'O, en hier is iets wat ik je nog niet heb kunnen vertellen.' Ze vertelde hem over de ontdekking van de twee ontstekingsmechanismen door de technische recherche. 'Het CTC denkt dat het wijst op een nieuw soort terrorisme. Meer iets in de stijl van de IRA, waarbij de bommenleggers het overleven. Ik persoonlijk denk dat we nu meer in jouw richting moeten denken, namelijk aan een huurmoordenaar. Gewoon geen risico nemen. "Als mijn ontsteker het niet doet, kan ik het altijd nog proberen van een afstand met mijn mobieltje." Iets dergelijks.'

Tony voelde hoe ergens in zijn hoofd iets vaags gestalte kreeg. 'Iets dergelijks,' zei hij zacht. 'Ja.' Hij wierp haar een onbekommerde glimlach toe. 'In ieder geval wordt het idee van terrorisme steeds minder geloofwaardig,' zei hij.

'We hebben alleen nog een onweerlegbaar bewijs nodig. Ik zit middenin twee zaken waar het bewijs ongrijpbaar is.'

Tony maakte een ongeduldig gebaar met zijn hand. 'Als je Jack Anderson vindt, heb je ook je bewijsmaterial. Ik denk dat hij iets te maken heeft met een giftuin.'

'Wat is een giftuin?'

'Ze hebben er een bij Alnwick Castle,' zei hij. 'Die is gewoon toegankelijk. Daar kan iedereen heen om die giftige planten te zien. Maar er zijn verhalen en geruchten over privétuinen. Personen die zich specialiseren in het kweken van dodelijke plantensoorten, en zolang er mensen zijn, zijn er al mensen mee naar de andere wereld geholpen. Dollekervel, daar is Socrates aan gestorven. Strychnine, dat werd in de middeleeuwen gebruikt door vrouwen die zich van hun man wilden ontdoen. Ricine, daar is in de jaren zeventig Georgi Markov mee vermoord. Je kunt deze planten in je achtertuin kweken als je er verstand van hebt. Ik denk dat je op de plaats waar Jack Anderson zich schuilhoudt en zijn zorgvuldig uitgedachte plannetjes uitbroedt, ook een giftuin zult aantreffen.'

Carol rolde met haar ogen. 'Telkens als we samenwerken komt er een moment waarop jij verdomme weer aan komt zetten met een briljant idee, waar ik dan bij denk: Hoe moet ik daar in godsnaam iets zinnigs mee doen?'

'En wat het allemaal extra vervelend maakt, is dat als je er eenmaal achter bent hoe je het kunt gebruiken, het irritant genoeg ook nog nuttig blijkt te zijn,' zei hij. 'Daar word ik nou voor betaald.'

'Waarvoor? Voor irritant gedrag?'

'Om van nut te zijn op een manier die van niemand anders kan worden verwacht. Ga naar huis en slaap er een nachtje over. Er is een dikke kans dat je morgen met een oplossing komt.'

'Denk je?'

'Dat weet ik. Het onderbewuste is een harde werker. Doet zijn beste werk als wij slapen. Hoe dan ook, je hebt nu zo veel mogelijk rust nodig, want je moet mij kopjes koffie brengen na een zware dag van boeven vangen.'

Carol snoof minachtend. 'Zorg maar dat je een thermosfles krijgt en een stukje touw.' Ze hees zich overeind. 'Ik zie je morgen.' Ze kuste hem op zijn kruintje. 'En bemoei je niet met mijn personeel zonder het eerst met mij te bespreken. Oké?'

Hij glimlachte, blij dat ze de woede achter zich hadden gelaten. 'Ik beloof het.' En toen hij het zei, meende hij het echt.

DINSDAG

Hij had geen gelijk gehad, dacht Carol, toen ze richting douche liep met een beker koffie in de hand, en een kat die wat bij haar enkels zat te pruttelen. Toen ze wakker werd, had ze het antwoord nog niet geweten. Misschien omdat Tony geen rekening had gehouden met een fles pinot grigio. Ze was na haar bezoek aan het ziekenhuis teruggegaan naar het bureau, maar dat had ze beter niet kunnen doen. De gebeurtenissen daar waren er niet op berekend haar wat op te vrolijken. Kevin had bot gevangen bij de Canadezen. Sam had niets verdachts in Yousefs e-mails gevonden. Paula had niemand in Temple Fields getroffen die Jack Anderson herkende, behalve een vrouw die met hem op school had gezeten, maar die hem niet meer had gezien sinds ze drie weken met hem was uitgegaan toen ze zestien waren. Chris was met de lijst telefoongesprekken van Tom Cross ook niet ver gekomen. En Stacey had niets interessants gevonden op de vele harde schijven waar ze mee had zitten rommelen. Alles bij elkaar genomen was haar team de hele dag alleen maar doodlopende straten in gerend. Tegen de tijd dat ze thuiskwam, had ze alleen nog maar behoefte aan de doodlopende straat van een nieuwe fles wijn.

Ze zette de douche aan en dronk haar koffie op terwijl ze wachtte tot de waterstraal eindelijk warmer werd. Ze hing haar badjas aan de deur en stapte in de extra brede douchecabine die de bouwvakkers nog in een vergeten hoekje van de kelder hadden weten te persen toen ze de zaak hadden verbouwd. Ze hield van dit appartement, ondanks of juist dankzij het feit dat het zich in Tony's souterrain bevond. Maar het moment kwam dichterbij dat ze zou moeten accepteren dat ze echt voorgoed weer terug in Bradfield was. Om zichzelf ervan te overtuigen dat haar terugkeer uit Londen niet tijdelijk was, moest ze waarschijnlijk ergens een eigen huis gaan kopen.

Niet dat ze genoeg had van zijn nabijheid. Want dat had ze toch gewild, nietwaar? Dichter bij elkaar komen? Maar dat ze in hetzelfde pand woonden, had hen eigenlijk helemaal niet dichter bij elkaar gebracht, emotioneel niet en lichamelijk ook niet. Misschien was het tijd om weer wat afstand tussen hen te scheppen. Dan moesten ze wel onder ogen zien wat er tussen hen bestond.

Of misschien was het daar gewoon te laat voor.

Het water stortte zich over haar heen, een stroom aan de buitenkant die een innerlijke stroom op gang leek te brengen. Voor een giftuin moest je de ruimte hebben. Ruimte en privacy. Je wilde niet dat de kindertjes van de buren aan je bloemen kwamen ruiken of blaadjes platdrukten of bessen plukten als je giftige planten kweekte.

Je had er ook geld voor nodig. Ze kon zich niet voorstellen dat dat soort planten gewoon in haar plaatselijke tuincentrum te koop waren. Ze moesten worden besteld bij specialistische kwekerijen. Misschien moesten ze zelfs wel geïmporteerd worden en in dat geval zou er iets op papier staan. Ergens zou er melding zijn gemaakt van de naam waaronder Jack Anderson nu opereerde.

En met die gedachte kreeg ze opeens een geheugenflits. Pannal Castle. Waar Tom Cross de beveiliging van die inzamelingsactie zou gaan regelen. De school wist er volgens Kevin niets van, dus de moordenaar was degene die er wel iets over moest weten. Het was een risico om de naam van een plaats te gebruiken als je er niet genoeg over wist. En Tony had gezegd dat hij risico's uit de weg ging, dat hij alles zorgvuldig plande.

Carol gunde zich nauwelijks tijd om de shampoo uit haar haren te spoelen en haastte zich de douche uit. Ze sloeg een handdoek om zich heen en liep naar de telefoon in de woonkamer. De controlekamer van haar eigen bureau gaf haar het nummer van het politiebureau dat het dichtst in de buurt van Pannal Castle lag en dat onder de jurisdictie van het naburige korps viel. Carol belde het nummer van het bureau van Kirkby Pannal en wachtte ongeduldig terwijl de telefoon vier keer overging. Zodra er iemand opnam, begon ze te praten. 'Met hoofdinspecteur Carol Jordan van de politie in Bradfield. Met wie spreek ik...? Goedemorgen, agent Brearley. Ik heb het privénummer nodig van Pannal Castle... Ja, ik weet dat het een geheim nummer is. Daarom bel ik u... Nee, ik bel van huis... Ja, ik blijf aan de lijn.' Carol trommelde met haar vingers op de leuning van de stoel. De jongen aan de andere kant van de lijn leek niet te kunnen bevatten dat checken op de computer of er echt een hoofdinspecteur Jordan bestond betekende dat hij nu ook echt met hoofdinspecteur Jordan sprak. Maar ze ging er geen tijd aan verspillen om hem daarop te wijzen.

Een paar minuten later was hij weer aan de lijn en gaf hij haar braaf het nummer. 'Bedankt,' zei ze. Ze beëindigde het gesprek en belde onmiddellijk het nummer van Pannal Castle.

'Hallo?' De stem aan de andere kant klonk bekakt en boos. Carol zei wie ze was en verontschuldigde zich voor haar vroege telefoontje. 'Maakt niet uit,' zei de stem. 'Ik wil de politie graag van dienst zijn. U spreekt met Lord Pannal.'

Carol haalde diep adem. 'Dit klinkt misschien als een vreemde vraag, Lord Pannal. Maar heeft u toevallig een giftuin?'

Om halftien was Tony weer een vrij man. De verpleegster die hem het grootste deel van de tijd had verpleegd, liep met hem mee naar zijn taxi. 'Niet te veel doen,' zei ze vermanend. 'Ik meen het. Dat moet je later weer bezuren.'

Zijn huis had nog nooit zo als een thuis aangevoeld als vandaag. Niets lag op een handige plaats, zoals in het ziekenhuis. Maar het was zijn kleine wereldje. Zijn boeken. Zijn meubels. Zijn bed, zijn dekbed, zijn kussens.

Hij zat nog geen vijf minuten in zijn favoriete luie stoel, of hij kreeg zijn eerste briljante inval. Als Rachel Diamond geen tv had gekeken en geen kranten had gelezen was het mogelijk dat ze nog geen foto van Yousef Aziz had gezien. Ze had haar man in zijn gezelschap kunnen zien zonder het te beseffen. Daar moest hij achter zien te komen. Hij moest haar reactie zien als ze een foto van de moordenaar van haar man onder ogen kreeg.

Hij viste zijn mobieltje uit zijn zak en belde het nummer van Carol. Ze nam op en klonk wat buiten adem. 'Nu niet, Tony,' zei ze. 'Ik zit ergens middenin. Ik bel je wel over een uur of twee.' En weg was ze. Een uur of twee? Over twee uur zou hij geen energie meer hebben. Dan zou hij boven lekker onder zijn dekbed willen liggen. Dan wilde hij slapen in de warme omhelzing van zijn eigen bed.

Nou, ze kon niet zeggen dat hij het niet geprobeerd had. Hij had liever iemand bij zich willen hebben, alleen al om de rit wat aangenamer te maken. Maar Carol had duidelijk gesteld dat ze niet meer wilde dat hij haar mensen voor zijn karretje spande. Hij zou dit klusje alleen moeten klaren.

Terwijl hij op de taxi zat te wachten, belde hij Stacey en vroeg of zij de beste foto van het hoofd van Aziz die ze van hem had, kon e-mailen. Toen realiseerde hij zich dat zijn printers boven stonden. Dus liet hij de taxi wachten en sleepte zich weer naar boven, printte de foto uit en, verrekkend van de pijn, sleepte hij zich weer naar beneden. 'U ziet er afgepeigerd uit,' zei de taxichauffeur, die hem vervolgens per se wilde helpen bij het instappen.

'Zo voel ik me ook,' zei Tony. Hij liet zijn hoofd op de zitting zakken en was al buiten westen toen de taxi de straat nog niet uit was. Hij schrok wakker toen de taxichauffeur hem twintig minuten later aan zijn schouder schudde.

'We zijn er, man,' zei hij.

'Kunt u wachten?' vroeg Tony. 'Het duurt waarschijnlijk niet lang.'

Hij moest eerst weer het hele procedé afwerken; uitstappen, zijn haren glad strijken omdat de chauffeur zei dat ze recht overeind stonden en naar de voordeur lopen. De deur werd opengedaan door een vrouw van voor in de zestig. Ze zag eruit als een Joodse uitgave van Germaine Greer en had zelfs een potlood in haar warrige staalgrijze haren gestoken. Ze keek hem onderzoekend aan over de rand van een klein langwerpig brilletje. 'Ja?' zei ze met een vragende blik.

'Ik was op zoek naar Rachel,' zei Tony.

'Rachel? Het spijt me, u bent hier voor niets heen gekomen. Ze is naar kantoor. Ik ben haar moeder, Esther Weissman. En wie bent u?'

Voordat Tony zichzelf kon voorstellen, kwam Lev naast zijn grootmoeder staan. 'Ik ken jou. Jij bent hier gisteren met die mevrouw van de politie geweest.' Hij keek omhoog naar zijn grootmoeder. 'Een man met een bijl heeft hem geslagen.'

'Dat is zeer betreurenswaardig,' zei mevrouw Weissman. Lev glipte langs haar heen en hield zijn hoofd opzij om de foto te kunnen zien die Tony tegen zijn kruk verborgen hield.

'Waarom heb je een foto van de vriend van mama?' vroeg hij.

Verschrikt probeerde Tony zijn evenwicht te bewaren op de armsteunen en hield de foto met de goede kant omhoog. 'Is dit de vriend van mama?'

'We hebben hem een keertje in het park ontmoet. Hij heeft een ijsje voor me gekocht.'

Mevrouw Weissman probeerde ook een blik op de foto te werpen. Toen hij besefte dat hij iets in handen had wat qua reikwijdte neerkwam op de inhoud van een rugzak vol TATP, ging Tony iets anders staan, zodat ze het niet kon zien. 'Wat heeft u daar?' wilde ze weten.

'Gewoon iemand van die aanslag op zaterdag,' zei hij. Hij probeerde de suggestie te wekken dat dit iets was waar je niet in het bijzijn van een kind over moest praten. 'Het gaat om de identiteit van iemand. Ik hoopte dat Rachel me zou kunnen helpen. Ik werk voor de politie. Maar het geeft niet. Ik probeer haar wel op het kantoor te pakken te krijgen.' Hij probeerde achteruit te lopen, tegelijk de foto uit het zicht te houden en niet over Lev te struikelen. Het was alleen al een enorme prestatie om overeind te blijven staan.

Eén vreselijk moment was hij bang dat mevrouw Weissman hem de foto uit de hand zou rukken. Maar de omgangsvormen van de beschaafde wereld kregen weer de overhand en ze kon zich nog net beheersen. 'Dan ga ik maar,' zei hij. Hij draaide zich met krukken en al om en strompelde zo snel mogelijk naar de taxi.

'Ik heb uw naam niet opgevangen,' riep mevrouw Weissman hem na.

Het zou verschrikkelijk kinderachtig zijn geweest, maar even had hij op het punt gestaan om 'Nemesis' te roepen. In plaats daarvan zei hij toch maar: 'Hill. Dr. Tony Hill.' Rachel zou er ongetwijfeld gauw genoeg achter komen. Toen de taxi optrok, belde hij de teamkamer van het TZM. Het was Paula die opnam. 'Ik heb je hulp nodig,' zei hij.

'Ik kan niets doen,' zei ze. 'De chef heeft me op het hart gedrukt dat ik niet voor jou werk.'

'Paula, het is van levensbelang. Ik heb Carol proberen te bellen, maar ze had het te druk om met me te praten. Luister, ik ben naar het huis van Rachel Diamond geweest om te kijken of ze de foto van Aziz misschien herkende. Aangezien ze zei dat ze de berichten in de media niet heeft gevolgd, dacht ik dat ze hem misschien een keer onbewust had gezien. Maar ze was er niet.'

'En?' Paula klonk geïrriteerd.

'En Lev zag de foto en zei meteen: "Waarom heb je een foto van de vriend van mama?"'

Paula zei een hele tijd niets. Toen zei ze zacht: 'O mijn God.'

'Ja. Ze hadden afgesproken in het park. Aziz heeft een ijsje voor het kind gekocht, en dat zal de reden zijn waarom hij het nog zo goed weet.'

'O mijn god. Je moet met de chef praten.'

'Dat zei ik toch. Ik weet niet waar ze mee bezig is, maar ze heeft het te druk om met mij te praten.'

'Ze is naar Pannal Castle samen met Chris,' zei Paula verstrooid. 'Wat wil je dat ik doe?'

'Rachel zit vermoedelijk op haar kantoor. Bel of dat inderdaad zo is en laat het bedrijf dan in de gaten houden tot ik met Carol kan praten. Ik weet zeker dat haar moeder haar al aan het bellen is over een vreemde man die langs is geweest met een foto. Ik wil niet dat ze ervandoor gaat.'

'We hebben geen bewijzen,' zei Paula. 'Je krijgt het nooit voor elkaar dat het kind tegen haar mag getuigen.'

'Dat is waar. Maar daar heb ik een paar ideetjes over. Alsjeblieft, Paula. Ik neem de schuld wel op me. Als er tenminste sprake is van schuld. Maar we moeten haar nu niet uit het oog verliezen.'

'Ze kent me.'

'En Kevin dan?'

'Die is er niet. Iets persoonlijks, zei hij. Ik weet niet wanneer hij terug is.'

'We zullen gewoon moeten...'

'Ik neem Sam wel mee,' zei Paula. 'Ik spreek je nog wel.'

Tony leunde achterover in de kussens. En voor de tweede keer die morgen zakte hij weg.

Kevin stond voor het raam het uitzicht over de daken van Temple Fields te bewonderen. Hij was er niet aan gewend om een wijk die hij zo goed kende vanuit dit gezichtspunt te bekijken. Het zag er vanaf deze hoogte verbazend onschuldig uit, dacht hij. Je kon onmogelijk zien wat voor wandaden die miniatuurmannetjes daar beneden allemaal aan het uitbroeden waren. Hij had wel geweten dat de bovenste tien verdiepingen van de Hart Tower bewoond werden door particulieren, maar dit was de eerste keer dat hij de kans kreeg om van het panorama te genieten. Hij draaide zich om naar zijn gastheer. 'Je boft dat je elke dag dit uitzicht hebt,' zei hij.

Justin Adams duwde zijn bril met het donkere montuur naar boven en veegde de lange lok donker haar weg van zijn voorhoofd. 'Eigenlijk is het niet van mij,' zei hij. 'Het is van een fotograaf met wie ik regelmatig werk. Hij laat mij er gebruik van maken als ik hier in de buurt moet werken. Mijn thuisbasis is Londen.' Hij grijnsde met witte tanden tegen een achtergrond van een stoppelbaard van een paar dagen. 'Daar is het lang niet zo chic als hier.' Hij liep de kamer door naar de keuken. 'Maar desondanks kan ik je wel iets te drinken aanbieden. Er is bier, wodka, gin, wijn...' Hij trok vragend zijn wenkbrauwen op.

'Bedankt, maar ik moet straks nog werken. Dan kan ik me geen kegel veroorloven.' Kevin ging in een zachte met tweed beklede leunstoel zitten, die de kleur had van wintervarens.

'Ja, ik neem aan dat ze daar niet zo blij mee zijn bij een baan als de jouwe. Maar misschien wil je wat fris? Ik neem zelf sinaasappelsap.' Hij haalde een pak uit de ijskast en rukte het plastic lipje er af. 'Heb je zin in een glas?'

Het was verzegeld en hij drinkt er ook van, dacht Kevin, en toen schold hij zich in gedachten uit voor een paranoïde slapjanus. Dit gesprek was al afgesproken, lang voordat de gifmenger een slachtoffer had gemaakt. Hij had al jaren de naam van Justin Adams in autotijdschriften zien staan. 'Ja, doe dan maar,' zei hij en hij keek toe hoe Adams twee hoge glazen inschonk en er een paar ijsklontjes in deed die hij uit het vriesvak haalde. Beide glazen bleven de hele tijd in zicht, vanaf het moment van het inschenken totdat het voor hem werd neergezet. Kevin wachtte tot Adams een flinke slok had genomen en nam toen zelf ook een paar slokjes. Het smaakte heerlijk: zoet, pittig en onbezoedeld.

Adams zette een klein opnameapparaat op de salontafel die tussen hen in stond. 'Je hebt er toch geen bezwaar tegen dat ik dit opneem, hè?'

Kevin wuifde instemmend in de richting van het apparaat. 'Ga je gang,' zei hij. 'Grappig om een opname te maken die niet begint met de datum en de tijd en een lijst van personen die ook aanwezig zijn.'

Adams glimlachte wat zuinig. 'Dat is niet het soort opname dat ik ooit verwacht te moeten maken,' zei hij.

Kevin lachte. 'Dat hangt ervan af hoe hard je in die auto's rijdt waar je over schrijft.'

Adams boog zich voorover en drukte op een zilverkleurige knop. 'Vertel eens. Weet je nog wanneer je voor de eerste keer een Ferrari hebt gezien?'

Lijst 3

1. Danny Wade
2. Robbie Bishop
3. Tom Cross
4. Kevin Matthews
5. Niall en Declan McCullogh
6. Deepak

Pannal Castle stond al sinds de Rozenoorlogen op de huidige plek. Halverwege de negentiende eeuw was er alleen nog maar een ruïne van over geweest, maar toen was het door de veertiende baron weer opgebouwd. Hoewel het er van de buitenkant uitzag als een solide middeleeuws gebouw, hadden ze binnen de beschikking over centrale verwarming en moderne sanitaire voorzieningen. Tevens had het kasteel een indeling die meer aan moderne dan aan vroegere behoeften voldeed.

Waarschijnlijk was het beste wat het te bieden had de reeks verbluffende uitzichten, een geschenk dat maar door weinig mensen op waarde kon worden geschat, daar Pannal Castle beslist nooit toegankelijk was geweest voor het publiek. Wol, kolenmijnen en meer recent Red Rose, een centrum voor kunst en kunstnijverheid, hadden de opeenvolgende Lords Pannal in staat gesteld om hun kasteel en het terrein eromheen in bezit te houden zonder dat ze hun toevlucht hoefden te nemen tot het toelaten van dagjesmensen.

De huidige Lord Pannal had zelfs nog hoogstpersoonlijk de kost verdiend. Een aantal jaren was hij een betrekkelijk onbekende documentairemaker geweest, waardoor hij nu geschikt werd geacht voor allerlei besturen en commissies. Hij was voor zover Carol wist een niet onaardige man, ondanks het feit dat hij Tony Blair een keer naar Pannal had gehaald om er een nieuwe galerie te openen.

Toen ze de licht hellende privéweg die naar het kasteel leidde opreden, keek Chris om zich heen. 'Dit moet vroeger op een perfecte plek hebben gelegen om de zaak te kunnen verdedigen,' was haar commentaar. 'Het is godsonmogelijk om ze te besluipen.'

'Ik neem aan dat het er daarom ook nog staat,' zei Carol.

'Dat en de giftuin, hè? Als je ze niet kunt raken met je kanonskogels, dan maar met soep.'

'Geen wonder dat de Britse keuken zo'n slechte naam heeft.'

'Wat kunnen we hier eigenlijk verwachten?'

'Lord Pannal heeft belangstelling voor giftuinen gekregen toen hij een jaar of tien geleden met een documentaire over de De Medici's bezig was, en dus besloot hij er zelf een aan te leggen.'

'En dan zeggen ze nog dat de tv niet educatief is. Wat heeft hij erin staan?'

'Ik ken de volledige lijst niet, maar hij heeft in ieder geval de planten waar we in geïnteresseerd zijn. De wonderboom, wolfskers, oleander. Hij zegt dat zijn giftuin omringd is met tweeënhalve meter hoge hekken met bovenop prikkeldraad, wat een toevallige inbraak vrij onwaarschijnlijk maakt. Maar hij heeft een assistent-rentmeester die John Anson heet.'

'J.A. Dat klinkt goed. Dat klinkt ontzettend goed.'

Een kleine man met een pet van tweed en een waxcoat stond hen op te wachten toen ze over de massief houten ophaalbrug de binnenplaats op reden. Toen ze uitstapten, werden ze wat halfslachtig belaagd door drie zwarte labradors. 'Benson, Hedges, Silkie, af,' riep de man en wachtte tot Carol en Chris naar hem toe kwamen lopen, terwijl de honden zich om hem heen op de grond vlijden. 'Lord Pannal,' zei hij en hij stak zijn hand uit toen ze bijna bij hem waren. Met zijn roze gezicht, zijn blauwe ogen en zijn borstelige snor leek hij op een grappige manier op een pasgeboren biggetje. 'Ik ben nog wat traag van begrip zo vroeg op de morgen. Na ons telefoontje begon het bij me te dagen. Die voetballer en die vent die al die mensen heeft gered na de bomaanslag – die waren vergiftigd.' Hij beet op zijn onderlip. 'Afschuwelijke kwestie. Vreselijk als de giffen van Pannal Castle afkomstig zouden zijn. Wilde u een kijkje in de tuin nemen?'

'Ik denk dat we de tuin voorlopig maar even moeten laten.' Carol knikte even naar Chris, die een stuk of zes foto's uit een mapje haalde en op de motorkap van haar auto uitspreidde. 'Lord Pannal, zou u hier naar willen kijken en zeggen of u iemand herkent?'

Hij strekte zijn hals uit als een grote roze schildpad die uit zijn schild tevoorschijn komt. Hij bestudeerde de foto's zorgvuldig en stak toen een mollige vinger uit. 'Dat is John Anson. Werkt voor mij. Assistent-rentmeester.' Hij keek de andere kant uit en knipperde verwoed met zijn ogen. 'Dit is vreselijk moeilijk om te geloven. Een hardwerkende vent. Is al een aantal jaren bij ons. Vriendelijke man.'

'Valt de giftuin onder zijn verantwoordelijkheid?' vroeg Carol.

'Daar komt het wel op neer, ja. Niet dat hij er dagelijks hoeft te zijn – dat doen de tuinlieden. Maar het valt wel onder hem, ja.' Hij praatte met horten en stoten, was duidelijk van streek, hoewel hij zich zou hebben gegeneerd als iemand hem medeleven of steun had aangeboden. Misschien had een whisky nog door de beugel gekund, maar dat betwijfelde Carol ook.

'Weet u waar we hem op dit moment kunnen vinden?' vroeg Chris, terwijl ze de foto's bij elkaar veegde.

'In Bradfield.' Hij beet op zijn lip. 'Hij heeft een afspraak met toekomstige huurders van een leegstaand pand in het dorp hier.'

'Waar precies in Bradfield?' vroeg Carol rustig.

'Ik heb daar een appartement. We gebruiken het voor zaken, maar ook als pied-à-terre in de stad. In de Hart Tower.'

Chris en Carol keken elkaar veelbetekenend aan. 'Aan de rand van Temple Fields,' zei Carol. 'We willen graag het adres van u hebben.'

Tony deed vreselijk zijn best op zijn glimlach. 'Ik mag jou eigenlijk niets vragen. Carol zegt, volkomen terecht, dat je niet voor mij werkt maar voor haar. Ik persoonlijk denk dat we allemaal voor een rechtvaardige zaak werken, maar ik ga er niet met haar over in discussie.'

'Niet met die rotbui die ze de hele week al heeft,' was Stacey het met hem eens. Ze keek niet eens van haar scherm op. 'Interessant dat het jongetje de foto heeft geïdentificeerd. Je hebt hier geen twijfels over?'

Tony haalde zijn schouders op. 'Het joch had er geen twijfels over. Daar gaat het hier om. Hij was helemaal zeker van zijn zaak. De vriend van mama die een ijsje voor hem heeft gekocht.'

'Dan vallen alle dingen waar we een vraagteken bij hebben geplaatst mooi op hun plaats. Wat jij al zei; dat het qua werkwijze niet leek op een terroristisch daad – nou, dat klopt dus als het niet om terrorisme gaat. Die twee ontstekingsmechanismen – Aziz dacht dat hij kon ontsnappen, maar Rachel had andere plannen. Ze wilde dat hij ook de pijp uitging.'

'Maar ze wilde niet dat hij dat wist,' zei Tony bedachtzaam. 'Als ik jou was zou ik maar eens contact opnemen met luchtvaartmaatschappijen om te zien of Rachel Diamond en haar zoontje Lev in de zeer nabije toekomst een vlucht naar Canada hebben geboekt. En dan zou ik ook controleren of een van die vakantiehuisjes waar Kevin achteraan is geweest een reservering op haar naam heeft staan.' Stacey keek bedenkelijk. 'Denk je dat ze van plan was zich bij hem te voegen?'

Tony schudde zijn hoofd. 'Volgens mij wilde ze hem in de waan laten dat ze van plan was naar hem toe te komen.'

Stacey keek hem vol respect aan. 'O, dat is slim, zeg,' zei ze. 'Heel vals, maar heel erg slim.' Haar vingers vlogen al over de toetsen. 'Ik denk dat ik ook maar een paar telefoontjes naar Canada ga plegen.'

'Let maar niet op mij, ik ga de krant wel lezen,' zei Tony, en hij ging eens lekker onderuit zitten.

De reis van Pannal terug naar Bradfield nam aanzienlijk minder tijd in beslag dan de tocht erheen, maar ondanks dat leek er geen eind aan te komen. 'Kom op,' zei Chris telkens smekend tegen het verkeer als ze weer eens vaart moest minderen.

'Ik kan niet geloven dat niemand in dat kantoor een lijst had van de toekomstige huurders,' zei Carol voor de derde of vierde keer. 'Je zou toch denken dat ze van zoiets meer dan één kopie hadden.'

'Ja, we hadden Stacey erop kunnen zetten. Misschien waren we er dan al achter wie zijn volgende slachtoffer is. Rijden, lul,' schreeuwde Chris tegen het treuzelende busje dat voor haar reed.

'Tenzij...' Carols stem stierf weg toen haar een andere mogelijkheid te binnen schoot.

Chris passeerde de treuzelaar en vroeg toen ongeduldig: 'Tenzij wat?'

'Tenzij er helemaal geen lijst is. Misschien was dat gewoon een smoes die hij voor Lord Pannal heeft bedacht om zich in te dekken. Misschien heeft zijn volgende slachtoffer helemaal niets met dat hele kunstenaarsdorp te maken.'

Chris trapte op de rem en claxonneerde luid. Een geschrokken chauffeur in een SUV ging aan de kant toen zij wegscheurde. 'Het doet er nu niet zo veel toe, hè? Het enige wat telt is dat we er eerder bij moeten zijn dan Jack of Jake of John of wie ze ook maar vol giet met een vergif waar niets tegen te beginnen valt.'

Toen ze de buitenwijken van de stad hadden bereikt probeerde Chris te bedenken hoe ze het snelst bij de Hart Tower kon komen. 'Ik wou dat we Kevin bij ons hadden,' zei ze. 'Niemand kent de achterafstraatjes zo goed als hij.'

'Je doet het prima,' zei Carol. Maar ze wist absoluut niet of dat waar was.

'Een mooie droom die is uitgekomen. Mooie dromer.' Kevin fronste zijn wenkbrauwen. Had hij zichzelf net herhaald? Telkens als hij dacht dat hij alles wat er te zeggen viel over zijn schitterende auto al gezegd had, bedacht hij weer iets anders. Maar als hij het dan zei, had hij het gevoel dat hij het al eerder had gezegd. Meer dan eens.

Hij ging verzitten in zijn stoel die opeens verraderlijk glad aanvoelde. Zijn ledematen deden niet meer wat hij wilde; meer dat eens had hij zich aan de armleuning met de interessante stoffering moeten vastklampen om niet op de vloer te glijden. Waar een werkelijk schitterend kleed op lag met kleuren als juwelen die hij wel wilde omhelzen.

Een vreemde vlek kruiste alsmaar zijn blikveld. Roze met stekeltjes, met bovenop een dik bruin vel als van een beer. Het bont was wel wat anders. Eerst had het meer geleken op de golvende manen van een paard, maar plotseling waren die manen ontploft en waren veranderd in een grote spiraal van zijdeachtige linten. Hij had toegekeken hoe ze in een vertraagde beweging door de lucht dwarrelden en daarna op de houten vloer terechtkwamen.

Kevin draaide zijn zware hoofd om, zwaarhoofdig, zwaar hoofd, om er nog eens naar te kijken. Als een pompoen waar iemand met een stoomwals overheen was gereden. Prachtig. Echt waar, alles was prachtig.

Toen stond die vlek opeens pal voor hem en er kwam geluid uit. Het voelde wel erg plotseling aan, alsof hij in slaap was gevallen en op een andere plek was wakker geworden. Maar nee, hij zat nog in dezelfde stoel. Hij dacht tenminste dat hij al eerder in deze stoel had gezeten. Lang, lang geleden.

En opeens zat hij daar niet meer. Hij stond. Vreemde handen in zijn handen, die hem leidden. Te moeilijk. Op een rare manier te moeilijk. Kevin zakte door zijn knieën en viel voorover. Jeetje, wat was dat mooie tapijt lekker zacht. Hij kuste het tapijt en voelde een gegiechel in zijn keel opwellen. Hij begon te lachen en rolde op en neer, zich bewust van de handen op zijn lichaam. Honderd handen, een miljoen handen, Braziliaanse handen die hem voortrolden.

Hij had het gevoel dat hij voor altijd over de planeet kon rollen. Voor eeuwig en altijd. En altijd.

Het was gemakkelijk om toegang tot het gebouw te verkrijgen. Lord Pannal had verschrikkelijk graag willen helpen, alsof hij door een rotte appel in dienst te nemen verantwoordelijk was voor wat er was gebeurd. Dus hij had hun het reservepasje meegegeven waarmee ze toegang hadden tot de ondergrondse garage, de lift en het appartement zelf, mits ze de juiste pincode hadden. Maar die hadden ze ook van hem gekregen.

Alles werkte perfect, totdat ze bij de deur van het appartement kwamen, waar het schermpje liet zien dat de pincode niet juist was. Carol probeerde het nog een paar keer en moest het toen opgeven. 'Ik wed dat hij de code verandert als hij komt en die weer terugverandert als hij weggaat,' zei ze. 'De klootzak.'

'Wat doen we nu?'

'Heeft Stacey niet zo'n apparaatje dat je in het stopcontact steekt en waarmee je pincodes kunt lezen?'

Chris proestte het uit van het lachen. 'Ik denk dat je dat in een film gezien hebt, chef. Maar ook al had ze het wel, voor dat soort onzin hebben we geen tijd. Is er hier bewaking? Denk je dat die een pasje hebben waarmee je alle deuren kunt openmaken, zoiets als een loper?'

'Ga maar eens kijken,' zei Carol. 'Ik wacht hier wel.'

Het waren acht lange minuten. Toen kwam Chris terug met een statige oudere man in het uniform van het Korps van Commissionairs. Hij keek Carol van onder de klep van zijn pet uit de hoogte aan. 'Ik wil een legitimatiebewijs met foto zien,' zei hij.

'Stafbrigadier Malory gaat hier over de beveiliging,' zei Chris, die haar uiterste best deed om een vriendelijke toon aan te slaan.

Zwijgend haalde Carol haar identiteitskaart tevoorschijn en het pasje dat ze nodig had om toegang te krijgen tot het hoofdbureau van de politie in Bradfield. Malory bekeek het nauwkeurig en hield het schuin tegen het licht om te zien of het geschreven deel wel authentiek was. 'Moet u eigenlijk geen bevel tot huiszoeking hebben?' Hij keek haar streng aan.

Carol beet op haar tong. 'Paragraaf achttien van het Wetboek van Strafrecht,' wist ze nog net uit te brengen. 'Ik heb geen huiszoekingsbevel nodig als ik gegronde redenen heb om te vermoeden dat ik een ernstig misdrijf kan voorkomen. En die heb ik. En die ga ik u niet meedelen, meneer Malory.'

Achter zijn rug sloeg Chris haar ogen ten hemel en maakte een gebaar alsof ze zichzelf een strop om deed. En toen ging Malory tegen haar verwachting in door de knieën. 'Daar heb ik geen bezwaar tegen, mevrouw,' zei hij. Hij haalde de kaart door de gleuf en tikte met een zwierig gebaar het nummer in.

Een zacht gezoem en de deur zwaaide open. Je hoefde er maar met een vingertopje tegenaan te duwen. Carol gaf Chris een teken dat ze haar moest volgen en toen sloop ze het korte halletje door. Ze kon niets zien door de open deur in de verte, maar ze kon aan de andere kant van de drempel iemand horen grommen en kreunen van inspanning. Ze moest nu een besluit nemen. Sluipen of rennen?

Met een snelle handbeweging naar Chris sprong Carol de deur door. Ze nam het tafereel in zich op alsof het een kiekje was. Kevin op zijn rug op de vloer, zijn benen gebogen, zijn broek los, armen boven het hoofd, verwarde, rossige haren en een domme glimlach op zijn gezicht. Achter hem op de vloer als een weggegooid speelgoedbeest een pruik die eruitzag als een stralenkrans. Over hem heen gebogen, net bezig hem om te rollen, de man op de foto. Een man die begonnen was als Jack Anderson maar die sindsdien een lange weg had afgelegd. Zijn korte haren zaten op zijn hoofd geplakt van het zweet en hij had zich een paar dagen niet geschoren, maar er bestond geen enkele twijfel over zijn identiteit.

Chris schoot langs Carol heen en wilde zich op Anderson storten. Maar hij was sneller dan ze beiden hadden verwacht. Hij sprong overeind en gebruikte de snelheid waarmee Chris op hem afstormde door haar tegen zijn uitgestrekte arm te laten lopen en haar naar links te trekken zodat ze over Kevin heen moest lopen of over hem struikelen. Er stroomde bloed over haar gezicht toen ze met haar armen molenwiekte om overeind te blijven.

Anderson gaf niet op en ramde met zijn schouder tegen Carol op. Ze probeerde wanhopig om hem vast te grijpen en toen hij langs haar heen wilde rennen, kreeg ze zijn overhemd te pakken. Knopen vlogen in het rond toen hij zich los worstelde waarbij hij zich ontdeed van het overhemd als een slang van zijn huid. Zij moest hem loslaten en viel wankelend achterover.

En weg was hij. Hij racete pal langs hen heen naar de deur. 'Shit,' gilde Carol woedend toen hij uit zicht verdween.

Maar ze had buiten brigadier Malory gerekend.

Tony was zich nog steeds door de hoofdartikelen aan het worstelen toen Carol en Chris de teamkamer in kwamen strompelen. 'Bingo,' zei Carol. 'We hebben hem te pakken. Anderson, of Andrews of Anson of hoe je hem ook wilt noemen.' Toen zag ze Tony. 'Je had gelijk,' zei ze. 'Het onderbewuste. Prima gereedschap. We waren precies op tijd om zijn volgende slachtoffer te redden. Hij was al helemaal stoned, maar we weten vrij zeker dat Anderson het gif nog niet had toegediend.'

'Vertel?' Tony voelde zich een beetje misselijk worden.

'Je had gelijk met je waarschuwing aan Kevin. Je wist alleen niet voor wie je hem precies moest waarschuwen,' zei Carol.

'Is hij oké?' wilde Tony weten.

'De artsen gaan ervan uit dat het weer helemaal goed met hem komt. Hij is nog steeds zo stoned als een garnaal, maar hij vertoont geen symptomen van iets anders dan rohypnol of een partydrug of zoiets.'

'En weten we wat er is gebeurd?'

'Anderson heeft al weken geleden een afspraak met hem gemaakt, lang voordat hij Danny Wade heeft vermoord.'

'Hoe weet je dat? Ik bedoel, als Kevin nog helemaal van de wereld is?'

'Omdat ik degene ben die ze om vrijaf moeten vragen en Kevin heeft minstens een maand geleden al gevraagd of hij vanmorgen vrij mocht hebben. Anderson deed zich voor als een freelancejournalist voor autotijdschriften, die een stuk wilde schrijven over Kevin en zijn auto.'

'Ik wist dat hij alles ruim van tevoren plande. Maar hier sla ik steil van achterover. Zegt hij iets?' vroeg Tony.

'Dee,' zei Chris door een doek met rode vlekken heen die ze tegen haar neus hield. 'Hij zegt diets.'

'Hij wil geen advocaat, weigert iets te zeggen. Hij wil niet eens toegeven dat hij Anderson is.' Carol liet zich op een stoel zakken en wendde zich tot Tony. 'We hebben een pessarium in zijn jasje gevonden en een flesje met een antiviraal medicijn. We hebben getuigen die hem samen met de slachtoffers hebben gezien en we hebben toegang tot de giftuin. Maar ik zou graag een bekentenis hebben. Schiet jou nog iets briljants te binnen?'

'Laat mij met hem praten.'

'Je weet dat het niet zo werkt,' zei Carol.

'We hebben het eerder gedaan.'

'Maar niet met de ogen van de hele wereld op ons gericht. Je moet niet vergeten dat we te maken hebben met de moordenaar van Robbie Bishop.'

'Hij praat niet, Carol. Wat heb je te verliezen?'

Ze keek de andere kant op en vocht in stilte de strijd uit tussen haar behoefte om alles volgens het boekje te doen en haar behoefte om een bekentenis los te krijgen. Ze wist dat haar team haar gadesloeg, dat ze wilden dat ze zou doen wat nodig was om dit op een bevredigende manier op te lossen. Ze hadden een echt resultaat nodig, niet iets halfslachtigs. 'Oké,' zuchtte ze. 'Maar alleen als we hem op zijn rechten wijzen, en als hij het goed vindt dat we een geluidsopname maken.'

'Afgesproken,' zei Tony.

Hij duwde zich overeind op zijn krukken en begon in de richting van de deur te lopen. 'Waar is Paula?' vroeg Carol. 'En Sam? Ik kan ze er best bij gebruiken in Kirkby Pannal als de technische recherche het huis van Anderson doorzoekt.'

Stacey en Tony keken elkaar aan. Ze wisten allebei dat, als ze Carols vraag bantwoordden, Tony zijn gesprek met Jack Anderson wel op zijn buik kon schrijven. 'Achter de een of andere tip aan die te maken heeft met Aziz,' zei Stacey.

Tony verborg zijn verbazing. Stacey haalde nooit iemand uit de penarie. Toen herinnerde hij zich met wie Paula op pad was en begon het hem te dagen. Hij knikte haar snel toe toen Carol even de andere kant opkeek en ging op weg naar het cellencomplex.

Het nieuws van een belangrijke arrestatie verspreidt zich altijd snel op een politiebureau. Toen Tony en Carol tevoorschijn kwamen uit de teamkamer van het TZM stonden er overal mensen in deuropeningen die hun felicitaties toeriepen en applaudisseerden toen ze langs liepen. Zelfs in de deuropening van het CTC stonden een heleboel mannen in het zwart die zwijgend blijk gaven van hun waardering. Toen ze in de hal stonden te wachten spuwde de lift David en Johnny uit. 'Mooi zo,' zei David toen hij langs Tony en Carol liep die op weg waren naar de lift.

'Maar ik hoor dat hij niet praat,' voegde Johnny eraan toe. 'Hopelijk vinden de jongens in de witte pakken iets tastbaars voor je.'

De deuren gingen dicht voordat Carol kon antwoorden. Tony zei: 'Je zult wel blij zijn als je ze kwijt bent.'

Carol zuchtte. 'Dat gebeurt voorlopig nog niet.'

'Oh. Nou, het is namelijk zo dat...' De lift stopte en twee personeelsleden van de administratie voegden zich bij hen. Niet een geschikt moment om haar over Rachel Diamond te vertellen.

De wandeling van de lift naar het cellencomplex leende zich daar ook niet echt voor, vooral niet omdat hij zich enorm moest concentreren. En bovendien wilde hij nu even niets anders aan zijn hoofd hebben, voordat hij eindelijk tegenover Stalky zat. Alles op zijn tijd, dacht hij. Bij de balie bracht een techneut het kleine oordopje in, waardoor Carol met hem zou kunnen communiceren en toen liepen ze weer de hal door.

Carol bleef voor een van de verhoorkamers staan. 'Zodra ik iets hoor van de technisch rechercheurs die zijn huis doorzoeken, zal ik je dat laten weten. Succes.' Ze hield de deur voor hem open.

Omdat het een tijdje duurde voordat Tony de kamer door was gelopen, had hij gelegenheid om Jack Anderson eerst goed op te nemen. Hij zat, en daarom kon je moeilijk inschatten hoe groot hij was, maar te oordelen naar zijn postuur dacht Tony dat hij bijna twee meter lang was. Hij was zesentwintig, dezelfde leeftijd als Robbie Bishop, en hij zag er gezond uit. Een stoppelbaardje, een net kapsel, geen zichtbare tatoeages, een diamanten knopjesoorbel. Hij droeg het jasje dat bij zijn pak hoorde over zijn blote borst. Bij hem zag het eruit alsof het mode was. En hij was knap, zelfs met de gezwollen bult op zijn wang waar Malory hem een mep had verkocht. Op zijn foto zag hij er goed uit, maar in het echt was hij nog aantrekkelijker. Je kon wel zien dat hij geen moeite zou hebben om een meisje te krijgen. Een jonge Robert Redford, maar dan met donker haar en een betere huid, dacht Tony. En even koel als Paul Newman, ongeacht diens leeftijd.

Het gezicht van Anderson was volkomen uitdrukkingsloos toen Tony de kamer door strompelde en eindelijk ging zitten. 'Ik ben Tony Hill,' zei hij, zodra hij goed zat. 'Ik werk samen met de politie. Ik ben een profielschetser.'

Een mondhoek vertrok in een scheef lachje. 'Zoiets als Cracker, maar dan mager.'

Tony onderdrukte een glimlach. Toen de stilte eenmaal verbroken was, was het des te moeilijker om weer in zwijgen te vervallen.

'Ik heb ook geen probleem met drank of gokken,' zei Tony opgewekt. 'Ze hebben je toch wel op je rechten gewezen?' Anderson knikte. 'Je wilt geen advocaat?' Hij schudde zijn hoofd. 'En je weet dat dit gesprek wordt opgenomen?'

'Dat maakt niets uit, want ik ben toch niet van plan om iets bijzonders te zeggen.' Anderson leunde achterover in zijn stoel en sloeg zijn armen over elkaar. 'Ik weet dat het gênant is, maar ik ga toch Billy Joel citeren. "I am an innocent man."'

Tony knikte. 'Ik denk dat je dat op een bepaalde manier ook echt gelooft. Maar je weet denk ik ook dat je dat in de praktijk heel moeilijk vol zult kunnen houden. De politie heeft al wat bewijzen in handen en daar komt nog veel meer bij. Ook al denk je dat je volkomen terecht mensen hebt gedood, de harde waarheid is toch dat je over een paar dagen zult worden beschuldigd van drie moorden. En dat is dan omdat je drie mannen hebt doodgemaakt.'

Anderson zei niets. Zijn gezicht was weer even bewegingloos als voorheen.

'Ik ga je Jack noemen,' zei Tony. 'Ik weet dat je door iets – wat weet ik niet – wat drie jaar geleden is gebeurd het gevoel hebt dat Jack dood is, maar hij is degene over wie ik het meeste weet. Dus houden we het bij Jack. Ik denk aan Jack, als klein jongetje, en ik voel met hem mee. Een heleboel kinderen groeien op zonder vader. Ik ben er een van, dus ik begrijp een beetje wat het betekent. Maar mijn vader is niet gedood. Voor mij bestond er altijd nog de mogelijkheid dat hij weer in mijn leven zou opduiken, ook al was die kans erg klein. Maar dat had jij niet, hè? Jouw vader was voor altijd weg. Je had geen hoop meer om je aan vast te klampen. En wat nog erger was, hij stierf als held. De dood van een soldaat die sterft voor koningin en vaderland. Daar kun je als tiener nooit tegenop.'

'En dan zijn er al die dingen die hij verloor door toen te sterven. Ale dingen die hij nooit heeft gezien, nooit heeft gedaan. Het internet. iPods. Digitale camera's. Goedkope vliegtickets. Google. Jou zien opgroeien. Ik vermoed dat je daarom zo vreselijk graag alles wilde meemaken. Vrouwen. Drank. Drugs. Mannen. Snuiven, spuiten, neuken, straalbezopen worden. Al die dingen, die voor het grijpen liggen...'

'Wat bedoel je, mannen? Ik ben geen flikker.' Hij had zijn armen van elkaar gehaald, zijn handen klemden zich vast aan de zijkanten van de stoel.

Yes! De antivirale medicijnen waren de clou geweest, maar zelfs dan nog had Tony niet verwacht dat er zo gauw een barst in het harnas zou verschijnen. 'Dat heb ik ook niet gezegd.' Tony's stem bleef kalm en ontspannen. Hypnotiserend bijna. 'Ik had het over het verlangen naar ervaringen. Ik dacht dat je alles wilde meemaken? Om het zelf te voelen, onbevreesd en ontvankelijk voor alles, voor elke sensatie. Om wat de wereld te bieden heeft te grijpen, om niets te hoeven missen. Heb ik het mis?'

'Dat zijn uw woorden, niet de mijne, dokter.' Anderson deed zijn best om de stoere jongen uit te hangen, maar Tony kon de woede en de pijn eronder voelen. Al die pijn, en hij kon er nergens mee heen.

'Maar ik heb gelijk. Dat weten we allebei,' zei hij. 'Ik ben trouwens ook geen flikker, als dat helpt. Dat betekent niet dat ik me wel eens heb afgevraagd hoe dat zou zijn. Ik bedoel, als je alles al hebt meegemaakt, moet je je dat toch afvragen? Zou het meer van hetzelfde zijn, of anders?' Het was tijd om het tempo wat op te voeren. 'En toen je moeder stierf – toen was dat een ervaring waar je geen behoefte aan had. Je wilde niet dat ze zichzelf van kant maakte, je wilde niet weten hoe dat soort wanhoop aanvoelde. Je wilde niet dat ze doodging, hè? Wat moet dat moeilijk voor haar zijn geweest, met moeite blijven leven totdat jij volgens haar op je plaats was, en toen was ze niet meer te houden. Voor die ene ervaring die niemand kan delen. Ze deed wat ze kon en toen nokte ze af. Liet jou aan je lot over. Ik vermoed dat als er al iets was wat je daarvoor nog niet had gedaan, dat je daar toen meteen aan begon toen zij de pijp aan Maarten gaf.'

Anderson ging wat verzitten. 'Moet ik de hele dag naar dit amateuristische gelul blijven luisteren?' barstte hij uit.

'Er is niets amateuristisch aan, Jack. Ik word ervoor betaald. Wat stond er nog meer op je lijst? Voetbal in de Premier League spelen. Een huis kopen in Dunelm Drive. Op je dertigste een miljoen op de bank hebben staan. In een Ferrari rijden.' Tony kon zien dat het werkte. Iedere zin riep een miniscule reactie op. Tijd om de druk op te voeren. 'Zit ik goed, Jack? Hoeveel meer staan er nog op je lijst? Hoeveel meer wilde je er nog gaan vergiftigen? Hun levens vergiftigen zoals hij het jouwe had vergiftigd?'

Hij haalde onregelmatig adem. 'Je zit lulkoek te verkopen, man. Wat betekent dat? Vergiftigde levens? Denk je dat degene die die gasten heeft vermoord de moord gebruikte als metafoor? Hoe kun je de dood zo bagatelliseren? Je bent nog zieker dan die moordenaars die je moet vangen.'

Tony haalde zijn schouders op. 'Je bent niet de eerste die dat oppert. Maar als puntje bij paaltje komt ben ik geen moordenaar. Jij wel. En de enige reden waarom ik of iemand anders jou op dit moment interessant vind, is omdat we willen horen waarom je het hebt gedaan. Ik denk dat ik het weet, maar het zou leuk zijn om te horen dat ik gelijk heb.'

'Wat ben jij een ongelooflijke lul, zeg,' zei Anderson. Mensen als jij, die denken dat ze weten waarom mensen dingen doen – jullie hebben geen flauw benul.'

'Een rookgordijn, Jack. Misschien dat er mensen zijn die erin trappen, maar ik niet. Ik ben niet geïnteresseerd in jouw pogingen om de zaak af te leiden. Laten we weer tot de kern van de zaak komen. Jouw pogingen wraak te nemen op het feit dat jou je dromen ontnomen zijn door de man die je leven heeft vergiftigd.'

'Ik ben geen flikker,' zei Anderson, ditmaal wat harder.

'Wie heeft er iets over flikkers gezegd?' zei Tony, een en al onschuld. 'Ik vroeg je iets over jouw lijstje. Over wat er nog meer op stond. Je hebt er drie gedaan. Hoeveel komen er nog? Ik weet dat er minstens nog een is. Kevin, die vent met de Ferrari. Dacht je nou echt dat ze achterover gingen zitten wachten tot je er nog eentje van hen te pakken nam? Je hebt Tom Cross al gepakt omdat we niet op de juiste plek keken.' Tony leunde naar voren tot zijn gezicht vlak bij dat van Jack was. Nog steeds kalm, maar met een meedogenloze blik in zijn ogen. 'Kevin Matthews zou je nooit hebben gekregen.'

Voor het eerst zag Anderson er aangedaan uit, zijn gezicht stond verschrikt en oplettend. 'Ik werk wel eens als freelancejournalist. Ik was hem aan het interviewen.'

'Hoe lang heeft het geduurd voordat je een journalist vond met de juiste initialen? Of wist je opeens hoe je Kevin moest benaderen toen je dat artikel van de echte Justin Adams zag?' Tony hield zijn hoofd scheef en nam Anderson op. 'Ik ben nieuwsgierig, weet je. Ben je opgelucht dat we je hebben tegengehouden? Of heb je er de pest in, omdat je het niet hebt kunnen afmaken. Gewoon uit nieuwsgierigheid, waar wilde je mee eindigen? Was je van plan om het lijstje af te werken en dan te stoppen? Het leven wat je nog tegoed had uitleven? Of wou je het op gaan potten zoals je moeder deed?'

Er zwol een spiertje op in Andersons kaak. 'Dat zei ik toch. Het was een interview. Ik werk freelance als journalist, oké? Toen werd hij opeens helemaal wild. Ik heb geen idee waarom. Je zou moeten vragen waar hij was voordat hij naar mij toe kwam. Als hij al iets had ingenomen, dan moet het daar zijn gebeurd. Ik weet absoluut niet waar je het over hebt. Vergif? Flikkerseks? Dat is niet mijn wereld.'

Tony wilde net iets gaan zeggen, maar de stem van Carol in zijn oor snoerde hem de mond. 'Tony, ik heb net een boodschap gekregen van de technische recherche. Ze hebben zijn lijst gevonden, hij had hem onder het toetsenbord van zijn computer geplakt. De twee wensen die je nog niet hebt zijn: een cd opnemen die in de top tien komt en uitgaan met een topmodel. Heb je dat?'

Hij knikte. 'O jawel, Jack. Kevin en zijn Ferrari. Ook op je lijstje. En wie moest de volgende worden? Welke van de musici uit Bradfield die een populaire cd had gemaakt wilde je een kopje kleiner maken? Of had je het voorzien op de kerel wiens vriendin een topmodel was? Even denken. Wie komt er uit Bradfield en heeft een topmodel als vriendinnetje? Dan hebben we het over Deepak, hè? Onze eigen modeontwerper. Stond hij ook op de lijst?'

De wenkbrauwen van Anderson zaten nu vlak naast elkaar, ertussenin liep een ondiep verticaal gootje. Angst, daar zou Tony zich nu op gaan richten. Hem bang maken. Maak hem ongerust. Zorg dat hij geen vaste grond meer onder de voeten heeft. En bied hem dan troost aan.

'Ze zijn heel erg overstuur over Kevin. Hij is een populaire vent. Waar zou je het ditmaal mee gaan doen? Monnikskap? Vingerhoedskruid? Strychnine? Ik moet wel zeggen dat ik het een klasse-idee vind. Gif. Vergiftig hun levens zoals hij jouw leven heeft vergiftigd.' En opeens wist hij het. De herhaling die bedoeld was om Anderson van zijn stuk te brengen, had een deur voor Tony geopend. Het was een sprong in het duister, dat wist hij. Maar het was een sprong die volkomen logisch leek.

Hij legde zijn gevouwen handen op de tafel en liet het medelijden dat hij voelde de vrije loop. 'Eén keertje maar. Meer hoefde niet. Je wilde alles proeven, wilde alles weten. Maar het was niet zoals alle andere keren dat je een grens overschreed en lol had, hè, Jack? Je vond het verschrikkelijk. Want je hebt gelijk. Je bent geen flikker. Je dacht dat het wel kon, maar je vond het vreselijk. Vond het zo vreselijk dat je de pest kreeg aan jezelf. Toen ben je opgehouden Jack te zijn, was het niet zo? Jack was beschadigd, helemaal kapot. Dus je liet Jack in de steek. Je wist dat als je zogenaamd dood was, je afscheid moest nemen van het verleden, dus dat deed je. Jack werd John, en soms Jake. Maar je had nog altijd je dromen. Je had nog steeds dat lijstje. Je geloofde nog steeds dat je de top kon bereiken.'

Anderson greep de stoel nog wat steviger vast, de spieren van zijn schouders waren gezwollen en gespannen. Hij schudde heftig met zijn hoofd, alsof hij iets plakkerigs en walgelijks van zich af probeerde te schudden.

Tony praatte nu zachtjes. 'En toen kwam je erachter. Eén keertje maar, meer was er niet voor nodig. Die infectie in je bloed die je vergiftigde. Die je doodmaakte. Het doet er niet toe dat je tegenwoordig medicijnen kunt slikken en langer kunt blijven leven. Wie wil er nu langer leven zonder zijn dromen? Wat heeft het bestaan dan nog voor zin? Je had de wereld aan je voeten, je zou iemand worden. En die ene nacht heeft alles van je afgepakt.'

De stilte tussen hen duurde voort, gespannen en dramatisch. Anderson zag eruit alsof iets in hem op knappen stond. Tony besloot dat te forceren.

Zijn toon was glad, suikerzoet. 'Dus jij besloot dat als jij je dromen niet kon verwezenlijken, de mannen die dezelfde weg waren gegaan als jij dat ook niet zouden doen. Je had in hun schoenen kunnen staan, maar dat was niet zo, dus zij mochten daar ook niet meer in staan.' Toen veranderde zijn stem plotseling. Op scherpe, harde toon zei Tony: 'Nou, dan heb ik nieuws voor je, Jack. Je krijgt de kans niet meer om de dromen van anderen weg te nemen. Je gaat naar de gevangenis waar ze goed voor je zullen zorgen en waar ze zich ervan zullen vergewissen dat de dagen die je nog resten allemaal even ellendig zullen zijn. Je zult een lang en gezond leven hebben achter de tralies. Waar alle anderen die samen met jou in de gevangenis zitten alle sappige details van jouw proces zullen weten.'

Anderson sprong op en deed een uitval naar Tony die een van zijn krukken hard door de lucht zwiepte en er Anderson keihard mee in zijn ribben sloeg, waardoor hij zodanig uit zijn evenwicht raakte dat hij op de grond viel. 'Zie je wel? Ze komen niet naar binnen rennen om me te helpen, hè?' zei Tony. 'Dat komt omdat ze weten dat je niet in staat bent om mij een goed pak slaag te geven. Je houdt niet van geweld. Chris Devine heeft in het vuur van de strijd gewoon pech gehad. Als je erover had moeten nadenken, had je haar nooit geslagen. Dat is een andere reden waarom je voor vergif hebt gekozen. Dan kon je iemand op afstand vermoorden.' Hij schudde zijn hoofd. 'In het begin voelde ik nog wel wat sympathie voor je, Jack. Nu voel ik alleen maar medelijden.'

Anderson krabbelde overeind en liep beschaamd terug naar zijn stoel. 'Ik wil jouw medelijden niet.'

'Zorg dan dat je mijn respect verdient. Vertel me hoe het was. Als ik ongelijk had, moet je dat nu zeggen. Dan neem ik alles terug.'

Anderson liet zich verslagen in zijn stoel zakken. 'Ik ga er niet over praten. Wat ze ook voor bewijzen vinden, ik ga er niet over praten. Ik zal schuld bekennen. Maar over die dingen waar jij het over had, ga ik niet praten. Er komt helemaal geen proces waar mijn naam door het slijk wordt gehaald. Het zal altijd een mysterie blijven waarom ik het deed.' Zijn ogen schoten vuur van woede. 'Ik heb ze vermoord. Dat moet ik toch van jou zeggen, hè? Ik heb gedaan wat ik moet doen. Ik heb ze vermoord.'

Nadat ze Anderson hadden meegenomen, merkte Tony dat hij echt niet meer wilde bewegen. Hij was uitgeput en hij verging van de pijn, en wilde niets meer doen waardoor een van beide toestanden nog erger zou worden. Dus bleef hij daar maar zitten. De brigadier van dienst bracht hem een kopje koffie die uit zijn privévoorraadje moest zijn gekomen, want het smaakte echt ergens naar. Afgezien daarvan lieten ze hem met rust. Hij dronk bijna alle koffie op, liet toen het laatste restje afkoelen, zodat hij er een paar codeïnetabletten mee kon wegspoelen. Wat was dit voor baan, waar je je op het hoogtepunt altijd zo klote voelde?

Hij wist niet precies hoeveel tijd er was voorbijgegaan toen Carol terugkwam. Ze ging tegenover hem zitten en reikte over de tafel heen om haar hand op de zijne te kunnen leggen. 'Met Kevin gaat het goed. Het komt weer helemaal in orde met hem. En we hebben Anderson in staat van beschuldiging gesteld,' zei ze. 'Als de lui van de technische recherche doen wat ze moeten doen, zitten we goed. We kunnen hem zeker met Tom Cross in verband brengen en er zijn indirecte bewijzen bij Danny Wade. En die poging op Kevin. En als hij blijft volhouden dat hij schuldig is, pakken we hem ook voor de moord op Robbie.'

'Hij bedenkt zich wel zodra er een advocaat met hem aan de gang gaat,' zei Tony. Zo ging dat nu eenmaal. Wie hem uiteindelijk zou vertegenwoordigen zou de potentiële krantenkoppen al zien schemeren en zou natuurlijk hard van de daken gaan schreeuwen dat er recht moest worden gedaan. 'Laten we hopen dat het Bronwen Scott niet is.'

Carol trok haar hand weg en vroeg: 'Is er iets anders waar je met me over wilt praten?'

Zijn oogleden trilden van vermoeidheid. 'O,' zei hij langzaam. 'Nu je het daar toch over hebt...'

'Tony,' klonk de donderende stem van John Brandon vanuit de deuropening. 'Gefeliciteerd. Je bent nog maar net uit het ziekenhuis en je knapt onze zaakjes al op. Goed zo.' Hij schudde Tony's hand en trok een stoel bij. 'Ik hoor van Carol dat we met een gevoelige kwestie zitten opgescheept. Misschien is het nuttig als we jouw kijk op de zaak horen. Carol?'

'We hebben blijkbaar een alternatief scenario voor de bomaanslag van zaterdag,' zei ze. 'Tony en rechercheur McIntyre zijn gisteren bij Rachel Diamond langs geweest. De weduwe van Benjamin Diamond, een van de slachtoffers van de bom in het stadion. Ze hadden ontdekt dat het bedrijf van meneer Diamond zaken deed met het familiebedrijf van Yousef Aziz. Tony had zijn twijfels al tegen mij geuit dat het misschien wel geen simpele terroristische aanslag was, dus toen hij vroeg of hij met mevrouw Diamond kon gaan praten over een mogelijk verband tussen haar man en Yousef Aziz dacht ik dat hij dat zeker moest natrekken. Tony?'

'Rachel Diamond beweerde dat ze geen kranten had gelezen en geen tv had gezien en het schoot me pas later te binnen dat ze dus geen foto van Aziz had gezien. Ze kon dus onbewust iets hebben gezien, waarvan zij had gedacht dat het volkomen onschuldig was, maar dat in feite iets heel anders was. Dus ben ik vandaag nog eens naar haar huis gegaan met een foto van Aziz. Zij was er zelf niet, maar haar zoontje Lev wel. Hij zag de foto van Aziz heel toevallig en zei: "Waarom heb je een foto van de vriend van mama bij je?" Ik heb hem op geen enkele manier onder druk gezet, ik ken de regels die betrekking hebben op minderjarige getuigen. En hij zei dat ze Aziz in het park hadden ontmoet en dat hij een ijsje van hem had gekregen. Het begon tot me door te dringen dat er dus nog een andere verklaring was dan de twee die we in gedachten hadden.'

Brandon keek bezorgd. 'Het CTC gaat dit niet leuk vinden,' zei hij.

'Jammer dan,' zei Carol. Ze had Brandon nog niet vergeven voor wat zij nog steeds zag als een gebrek aan ruggengraat toen hij oog in oog stond met de vijand. 'Tony?'

'Yousef Aziz was geen terrorist. Hij was ook geen huurmoordenaar. Hij was een minnaar. Hij was verstrikt geraakt in een... vergeef me dat ik klink als een kop in een sensatieblad, maar ik kan het op geen andere manier beschrijven dan een verboden liefde. De zoon van een vrome moslim wordt verliefd op een getrouwde joodse vrouw. Daar kan hij niet zo goed mee thuiskomen, hè? Ze worden gegarandeerd allebei verstoten uit hun families en uit de bedrijven die ze met zoveel moeite hebben opgebouwd.

'Ik denk dat Rachel de zaak heeft bedacht.' Hij schudde zijn hoofd. 'Feitelijk heb ik het griezelige vermoeden, nu ik enige tijd heb doorgebracht in het gezelschap van Rachel, dat ze het op Aziz had gemunt, enkel en alleen met de bedoeling dat ze via hem alles zou organiseren wat er uiteindelijk is gebeurd – twee vliegen in een klap. Maar ik ga een beetje te snel.' Brandon keek alsof hij overal liever wilde zijn dan bij hen. Tony liet zich daardoor niet uit het veld slaan.

'Ze hebben een relatie. Aziz is dolverliefd, hij zou alles voor haar willen doen. En dan krijgt Rachel een briljant idee. Ze doen een terroristische aanslag na. Ze ontdoen zich van Benjamin zonder dat iemand vermoedt wat het motief is. Aziz kan op deze manier ook het systeem ontregelen dat zijn eigen mensen onderdrukt, want de mensen die worden opgeblazen zijn de rijke stinkerds die neerkijken op mensen als hij en zijn familie.

Wat Aziz denkt dat er gaat gebeuren is het volgende. Hij stelt handmatig het ontstekingsmechanisme in en maakt dat hij weg komt voordat het ontploft. Dan rijdt hij naar het vliegveld en is verdwenen voordat er ook maar iemand naar hem op zoek gaat. Hij gaat naar Canada, wat een slimme keus is omdat daar een heleboel Aziaten wonen. En daar zou Rachel zich dan bij hem voegen...'

'Ik vind het vervelend je te moeten onderbreken,' zei Carol, 'maar ik heb wat informatie daarover. Stacey heeft een reservering opgespoord op de vlucht naar Toronto op vrijdag op naam van Rachel Diamond en haar zoontje Lev. En we hebben een verhuurbedrijf van vakantiehuisjes gevonden dat vanaf zaterdag voor een maand een huisje verhuurt aan Rachel Diamond. Yousef Aziz had het huisje al eerder op zijn computer bekeken. Zowel vlucht als huisje zijn betaald met een creditcard die op haar naam staat. Dus Tony heeft gelijk. Of ze nu van plan was om zich bij Aziz te voegen of niet, ze had deze reserveringen gedaan en die tonen haar bedoeling aan.'

'Het is niet erg overtuigend.' zei Brandon.

'Er is meer te vinden,' zei Carol. 'We zullen het telefoontje kunnen traceren waarmee de ontsteker op afstand kon worden getriggerd. Als ze gebruik heeft gemaakt van haar vaste telefoon, dan staat het geregistreerd. Als ze een mobieltje heeft gebruikt, zullen we erachter komen welke mast het heeft doorgezonden. Ik wed dat Stacey bewijzen zal kunnen vinden op een van de vele computers van de familie Diamond. We gaan met alle vrienden van de familie praten. Er moet toch iemand zijn die wist dat het huwelijk in moeilijkheden was. Die is er altijd. En nu we weten waar we naar zoeken, vinden we ook wel getuigen die hen samen hebben gezien. En Tony zal getuigen over wat Lev heeft gezegd.'

'Infomatie uit de tweede hand,' zei Brandon.

'Eerlijk gezegd, meneer, denk ik dat dit onder een van de uitzonderingen op die regel valt,' zei Carol beleefd.

Brandon schudde zijn hoofd. 'Het bevalt me niet, Carol. Denk je dat er een jury is die erin trapt dat een joodse vrouw haar moslimminnaar zover krijgt dat hij zichzelf en vijfendertig andere mensen opblaast, alleen om van haar man af te komen? Waarom ging ze niet gewoon van hem scheiden zoals wij allemaal doen?'

'Omdat ze hebzuchtig is,' zei Tony. *En mij hoef je niets te vertellen over hebzuchtige vrouwen.*

'Ik wil haar arresteren, meneer,' zei Carol. 'Voor zesendertig aanklachten wegens moord. Want als we dat niet doen, zit ze op het volgende vliegtuig naar het buitenland zodra ze van haar moeder hoort wat Lev tegen Tony heeft verteld. En als u al denkt dat we geen overtuigende bewijzen in handen hebben voor een arrestatie, hebben we geen poot om op te staan als we om haar uitwijzing vragen.'

Brandom kreunde: 'Dit bevalt me niet, Carol. Je bent eigenlijk nog steeds aan het vissen.' Er werd op de deur geklopt. 'Binnen,' riep Brandon.

Stacey kwam binnen met een gezicht waarop duidelijk te zien was dat ze erg tevreden was over zichzelf. 'Ik dacht dat jullie dit wel zouden willen zien,' zei ze en ze legde de map die ze bij zich had op tafel neer.

'Wat is dit?' vroeg Brandon.

'De technisch rechercheurs die het appartement van Aziz overhoop hebben gehaald, hebben een rekening gevonden voor een cola en een gebakje in de City Art Gallery op vrijdagmorgen. Dus wij hebben meteen de video's uit de bewakingscamera's van het café en het museum in beslag genomen. Boven hebben ze alles, maar ik dacht dat jullie nu al wel de gemonteerde hoogtepunten wilden zien.'

Brandon sloeg het dossier open en ze staarden met z'n drieën naar de inhoud. Op de eerste foto stond Yousef die aan een tafeltje de krant zat te lezen, met voor zich een cola en een gebakje. Op de volgende foto kwam Rachel Diamond van achteren aanlopen met een krant in haar hand. De volgende foto liet zien hoe ze de krant voor Yousef op tafel legde. Op de laatste foto was ze doorgelopen, maar had geen krant meer bij zich. 'Drie contactmomenten tussen hen,' zei Carol. 'Volgens mij wordt het tijd om een visje te gaan vangen.' Brandon keek nog steeds wat aarzelend, maar hij knikte dat het goed was.

'Probeer het eens van de positieve kant te zien, John,' zei Tony. 'Nu kun je in ieder geval tegen het CTC zeggen dat ze kunnen oprotten.'

DRIE MAANDEN LATER

Een stralende zondagmiddag, een klassiek landschap in het noorden van Engeland met hoog liggende heidevelden en langgerekte dalen. Een knalrode Ferrari cabriolet met open dak reed langzaam over een smal weggetje dat zich de helling van een hoog plateau op slingerde. 'Waar gaan we heen?' vroeg Tony aan Carol. 'En waarom gaan we erheen in de auto van Kevin?'

'Je kunt het zo vaak vragen als je wilt, ik vertel het toch pas als we er zijn.'

'Ik heb de pest aan verrassingen,' mopperde hij.

'Dit zul je leuk vinden,' zei Carol. 'Dus hou op met zeuren.'

Een aantal kilometers verderop werd de weg vlakker. Op de heuvel staken er schietschermen uit de varens en het wolgras omhoog, als geschuttorens op een schip. Een pad boog af naar rechts en Carol stopte. Ze reikte naar de achterbank en pakte een rugzak. 'Kom op,' zei ze. 'We zijn er.'

Tony keek om zich heen naar het lege landschap. 'We zijn waar?'

'Loop maar achter mij aan.' Ze begon het pad op te lopen en draaide zich toen om, want hij bleef wat achter. Hij trok nog steeds wat met zijn been. Ze vroeg zich af of het ooit helemaal zou verdwijnen. Ze hadden het erover om het gewricht te vervangen, wist ze. Maar het idee dat hij weer onder het mes moest, trok hem niet aan. Zelfs niet als dat mes werd gehanteerd door de roemruchte mevrouw Chakrabarti.

'Ik kan nog niet zo ver lopen, hoor,' zei hij toen hij naast haar stond.

'We gaan ook niet ver.' Zo'n achthonderd meter verderop viel de heuvel scherp naar beneden en bood een spectaculair uitzicht op het dal waar in de verte een prachtig kasteel te zien was. 'Zo is het wel goed,' zei Carol. Ze maakte de rugzak open en pakte er een lichtgewicht plaid uit. Ze gingen er naast elkaar op zitten en toen haalde ze twee verrekijkers uit de rugzak en een klein flesje champagne met twee glazen. Ze wierp een blik op haar horloge. 'Perfect getimed.'

'Ga je me nog vertellen wat er aan de hand is?'

'Gebruik je ogen.' Ze overhandigde hem een verrekijker. 'Kijk het dal in in de richting van het kasteel.' Terwijl ze praatte, warrelde er een rookpluimpje naar de hemel. Toen was er opeens een enorme steekvlam. Een strook groen werd bloedrood en geel en zwart van het vuur en van de rook.

'Is dat wat ik denk dat het is?' vroeg Tony, terwijl hij door zijn verrekijker naar het schouwspel keek.

'De giftuin van Lord Pannal,' zei Carol. 'Hij heeft dat al willen doen vanaf de dag dat we Jack Anderson hebben gearresteerd. Maar wij moesten er zeker van zijn dat het Openbaar Ministerie en de verdediging al het onderzoek hadden gedaan wat ze nodig achtten. Ze hebben beide op vrijdag een handtekening gezet dat ze het niet meer nodig hadden en dus heeft onze lord eindelijk zijn zin.'

'Nu snap ik waarom je de Ferrari hebt geleend.' Tony liet zijn verrekijker zakken. 'Blijft Anderson bij zijn bekentenis?'

Carol knikte en ze draaide met haar duimen de champagnekurk rond. Met een bescheiden knalletje vloog die eruit en ze schonk de glazen vol. 'Zijn advocaat heeft gedaan wat hij kon om hem op andere gedachten te brengen, maar hij is slim genoeg om te begrijpen dat als hij blijft beweren dat hij schuldig is, er voor de rechtbank bijna niets naar buiten komt over de redenen waarom hij zo ontspoord is. En sinds de jongens van toxicologie hebben ontdekt dat het pessarium dat hij in zijn zak had zitten, boordevol strychnine zat, kan hij uiteraard niet meer volhouden dat hij toevallig in de buurt was.'

'Je meent het. Ben je er ooit achtergekomen hoe hij die drugs heeft toegediend?'

'IJsklontjes. De ene kant van het bakje zat vol rohypnol. De andere kant was schoon.' Ze schoot even in de lach. 'Op de kant waar de drugs in zaten had hij met een toverstift een grote R geschreven om een vergissing uit te sluiten.'

Tony nam een slok van zijn drankje. 'Ik vroeg me toen wel af of hij ons zou gaan belazeren.'

'Belazeren? Hoe dan?'

'Een capsule met cyaankali in een knoopje van zijn overhemd of zoiets. Dat zou me niets hebben verbaasd.'

Hij keek uit over het dal. 'Is er nog nieuws over Rachel Diamond?'

'Ze beweert nog steeds bij hoog en bij laag dat ze onschuldig is. Maar wij hebben getuigen die zeggen dat het huwelijk van de heer en mevrouw Diamond niet zo goed was. En met het materiaal dat Stacey van de computer uit het kantoor heeft gehaald, gecombineerd met die overdracht in het museumcafé kan ze geen kant meer op. Dat je daarachter bent gekomen is werkelijk briljant.'

Hij schudde zijn hoofd. 'Het was een erg vreemde tijd voor me. De pijn, de medicijnen. Het bizarre van die twee zaken. En mijn moeder.' *En het feit dat we van het begin tot het eind met elkaar in de clinch hebben gelegen.*

'Heeft ze nog contact met je gezocht?'

'Nee, dat zal ze waarschijnlijk ook niet doen tot de volgende keer dat ze iets van me nodig heeft.'

Carol boog zich naar hem over. 'Ben je nog steeds van plan om te proberen meer over je vader te weten te komen?'

Hij zuchtte. Soms wou hij dat ze zijn littekens met rust liet. Hij wist dat ze het deed uit bezorgdheid, en omdat ze om hem gaf, maar dat betekende nog niet dat het geen pijn deed. Toen zijn vader nog een onbekende was, had hij, net als Jack Anderson, in zijn dromen kunnen wonen. Nu er een werkelijkheid van vlees en bloed was waar hij dingen over kon opzoeken, wist hij niet zeker of hij wel geïnteresseerd was in dat deel van de erfenis. 'Ik heb je eigenlijk nooit bedankt voor de manier waarop je Vanessa te pakken hebt genomen,' zei hij.

'Dat hoeft ook niet. Ik weet dat het ingewikkeld voor jou is.'

Hij keek op haar neer zoals ze daar lag met haar haren die glansden in de zon en met haar lange benen voor zich uitgestrekt. Iedereen die hen zo zag, zou denken dat ze een stel waren dat al lang bij elkaar was. Een man en vrouw die eropuit waren getrokken voor een zondagse wandeling en die zich op hun gemak voelden bij elkaar. De waarheid was veel complexer en veel minder aantrekkelijk, maar dat gold voor de meeste dingen in zijn leven. Hij glimlachte wrang. 'Ik zou alleen soms willen dat je me gewoon die handtekening had laten zetten,' zei hij.

Ze ging wat van hem af zitten en keek hem aan, geschokt en gekwetst. 'Wou je echt dat ik gewoon had staan toekijken hoe jouw moeder je een loer aan het draaien was?'

'Nee, dat is het niet,' zei hij zoekend naar de juiste woorden. 'Wij brengen zoveel tijd van ons leven door, jij en ik, met het zoeken naar de oplossingen van geheimen. We hebben ons die houding zo eigen gemaakt dat we die op alles moeten toepassen. We moeten overal de wieltjes vanaf halen om te kijken hoe het werkt. En ik merk juist in toenemende mate dat ik verlang naar wat meer raadselachtigheid, wat meer vaagheid. Zijn en doen in plaats van denken en analyseren.'

'Nu heb je het toch niet over je vader, hè?'

'Nee,' zei hij. Hij ging achteroverliggen en keek naar de lucht. 'Nee, nu niet.'

DANKWOORD

Muziek helpt me altijd bij het schrijven. Het wordt zelden apart vermeld, maar muziek biedt troost en ritme, en muziek is een bron van inspiratie en plezier. Als ik schrijf ben ik altijd alleen, zodat ik de muziek naar believen hard of zacht kan zetten. Ik kan zo vaak als ik wil naar hetzelfde nummer luisteren zonder dat iemand anders er gek van wordt. Bij ieder boek horen oude vrienden en nieuwe ontdekkingen. Daarom wil ik bij dit boek de volgende mensen bedanken: Richard Thompson, Sigùr Ros, Deacon Blue, Roddy Woomble, Mary Gauthier, Ketil Bjornstad, Elvis Costello, Rob Dougan, Michael Marra, Rab Noakes, Karine Polwart, Wolfgang Amadeus Mozart en The Blue Nile. Ook wil ik Iain Anderson van Radio Scotland bedanken, hoewel hij me een fortuin heeft gekost aan cd's en gedownloade muziek. En een speciaal woord van dank aan Sue Turnbull, die helemaal vanuit Australië hiernaartoe is gekomen om mij voor te stellen aan Sigùr Ros en aan Peter Temple.

Tussen dit boek en mijn vorige heb ik twee grote orthopedische operaties moeten ondergaan. Ik ben veel dank verschuldigd aan dr. David Weir en aan het verplegend personeel in het Newcastle Nuffield ziekenhuis voor mijn prachtige nieuwe knieën, en ook voor de inspiratie bij een onderdeel van het boek.

Enkele mensen die geholpen hebben bij dit boek wilden liever niet met naam worden genoemd. Ik hoop niet dat ze het gevoel hebben dat ik hun vertrouwen heb beschaamd. Harry en Louise hebben me geholpen bij wat medische zaken en het hulpvaardige personeel in de tuin van Alnwick Castle heeft mij onbewust stof tot nadenken gegeven.

Ten slotte wil ik mijn trouwe teams bij Gregory and Co, bij HarperCollins en bij Coastal Productions bedanken, in het bijzonder Jane, Julia, Anne, Sandra en Ken.

Maar vóór alles gaat mijn dank uit naar Kelly, die alles beter maakt.

De Tony Hill thrillers verfilmd

De Britse ITV-serie *Wire in the Blood* is gebaseerd op de karakters uit de Tony Hill thrillers (*De sirene*, *Het profiel*, *De laatste verzoeking* en *De wrede hand*) van Val McDermid.
Bij elk exemplaar van de thriller *De wrede hand* zit een gratis DVD bijgesloten van een van de telemovies van de serie *Wire in the Blood*.